Aprenda el lenguaje VBA

y conviértase en un experto en Excel (versiones 2019, 2021 y Microsoft 365)

ISBN: 978-2-409-04292-8
Edición original: 978-2-409-03603-3

Ediciones ENI

Pº Ferrocarriles Catalanes, 97-117, 2a pl. of. 18
08940 - Cornellà de Llobregat (Barcelona)

Tel: 934 246 401
Fax: 934 231 576

e-mail: info@ediciones-eni.com
http://www.ediciones-eni.com

Autores: Franck CHARDON GOLFETTO et Jean-Emmanuel CHAPARTEGUI
Edición española: Anna SÁNCHEZ LASIERRA
Colección **Objetivo: Soluciones** dirigida por Corinne HERVO

Para poder acceder durante un año
a la versión online de este libro,
envíenos su justificante de compra a

librodigital@ediciones-eni.com

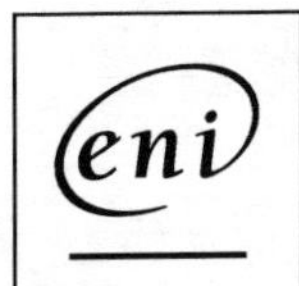

Capítulo 1
Introducción

Capítulo 2
Gestión de empleados: explotación de los datos en bruto

Capítulo 3
Administración de ventas y formularios VBA

Capítulo 5
Gestión de los empleados

Capítulo 6

Consolidación y uso compartido de datos

Capítulo 1

Introducción

A. Introducción

1. ¿Por qué aprender VBA?

Si le interesa este libro, seguramente se deba a que no sabe muy bien qué es Visual Basic for Applications y, sobre todo, qué es posible hacer con él.

Visual Basic for Applications es un lenguaje de programación basado en Microsoft Visual Basic e implementado para Microsoft Office. El objetivo inicial era aportar características adicionales a las herramientas de la suite de Office y, más concretamente, a Microsoft Excel.

De hecho, la función principal de VBA para Excel es ayudar a automatizar el cálculo en las hojas de cálculo de Excel, pero VBA va mucho más allá:

- VBA permite crear funciones de Excel, administradas como fórmulas nativas de este software.

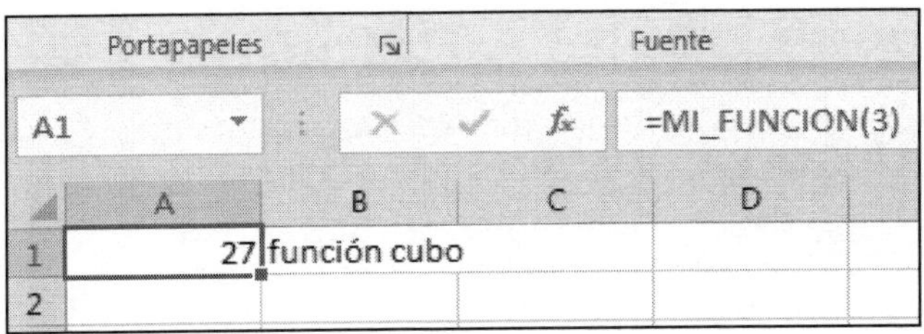

- VBA introduce la noción de formulario de usuario, que permite al usuario interactuar con la aplicación.

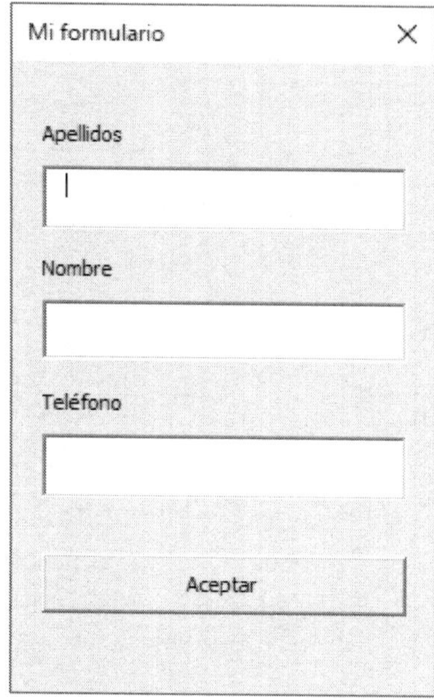

- Pero, sobre todo, VBA implementa muchas características que permiten, por ejemplo: enviar un correo electrónico (se aborda en el libro), crear un informe de PowerPoint (se aborda en el libro), imprimir un documento (se aborda en el libro), iniciar una aplicación, abrir un archivo, modificar la configuración de Windows, etc.

VBA es un lenguaje accesible, es decir, no requiere conocimientos avanzados de programación. La sintaxis se ha simplificado deliberadamente para que resulte más accesible. Los usuarios de Microsoft Office no son necesariamente programadores; por lo general, son profesionales o estudiantes que realizan actividades de gestión.

Por lo tanto, este lenguaje debería permitirle ir más allá en el uso de Microsoft Office Excel.

2. ¿Por qué este libro?

Hoy en día hay cientos de libros sobre Excel y VBA, y muchos se parecen aunque el estilo pueda variar.

Los manuales son todos muy completos, pero principalmente optan por un enfoque bastante informático de Microsoft Office Excel. Pero ¿quiénes son los principales usuarios de Excel?

Evidentemente, no los informáticos u otros programadores. Excel es la herramienta que más se utiliza en el contexto profesional para cualquier tipo de profesión. Por ello, las definiciones y los términos técnicos son necesarios y se abordarán para proporcionarle las bases suficientes que le permitan ir más allá si lo desea, pero lo más importante es hacer un libro para todos, adaptado al uso que haga usted.

Este libro aportará otro enfoque, basado principalmente en ejemplos de la vida profesional, que, además, también son el resultado directo de ciertas experiencias. Los términos y el vocabulario se han hecho deliberadamente más accesibles, porque ustedes, lectores, no son necesariamente informáticos experimentados y los términos específicos de informática pueden parecerles complicados.

Sin embargo, también es nuestro objetivo no caer en la vulgarización excesiva y la simplificación. Consideramos necesario proporcionar la mejor base para llegar más lejos. De hecho, resulta esencial disponer del vocabulario adecuado y las habilidades idóneas para aprender más y, especialmente, para poder adaptarse a todas las situaciones que encuentre.

3. ¿Qué nivel se necesita para leer este libro?

Entendemos que usted usa Excel, sabe cómo funciona y probablemente utiliza algunas fórmulas. Se habrá dado cuenta de que la herramienta es mucho más potente del uso que usted hace, pero no sabe cómo aprovecharla mejor.

Si no sabe nada sobre Excel, quizás sería interesante que conociera algunos conceptos básicos antes de comenzar este libro.

4. ¿Cuál será su nivel al final de la lectura de este libro?

Este libro le permite profundizar en el lenguaje de programación Visual Basic, pero también desarrollar sus habilidades con Microsoft Excel.

Más allá de enumerar una serie de funciones de Excel o VBA, este libro le proporciona ejemplos concretos de cómo usar estas funciones en diferentes contextos. También le aportará un enfoque en la resolución de los casos prácticos que vamos a estudiar.

5. ¿Cómo leer este libro?

Cada capítulo corresponde a un caso práctico compuesto por dos ejercicios.

Cada ejercicio incluye una presentación del objetivo, luego la explicación de los conceptos del curso y, a continuación, las acciones necesarias para resolver el ejercicio con éxito.

El objetivo es recibir la mayor orientación posible y poner en práctica de forma inmediata los conceptos de los cursos presentados.

Cada ejercicio tiene un archivo de enunciado (por ejemplo: Enunciado_2-ABC.xlsx) y su archivo corregido (por ejemplo: Corrección_2-ABC.xlsx). Puede iniciar cada ejercicio desde el archivo de enunciado.

En algunos casos, también dispone de un archivo que sirve de apoyo a las nociones trabajadas.

Estos archivos están disponibles para su descarga en el sitio web de Ediciones ENI, www.ediciones-eni.com:

- Vaya a la web de EDICIONES ENI: www.ediciones-eni.com
- Introduzca la referencia del libro en el cuadro de búsqueda: OST21EXCVBA y haga clic en la tecla ↵.
- Haga clic en el título del libro y luego en el enlace de descarga.

Por lo tanto, el enfoque es que el libro gire en torno al caso práctico, aunque no se requieren conocimientos previos.

Sea como sea, los conceptos principales de Excel y Visual Basic Applications están disponibles en los capítulos y la dificultad de los ejercicios es gradual.

Lo mejor es leer los diferentes capítulos en orden porque se suceden de una forma lógica. El índice al final del libro le permitirá encontrar una definición o explicación en cualquier momento.

6. Los autores

Este libro fue escrito originalmente para la versión 2016 de Excel por Jean-Emmanuel Chapartegui, quien se presenta con estas palabras:

«No soy informático, pero siempre me ha gustado la informática. Mi especialización es la gestión de proyectos y la gestión empresarial, especialmente en el sector de la informática. Hoy en día, soy consultor de soluciones informáticas independiente.

Aprendí Excel a través de mis experiencias, reforzadas por algunos cursos y apoyadas por muchas horas en foros y otros medios de Microsoft.

Mis experiencias profesionales me permitieron capitalizar en gran medida mis conocimientos de Excel porque eran muy diversos y en diferentes tipos de profesión. Esto me llevó a dar cursos de Excel en la Universidad París-Dauphine, para formar controladores de gestión. Principalmente gracias a este curso entendí que el enfoque no informático era de gran utilidad para los estudiantes, porque yo tendía a simplificar el uso de la programación. Posteriormente, pudeimpartir diversas formaciones profesionales, siempre en el mismo tono.

Hoy quiero compartir esta visión a través de este libro, esperando sobre todo que le permita progresar significativamente, pero también que le proporcione las bases para llegar más lejos.»

Posteriormente, este libro fue actualizado por Franck Chardon-Golfetto:

«Obtuve un DESS [diploma de posgrado especializado] en Imagen Informática y Teoría de la producción con opción CAD/CAM. Sénior con casi 32 años de variada experiencia profesional, he adquirido cierto dominio en el uso de Excel y VBA con aplicaciones en el sector de los vehículos industriales, telecomunicaciones, consultoría y servicios, asientos contables, etc.

Además, he sido formador habitual en estas mismas tecnologías, adaptando mis cursos a diversos entornos como el social, la contabilidad, la gestión presupuestaria, la consultoría para empresas y su gestión, la restauración, las ventas, etc.

Estas ricas experiencias me permiten actualizar con tranquilidad un libro de este tipo añadiendo pequeños toques y consejos pedagógicos relacionados con mi experiencia, para hacer que las diversas aplicaciones que aquí se ofrecen tengan aún mayor capacidad de adaptación al mundo profesional.»

B. Antes de empezar

1. Vocabulario específico

Para asegurarse de no se perderá cuando lea este libro, es útil usar el vocabulario adecuado.

Archivo es la denominación utilizada para referirse al documento que contiene el ejemplo. Un archivo tiene un nombre que describe el objeto (Enunciado, Corrección, NocionesCurso) y una extensión correspondiente al formato del archivo (Excel: xlsx; Excel con administración de macros: xlsm).

Libro es un término utilizado para describir el archivo de Excel. Se denomina libro porque contiene las hojas de Excel.

Una hoja de Excel, también llamada **hoja de cálculo**, es la hoja donde vamos a trabajar. Esta hoja tiene un nombre que está escrito en la pestaña correspondiente. El rango de celdas es A1:XFD1048576 para cada hoja.

Un libro nuevo aparece de la siguiente manera:

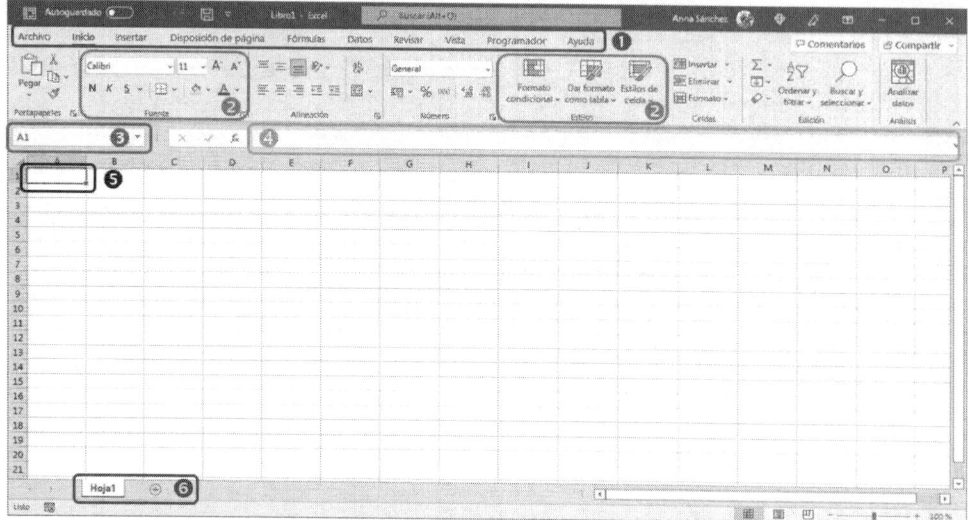

La ventana incluye estos elementos:

- **El área 1** corresponde a las pestañas que proporcionan acceso a los grupos de funciones.
- **El área 2** corresponde a los grupos de funciones. En estos grupos encontrará las funciones de Excel.
- **El área 3** corresponde al cuadro de nombre. En este área, puede llamar a una celda, rango o tabla por su referencia absoluta o por su nombre.
- **El área 4** corresponde a la barra de fórmulas.
- **El área 5** corresponde a la celda seleccionada.
- **El área 6** corresponde a las pestañas de la hoja.

Una celda se nombra por su columna (letra) y su fila (número). La celda B3 corresponde a la celda de la fila 3 y la columna 2. Este nombre se denomina referencia absoluta.

Una celda tiene un **valor** que corresponde a lo que se muestra en la pantalla.

Una celda puede contener una **fórmula** que determina el valor de la misma. Es posible reconocer una fórmula porque comienza con el carácter = en la **barra de fórmulas**. Las fórmulas pueden hacer referencia a otras celdas y, por lo general, utilizan funciones de Excel.

Una celda tiene un **formato de visualización** que corresponde al formato en el que se representa el valor. Por ejemplo, una fecha como 01/01/2016 es, en realidad, un valor numérico, 42370, cuyo formato de visualización es la fecha.

2. Métodos abreviados de teclado

Microsoft Excel tiene muchos métodos abreviados de teclado que permiten ahorrar tiempo al usar el programa.

a. Operaciones con un libro

Métodos abreviados de teclado	Acciones
Ctrl U	Nuevo libro
Ctrl G	Guardar el libro actual
Ctrl P	Imprimir la selección actual
Ctrl A	Abrir un libro

b. Operaciones con hojas de cálculo

Métodos abreviados de teclado	Acciones
Ctrl Mayús Espacio	Seleccionar un rango completo. Si se hace 2 veces: seleccionar toda la página.
Ctrl N (o Ctrl 2)	Poner el texto en negrita
Ctrl K (o Ctrl 3)	Poner el texto en cursiva
Ctrl S (o Ctrl 4)	Subrayar texto
Ctrl (o F5)	Ir a una celda/rango
F2	Editar la celda actual en la barra de fórmulas
Ctrl Alt K	Agregar un hipervínculo
Ctrl T	Agregar una tabla
Ctrl,	Muestra la fecha de hoy en una celda
Ctrl:	Muestra la hora actual en una celda
Ctrl+	Agrega una celda
Ctrl B	Muestra la ventana «Buscar»
Ctrl L	Muestra la ventana «Buscar y reemplazar»
Ctrl 1	Editar el formato de una celda
Ctrl X / Ctrl C / Ctrl V	Cortar / Copiar / Pegar

Métodos abreviados de teclado	Acciones
F9	Calcula el libro de trabajo: es posible deshabilitar el cálculo automático; esta acción permite realizar el cálculo en modo manual.
Ctrl Z	Cancelar la última acción
Ctrl Y	Repetir la última tarea

3. Versiones de Microsoft Office Excel

La primera versión de Microsoft Office Excel data de 1985 en Macintosh y de 1987 en Windows. Desde entonces, han surgido muchas versiones para adaptarse a las necesidades del usuario y a las nuevas especificaciones técnicas. VBA ha estado presente en Excel desde 1995, por lo que todas las versiones modernas lo incorporan. Hoy en día, solo unas pocas estaciones de trabajo todavía tienen Excel 2003; la mayoría de los ordenadores están equipados con las versiones 2010, 2013, 2016, 2019, 2021 y Microsoft 365.

a. Excel 2003

Esta versión de Excel tiene hojas de 65 536 filas por 256 columnas. Los archivos tienen la extensión única .xls. Esta extensión no diferencia entre archivos que incorporan macros y archivos que no lo hacen. A veces, los archivos son pesados y consumen mucha memoria.

b. Excel 2007

Esta versión de Excel tiene hojas de 1 048 576 filas por 16 384 columnas. Esta versión trae el mayor cambio: la modificación de las extensiones de los archivos.

Tipo de libro	Versión 2003 y anteriores	Versión 2007 y posteriores
Libro sin macro	.xls	.xlsx
Libro con macro	.xls	.xlsm

Esta versión de Excel atravesó grandes dificultades, porque tuvo que gestionar la retro-compatibilidad entre versiones.

c. Excel 2010

La versión 2010 trae novedades, como los minigráficos, la aparición del plug-in PowerPivot (herramienta de gestión de datos), mejoras en el formato condicional o la creación de segmentos. En ese momento, Microsoft lanzó su servicio Microsoft Office Online, que permite usar Microsoft Office (y por lo tanto Excel) a través de un navegador. El tamaño de las hojas permanece igual.

d. Excel 2013

La versión 2013 de Excel trae un rediseño visual de la aplicación y facilita la integración de documentos de Office en OneDrive, el servicio de almacenamiento en línea ofrecido por Microsoft. En términos de evolución de la aplicación, hay pocas características nuevas, pero muchas mejoras en las características existentes: representación y análisis gráficos, administración de tablas y orígenes de datos, administración de tablas dinámicas, mejora en PowerPivot. El tamaño de las hojas permanece igual.

e. Excel 2016

Esta versión de Microsoft Office Excel incluye Power BI, una herramienta para la visualización y el trabajo con modelos de datos, pero no aporta ninguna característica nueva importante. Por otro lado, se han producido muchos desarrollos en OneDrive y su servicio de aplicaciones en línea Microsoft Office Online. Al igual que con la versión de Excel 2013, las nuevas características son raras; sin embargo, se ha prestado especial atención a la facilidad de uso de los datos.

En este momento, Excel no evoluciona fundamentalmente sino que se adapta a las tecnologías actuales. No se produce una evolución importante porque el producto ya es muy completo. Las dos principales áreas de mejora son la integración del modo Online, que depende del desarrollo de Office 365 (SharePoint, OneDrive y Office Online) y la facilidad de representar datos independientemente del origen.

f. Excel 2019

Esta versión de Excel ofrece nuevas herramientas que no solo mejoran el impacto visual de los documentos, con gráficos vectoriales escalables, sino también la traducción a través de Microsoft Translator, así como la gestión de datos con nuevas funciones como UNIRCADENAS, CONCAT, SI.CONJUNTO, etc. La ergonomía también se mejora gracias a la posibilidad de introducir datos manuscritos, así como a la corrección facilitada para los problemas de accesibilidad de las personas con discapacidad, con la mejora a través de sonidos útiles accesibles en opciones ergonómicas.

g. Excel 2021

Esta última versión de Excel en el momento de escribir el libro ofrece un número significativo de novedades que permiten, entre otras cosas, la coedición en tiempo real de archivos mediante el trabajo compartido en el mismo documento con otras personas, así como una mejor colaboración gracias a los comentarios actuales y la posibilidad de ver quién está trabajando en el mismo documento simultáneamente.

Además, esta versión le ofrece actualizaciones visuales de la cinta con esquinas redondeadas, como en la nueva interfaz de usuario de Windows 11. Por lo tanto, se beneficia de una mejora en la experiencia visual a través de nuevas pestañas y una iconografía rediseñada.

Asimismo, aparecen nuevas funciones, como BUSCARX para buscar coincidencias de datos tanto a la izquierda como a la derecha, pero también funciones para extraer datos de tablas, como FILTRAR, TIR, ORDENARPOR, UNICOS, SECUENCIA, etc.; la posibilidad de nombrar cálculos intermedios dentro de una fórmula con LET, y la función COINCIDIRX, que devuelve la posición de un valor en una lista.

También puede crear hojas personales en una hoja de cálculo de Excel, independientemente de las demás.

En esta versión, Excel también ofrece una nueva pestaña **Accesibilidad** para poder crear contenido de más fácil acceso, novedades de los medios de comunicación bursátiles, un rediseño más eficiente del área Buscar, una barra de estado que comprueba que la función de accesibilidad está en ejecución indicando si debe revisar el contenido que no sería compatible.

Además, la pestaña **Dibujar** se ha actualizado para simplificar el uso de sus entradas manuscritas gracias a las nuevas pestañas **Dibujo**, **Borrador**, **Regla** y **Lazo**.

Ahora también puede guardar automáticamente los cambios en directo en OneDrive, OneDrive para la Empresa o SharePoint Online, y también está disponible la compatibilidad con OpenDocument (ODF) 1.3. También encontrará el nuevo esquema de estilo de boceto a mano alzada para personalizar sus presentaciones, así como la capacidad de seleccionar el color personalizado ideal a través de una conversión fácil de valores de color hexadecimales a valores RGB.

h. Microsoft Excel 365

Esta versión de Excel es la que está disponible con una suscripción a Microsoft 365. Se actualiza continuamente y, por lo tanto, evoluciona con el tiempo, a diferencia de versiones específicas, como Excel 2016, 2019 o 2021, que corresponden a una denominada «licencia perpetua» para instalarse permanentemente en un solo ordenador.

Esta suscripción ofrece servicios en línea como OneDrive, Exchange, SharePoint y Teams para una mejor colaboración remota.

i. Office para Mac

Aunque Microsoft Office Excel está asociado a Microsoft Windows, Office Excel tambié existe para Mac OS con la versión de Excel para Mac. Si bien hace tiempo las versiones de Windows y Mac aparecían con un año de diferencia entre ellas, desde la versión de 2013 están sincronizadas.

Excel para Mac permite el uso de macros.

La interfaz es bastante diferente, pero podrá seguir fácilmente el libro con Excel para Mac 2016 o posterior.

*OpenOffice.org es el competidor de código abierto de Microsoft Office. Ofrece una herramienta OpenOffice.org Calc que también es una hoja de cálculo. La extensión de los archivos OpenOffice Calc es **.ods**, aunque la extensión **.xls** puede ser compatible. Las extensiones **.xlsm** y **.xlsx** no son compatibles con OpenOffice Calc.*

Calc propone su propio lenguaje de programación para la herramienta: Open Office BASIC. Es un lenguaje específico de Open Office que también se basa en una sintaxis básica. Para un usuario, es sencillo adaptarse de VBA a OOBasic y viceversa, pero los dos lenguajes no son compatibles entre sí.

j. Versión del libro

La versión que vamos a utilizar en este libro es la última versión disponible de **Microsoft Excel 365** en el momento de escribirlo. El lenguaje VBA propuesto es siempre la última versión actualizada; permite adaptar la versión 6.0 (1998) a las nuevas tecnologías. El lenguaje ha cambiado poco desde 1998, por lo que **los ejemplos presentados en este libro abarcan todas las versiones de Excel**.

Sin embargo, es posible que aparezcan diferencias en la presentación entre las distintas versiones de Excel, ya que el diseño de la aplicación ha evolucionado. No obstante, Microsoft ha diseñado su herramienta para que sea accesible independientemente de la versión en la que esté trabajando.

k. Idioma del producto de Office

El idioma del producto es importante porque en España circulan dos versiones principales de Microsoft Office: la versión española y la versión inglesa.

El problema es que las palabras clave no son las mismas, sobre todo en el caso de las fórmulas (SUMA en español, SUM en inglés) y a veces la sintaxis puede ser diferente:

En un libro de ejercicios en español:

- Escriba 3,14: esta celda se considerará un campo numérico de forma predeterminada;
- Escriba 3.14: esta celda se considerará un campo de texto de forma predeterminada.

En un libro en inglés:

- Escriba 3,14: esta celda se considerará un campo de texto de forma predeterminada.
- Escriba 3.14: Esta celda se considerará un campo numérico de forma predeterminada.

Otra característica particular: incluso aunque su versión de Microsoft Office Excel esté en español, VBA sigue siendo una herramienta en inglés.

Por ejemplo, para agregar los números 10 y 20 en Excel, en la celda A1, tendrá la siguiente fórmula:

```
=SUMA(10;20)
```

En cambio, la misma declaración en VBA se describirá de manera diferente (uso de la función Sum):

```
Range ("A1"). Value = WorksheetFunction.Sum(1,2)
```

Hemos optado por utilizar la aplicación Microsoft Office Excel en su versión española. Si está trabajando con la herramienta en inglés, deberá prestar atención a las dos adaptaciones presentadas:

- Traducir fórmulas: muchos sitios ofrecen la traducción de fórmulas. También tendrá la posibilidad de utilizar el soporte de Office, que permite cambiar el idioma y, por lo tanto, disponer de la fórmula en otro idioma: https://support.office.com/es-es/ en español y https://support.office.com/en-us en inglés
- Cambiar los puntos a comas y viceversa.

Capítulo 2

Gestión de empleados: explotación de los datos en bruto

A. Fórmulas avanzadas de Excel: descripción de ejemplo

1. Descripción general del ejemplo

✎ Abra el libro **Enunciado_2-ABC.xlsx**.

Este ejemplo contiene los datos de los empleados de una empresa de TI en los años N y N-1. Esta lista se presenta como una tabla de datos que contiene la lista de todos los empleados con su información. Hay 3000 empleados en la empresa en el año N. Estos 3000 empleados no son necesariamente los mismos que los del año N-1, ya que, entre los dos años, algunos se fueron y otros llegaron.

A la empresa le gustaría obtener más visibilidad sobre su política salarial y conocer mejor a sus empleados. El objetivo es, por tanto, tener una visión completa y resumida de la situación de los empleados.

Esta empresa de TI incluye las cuatro áreas siguientes:

- Técnico
- Funcional
- Negocio
- Funciones transversales

Cada empleado se asocia a un área y tiene un rango (que va desde el rango R1, el más bajo, hasta el rango R12, el más alto). La combinación de un rango y una especialidad define una posición. Por ejemplo, un empleado con un rango **R5** en el área Funcional tiene la posición **Consultor funcional júnior**.

Los empleados se identifican solo por la combinación de los valores Apellido, Nombre y Fecha de nacimiento, que no está repetida.

El objetivo de este ejemplo será combinar los diferentes datos presentes en el libro de trabajo con el fin de obtener información más relevante sobre los empleados y representaciones visuales de los datos.

2. Información general sobre el libro

El libro del ejemplo se divide en tres hojas:

- La primera hoja, **Empleado**, contiene la información de los empleados del año N.

Columna	Campo	Descripción
A	Nombre	Nombre del empleado.
B	Apellido	Apellido del empleado.
C	Sexo	Sexo del empleado: M para masculino, F para femenino.
D	Fecha de nacimiento	Fecha de nacimiento en formato DD/MM/AAAA.
E	Rango	Rango expresado como coeficiente comprendido entre R1 y R12.
F	Área	Área de los empleados dentro de la empresa: funcional, técnico, negocio y funciones transversales.
G	Salario bruto anual	Salario del empleado expresado como importe bruto anual.
H	Prima del año en curso	Bonificación recibida por el empleado durante el año en curso.
I	Antigüedad	El período transcurrido, expresado en años, que un empleado lleva trabajando dentro de una empresa hasta el año N.

- La hoja **Áreas** incluye el cargo asociado con un rango y un área. Tiene la forma de una tabla de Excel denominada **MatrizRango**. He aquí la representación de la tabla (rango A1:E13).

Rango	Técnico	Funcional	Funciones transversales	Negocio
R1	Desarrollador principiante	Analista principiante	Agente	Principiante en negocio
R2	Desarrollador júnior	Analista júnior	Agente veterano	Consultor júnior de negocio
R3	Desarrollador	Analista	Agente operacional	Consultor júnior de negocio

Rango	Técnico	Funcional	Funciones transversales	Negocio
R4	Desarrollador veterano	Analista veterano	Agente experto	Consultor júnior de negocio
R5	Consultor técnico júnior	Consultor funcional júnior	Asistente de supervisor	Consultor de negocio
R6	Consultor técnico	Consultor funcional	Supervisor	Consultor veterano de negocio
R7	Consultor técnico sénior	Consultor funcional sénior	Director de supervisores	Consultor sénior de negocio
R8	Experto técnico	Jefe de proyecto	Responsable de entidad	Responsable de consultores
R9	Director técnico	Director de proyecto	Director de agencia	Director de negocio
R10	Responsable técnico de grandes cuentas	Responsable de grandes cuentas	Responsable de un sector	Responsable de sector negocio
R11	Socio área técnica	Socio área funcional	Socio área funciones transversales	Socio área negocio
R12	Gerente área técnica	Gerente área funcional	Gerente área funciones transversales	Gerente de negocio

- La hoja **Empleado N-1** proporciona la información de los empleados del año N-1.

Columna	Campo	Descripción
A	Nombre	Nombre del empleado.
B	Apellido	Apellido del empleado.
C	Sexo	Sexo del empleado: M para masculino y F para femenino.
D	Fecha de nacimiento	Fecha de nacimiento en formato DD/MM/AAAA.
E	Rango	Rango expresado como coeficiente comprendido entre R1 y R12.

Columna	Campo	Descripción
F	Área	Área de los empleados dentro de la empresa: funcional, técnico, negocio, funciones transversales.
G	Salario bruto anual	Salario del empleado expresado como importe bruto anual.
H	Antigüedad	El período transcurrido, expresado en años, que un empleado lleva trabajando dentro de una empresa hasta el año N-1.

3. Funciones

A partir de este archivo de Excel, se puede calcular la siguiente información:

- Edad de los empleados.
- Puesto de los empleados.
- Mostrar los salarios de N-1 en la misma hoja que los salarios de N para calcular el aumento porcentual de los salarios entre el año N y el año N-1.
- Salarios medios por rango y por área.
- Visualizar una pirámide de edad.

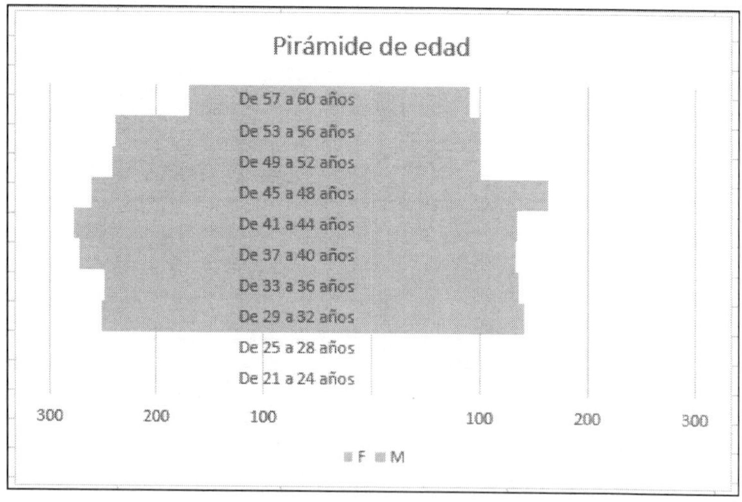

B. Fórmulas avanzadas de Excel: conceptos del curso

1. Lista desplegable en una celda - Validación de datos

Una lista desplegable en una celda permite seleccionar un valor para esa celda de entre una lista de valores propuestos. Esta posibilidad está integrada en la **función de validación de datos**.

✎ Para acceder a esta función, **seleccione un rango de celdas**. En la pestaña **Datos**, se puede acceder al botón **Validación de datos**.

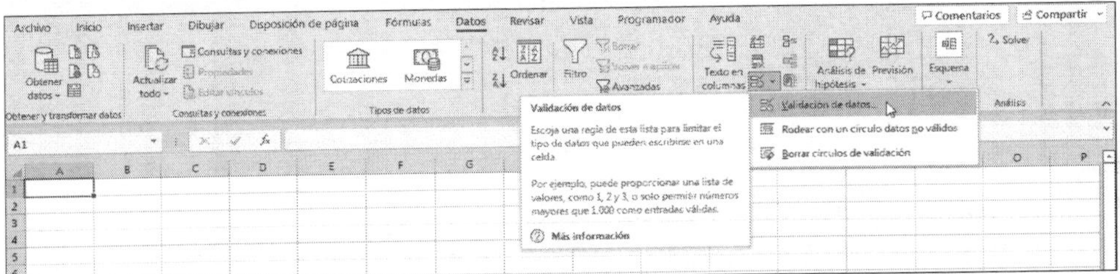

La validación de datos implica que los datos están limitados a un valor o formato específico; se trata de una limitación y no de una ayuda para el usuario.

En el cuadro de herramientas **Validación de datos**, hay tres pestañas disponibles:

- **Configuración**;
- **Mensaje de entrada**;
- **Mensaje de error**.

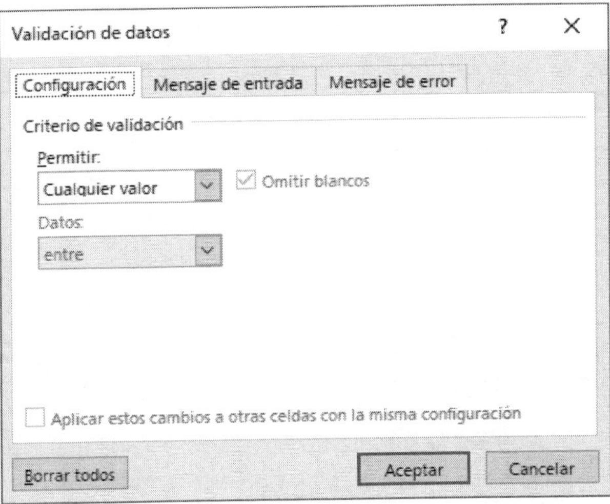

- La pestaña **Configuración** permite establecer el formato y/o el valor esperados en la celda. Esto se presenta en tres niveles: el formato esperado, el operador y el valor esperado. Por ejemplo, puede establecer un formato de número entero entre 100 y 200.

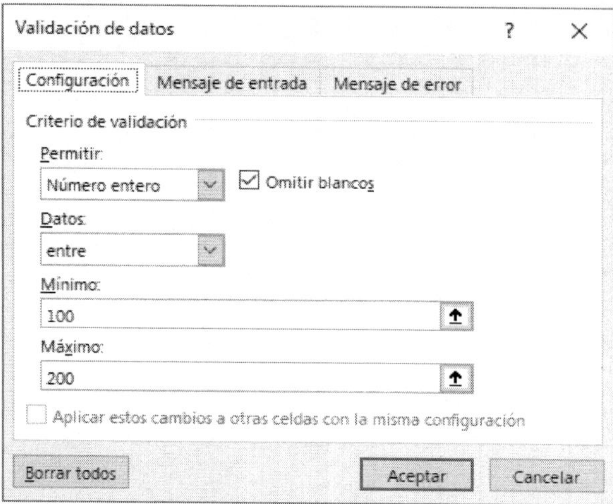

Puede definir la longitud del texto. Por ejemplo, puede limitar la longitud del texto a 10 caracteres:

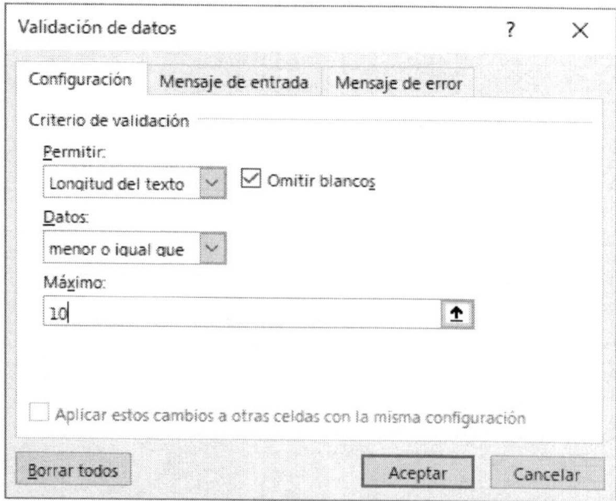

La lista desplegable se puede escribir de tres maneras distintas:

- Introducir una lista de valores sucesivos separados por un punto y coma: `Valor1`; `Valor2`; ...; `ValorN`.
- Introducir una referencia de celdas `=A1:A4` que contenga los valores.

- Introducir una referencia denominada `=MiReferencia` que contenga los valores.

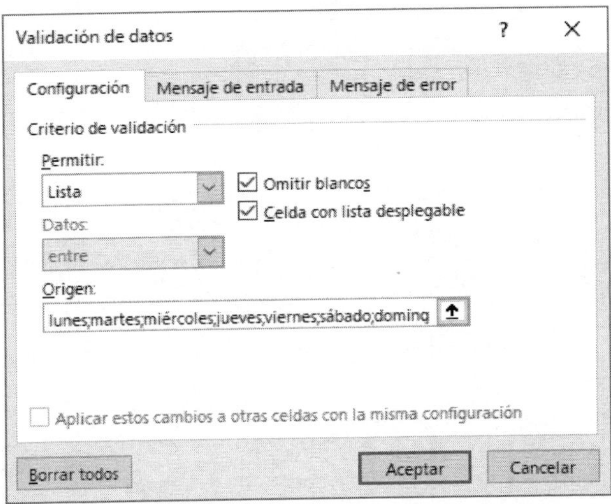

*En el campo **Origen**, no se puede introducir una **referencia de celdas** en una hoja distinta de la actual, pero es posible omitir esta limitación con una **referencia con nombre**.*

- La pestaña **Mensaje de entrada** se refiere a una pequeña ventana asociada a la celda. Incluye un título y un mensaje. Se puede activar cuando la celda está seleccionada o mantenerla permanentemente visible a través de la casilla de verificación **Mostrar mensaje de entrada al seleccionar la celda**.

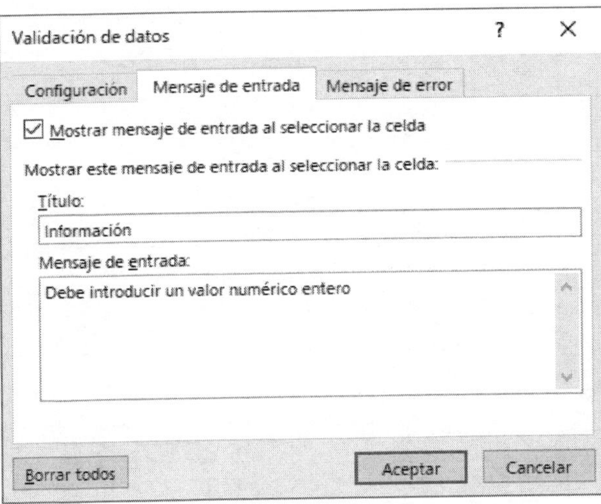

El resultado es el siguiente:

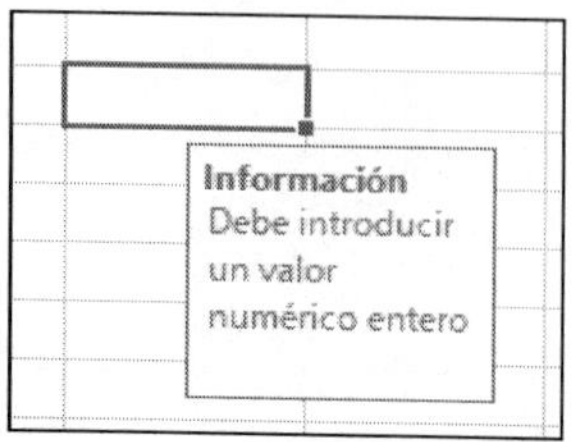

La pestaña **Mensaje de error** se utiliza para calificar el mensaje de error que aparecerá si la entrada no es correcta en relación con el formato esperado. Si no se configura, igualmente hay un mensaje predeterminado.

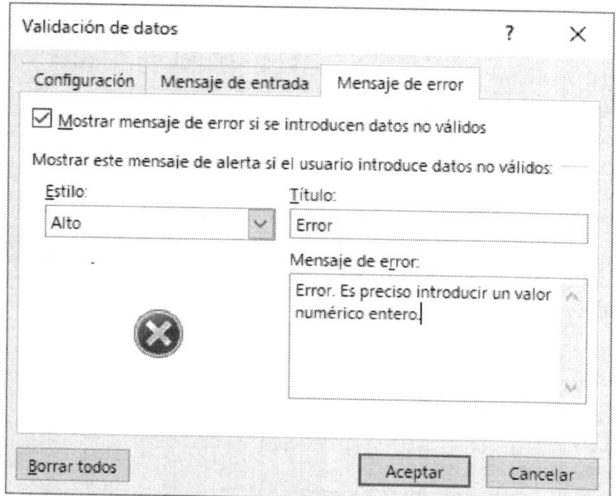

Cuando se introduce un valor que no coincide con lo esperado, este es el resultado:

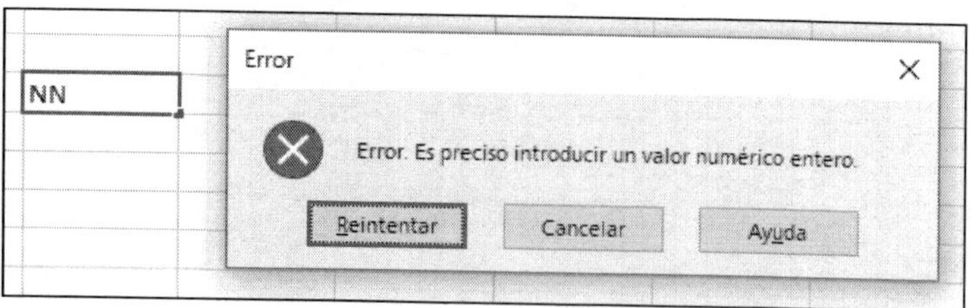

2. Fórmula de búsqueda

BUSCARH / BUSCARV / BUSCARX

Las funciones `BUSCARV` y `BUSCARH` permiten obtener una coincidencia entre dos matrices a partir de sus encabezados con el fin de proporcionar un valor de la matriz de destino.

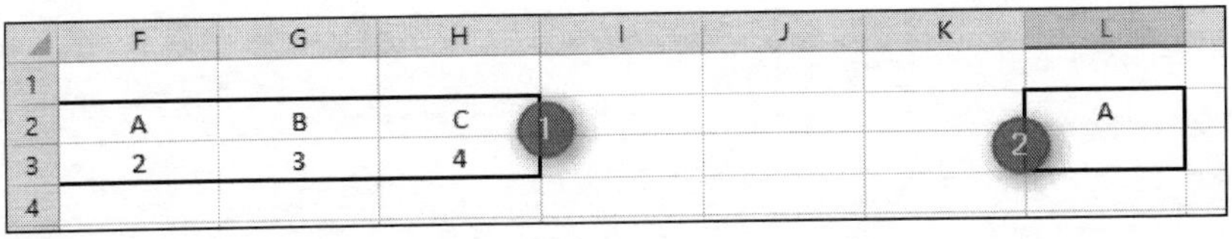

	F	G	H	I	J	K	L
1							
2	A	B	C	1			A
3	2	3	4			2	
4							

La fórmula `BUSCARH` corresponde a la búsqueda horizontal y permite buscar elementos en una tabla o un rango por columna.

La fórmula `BUSCARV` corresponde a la búsqueda vertical y permite buscar elementos en una tabla o rango por fila.

La sintaxis es la siguiente:

- `BUSCARH(valor_buscado; matriz_tabla; indicador_filas; [rango])`
- `BUSCARV(valor_buscado; matriz_tabla; indicador_columnas; [rango])`
- `BUSCARX(valor_buscado; tabla_buscada, tabla_devuelta; [si_no_se_encuentra], [modo_de_coincidencia]; [modo_de_búsqueda])`

Los argumentos para estas funciones son los siguientes:

- El valor buscado (cabecera de las matrices común a ambas tablas).
- La matriz o el valor se busca en la columna de encabezado (tabla 1).
- La fila/columna en la que se recupera el valor dentro de la matriz (tabla 1).
- Valor booleano (VERDADERO o FALSO) para averiguar si la búsqueda es aproximada o no.

Ejemplo para la celda L3:

```
=BUSCARH(L2;F2:H3;2;FALSO)
```

Obtiene el mismo resultado con:

```
=BUSCARX(L2;F2:H2;F3:H3)"
```

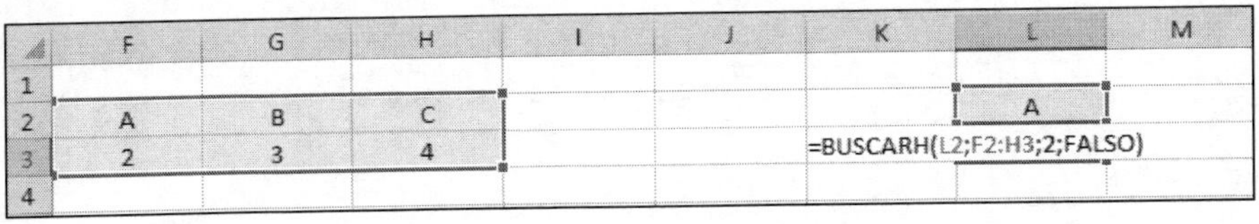

	F	G	H	I	J	K	L	M
1								
2	A	B	C				A	
3	2	3	4			=BUSCARH(L2;F2:H3;2;FALSO)		
4								

La fórmula `BUSCARH` se utiliza para hacer coincidir la matriz izquierda con la matriz derecha. Se trata de buscar en las celdas **F2** a **H3** el valor contenido en la celda **L2** (el valor «A») y mostrar como resultado el valor de la segunda fila de la columna A (por lo tanto, el valor 2, contenido en **F3**).

La celda L3 devolverá aquí 2.

```
=BUSCARV(D1;A1:B3;2;FALSO)
```

Se obtiene el mismo resultado con:

```
=BUSCARX(D1;A1:A3;B1:B3)"
```

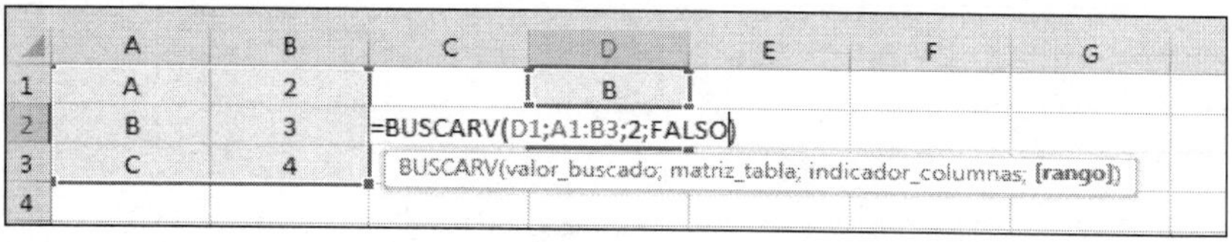

	A	B	C	D	E	F	G
1	A	2		B			
2	B	3	=BUSCARV(D1;A1:B3;2;FALSO)				
3	C	4	BUSCARV(valor_buscado; matriz_tabla; indicador_columnas; [rango])				
4							

La celda B1 devolverá aquí 3.

INDICE / COINCIDIR / COINCIDIRX e INDICE-COINCIDIR / INDICE-COINCIDIRX

La función `COINCIDIRX` permite conocer la posición de un valor dado dentro de una lista.

Los argumentos para la función COINCIDIR son los siguientes:

```
=COINCIDIRX(Valor_buscado; Matriz; Modo_de_coincidencia;
Modo_de_búsqueda)
```

El argumento **Modo_de_coincidencia** puede tomar los siguientes valores:

- Coincidencia exacta (0): este es el valor predeterminado.
- Valor inferior (1).
- Valor superior (-1).

El argumento **Modo_de_búsqueda** se puede establecer en los siguientes valores:

- Búsqueda en el orden de la lista (1): este es el valor predeterminado.
- Búsqueda en el orden de la lista (-1).
- Búsqueda en el orden de la lista solo si está ordenada de forma ascendente; de lo contrario, los resultados de esta búsqueda no serán válidos (2).
- Búsqueda en el orden de la lista solo si está ordenada de forma descendente; de lo contrario, los resultados de esta búsqueda no serán válidos (-2).

La función `INDICE` permite buscar un valor en una tabla en función de sus coordenadas (fila y columna).

Los argumentos para la función `INDICE` son los siguientes:

```
=INDICE(Matriz;fila;[columna])
```

Ejemplo

```
=INDICE(A1:D4;3;2)
```

	A	B	C	D
1	Fila 1 Columna 1	Fila 1 Columna 2	Fila 1 Columna 3	Fila 1 Columna 4
2	Fila 2 Columna 1	Fila 2 Columna 2	Fila 2 Columna 3	Fila 2 Columna 4
3	Fila 3 Columna 1	Fila 3 Columna 2	Fila 3 Columna 3	Fila 3 Columna 4
4	Fila 4 Columna 1	Fila 4 Columna 2	Fila 4 Columna 3	Fila 4 Columna 4
5				
6	=INDICE(A1:D4;3;2)			

La celda A6 devolverá aquí **Fila 3 Columna 2**.

La función `COINCIDIR` permite conocer la posición de un valor dado dentro de una fila o columna.

Los argumentos de la función `COINCIDIR` son los siguientes:

```
=COINCIDIR(Valor_buscado;Matriz;Modo_de_coincidencia)
```

El argumento **Modo_de_coincidencia** puede tomar los siguientes valores:

- Coincidencia exacta (0).
- Valor inferior (1).
- Valor superior (-1).

Ejemplo:

	A	B	C	D	E	F	G
1	Estudiante	Base de datos	Excel	Access	Inglés	Programación	Gestión de proyectos
2	Terencio	12	14	12	14	14	10
3	Pablo	13	12	15	11	16	16
4	Luis	11	16	10	10	9	11
5	Cecilia	14	17	16	15	15	18
6	María	11	12	11	11	12	14
7	Clara	15	14	14	12	14	12
8							
9	Alumno	Asignatura	Nota				
10	Pablo		=COINCIDIR(A10;A1:A7;0)				

La fórmula `=COINCIDIR(A10;A1:A7;0)` (o `=COINCIDIRX(A10;A1:A7)`) en **C10** devolverá aquí **3** para el estudiante **Pablo**.

La combinación de las funciones `INDICE` y `COINCIDIR` o `INDICE` y `COINCIDIRX` puede ser muy interesante porque permite buscar un valor en una tabla de doble entrada.

Esto se debe a que `COINCIDIR` devuelve una posición dentro de una fila y una columna, e `INDICE` utiliza coordenadas (fila, columna) para obtener un valor en una matriz, por lo que ambas se pueden combinar.

Expresión:

```
=INDICE(Matriz;COINCIDIR(valor de fila);COINCIDIR(valor de columna))
```

Ejemplo:

	A	B	C	D	E	F	G	H
1	Estudiante	Base de datos	Excel	Access	Inglés	Programación	Gestión de proyectos	
2	Terencio	12	14	12	14	14	10	
3	Pablo	13	12	15	11	16	16	
4	Luis	11	16	10	10	9	11	
5	Cecilia	14	17	16	15	15	18	
6	María	11	12	11	11	12	14	
7	Clara	15	14	14	12	14	12	
8								
9	Alumno	Asignatura	Nota					
10	Cecilia	Excel	=INDICE(A1:G7;COINCIDIR(A10;A1:A7;0);COINCIDIR(B10;A1:G1;0))					
11								

La fórmula `=INDICE(A1:G7;COINCIDIR(A10;A1:A7;0);COINCIDIR(B10;A1:G1;0))` o `=INDICE(A1:G7;COINCIDIR(A10;A1:A7);COINCIDIRX(B10;A1:G1)` situada en C10 devolverá **17** para la puntuación de Cecilia en Excel.

Tenga cuidado al combinar las fórmulas `INDICE` y `COINCIDIR`: las matrices de las dos funciones deben tener la misma dimensión. Si la matriz `INDICE` tiene la dimensión 4F x 3C, la matriz `COINCIDIR` en fila debe tener la dimensión 4F x 1C; la matriz `COINCIDIR` en columna debe tener la dimensión 1F x 3C.

3. Estructura condicional en Excel: condiciones y SI

Para **probar una condición**, simplemente abra una fórmula con el signo = y luego pruebe la condición con un operador:

`=A1=A2` probará la igualdad entre las celdas `A1` y `A2` y devolverá VERDADERO o FALSO dependiendo del resultado. Es posible hacerlo de una manera más elaborada:

`=COINCIDIR(G7;G10:G20;0)=O(1;4)` prueba si el valor contenido en `G7` está en la primera o en la cuarta posición en el rango G10:G20.

La función SI permite probar una condición y asignarle un resultado si la condición es verdadera u otro resultado si es falsa.

Su estructura es la siguiente:

```
=SI(CONDICIÓN;valor si es verdadero;valor si es falso)
```

Ejemplo:

```
=SI(A1>2,2;A1)
```

Tenga en cuenta que es posible anidar varios SI:

```
=SI(A>B;40;SI(A<B;50;45))
```

4. Fórmula condicional

Para entender las fórmulas condicionales, he aquí un ejemplo básico:

	A	B
1	11	M
2	12	F
3	10	M
4	8	M
5	7	F
6	12	M
7	19	F
8	1	M
9	11	M
10	8	F

SUMAR.SI

La función SUMAR.SI se utiliza para sumar los valores de un rango respetando la condición establecida:

```
=SUMAR.SI(rango;criterio;[suma_rango])
```

El elemento del rango se sumará si cumple con el criterio: por ejemplo, sumar los valores si son mayores que 10. El criterio generalmente se escribe entre comillas, pero se puede interpretar desde una celda.

Para definir el criterio mayor que 10, son posibles varias expresiones en la fórmula:

- `=SUMAR.SI(A1:A10;">10")`
- `=SUMAR.SI(A1:A10;C4)`: la celda **C4** tiene el valor **10**, lo que permite trabajar con un criterio variable.
- `=SUMAR.SI(A1:A10;">"&C4 )`: la celda **C4** tiene el valor "**>10**".

Por consiguiente, se sumarán todos los valores en el rango **A1: A10** mayores que **10** y el resultado será **65**.

El rango sumado puede ser diferente del del criterio:

`=SUMAR.SI(B1:B10;"M";A1:A10)`: todos los valores del rango **A1:A10** se sumarán si el valor de la celda correspondiente en el rango **B1:B10** es igual a **M**.

El resultado es **53**.

CONTAR.SI

La función `CONTAR.SI` permite contar los elementos de un rango de acuerdo con una condición:

```
=CONTAR.SI(rango_criterio,criterios)
```

El elemento del rango de criterio se contará si cumple con el criterio: por ejemplo, contar los valores si son iguales a M.

`=CONTAR.SI(B1:B10;"M")`: será igual a **6**.

SUMAR.SI.CONJUNTO

El principio de la función `SUMAR.SI.CONJUNTO` es el mismo que el de `SUMAR.SI`, pero con varios criterios. En contraposición, el rango sumado debe expresarse claramente y no es opcional, como en un `SUMAR.SI` clásico:

```
=SUMAR.SI.CONJUNTO(rango_sumado;rango_criterio1;criterio1;.. ;
rango_criterio_N;criterio_N)
```

Para sumar los elementos del rango **A1:A10** que son menores que **10** y cuyo valor en el rango **B1:B10** es igual a **F**, la fórmula es la siguiente:

```
=SUMAR.SI.CONJUNTO(A1:A10;A1:A10;"<10";B1:B10;"F")
```

El resultado es **15**.

CONTAR.SI.CONJUNTO

El principio de la función **CONTAR.SI.CONJUNTO** es el mismo que **CONTAR.SI**, con la posibilidad de introducir varios criterios sucesivamente. La contabilización de los elementos se lleva a cabo con el tamaño absoluto del rango, y no con el conjunto de los rangos. El orden de los argumentos es siempre el mismo con respecto a la función **CONTAR.SI**.

```
=CONTAR.SI.CONJUNTO(rango_criterio1;criterio1;.. ;rango_criterio_N;criterio_N)
```

Para contar el número de elementos que tienen un valor mayor que 10 en el rango A1:A10 y el valor M en el rango B1:B10, la fórmula es la siguiente:

```
=CONTAR.SI.CONJUNTO(A1:A10;">10";B1:B10;"M")
```

El resultado es 3.

5. Gestión de los casos de error

La gestión de los casos de error corresponde al procesamiento de las fórmulas que provocan un error como resultado.

De hecho, muchas fórmulas están vinculadas a otras fórmulas que pueden enviar resultados diversos y variados. Debido a ello, no es posible cubrir todos los casos y anticipar todos los errores posibles. Un caso muy común es la ausencia de valor encontrado en una búsqueda, lo que significa que el elemento está ausente de la matriz. Existen dos fórmulas para gestionar los casos de error:

- La fórmula `ESERR(Valor)` devuelve VERDADERO si hay un error o FALSO si no hay ninguno, excepto el error de tipo `#N/A`, que no se considera un error.
- La fórmula `ESERROR(Valor)` devuelve VERDADERO en caso de error o FALSE.

Por lo tanto, la gestión de un error en una fórmula de búsqueda se presenta así:

```
=SI(ESERROR(BUSCARV(A1;Tabla1;3;FALSO));"Valor no presente";
BUSCARV(A1;Tabla1;3;FALSO))
```

En este caso, si la búsqueda no devuelve un resultado, habrá un mensaje para indicar al usuario que el valor no está presente.

En este caso concreto, el uso de la fórmula ESERR no habría sido posible porque el error devuelto cuando falta un elemento en una tabla es #N/A.

6. Cálculo matricial

El cálculo matricial permite trabajar con rangos como matrices inseparables. Entonces, las fórmulas aplicadas a la matriz cubrirán el conjunto de los valores de la matriz.

El cálculo matricial se caracteriza por los símbolos { } que se muestran en la barra de fórmulas y que no pueden ser modificados por el usuario:

```
{=A1:A4*B1:B4}
```

Para realizar un cálculo matricial, los pasos son los siguientes:

- Escriba la fórmula.
- Valide la fórmula: en lugar de pulsar la tecla ↵, presione simultáneamente las teclas Ctrl Mayús ↵.

Un primer ejemplo relevante es el cálculo Precio/Cantidad:

	A	B	C	D
1	10 €	21	A1	
2	12 €	41	A2	
3	13 €	70	B1	
4	14 €	19	B2	
5				

- La columna A (A1:A4) contiene los precios;
- La columna B (B1:B4) contiene las cantidades;
- La columna C (C1:C4) contiene el código del producto;
- La columna D (D1:D4) contiene fórmula = A1:A4* B1:B4 validada por la combinación de teclas Ctrl Mayús ↵.

El resultado es el siguiente:

	A	B	C	D
1	10 €	21	A1	210
2	12 €	41	A2	492
3	13 €	70	B1	910
4	14 €	19	B2	266

El cálculo matricial facilita la realización de operaciones con condiciones sobre los valores de la matriz.

También le permite calcular en una celda una suma de matriz a través de la función SUMA. Esta suma puede incluir criterios.

Por ejemplo, para los precios totales por las cantidades de los productos cuyo código comienza con B, se utiliza la siguiente fórmula:

`=SUMA(A1:A4*B1:B4*(IZQUIERDA(C1:C4;1)="B"))` validada por Ctrl Mayús ↵.

Esta fórmula se mostrará entre corchetes en la barra de fórmulas:

```
{=SUMA(A1:A4*B1:B4*(IZQUIERDA(C1:C4;1)="B))}
```

Los rangos sumados y los rangos de criterios deben tener la misma dimensión.

C. Fórmulas avanzadas de Excel: realizar el ejemplo

Este ejemplo nos permitirá sintetizar la información incluida en la hoja de cálculo **Empleado**. Utilizaremos la información de las hojas **EmpleadoN-1** y **Áreas** para complementar los datos de la hoja de **Empleado**.

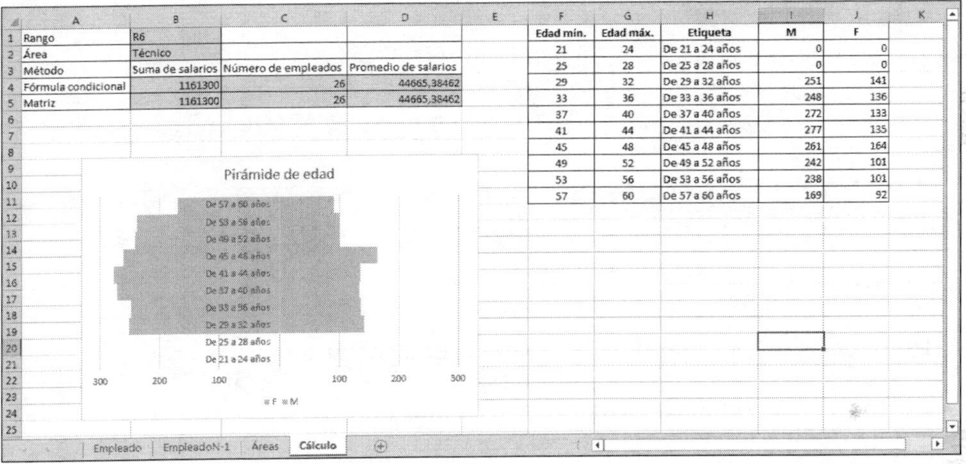

Rango	R6		
Área	Técnico		
Método	Suma de salarios	Número de empleados	Promedio de salarios
Fórmula condicional	1161300	26	44665,38462
Matriz	1161300	26	44665,38462

Edad mín.	Edad máx.	Etiqueta	M	F
21	24	De 21 a 24 años	0	0
25	28	De 25 a 28 años	0	0
29	32	De 29 a 32 años	251	141
33	36	De 33 a 36 años	248	136
37	40	De 37 a 40 años	272	133
41	44	De 41 a 44 años	277	135
45	48	De 45 a 48 años	261	164
49	52	De 49 a 52 años	242	101
53	56	De 53 a 56 años	238	101
57	60	De 57 a 60 años	169	92

- Abra el archivo **Enunciado_2-ABC.xlsx**, que contiene las hojas **Empleado**, **EmpleadoN-1** y **Áreas**. Las principales acciones se desarrollan en la hoja **EmpleadoN-1**.

1. Datos extraídos de un archivo CSV

Para simplificar el intercambio de datos entre varios sistemas de información, a menudo es útil extraer datos a través de archivos en el formato denominado «CSV» o «Comma-separated-values».

Estos archivos se encuentran en un formato de texto llamado «abierto» cuya particularidad es representar en formato de texto los datos de una tabla.

Cada fila de este archivo corresponde a una fila de la tabla.

Las columnas de este archivo están separadas por separadores que pueden ser, por lo general, coma o punto y coma (versión española).

Para nuestro ejemplo, tenemos archivos CSV con punto y coma como separador.

Asimismo, para la hoja de cálculo con nombre:

- Empleado: es posible utilizar dos archivos; el archivo titulado Anexo_2-ABC_Empleado_1000.csv corresponde a los datos de una empresa de 1000 empleados, y el titulado Anexo_2-ABC_Empleado_3000.csv, el del ejemplo principal de este curso, con 3000 empleados y cuyas primeras 7 líneas reproducimos a título informativo:

```
Nombre;Apellido;Sexo;Fecha de nacimiento;Rango;Área;Salario bruto anual;Prima del
año en curso;Antigüedad
Dexter;Abbott;M;02/07/1984;R9;Negocio;70900;3500;9
Robert;Abernethy;M;07/04/1971;R9;Funciones transversales;70500;2000;19
Andrew;Aceves;M;28/11/1968;R9;Negocio;100200;3500;21
Mike;Acker;M;01/12/1978;R7;Negocio;55100;2500;3
Bruce;Acosta;M;04/07/1975;R7;Funcional;60300;2500;1
John;Adair;M;18/10/1978;R9;Funciones transversales;71500;6500;5
```

- EmpleadoN-1: también es posible utilizar dos archivos. De hecho, respectivamente, puede elegir entre el primer archivo titulado esta vez Anexo_2-ABC_EmpleadoN1_1000.csv y el segundo, titulado Annexo_2-ABC_EmpleadoN1_3000.csv y cuyas primeras 7 líneas son las siguientes:

```
Nombre;Apellido;Sexo;Fecha de nacimiento;Rango;Área;Salario bruto anual;Antigüedad
Dexter;Abbott;M;02/07/1984;R9;Negocio;67500;8
Robert;Abernethy;M;07/04/1971;R8;Funciones transversales;68400;18
Gregory;Abrams;M;06/11/1991;R4;Funciones transversales;30200;2
Andrew;Aceves;M;28/11/1968;R9;Negocio;96300;20
Dixie;Acker;F;25/01/1994;R2;Negocio;37800;0
Mike;Acker;M;01/12/1978;R6;Negocio;51500;2
```

Estos archivos, con la extensión CSV, son ampliamente utilizados porque siguen siendo compatibles con la mayoría de los programas de gestión (de tipo ERP, CMS para el diseño de sitios web) y ofimática (como una hoja de cálculo de Excel precisamente), y permiten el intercambio de datos intersistemas.

La ventaja de utilizar este tipo de archivos es que, a menudo, se extraen de una exportación de los últimos datos actualizados del sistema de gestión centralizado utilizado en la mayoría de las empresas.

Por lo tanto, es posible copiar esta «exportación en CSV» a Excel con objeto de actualizar la(s) hoja(s) de cálculo utilizada(s) para generar, por ejemplo, tablas dinámicas y gráficos, paneles de mandos u otros... y esto con datos fiables porque están actualizados.

Cómo importar datos desde un archivo CSV

Este es uno de los pasos posibles; a priori el más adecuado para nuestro ejemplo porque no implica ninguna modificación en la configuración del libro de Excel para recuperar los datos.

- Previamente, active la hoja en la que se deben actualizar los datos, que es, en nuestro caso, la hoja **Empleado** del archivo **Enunciado_2-ABC.xlsx**.
- A continuación, seleccione solo los datos que desea editar en su futura tabla. Para nuestro caso, pulse simultáneamente la tecla Ctrl y la letra **E** para seleccionar toda la tabla, ya que aquí se van a modificar todos los datos de esta última.
- Presione la tecla Supr o haga clic con el botón derecho y seleccione el menú **Borrar contenido** para eliminar todos los datos seleccionados. De este modo, se conserva el formato inicial de todas las celdas.
- Luego, abra con Excel el archivo CSV etiquetado como **Anexo_2-ABC_Empleado_3000.csv**, correspondiente a los últimos datos actualizados.
- Para ello, tiene dos soluciones:
  - Haga clic con el botón izquierdo para seleccionar el archivo CSV y arrástrelo a la ventana de Excel hasta que obtenga el signo + en un cuadro, como se muestra a continuación:

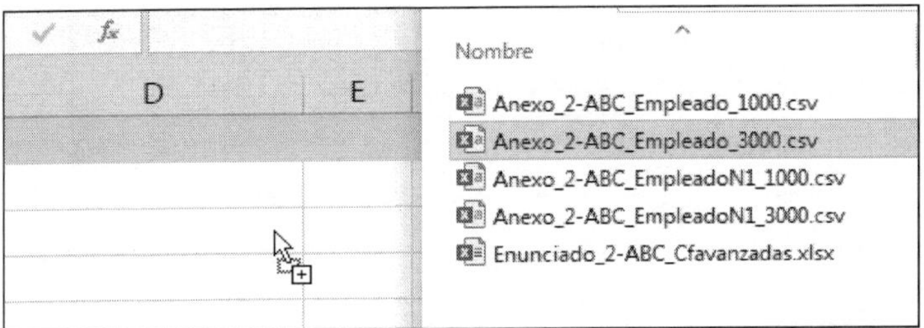

  - O bien, en la pestaña **Archivo** de la cinta de opciones, seleccione **Abrir**.

    Elija el tipo de extensión **Todos los archivos (*.*)** para poder seleccionar archivos que no sean de tipo Excel, como CSV en nuestro caso.

    Y, finalmente, seleccione el archivo **Anexo_2-ABC_Empleado_3000.csv** en su PC.

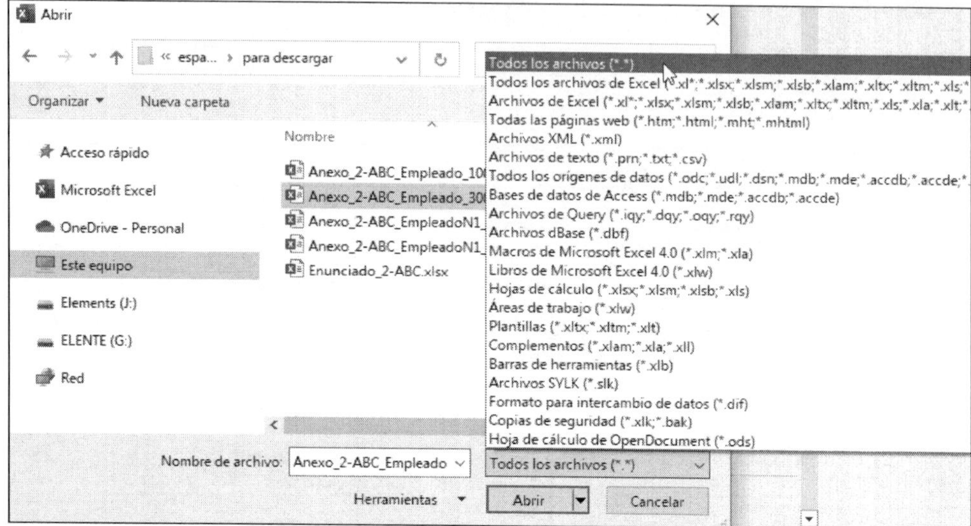

A partir de este paso, Excel abre el archivo directamente, aunque también puede suceder que aparezcan diversos cuadros de diálogo avisándole de que el archivo puede estar dañado y pidiendo confirmación para abrirlo. Indique que sí y, si aparecen mensajes de error, haga clic en **Omitir**, **Aceptar** o **Sí** hasta que Excel consiga abrir el archivo.

El archivo CSV se abre de la siguiente manera:

A1 | Nombre

	A	B	C	D	E	F	G	H	I
1	Nombre	Apellido	Sexo	Fecha de nac	Rango	Área	Salario bruto an	Prima del añ	Antigüedad
2	Dexter	Abbott	M	02/07/1984	R9	Negocio	70900	3500	9
3	Robert	Abernethy	M	07/04/1971	R9	Funciones tr	70500	2000	19
4	Andrew	Aceves	M	28/11/1968	R9	Negocio	100200	3500	21
5	Mike	Acker	M	01/12/1978	R7	Negocio	55100	2500	3
6	Bruce	Acosta	M	04/07/1975	R7	Funcional	60300	2500	1

Anexo_2-ABC_Empleado_3000

El libro abierto tiene una sola hoja de cálculo activa cuyo nombre concuerda con el del archivo CSV sin su extensión, en nuestro caso es **Anexo_2-ABC_Empleado_3000**.

- A continuación, seleccione todos los datos de esta hoja con Ctrl E.
- Cópielos con Ctrl C.
- Vuelva a activar la hoja **Empleado** en el archivo **Enunciado_2-ABC.xlsx**.
- Seleccione la primera celda en la parte superior izquierda de su futura tabla, la celda **A1** en nuestro caso.

- Pegue el contenido del portapapeles del archivo CSV en esta hoja: haga clic con el botón derecho y seleccione **Opciones de pegado - Valores** para pegar el texto del archivo CSV sin cambiar el formato, así:

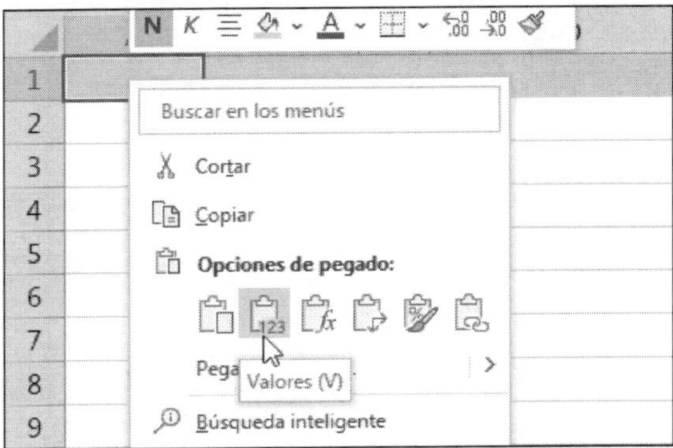

De este modo, ha pegado todos los datos del archivo CSV en la hoja **Empleado** de acuerdo con su formato inicial, de la siguiente manera:

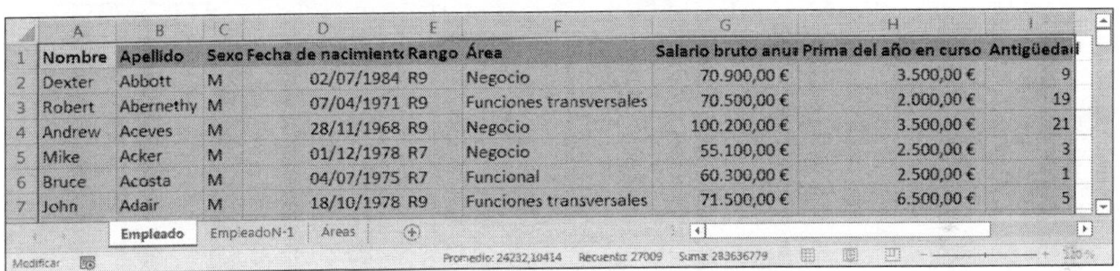

	A	B	C	D	E	F	G	H	I
1	Nombre	Apellido	Sexo	Fecha de nacimient	Rango	Área	Salario bruto anu	Prima del año en curso	Antigüeda
2	Dexter	Abbott	M	02/07/1984	R9	Negocio	70.900,00 €	3.500,00 €	9
3	Robert	Abernethy	M	07/04/1971	R9	Funciones transversales	70.500,00 €	2.000,00 €	19
4	Andrew	Aceves	M	28/11/1968	R9	Negocio	100.200,00 €	3.500,00 €	21
5	Mike	Acker	M	01/12/1978	R7	Negocio	55.100,00 €	2.500,00 €	3
6	Bruce	Acosta	M	04/07/1975	R7	Funcional	60.300,00 €	2.500,00 €	1
7	John	Adair	M	18/10/1978	R9	Funciones transversales	71.500,00 €	6.500,00 €	5

Empleado | EmpleadoN-1 | Áreas

Modificar | Promedio: 24232,10414 | Recuento: 27009 | Suma: 283636779

- Realice los mismos pasos con el archivo CSV **Anexo_2-ABC_EmpleadoN1_3000.csv** para actualizar la hoja **EmpleadoN-1** de la siguiente manera:

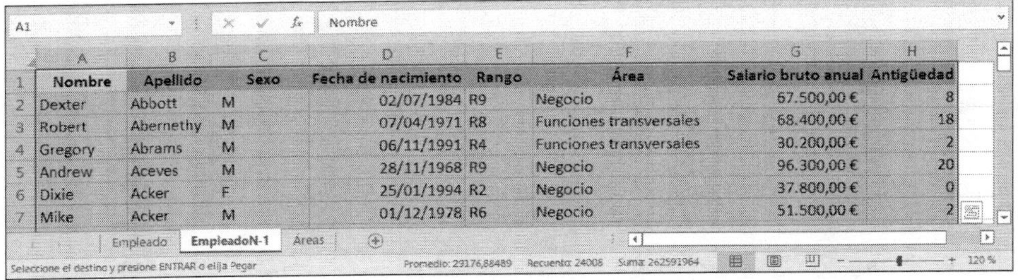

A1 | Nombre

	A	B	C	D	E	F	G	H
1	Nombre	Apellido	Sexo	Fecha de nacimiento	Rango	Área	Salario bruto anual	Antigüedad
2	Dexter	Abbott	M	02/07/1984	R9	Negocio	67.500,00 €	8
3	Robert	Abernethy	M	07/04/1971	R8	Funciones transversales	68.400,00 €	18
4	Gregory	Abrams	M	06/11/1991	R4	Funciones transversales	30.200,00 €	2
5	Andrew	Aceves	M	28/11/1968	R9	Negocio	96.300,00 €	20
6	Dixie	Acker	F	25/01/1994	R2	Negocio	37.800,00 €	0
7	Mike	Acker	M	01/12/1978	R6	Negocio	51.500,00 €	2

Empleado | EmpleadoN-1 | Áreas

Seleccione el destino y presione ENTRAR o elija Pegar | Promedio: 29176,88489 | Recuento: 24008 | Suma: 262591964 | 120 %

En ese momento, tiene las hojas **Empleado** y **EmpleadoN-1** actualizadas con los últimos datos.

También se puede realizar la importación de datos desde un archivo csv utilizando la opción **De texto/CSV**, *en la pestaña* **Datos**. *Copiar y pegar nos permite, en este ejemplo, mantener el formato de las celdas y los rangos con nombre del libro en el que se copian los datos y poder trabajar con ellos sin restricciones. En los archivos de descarga encontrará una versión del archivo Corrección_2-DEF-BONUS.xlsm, que incorpora procedimientos VBA que permiten actualizar los datos.*

2. Nombrar rangos

Nombrar un rango implica dar nombre a un rango de celdas. Esto le permite llamar a este rango por su nombre (valga la redundancia) en vez de por sus celdas.

Para facilitar el uso de fórmulas dentro de este ejemplo, se nombrarán los rangos. Las tablas que contienen la información de los años N (hoja **Empleado**) y N-1 (hoja **Empleado**) se llamarán de distinto modo:

- En la hoja **Empleado**, seleccione la celda **A1** de la tabla.
- Presione las teclas Ctrl y E al mismo tiempo para seleccionar toda la tabla actual. Podrá observar que el rango A1:I3001 contiene todos los datos de la hoja **Empleado**.
- Seleccione la pestaña **Fórmulas** y, a continuación, vaya al grupo **Nombres definidos** y haga clic en **Asignar nombre**.

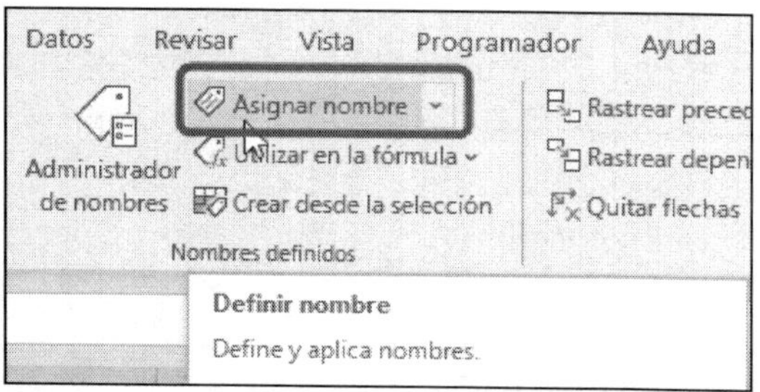

- En la ventana **Nombre nuevo**, escriba el nombre **InfoN** para el rango **A1:I3001** de la hoja **Empleado** y confirme.
- Vaya a la hoja **EmpleadoN-1**, seleccione la pestaña **Fórmulas** - Grupo **Nombres definidos** y haga clic en **Asignar nombre**.
- En la ventana **Nombre nuevo**, escriba el nombre **InfoN1** para el rango **A1:H3001** de la hoja **EmpleadoN-1**.
- Para ver los nombres añadidos, haga clic en el botón **Administrador de nombres** de la pestaña **Fórmulas**:

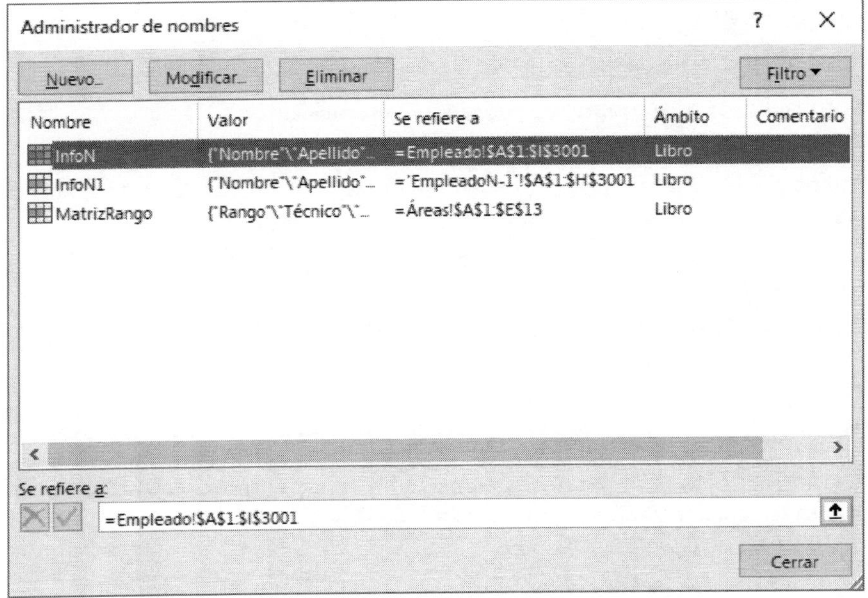

Los datos han recibido un nombre y es posible llamarlos en cualquier momento en el libro con este nombre.

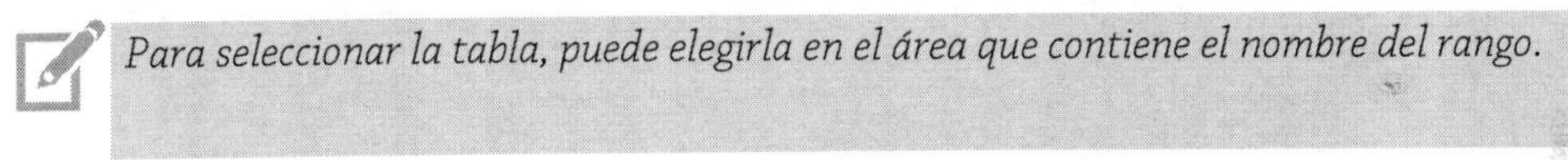
Para seleccionar la tabla, puede elegirla en el área que contiene el nombre del rango.

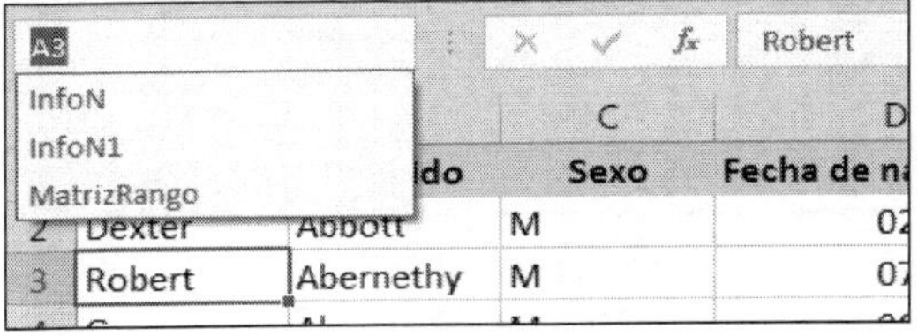

3. Funciones de búsqueda: mostrar el puesto y el salario del año anterior

Mostrar la posición del empleado de acuerdo con su rango y área

La columna J de la hoja **Empleado** contendrá la posición.

- Primero, introduzca el encabezado **Posición** en la celda **J1**.

  En el rango J2:J3001, introduciremos una única fórmula que se ha de aplicar a todas las celdas del rango para mostrar la posición de cada empleado.

Para recuperar la posición del empleado, es necesario consultar la hoja **Áreas** para constatar que las posiciones están expuestas según una tabla de doble entrada.

Esta tabla tiene los siguientes encabezados:

- Columna: Área
- Fila: Rango

Toda la gama A1:E13 se denomina **MatrizRango**.

Por lo tanto, con el rango y el área del empleado, es posible obtener su posición. El rango del empleado está contenido en la columna E de la hoja **Empleado**, su área está incluida en la columna F de la hoja **Empleado**.

La fórmula `COINCIDIR` permitirá conocer:

- la posición del rango buscado en la matriz de filas de encabezado,
- la posición del área deseada en la matriz de encabezados de columnas.

Por lo tanto, para la celda J2 de la hoja **Empleado** en nuestro rango **InfoN**:

La fórmula `=COINCIDIR(Empleado!E2;Áreas!$A$1:$A$13;0)` indicará la posición del rango del empleado en la matriz de encabezados de los rangos (rango `Áreas!$A$1:$A$13`).

La fórmula `=COINCIDIR(Empleado!F2;Áreas!$A$1:$E$1;0)` indicará la posición del área del empleado en la matriz de los encabezados de las áreas (rango `Áreas!$A$1:$E$1`).

Al recuperar la fila, la columna y, por supuesto, la matriz inicial (matriz MatrizRango), es posible recuperar el elemento con la fórmula `INDICE(matriz;fila; columna)`.

He aquí las operaciones que hay que realizar:

- Sitúese en la hoja **Empleado**.
- Presione las teclas Ctrl e I al mismo tiempo.

  Aparecerá la ventana para ir a las celdas.
- Introduzca la referencia **J2:J3001** y haga clic en **Aceptar**.

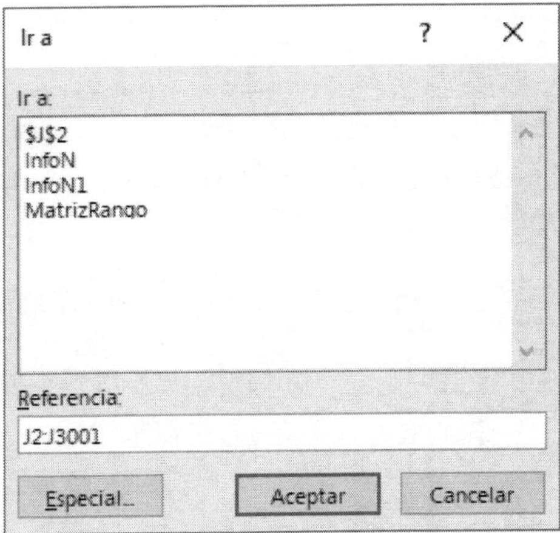

Se selecciona el rango **J2:J3001** de la hoja **Empleado**.

- Pulse la tecla F2 para editar los valores de rango y, a continuación, escriba la fórmula siguiente:

```
=INDICE(MatrizRango;COINCIDIR(Empleado!E2;Áreas!$A$1:$A$13;0);
COINCIDIR(Empleado!F2;Áreas!$A$1:$E$1;0))
```

- Pulse las teclas Ctrl y ↵ al mismo tiempo para aplicar la fórmula a todo el rango.

Observe que usar $ para fijar la columna y la fila es muy útil, porque le permite hacer una copia en serie en las filas de abajo.

Obtener el salario de un empleado del año anterior

Agregaremos el salario en el año anterior de un empleado a la hoja **Empleado**.

Para recuperar el salario del año anterior de un empleado, es necesario identificar la fila que contiene la información del empleado durante el año N-1, es decir, en la hoja **EmpleadoN-1**. Para realizar la correspondencia entre el año N y el año N-1, es necesario tener una cabecera común que no contenga duplicados entre las dos tablas.

El problema que encontramos aquí es que no hay un encabezado común entre las dos tablas. La única garantía de tener un encabezado común sin duplicados sería crear una columna que identifique solo a cada uno de los empleados.

¿Cómo establecer el vínculo entre las dos hojas?

La solución consiste en insertar una columna nueva al principio de cada hoja y utilizar un identificador común que sea la combinación de las columnas Nombre, Apellido y Fecha de nacimiento:

- Inserte una columna nueva al principio de la hoja **Empleado**: haga clic con el botón derecho en el encabezado de la columna A y elija **Insertar**.

- Escriba **ID** en la celda **A1**.
- Seleccione el rango **A2:A3001** de la hoja **Empleado**.
- Pulse la tecla F2 para editar la celda actual, es decir, la celda **A2**.
- Escriba la fórmula para concatenar los valores de las columnas **Nombre**, **Apellido** y **Fecha de nacimiento**. Para ello, tiene dos posibilidades:
  - Solución 1: con una fórmula de Excel `=CONCATENAR(B2;C2;E2)`.
  - Solución 2: Concatenación con el operador **&**: `=B2&C2&E2`. Para este ejemplo, utilice la primera solución.
- Confirme con Ctrl ↵.
- Repita la misma operación en la hoja **EmpleadoN-1**.

Las columnas se han desplazado hacia la derecha; por lo tanto, el nombre está en la columna B; el apellido, en la columna C, y la fecha de nacimiento, en la columna E. Cambie los rangos llamados InfoN1 e InfoN para que tengan la dimensión correcta.

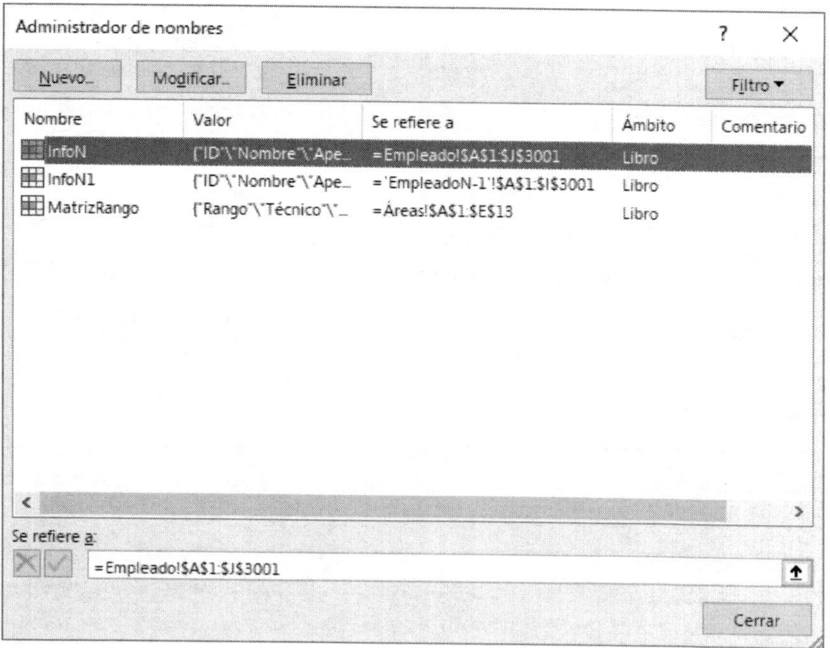

Una vez que las dos tablas tienen un encabezado común, es posible realizar una búsqueda a través de la fórmula `BUSCARV`:

- El valor que está buscando es la columna **A** de la hoja **Empleado**.
- La matriz de búsqueda es la tabla completa correspondiente a la información de la hoja **EmpleadoN-1**.
- La columna buscada es la columna **H** (correspondiente a la columna 8, la que contiene los salarios) de la hoja **EmpleadoN-1**.
- La coincidencia debe ser precisa, no aproximada.

Para ello:

- Seleccione la celda **L1** y póngale el nombre **Salario del año anterior**.
- Seleccione todas las celdas de la columna **L** hasta la parte inferior de la tabla (L2:L3001).
- Edite la primera celda de la tabla pulsando la tecla F2: se colocará en la celda L2 en modo edición.
- Introduzca la siguiente fórmula de búsqueda: `=BUSCARV(A2;InfoN1;8;FALSO)`.
- Pulse las teclas Ctrl y ↵ al mismo tiempo para aplicar esta fórmula a todas las columnas seleccionadas.
- Aplique el formato de moneda a toda la columna: Pestaña **Inicio** - grupo **Número**, haga clic en el botón **Formato de número de contabilidad**.

Observará que algunas fórmulas dan error (#N/D); se trata de los casos en los que no hay correspondencia entre las dos tablas, es decir: los empleados presentes en el año N, pero ausentes en el año N-1. Este error se corregirá en una sección más adelante.

4. Manejo de errores y fórmulas condicionales

Fórmula condicional: cálculo de la edad

Añadiremos la edad del empleado en la columna M de la hoja **Empleado**.

El cálculo de la edad es sencillo; se trata de obtener la diferencia entre el año en curso y el año de nacimiento, teniendo en cuenta si el cumpleaños ya ha pasado o está por venir.

En Excel, el cálculo se realiza de la misma manera: si el cumpleaños del empleado ya ha tenido lugar, entonces su edad corresponde a la diferencia entre el año actual y el año de nacimiento; pero si el cumpleaños del empleado no ha pasado, entonces su edad es igual a la diferencia entre el año actual y el año de nacimiento menos uno (el año en curso).

Para determinar si el cumpleaños ha tenido lugar, simplemente convierta la fecha de nacimiento de la persona en el cumpleaños del año actual (para la celda M2):

```
=FECHA(AÑO(HOY());MES(E2);DIA(E2))>HOY()
```

Esta fórmula devuelve **VERDADERO** si el cumpleaños es superior a la fecha de hoy, y **FALSO** en caso contrario.

Al integrar esta condición en una fórmula condicional, obtenemos la edad.

Para ver la edad:

- Introduzca **Edad** en la celda **M1** de la hoja **Empleado**.
- Introduzca la siguiente fórmula en M2:

```
=SI(FECHA(AÑO(HOY());MES(E2);DIA(E2))>HOY();
AÑO(HOY())-AÑO(E2)-1;AÑO(HOY())-AÑO(E2))
```

- Haga doble clic en el controlador de relleno para copiar la fórmula en todas las filas de la tabla.

Obtendrá la edad de todos los empleados de la empresa en la columna M para el año en curso.

Fórmula condicional: cálculo del aumento

Mostraremos el aumento salarial entre el año N-1 y el año N en la columna N de la hoja **Empleado**.

El cálculo del incremento corresponde a la comparación entre el salario en N y el salario en N-1, con la aplicación de la fórmula clásica de la tasa de evolución:

$$\frac{\textit{Valor de llegada} - \textit{Valor de base}}{\textit{Valor de base}}$$

El salario del año N está incluido en la columna H de la hoja **Empleado**; el salario del año N-1 está incluido en la columna **L** de la hoja **Empleado**.

Para modelar esta fórmula en Excel, esto representa:

`=(H2-L2)/L2` asociado a la aplicación de un formato de porcentaje.

Esta fórmula no es suficiente tal y como está, ya que no todos los empleados estuvieron presentes el año anterior, por lo que la fórmula de la columna L de la hoja **Empleado** a veces devuelve un error. Por lo tanto, es necesario asegurarse de que el salario anterior contenga un valor numérico, con la fórmula `ESNUMERO`. Al asociar esta fórmula a una estructura condicional, todos nuestros casos parecen correctos y es posible obtener el aumento porcentual de empleados presentes en N-1 y la información 0 para los empleados ausentes en N-1.

Para obtener el aumento porcentual:

- Llame a la celda N1 **Aumento porcentual**.
- Seleccione el rango **N2:N3001**.
- Pulse la tecla F2 para editar el rango e introduzca la siguiente fórmula:

```
=SI(ESNUMERO(L2);(H2-L2)/L2;0)
```

- Aplique esta fórmula a toda la columna **N** pulsando las teclas Ctrl ↵ al mismo tiempo.
- Aplique el formato **Porcentaje** a toda la columna: pestaña **Inicio** - grupo **Número**, haga clic en el botón **Estilo porcentual**.

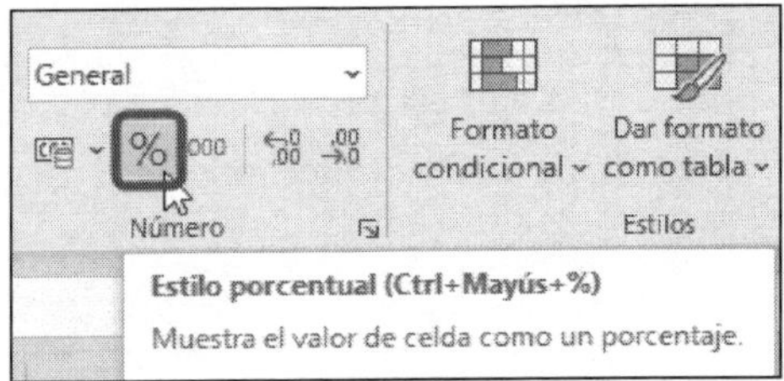

5. Gestionar el error en los salarios de los recién llegados

Es posible que haya notado que, en la columna L, algunos casos aparecen con error. El objetivo es manejar estos casos de error.

De hecho, cuando un empleado no forma parte de la empresa en N-1, el salario del año anterior no se puede mostrar en la hoja **de empleado**. Si esto ocurre, se muestra un error #N/D, que significa que la búsqueda no ha encontrado un resultado.

¿Cómo no recibir un mensaje de error?

Las funciones `ESERR` y `ESERROR` se utilizan para devolver VERDADERO si se encuentra un error en la función presente como argumento:

- `=ESERROR(nuestra_función)` devuelve VERDADERO si nuestra función devuelve un error.
- `=SI(ESERROR(nuestra_función);mensaje_error;nuestra_función)`

La función ESERR *no considera el error #N/D como un error (en realidad es un caso «no cubierto», no un error); por lo tanto, en el caso de la gestión de errores de* BUSCARV *o* BUSCARH, *es más interesante usar la función* ESERROR.

La fórmula condicional es la siguiente:

- Seleccione el rango **L2:L3001**.
- Pulse la tecla F2 para editar el rango e introduzca la siguiente fórmula:

```
=SI(ESERROR(BUSCARV(A2;InfoN1;8;FALSO));"Nueva incorporación";
BUSCARV(A2;InfoN1;8;FALSO))
```

- Aplique esta fórmula a toda la tabla pulsando las teclas Ctrl ↵ al mismo tiempo.

En este caso, la fórmula BUSCARV se prueba a través de la función ESERROR. En caso de error, la celda de la **columna L** mostrará el texto **Nueva incorporación**; de lo contrario, se aplicará la fórmula.

6. Salario medio por rango y área: cálculo matricial frente a fórmula condicional

Crearemos una hoja nueva para realizar cálculos específicos.

El siguiente ejemplo consiste en calcular el salario promedio por rango y área. Para ello, será más fácil trabajar en una hoja nueva denominada **Cálculo**. Para crear una hoja nueva:

- Haga clic con el botón derecho en la pestaña de la hoja **EmpleadoN-1**.

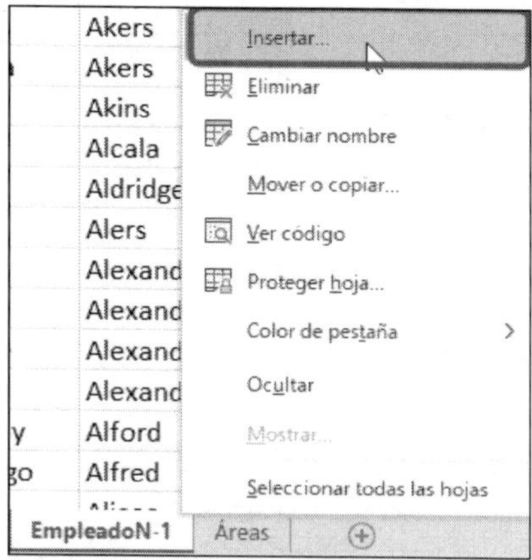

- Haga clic en **Insertar**.

- Elija insertar una **Hoja de cálculo** en el siguiente cuadro de diálogo:

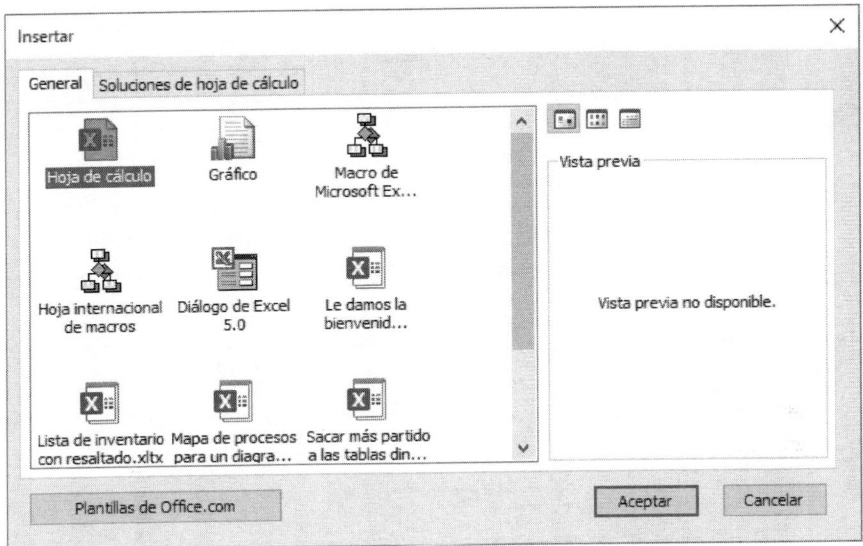

- Haga clic en **Aceptar**.
- Haga clic con el botón derecho en la pestaña de la hoja que se acaba de insertar.
- Haga clic en **Cambiar nombre** y escriba **Cálculo**.

Para insertar una hoja después de la última hoja, haga clic en el botón +.

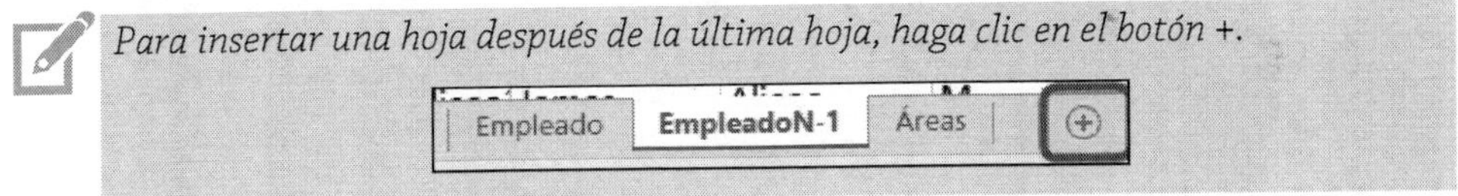

- Complete la hoja de la siguiente manera:

	A	B	C	D
1	Rango			
2	Área			
3	Método	Suma de salarios	Número de empleados	Promedio de salarios
4	Fórmula condicional			
5	Matriz			

Aquí compararemos dos métodos de cálculo: la fórmula condicional frente al cálculo matricial para calcular el promedio de salarios por puesto (rango/área).

El usuario introducirá un rango en la celda B1 y un área en la celda B2. A partir de esta información, calcularemos la suma de salarios, el número de empleados y, finalmente, el promedio de salarios.

El área se asignará mediante una lista desplegable. El formato de los datos se define a través de la **Validación de datos**.

Para crear una lista desplegable a partir de la celda **B2** que contenga las áreas:

- En la hoja **Áreas**, seleccione el rango **B1:E1**, que contiene los nombres de las áreas, y llame al rango **GrupoArea**.
- Seleccione la celda **B2** de la hoja **Cálculo** y, a continuación, haga clic en la pestaña **Datos** y en el grupo **Herramientas de datos**, haga clic en el botón **Validación de datos**.
- En la pestaña **Configuración**, en la lista desplegable **Permitir**, elija el campo **Lista**.
- Para los valores de la lista, escriba en el campo **Origen =GrupoArea**.

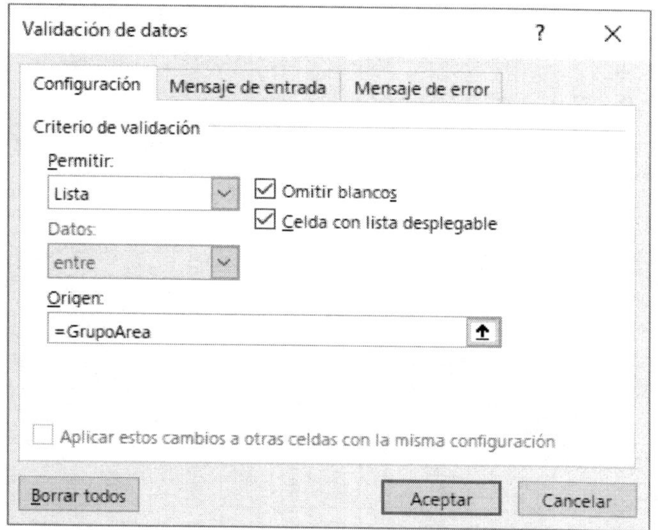

- Confirme con **Aceptar**.

Finalmente:

- Introduzca un rango en **B1** (por ejemplo: **R6**).

✎ Elija un área en la lista desplegable situada en B2 (por ejemplo: **Técnico**).

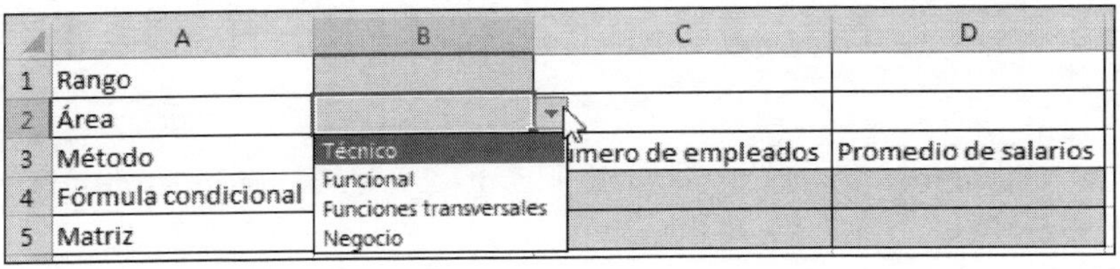

	A	B	C	D
1	Rango			
2	Área			
3	Método	Técnico	...mero de empleados	Promedio de salarios
4	Fórmula condicional	Funcional Funciones transversales		
5	Matriz	Negocio		

a. Con fórmulas condicionales

Cálculo de la suma de los salarios en función del rango (celda B4)

Utilice la fórmula condicional `SUMAR.SI` para sumar los salarios si cumplen las condiciones definidas en B1 para el rango (columna H en la hoja **Empleado**) y en B2 para el área (columna G en la hoja **Empleado**):

✎ Introduzca la siguiente fórmula en la celda **B4**:

```
=SUMAR.SI.CONJUNTO(Empleado!H2:H3001;Empleado!F2:F3001;B1;
Empleado!G2:G3001;B2)
```

Cálculo del número de empleados según grado y sector (celda C4)

Para el número de empleados que cumplen con los criterios definidos, se debe utilizar la fórmula CONTAR.SI. ENS con los mismos criterios que antes. La celda **C4** toma el siguiente valor:

```
=CONTAR.SI.CONJUNTO(Empleado!F2:F3001;B1;Empleado!G2:G3001;B2)
```

Cálculo de los salarios medios (celda D4)

La media de los salarios se puede calcular de dos maneras diferentes:

- Usando la fórmula `PROMEDIO.SI.CONJUNTO`, que tiene exactamente la misma sintaxis que `SUMAR.SI.CONJUNTO: = PROMEDIO.SI.CONJUNTO(Empleado!H2:H3001;Empleado!F2:F3001;B1;Empleado!G2:G3001;B2);`
- O mucho más simplemente con la fórmula: `=B4/C4`. Tratándose de Excel, a veces es necesario ir a lo más simple.

Resultado: por ejemplo, para un rango R6 en el área Técnico, la suma de salarios es 1 163 300 € y el número de empleados es 26. El salario medio es 44 665,38 €.

	A	B	C	D
1	Rango	R6		
2	Área	Técnico		
3	Método	Suma de salarios	Número de empleados	Promedio de salarios
4	Fórmula condicional	1161300	26	44665,38462
5	Matriz			

b. Con cálculo matricial

Realizaremos el mismo cálculo, pero usando cálculo matricial. Estos cálculos estarán en la fila 5.

El cálculo matricial permitirá calcular esta suma con las mismas condiciones, pero de una manera diferente. De hecho, será posible integrar las condiciones directamente en la fórmula `SUMA`.

Las condiciones se separarán con el operador *.

```
{=SUMA(rango_sumado*(rango_condición y
condición)*(rango_condición2 y condición 2)}
```

Ahora, basta con repetir las mismas condiciones que las descritas anteriormente para rellenar la celda **B5**:

```
=SUMA((Empleado!F2:F3001=B1)*(Empleado!G2:G3001=B2)*Empleado!H2:H3001)
```

- Para validar esta fórmula, pulse simultáneamente las teclas [Ctrl] [Mayús] [↵].

Con la fórmula ya aplicada, fíjese en estas dos observaciones:

La fórmula está delimitada por llaves:

```
{=SUMA((Empleado!F2:F3001=B1)*(Empleado!G2:G3001=B2)*Empleado!H2:H3001)}
```

El resultado en **B5** es el mismo que en **B4**.

Con respecto a la celda **C5**, la idea es utilizar también la fórmula `SUMA`, pero sin especificar la matriz que hay que sumar. En este caso, la fórmula contará el número de elementos que cumplen los criterios.

Las condiciones se separarán con el operador *:

```
{=SUMA(rango_condición y condición)*(rango_condición2 y condición 2)}
```

Por lo tanto, la fórmula que hay que aplicar es la siguiente:

- Introduzca la siguiente fórmula en C5:

  ```
  =SUMA((Empleado!F2:F3001=B1)*(Empleado!G2:G3001=B2))
  ```

- Valide pulsando las teclas [Ctrl] [Mayús] [↵] al mismo tiempo.

  Cuando se visualiza, la fórmula muestra lo siguiente:

  ```
  {=SUMA((Empleado!F2:F3001=B1)*(Empleado!G2:G3001=B2))}
  ```

- Termine introduciendo la fórmula =B5/C5 en la celda **D5** para mostrar la media de los salarios calculados mediante cálculo matricial.

7. Creación de la pirámide de edad

Definición e implementación de datos

¿Qué es una pirámide de edad?

Se trata de un gráfico que representa la proporción de personas por edad distinguiendo entre sexos. Por lo tanto, hay dos abscisas diferentes para hombres y mujeres. La ordenada que contiene las edades se ordena de edad mínima a edad máxima.

El gráfico debe su nombre al aspecto piramidal de esta representación:

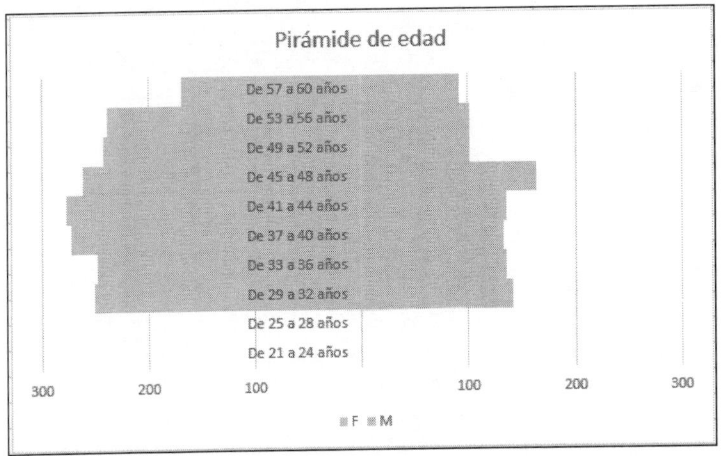

Visualización del origen de datos de la pirámide de edad

El primer paso es preparar la tabla de origen de datos. Dicha tabla permite centralizar los datos de edad de los empleados agrupados por tramos.

Esta tabla se presenta de la siguiente manera en la hoja **Cálculo**:

	F	G	H	I	J
1	Edad mín.	Edad máx.	Etiqueta	M	F
2	21	24			
3	25	28			
4	29	32			
5	33	36			
6	37	40			
7	41	44			
8	45	48			

	F	G	H	I	J
9	49	52			
10	53	56			
11	57	60			

✎ Introduzca los datos en las columnas **F** y **G**.

La columna H contiene la etiqueta del intervalo de edad. Realice los siguientes pasos:

✎ Seleccione el rango **H2:H11**.

✎ Pulse la tecla F2 para editar el rango.

✎ Escriba la siguiente fórmula:

`="De " &F2& " a " &G2& " años"`. Esta fórmula muestra en H2 **De 21 a 24 años**.

✎ Pulse las teclas Ctrl y ↵ al mismo tiempo para aplicarla a todo el rango.

Para completar la pirámide de edad, el número de empleados debe ordenarse por tramos de edad y sexo. Esto implica que se deben aplicar varios criterios para contar el número de empleados.

Conviene utilizar una función de tipo `CONTAR.SI.CONJUNTO` para contar el número de empleados que cumplen con los diferentes criterios. En este caso, hay tres criterios activos para traducir a fórmula de Excel (visto desde la celda I2):

Criterios	Rango de aplicación	Criterios en formato Excel
El sexo corresponde al encabezado de la columna	`Empleado!D2:D3001`	`Cálculo!I1`
Edad mayor o igual que la columna F	`Empleado!M2:M3001`	`">=" & Cálculo!F2`
Edad menor o igual que la columna G	`Empleado!M2:M3001`	`"=<" & Cálculo!G2`

Será importante «fijar» las columnas/filas de ciertos valores en la próxima fórmula:

- `Empleado!$D$2:$D$3001` → fija el rango porque no va a evolucionar.
- `Empleado!$M$2:$M$3001` → fija el rango porque no va a evolucionar.
- `Cálculo!$1!` → fija la fila porque siempre apunta al encabezado de la tabla donde aparece la «M» o la «F» correspondiente al sexo.
- `">=" & Cálculo!F2` y `"=<" & Cálculo!G2` → fija la columna porque es la columna F la que da la edad mínima y la columna G la que da la edad máxima para validar el criterio.

Haga lo siguiente:

- Seleccione el rango I2:J11 y pulse la tecla F2 para editar la fórmula.
- Introduzca la siguiente fórmula:

```
=CONTAR.SI.CONJUNTO(Empleado!$D$2:$D$3001;Cálculo!I$1;Empleado!$M$2:$M$3001;
>="&Cálculo!$F2;Empleado!$M$2:$M$3001;"<="&Cálculo!$G2)
```

- Termine pulsando las teclas Ctrl y ↵. Es posible aplicarla a todo el rango I2:J11, ya que hemos fijado las celdas con el carácter **$**.

El resultado se parecerá a esta tabla:

Edad mín.	Edad máx.	Etiqueta	M	F
21	24	De 21 a 24 años	0	0
25	28	De 25 a 28 años	21	11
29	32	De 29 a 32 años	257	140
33	36	De 33 a 36 años	253	142
37	40	De 37 a 40 años	262	133
41	44	De 41 a 44 años	277	137
45	48	De 45 a 48 años	265	154
49	52	De 49 a 52 años	241	100
53	56	De 53 a 56 años	240	109
57	60	De 57 a 60 años	146	78

Esta tabla es específica para el día en que fue creada. De hecho, la tabla se basa en la edad del empleado, que a su vez se calcula según la fecha del día. El día en que realizamos este ejercicio e hicimos la captura no coincidirá con el día en que usted lo ponga en práctica.

Creación del gráfico

- En el origen de datos, seleccione el rango H1:J11.
- En la pestaña **Insertar**, en el grupo **Gráficos**, seleccione **Insertar gráfico de columnas o de barras** y, a continuación, en **Barra 2D**, elija el gráfico **Barras agrupadas**. Aparecen dos pestañas nuevas: **Diseño de gráfico** y **Formato**.

El gráfico se muestra de la siguiente manera:

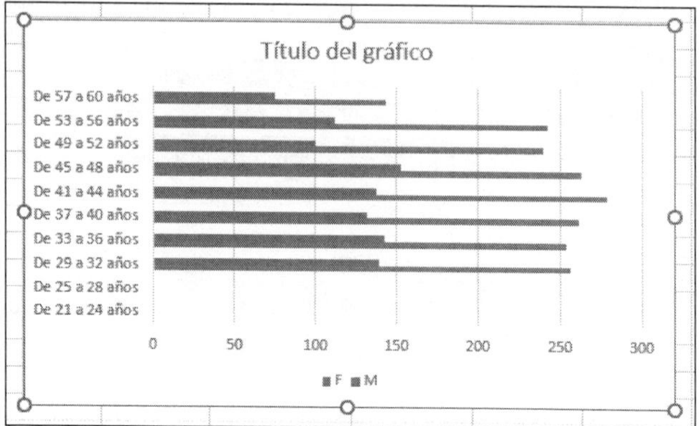

- Haga doble clic en el **Título del gráfico** y llámelo **Pirámide de edad.**
- En la pestaña dedicada al gráfico llamada **Formato**, en el área **Selección actual** elija Serie "M".

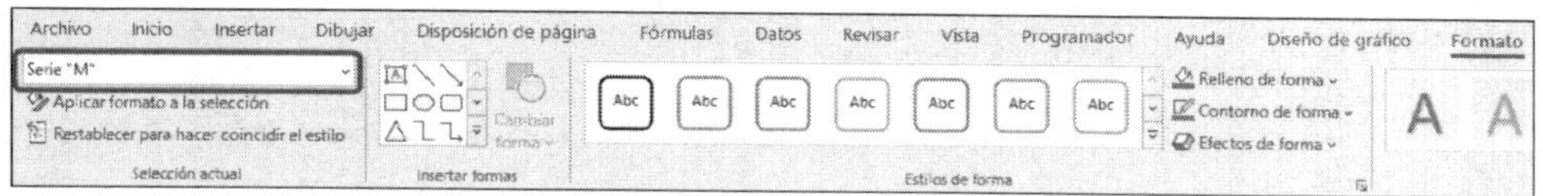

También puede seleccionar la serie haciendo clic en ella directamente en el gráfico.

- Sin salir del grupo **Selección actual**, haga clic en **Aplicar formato a la selección.**

Aparece un panel en el lado derecho de la hoja que permite modificar el formato.

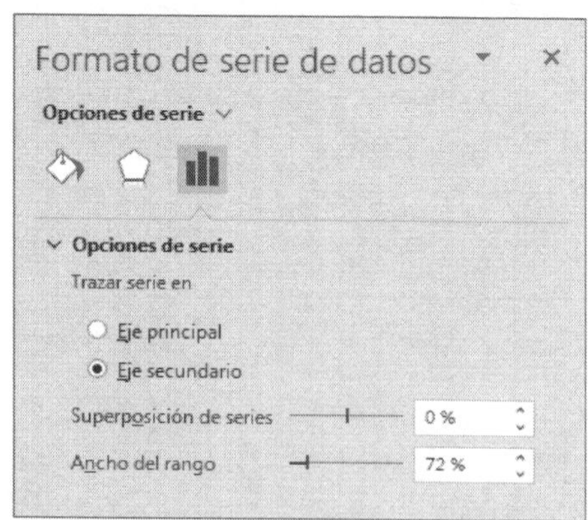

✎ Elija colocar la serie M como eje secundario:

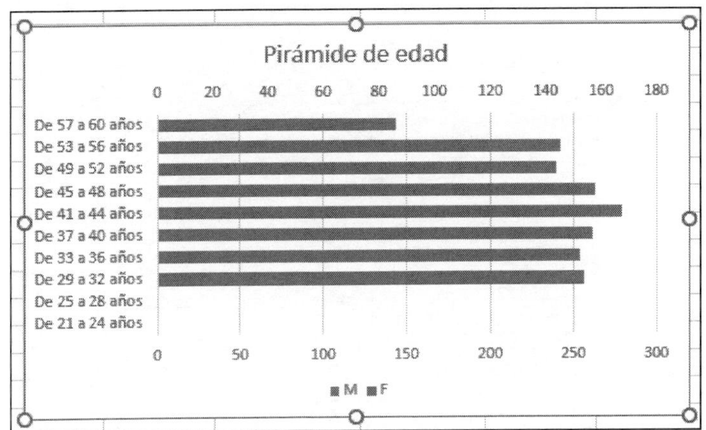

✎ Haga clic en el eje 2 (en la parte superior) para seleccionarlo, haga clic con el botón derecho del ratón para mostrar el menú contextual y seleccione **Dar formato al eje**.

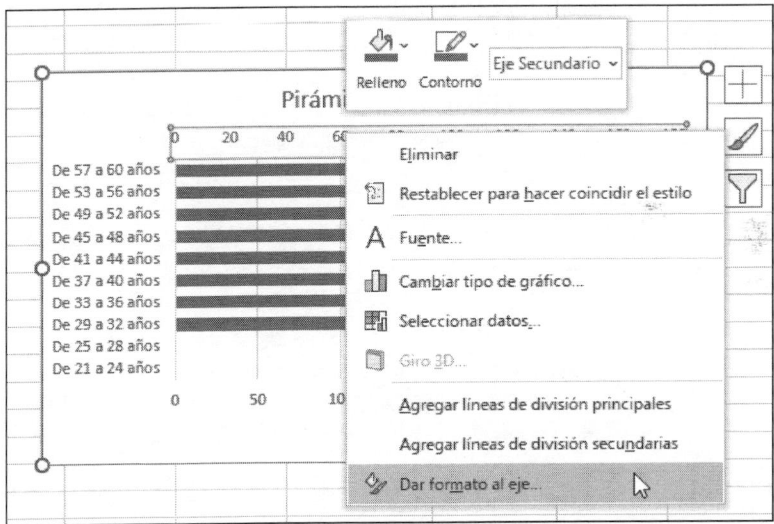

En el lateral, aparece el panel **Dar formato a eje**.

✎ En el cuadro **Opciones del eje**, establezca los límites mínimos en -300 y los máximos en 300.

- Finalmente, marque la opción **Valores en orden inverso** para que los datos se muestren en la otra dirección.

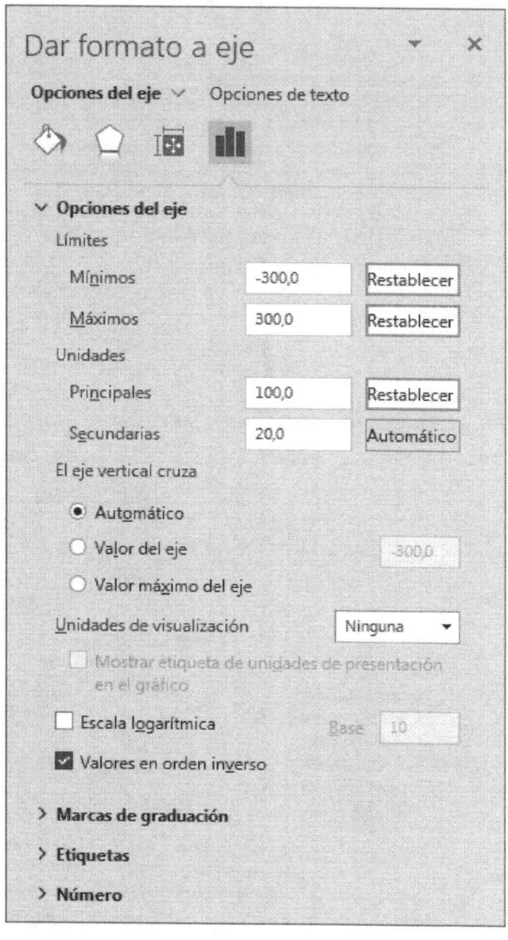

- Repita la misma operación para el otro eje estableciendo los límites en: mínimo -300 y máximo 300. En contrapartida, los valores deben permanecer en el orden normal. En el cuadro **Número**, elija un formato **Personalizado** #;# para asegurarse de que los valores son siempre positivos en el eje.

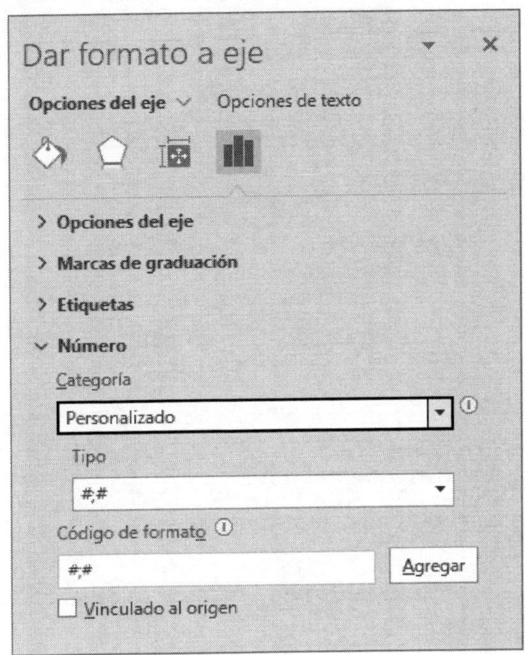

Los valores son siempre positivos en el eje:

300 200 100 100 200 300

- Seleccione el eje superior (encima del gráfico) y luego desactívelo pulsando la tecla [Supr].

✎ Puede agregar unos toques de personalización para lograr el siguiente resultado:

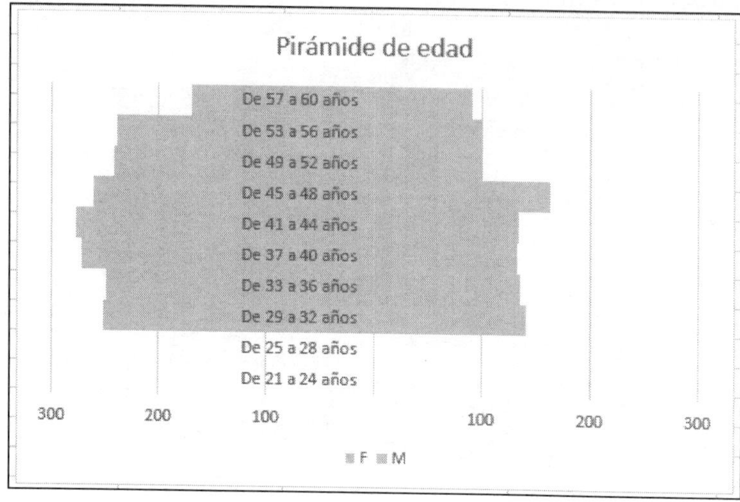

8. Usar fórmulas para rangos variables

Ha llegado a esta parte del capítulo construyendo un archivo diseñado para una fuerza laboral fija.

En esta segunda parte, podrá crear un archivo que se adapte automáticamente a un número variable de empleados.

Para ello, estableceremos un método que permita dar soporte a una empresa o a varias filiales cuyas tablas de datos iniciales, importadas a las hojas **Empleado** y **EmpleadoN-1**, representan plantillas variables, lo que implica, a su vez, un número de filas también variable. Los resultados de la hoja **Cálculo** tendrán en cuenta estas variaciones de forma automática, sin tener que cambiar la configuración del libro de Excel, independientemente del número de empleados.

Vamos a crear juntos una fórmula de Excel que permita adaptar la extensión de un rango con nombre (de forma automatizada) al número de filas, en nuestro ejemplo, o al número de columnas, cuando sea necesario, que componen este rango.

En este momento, en el campo **Se refiere a** de las áreas denominadas **InfoN** e **InfoN1** de los rangos con nombre, se incluyen fórmulas que remiten a rangos de celdas fijas, explícitamente escritas en ellos. Estas no se adaptan al número de filas o columnas de los rangos que definen, sino que permanecen invariables.

Por supuesto, si su necesidad corresponde a rangos con nombre de tamaño fijo, entonces no necesita aplicar esta parte del curso.

Estos rangos con nombre, fijos en tamaño, darán problemas si alguna vez la base de datos de la que se nutren varía de dimensión con el tiempo. En nuestro caso, si, por ejemplo, el número de empleados, y por lo tanto de filas, varía será necesario reescribir sistemáticamente las fórmulas indicadas en los campos **Se refiere a** correspondientes. Esto lleva bastante tiempo y requiere mucha atención para asegurarse de que estos rangos con nombre fijos tengan en cuenta todos los datos de entrada de su aplicación profesional, pero solo ellos.

En el caso de rangos de datos de entrada dinámicos en tamaño, veremos, en esta sección, qué fórmulas usar en el campo **Se refiere a**. Por esta razón, definiremos un rango con nombre adaptable a las dimensiones de la base a la que remite, independientemente de sus dimensiones en número de filas y columnas.

En primer lugar, detallaremos las dos funciones de Excel que nos permitirán hacer dinámico un rango con nombre. Utilizaremos la hoja de trabajo **Empleado** del archivo **Corrección_2-ABC.xlsx**, que será el archivo que habrá que adaptar para esta parte, y del cual presentamos, para que consten, las primeras siete filas:

	A	B	C	D	E	F	G	H	I	J
1	**ID**	**Nombre**	**Apellido**	**Sexo**	**Fecha de nacimient**	**Rango**	**Área**	**Salario bruto anua**	**Prima del año en**	**Antigüedad**
2	DexterAbbott:	Dexter	Abbott	M	02/07/1984	R9	Negocio	70.900,00 €	3.500,00 €	9
3	RobertAberne	Robert	Abernethy	M	07/04/1971	R9	Funciones transver	70.500,00 €	2.000,00 €	19
4	AndrewAceve:	Andrew	Aceves	M	28/11/1968	R9	Negocio	100.200,00 €	3.500,00 €	21
5	MikeAcker288	Mike	Acker	M	01/12/1978	R7	Negocio	55.100,00 €	2.500,00 €	3
6	BruceAcosta2	Bruce	Acosta	M	04/07/1975	R7	Funcional	60.300,00 €	2.500,00 €	1
7	JohnAdair287	John	Adair	M	18/10/1978	R9	Funciones transver	71.500,00 €	6.500,00 €	5

CONTARA

La función `CONTARA` se utiliza para contar el número de celdas no vacías en el rango o rangos de celdas indicados como argumento. Cada uno de sus valores, `valor1`, `valor2`..., corresponden a un rango de celdas, y solo `valor1` es obligatorio. Los demás, a partir del `valor2`, son opcionales.

La sintaxis es la siguiente:

```
=CONTARA(valor1,[ valor2];... )
```

En la fórmula que presentamos a continuación, solo se calculará el número de celdas no vacías en el rango de criterio (aquí, columna A). Esto nos da el número de filas en la tabla de datos: por supuesto, se requiere que ninguna celda de la columna A esté vacía, que es el caso de nuestro ejemplo.

`=CONTARA(A:A)` será igual a 3001, es decir, 3001 filas

En esta otra fórmula que transcribimos a continuación, solo se calculará el número de celdas no vacías en el rango de criterio (aquí, fila 1). Lo que nos da el número de columnas en la tabla de datos: por supuesto, se requiere que ninguna celda de la fila 1 esté vacía, lo que también es el caso de nuestro ejemplo (de hecho, son los encabezados los que finalmente se cuentan).

`=CONTARA(1:1)` será igual a 10, es decir, 10 columnas

DESREF

La función `DESREF` permite recuperar el duplicado de una sola celda o un rango de celdas a partir de una `referencia`. Esta última puede ser una sola celda o un rango de celdas adyacentes, dependiendo de ciertos criterios. Si se modifica una de las celdas elegidas de este modo para generar este duplicado, dicho duplicado (generado por la función `DESREF`) se modifica de la misma manera: se trata, por tanto, de una copia fiel dinámica.

La sintaxis es la siguiente:

```
=DESREF(Referencia;filas;columnas;[alto];[ancho])
```

Los argumentos para estas funciones son los siguientes:

- `Referencia`: corresponde a una sola celda o a un rango de celdas adyacentes; es la referencia respecto a la que se debe realizar el desplazamiento.
- `filas`: es el número de filas, en negativo (hacia arriba) o en positivo (hacia abajo), que se añadirán al número de fila de la celda situada en la parte superior izquierda de la `Referencia`, que determina el número de fila de partida de la(s) futura(s) celda(s) duplicada(s) generada(s) por la función `DESREF`.
- `columnas`: es el número de columnas, en negativo (hacia la izquierda) o en positivo (hacia la derecha), que se añadirán al número de columna de la celda situada en la parte superior izquierda de la `Referencia`, que determina la posición (número o letra) de la columna de la celda de partida de la(s) futura(s) celda(s) duplicada(s) generada(s) por la función `DESREF`.
- `alto`: opcional, corresponde al número de filas, en negativo (hacia arriba) o positivo (hacia abajo), que se contarán desde la celda de partida (determinada por `filas` y `columnas` desde la `Referencia`) del futuro duplicado de celda(s) generada(s) por la función `DESREF`, y que determina el número de fila(s) de este duplicado. Si este argumento no se especifica, la altura del duplicado será de forma predeterminada la altura de la celda inicial, que es igual a 1.
- `ancho`: opcional, corresponde al número de columnas, en negativo (a la izquierda) o en positivo (a la derecha), a contar desde la celda de partida (ídem) de la(s) futura(s) celda(s) duplicada(s) generada(s) por la función `DESREF`, y que determina el número de columna(s) de este mismo duplicado. Si este argumento no se especifica, el ancho del duplicado será de forma predeterminada el ancho de la celda inicial, que es igual a 1.

He aquí algunos ejemplos que aplican la función DESREF para comprender mejor su utilidad y uso.

Para ilustrar esto, nos limitaremos al rango de celdas A1:H6 de la hoja **Empleado** de nuestro ejemplo:

	A	B	C	D	E	F	G	H
1	**ID**	**Nombre**	**Apellido**	**Sexo**	**Fecha de nacimiento**	**Rango**	**Área**	**Salario bruto anual**
2	DexterAbbott:	Dexter	Abbott	M	02/07/1984	R9	Negocio	70.900,00 €
3	RobertAberne	Robert	Abernethy	M	07/04/1971	R9	Funciones transver	70.500,00 €
4	AndrewAceve	Andrew	Aceves	M	28/11/1968	R9	Negocio	100.200,00 €
5	MikeAcker288	Mike	Acker	M	01/12/1978	R7	Negocio	55.100,00 €
6	BruceAcosta2:	Bruce	Acosta	M	04/07/1975	R7	Funcional	60.300,00 €

Aquí, en **O2**, solo se duplica la celda **A1**.

En efecto: en los argumentos, la `referencia` es la celda A1 y las `filas`, así como las `columnas`, son nulas.

`=DESREF(A1;0;0)` es, por lo tanto, igual a la celda **A1** o **ID** para nuestro ejemplo.

O2 | =DESREF(A1;0;0)

	O	P	Q	R
2	ID			

A continuación, en **O3**, solo se duplica la celda **E5**.

De hecho, en los argumentos, la `referencia` es siempre la celda **A1**; sin embargo, las `filas`, así como las `columnas`, son iguales a 4, lo que desplaza otro tanto el duplicado en comparación con su referencia, que es **A1**. En efecto: 4 filas y 4 columnas agregadas a **A1** dan **E5**.

`=DESREF(A1;4;4)` es, por lo tanto, igual a la celda E5 o «01/12/1978» en nuestro ejemplo.

O3 | =DESREF(A1;4;4)

	O	P	Q	R
3	01/12/1978			

Luego, en O4, se duplicará el rango de celdas **E5:H6**.

De hecho, en los argumentos, la `referencia` esta vez es el rango de celdas **A1: K1000**. Los argumentos `filas`, así como `columnas`, son siempre iguales a 4, pero esta vez el `alto` es igual a 2 y el `ancho`, igual a 4. Esto desplaza el duplicado en 4 filas y 4 columnas en relación con la celda en la parte superior izquierda (**A1**, por lo tanto) de su referencia, que es **A1:K1000**: 4 filas y 4 columnas agregadas a **A1** dan **E5**, y un `alto` de 2 (filas) y un `ancho` de 4 (columnas) a partir de **E5** incluido dan el rango de celdas **E5:H6**.

`=DESREF(A1:K1000;4;4;2;4)` es, por lo tanto, igual al rango de celdas **E5:H6**.

O4 =DESREF(A1:K1000;4;4;2;4)

	O	P	Q	R	S
4	01/12/1978	R7	Negocio	55100	
5	04/07/1975	R7	Funcional	60300	

Y finalmente, en O6, se duplicará el rango de celdas **C3:E4**.

De hecho, en los argumentos, la `referencia` esta vez es el rango de celdas **D2: F1250**. El argumento `filas` es igual a 2, `columnas` es igual a -1, `alto` es -2 y `ancho` es 3. Esto desplaza el duplicado en 2 filas y -1 columna en relación con la celda en la parte superior izquierda (**D2**, por lo tanto) de su `referencia` que es **D2: F1250**. 2 `filas` agregadas y 1 `columna` eliminada respecto a **D2** dan **C4** y un `alto` de -2 (filas) y un `ancho` de 3 (columnas) a partir de **C4** incluida, lo que genera el rango de celdas **C3:E4**.

`=DESREF(D2:F1250;2;-1;-2;3)`, por lo tanto, será igual al rango de celdas **C3:E4**.

O6 =DESREF(D2:F1250;2;-1;-2;3)

	O	P	Q	R	S
6	Abernethy	M	07/04/1971		
7	Aceves	M	28/11/1968		

Ya hemos visto, pues, algunos ejemplos de aplicación de la función `DESREF`.

A continuación, a partir del archivo de nuestro ejemplo **Corrección_2-ABC.xlsx**, se obtendrán dos archivos separados. Estos archivos se configuran con los rangos variables **InfoN** e **InfoN1** y, de hecho, pueden adaptarse a un número de empleados no definido de antemano.

Aquí se indican los nombres de estos archivos:

- **Corregido_2-ABC_3000.xlsx**: archivo configurado para admitir un número variable de empleados, pero con una base de datos de una empresa siempre con 3000 empleados, como en el ejemplo descrito con anterioridad en este capítulo, y cuyos datos proceden de los archivos CSV **Anexo_2-ABC_Empleado_3000.csv** y **Anexo_2-ABC_EmpleadoN1_3000.csv** para actualizar las hojas **Empleado** y **EmpleadoN-1**, respectivamente.
- **Corregido_2-ABC_1000.xlsx:** el mismo archivo que **Corregido_2-ABC_3000.xlsx** en configuración y estructura, pero para una empresa con solo 1000 empleados y cuyos datos se derivan, esta vez, de los archivos CSV **Anexo_2-ABC_Empleado_1000.csv** y **Anexo_2-ABC_EmpleadoN1_1000.csv** para actualizar siempre las hojas **Empleado** y **EmpleadoN-1**, respectivamente.

Toda la configuración de estos dos archivos es idéntica. Solo varía el número de empleados (es decir, de filas). Gracias a esto, veremos que basta con actualizar las bases de datos en las hojas **Empleado** y **EmpleadoN-1**, a partir de archivos CSV, para generar la hoja **Cálculo** adecuada a los efectivos impuestos.

Estos procedimientos se describen a continuación para obtener los resultados en la hoja **Cálculo**, que cambia tanto según el número de empleados (por lo tanto, de filas) como según los datos, que también pueden ser diferentes.

Por supuesto, las bases de datos extraídas de los archivos CSV deben seguir el orden y el nombre de las columnas que se enumeran a continuación para actualizarse:

- Hoja Empleado:
  - Nombre
  - Apellido
  - Sexo
  - Fecha de nacimiento
  - Rango
  - Área
  - Salario bruto anual
  - Prima del año en curso
  - Antigüedad
- Hoja EmpleadoN-1:
  - Nombre
  - Apellido
  - Sexo
  - Fecha de nacimiento
  - Rango
  - Área
  - Salario bruto anual
  - Antigüedad

Ahora vayamos al meollo del asunto: automatizar la actualización de los resultados de la hoja **Cálculo** en función de los datos variables extraídos de las hojas **Empleado** y **EmpleadoN-1**.

En el archivo **Corrección_2-ABC.xlsx**, comencemos con el rango denominado **InfoN**. Veremos qué fórmula utilizar para que sea adaptable a un número variable de empleados.

El rango **InfoN** debe hacer referencia al rango de celdas **A1:K3001** en la hoja **Empleado**.

Por lo tanto, es un rango fijo de celdas en filas y columnas.

Para ver las áreas con nombre, como recordatorio, utilice el botón **Administrador de nombres** del grupo **Nombres definidos** de la pestaña **Fórmulas**:

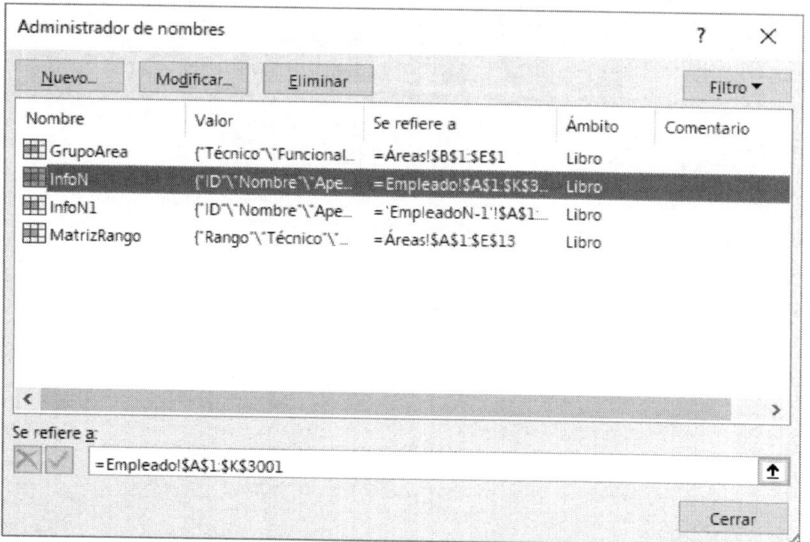

En la ventana **Administrador de nombres**, tendrá la opción de editar la fórmula escrita en el campo **Se refiere a** de **InfoN**.

Implantaremos una fórmula dinámica que se adapte al número de filas en este mismo campo **Se refiere a**, pero siempre limitado a la columna K, que será un valor constante.

Comencemos por la fórmula fija utilizada para **InfoN** que es, como recordatorio, la siguiente:

```
=Empleado!$A$1:$K$3001
```

Esto es para definir un rango con nombre en la hoja **Empleado**. Este rango comienza en la celda **A1** y termina en la celda **K3001**.

Para hacer que sea dinámico y adaptable al número de filas, será necesario crear una fórmula anidada que utilice tanto la función `CONTARA`, que permitirá la adaptación, como veremos, al número de filas (sea cual sea), como la función `DESREF`, ambas descritas anteriormente.

Como concepto, consideraremos que **InfoN** será un duplicado de las columnas de la A a la K de la tabla **Empleado** mediante la función `DESREF`, según una fórmula que debe construirse de la siguiente manera:

- La `referencia` de `DESREF` será `Empleado!$A$1`.
- A continuación, `filas` y `columnas` serán iguales a `0`. En efecto: la zona **InfoN** comienza en la celda `Empleado!$A$1`, por lo que no hay desfase respecto a la `referencia`.

- Entonces, `altura` será el número total de líneas que **InfoN** tendrá que incluir. Sin embargo, consideramos aquí que este número es variable. Lo que requiere contar el número de filas de la columna **A** de la hoja **Empleado** rellena con celdas, fila tras fila, no vacías (criterio muy importante: elija siempre una columna con celdas no vacías para obtener el número exacto de filas totales). Para ello, utilizamos la función `CONTARA` con esta fórmula: `CONTARA('Empleado'!$A:$A)`.
- Así pues, `ancho` será el número total de columnas que debe contener **InfoN**; aquí, desde la columna **A** hasta la columna **K**, es decir, un número constante igual a `11`.

✎ Ahora, haga doble clic en **InfoN** en la ventana **Administrador de nombres**. Aparece el siguiente cuadro de diálogo titulado **Editar nombre**:

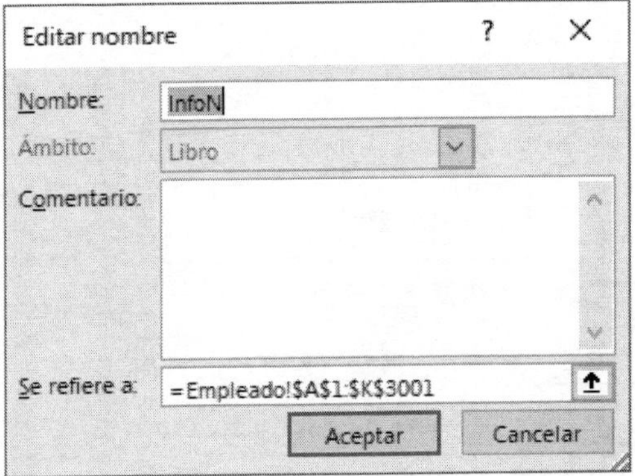

✎ Ahora, escriba la fórmula global del campo **Se refiere a** en esta ventana. Será la siguiente:
`=DESREF(Empleado!$A$1;0;0;CONTARA(Empleado!$A:$A);11)`

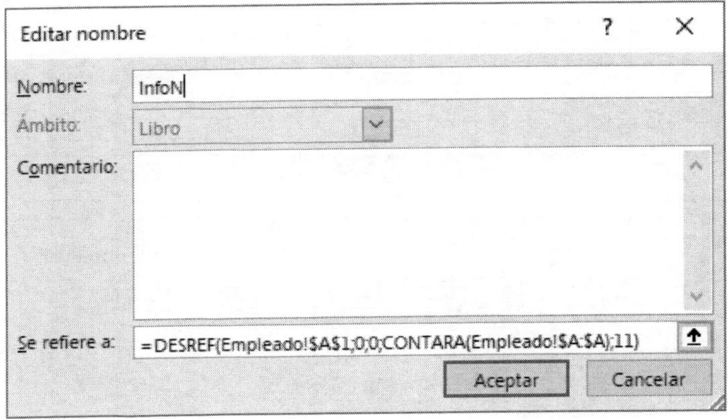

- Haga clic en **Aceptar** o pulse la tecla ↵. La fórmula escrita para **InfoN** en el cuadro de diálogo se modifica de la siguiente manera:

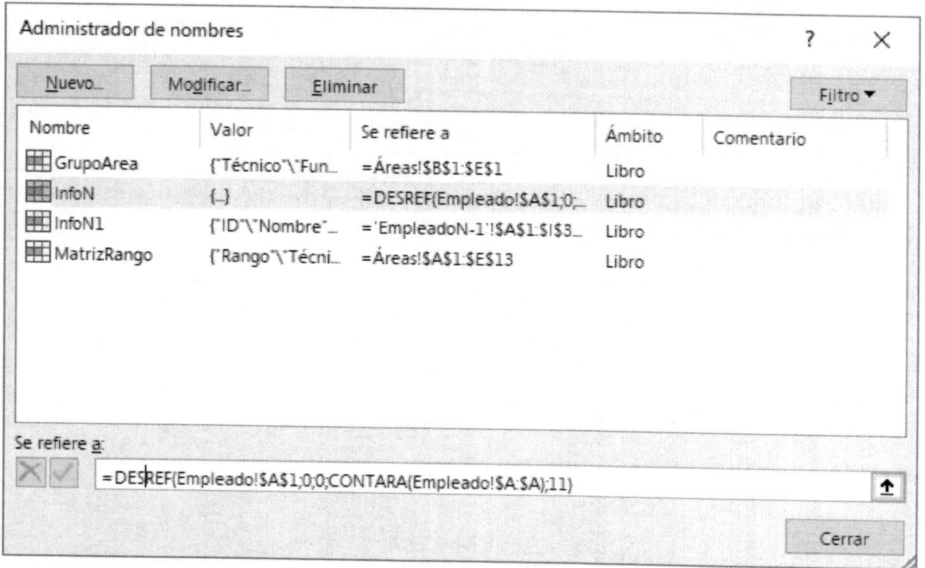

- Para comprobar que la fórmula es correcta, haga clic con el ratón inmediatamente a la derecha de la fórmula que ha escrito en el campo **Se refiere a** de **InfoN**. A continuación, puede ver el área seleccionada por esta fórmula en la hoja **Empleado**, que se activa temporalmente solo para lectura. Observe que corresponde correctamente a todos los datos, y solo a estos.

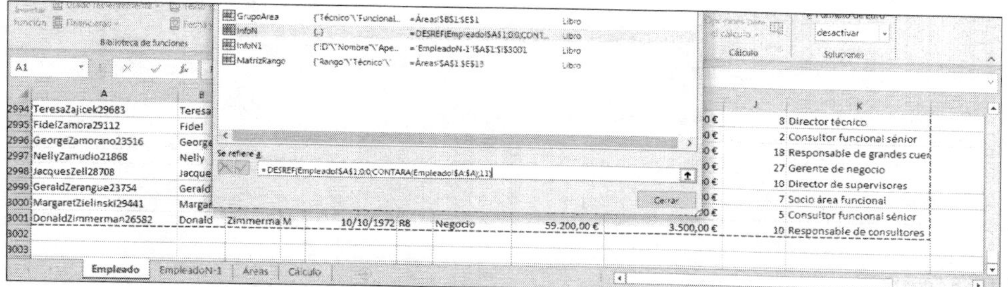

Por analogía, para **InfoN1**, que incluye todas las filas de la columna **A** a la **I** de la hoja **EmpleadoN-1**, y cuya fórmula fija es `=EmpleadoN-1'!$A$1:$I$3001`, usaremos la siguiente fórmula para hacerla dinámica:

```
=DESREF('EmpleadoN-1'!$A$1;0;0;CONTARA('EmpleadoN-1'!$A:$A);9)
```

- En la ventana **Administrador de nombres**, haga doble clic en **InfoN1** y, en el campo **Se refiere a**, escriba la fórmula anterior.

InfoN1 será, según lo acordado, el rango de celdas que abarcará todas las filas, y esto independientemente de su número, desde la columna **A** a la **I** de la hoja **EmpleadoN-1**:

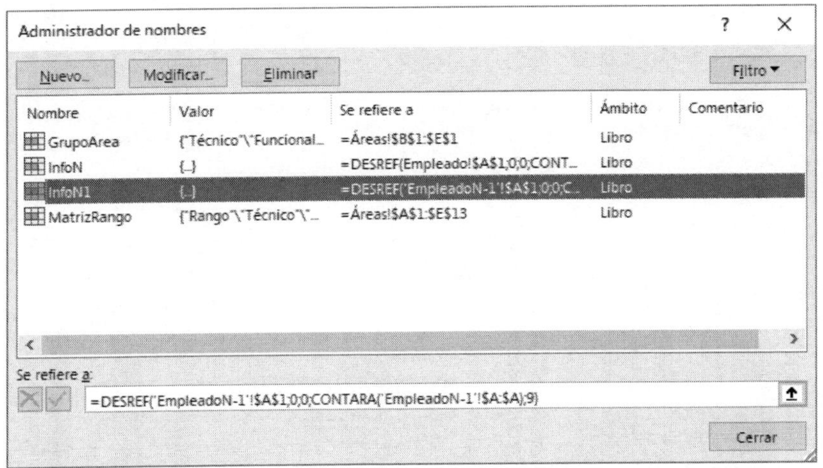

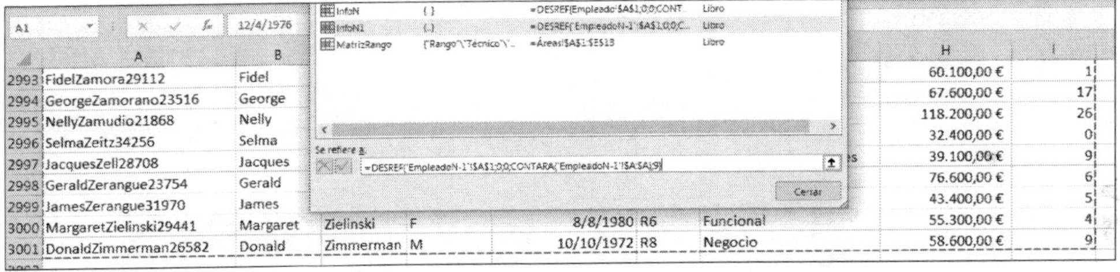

Ahora tenemos la posibilidad de convertir rangos con nombre en dinámicos para poder hacer más eficiente el uso de los libros donde están configurados. De hecho, este tipo de fórmula permite obtener resúmenes independientemente de la dimensión en filas (en nuestro ejemplo) o en columnas (para otras aplicaciones) de las bases de datos iniciales. Lo que realmente aporta una comodidad de uso, en el trabajo diario, nada despreciable.

Para continuar con esta configuración, es útil definir varios rangos de variables adicionales.

En primer lugar, para la hoja **Empleado**, debe crear un rango variable para la columna A.

Esta última se llamará **EmpleadoColA**. Estará compuesta por el rango de celdas entre **A2** y la última celda de la misma columna, independientemente de su número de filas.

- En la ventana **Administrador de nombres**, haga clic en **Nuevo**.
- Escriba **EmpleadoColA** en el campo **Nombre** e introduzca la siguiente fórmula en el campo **Se refiere a**.

```
=DESREF(Empleado!$A$2;0;0;CONTARA(Empleado!$A:$A)-1;1)
```

Reemplazará a `Empleado!A2` en todas las fórmulas del libro que la utilicen, como veremos más adelante.

- Del mismo modo, cree rangos de columnas con nombres variables **EmpleadoColB**, **EmpleadoColC**, **EmpleadoColD**, **EmpleadoColE**, **EmpleadoColF**, **EmpleadoColG**, **EmpleadoColH**, **EmpleadoColL** y, finalmente, **EmpleadoColM**, para, respectivamente, las columnas B, C, D, E, F, G, H, L y M, cuyas fórmulas y lista son las siguientes:

```
=DESREF(Empleado!$B$2;0;0;CONTARA(Empleado!$B:$B)-1;1)
=DESREF(Empleado!$C$2;0;0;CONTARA(Empleado!$C:$C)-1;1)
=DESREF(Empleado!$D$2;0;0;CONTARA(Empleado!$D:$D)-1;1)
=DESREF(Empleado!$E$2;0;0;CONTARA(Empleado!$E:$E)-1;1)
=DESREF(Empleado!$F$2;0;0;CONTARA(Empleado!$F:$F)-1;1)
=DESREF(Empleado!$G$2;0;0;CONTARA(Empleado!$G:$G)-1;1)
=DESREF(Empleado!$H$2;0;0;CONTARA(Empleado!$H:$H)-1;1)
=DESREF(Empleado!$L$2;0;0;CONTARA(Empleado!$L:$L)-1;1)
=DESREF(Empleado!$M$2;0;0;CONTARA(Empleado!$M:$M)-1;1)
```

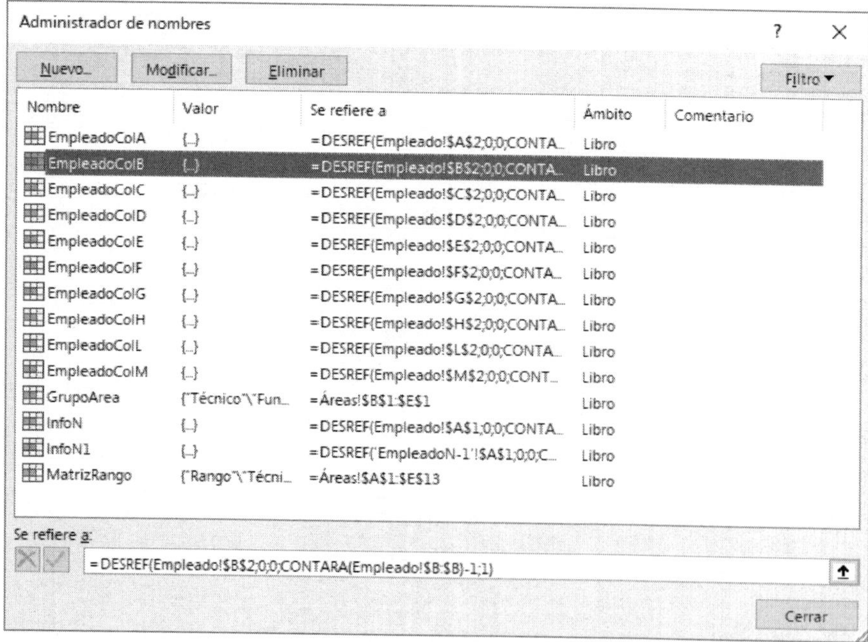

- Siga los mismos pasos para la hoja **EmpleadoN-1**; esta vez, cree los rangos con nombre variables **EmpleadoN1ColB**, **EmpleadoN1ColC** y **EmpleadoN1ColE**, para las columnas B, C y E, respectivamente, configurados de la siguiente manera:

```
=DESREF('EmpleadoN-1'!$B$2;0;0;CONTARA('EmpleadoN-1'!$B:$B)-1;1)
=DESREF('EmpleadoN-1'!$C$2;0;0;CONTARA('EmpleadoN-1'!$C:$C)-1;1)
=DESREF('EmpleadoN-1'!$E$2;0;0;CONTARA('EmpleadoN-1'!$E:$E)-1;1)
```

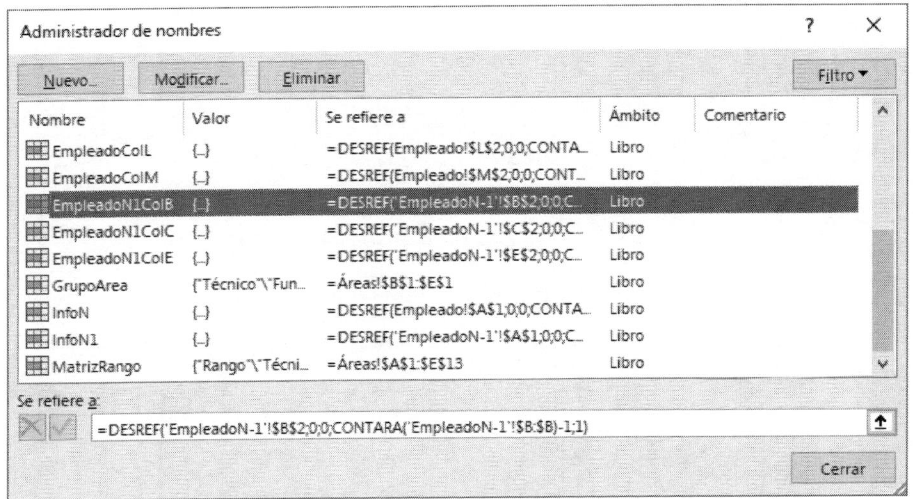

La creación de todos estos rangos de columnas variables nos permitirá hacer adaptables todas las fórmulas utilizando estas diferentes columnas en este libro.

Consejo importante: para que conste, esta parte del curso está dedicada a la automatización de un libro de Excel a partir de dos bases de datos que varían en número de filas y se proyectan respectivamente en dos hojas de cálculo distintas a fin de actualizar las diferentes fórmulas y los gráficos del libro en el que se definen. Además, desde un punto de vista práctico, es preferible crear tantas hojas de cálculo de Excel como bases de datos iniciales variables, donde únicamente se escribirán los datos de dichas bases y solo ellos.

- Para concretar este consejo, cree dos hojas de cálculo nuevas que se llamen **BaseN** y **BaseN1** para alimentar con datos actualizados las hojas **Empleado** y **EmpleadoN-1**, respectivamente. Coloque estas hojas nuevas inmediatamente después de aquella con la que están vinculadas, de este modo:

Para completar las hojas **BaseN** y **BaseN1**, importaremos datos para unos efectivos de 3000 empleados en un primer momento, a través de, respectivamente, los archivos **CSV Anexo_2-ABC_Empleado_3000.csv** y **Anexo_2-ABC_EmpleadoN1_3000.csv**.

✎ Para ello, utilice el procedimiento de importación de datos a través de un archivo CSV descrito anteriormente en la sección Datos extraídos de un archivo CSV. Obtendrá el siguiente resultado:

▸ En **BaseN**:

A1 | Nombre

	A	B	C	D	E	F	G	H	I
1	Nombre	Apellido	Sexo	Fecha de nac	Rango	Área	Salario bruto	Prima del añ	Antigüedad
2	Dexter	Abbott	M	30865	R9	Negocio	70900	3500	9
3	Robert	Abernethy	M	26030	R9	Funciones tr	70500	2000	19
4	Andrew	Aceves	M	25170	R9	Negocio	100200	3500	21
5	Mike	Acker	M	28825	R7	Negocio	55100	2500	3
6	Bruce	Acosta	M	27579	R7	Funcional	60300	2500	1
7	John	Adair	M	28781	R9	Funciones tr	71500	6500	5
8	Benjamin	Adams	M	31542	R5	Funcional	50600	500	5

Empleado | BaseN | EmpleadoN-1 | BaseN1 ...

▸ Y en **BaseN1**:

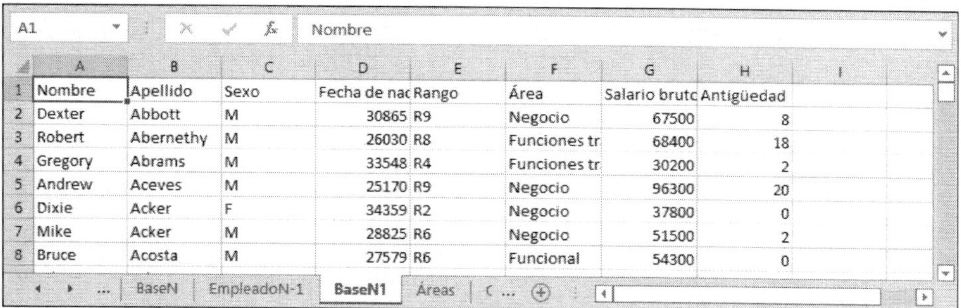

A1 | Nombre

	A	B	C	D	E	F	G	H	I
1	Nombre	Apellido	Sexo	Fecha de nac	Rango	Área	Salario bruto	Antigüedad	
2	Dexter	Abbott	M	30865	R9	Negocio	67500	8	
3	Robert	Abernethy	M	26030	R8	Funciones tr	68400	18	
4	Gregory	Abrams	M	33548	R4	Funciones tr	30200	2	
5	Andrew	Aceves	M	25170	R9	Negocio	96300	20	
6	Dixie	Acker	F	34359	R2	Negocio	37800	0	
7	Mike	Acker	M	28825	R6	Negocio	51500	2	
8	Bruce	Acosta	M	27579	R6	Funcional	54300	0	

... | BaseN | EmpleadoN-1 | BaseN1 | Áreas | C ...

Ahora, importemos los datos de **BaseN** y **BaseN1** a las hojas **Empleado** y **EmpleadoN-1**, respectivamente.

✎ Active la hoja **Empleado**.

✎ Seleccione las columnas de la **B** a la **J**.

✎ Elimine sus datos: haga clic con el botón derecho y elija **Borrar contenido**.

✎ En **B1**, escriba la siguiente fórmula:

```
=DESREF(BaseN!$A$1;0;0;CONTARA(BaseN!A:A);CONTARA(BaseN!1:1)).
```

B1 =DESREF(BaseN!$A$1;0;0;CONTARA(BaseN!A:A);CONTARA(BaseN!1:1))

	A	B	C	D	E	F	G	H	I	J	
1	ID	Nombre	Apellido	Sexo	Fecha de nacimiento	Rango	Área	Salario bruto anual	Prima del año en c	Antigüedad	Pos
2	DexterAbbott	Dexter	Abbott	M	02/07/1984	R9	Negocio	70.900,00 €	3.500,00 €	9	Dire
3	RobertAberne	Robert	Abernethy	M	07/04/1971	R9	Funciones transver	70.500,00 €	2.000,00 €	19	Dire
4	AndrewAceve	Andrew	Aceves	M	28/11/1968	R9	Negocio	100.200,00 €	3.500,00 €	21	Dire
5	MikeAcker288	Mike	Acker	M	01/12/1978	R7	Negocio	55.100,00 €	2.500,00 €	3	Con
6	BruceAcosta2	Bruce	Acosta	M	04/07/1975	R7	Funcional	60.300,00 €	2.500,00 €	1	Con
7	JohnAdair287	John	Adair	M	18/10/1978	R9	Funciones transver	71.500,00 €	6.500,00 €	5	Dire

Empleado | BaseN | EmpleadoN-1 | BaseN1 | Areas | ...

De este modo, las columnas de la **B** a la **J** son una copia exacta de la tabla de la hoja **BaseN**.

Haga lo mismo con las columnas de la **B** a la **I** de la hoja **EmpleadoN-1**, importando la tabla de la hoja **BaseN1** con la fórmula:

```
=DESREF(BaseN1!$A$1;0;0;CONTARA(BaseN1!A:A);CONTARA(BaseN1!1:1))
```

Este es el resultado:

B1 =DESREF(BaseN1!$A$1;0;0;CONTARA(BaseN1!A:A);CONTARA(BaseN1!1:1))

	A	B	C	D	E	F	G	H	I
1	ID	Nombre	Apellido	Sexo	Fecha de nacimiento	Rango	Área	Salario bruto anual	Antigüedad
2	DexterAbbott30	Dexter	Abbott	M	02/07/1984	R9	Negocio	67.500,00 €	8
3	RobertAbernethy	Robert	Abernethy	M	07/04/1971	R8	Funciones transversales	68.400,00 €	18
4	GregoryAbrams3	Gregory	Abrams	M	06/11/1991	R4	Funciones transversales	30.200,00 €	2
5	AndrewAceves25	Andrew	Aceves	M	28/11/1968	R9	Negocio	96.300,00 €	20
6	DixieAcker34359	Dixie	Acker	F	25/01/1994	R2	Negocio	37.800,00 €	0
7	MikeAcker28825	Mike	Acker	M	01/12/1978	R6	Negocio	51.500,00 €	2

Empleado | BaseN | EmpleadoN-1 | BaseN1 | Areas | Cálculo

Ahora, hagamos que todas las fórmulas escritas en este libro sean dinámicas utilizando los rangos de variables que acabamos de definir.

En primer lugar, vamos a convertir en dinámicas las fórmulas de la hoja **Empleado**.

En la columna **A**, desde **A2**, tiene la siguiente fórmula fija:

```
=CONCATENAR(B2;C2;E2)
```

Esto se repite en cada una de estas líneas, hasta la última, A3001 con `=CONCATENAR(B3001;C3001;E3001)`.

Procederemos a hacer dinámica esta fórmula de la siguiente manera:

- Como primer paso, elimine todos los datos contenidos en el rango de celdas **A3:A3001** para dejar solo la fórmula en A2: use la tecla Supr o haga clic con el botón derecho y elija **Borrar contenido**.
- En esta fórmula, ahora reemplace B2, C2 y E2 con **EmpleadoColB**, **EmpleadoColC** y **EmpleadoColE**, respectivamente. Utilice la tecla F3 para seleccionar los rangos con nombre que desea utilizar en la ventana de diálogo denominada **Pegar nombre**.

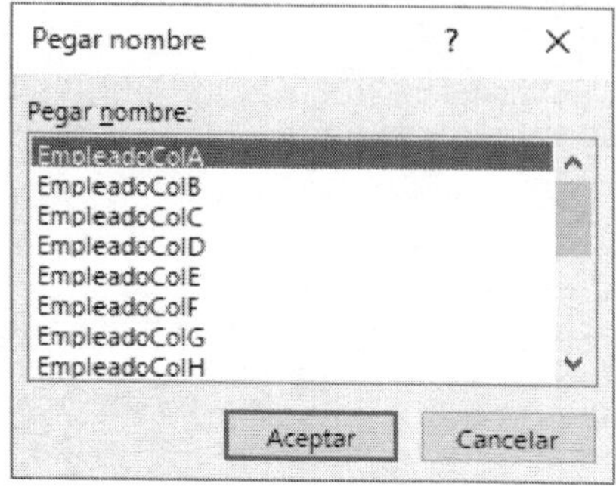

Ahora tiene la siguiente fórmula en A2:

```
=CONCATENAR(EmpleadoColB;EmpleadoColC;EmpleadoColE)
```

La fórmula se copia a todas las celdas de la columna A porque, gracias a los rangos con nombre variables de tipo columna, esta se ha convertido en matricial y se adapta automáticamente al número de filas de esta tabla:

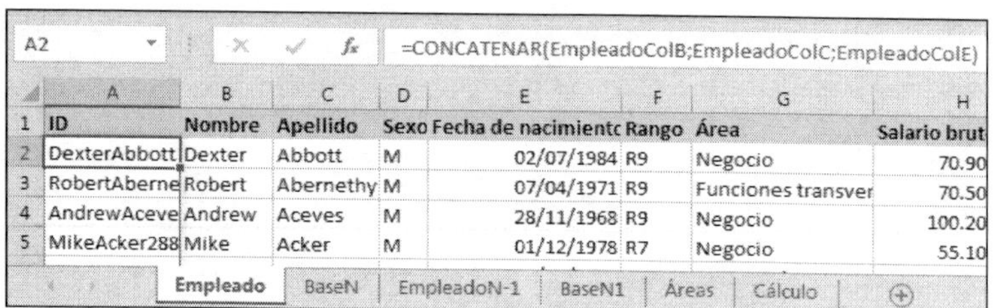

	A	B	C	D	E	F	G	H
1	ID	Nombre	Apellido	Sexo	Fecha de nacimiento	Rango	Área	Salario brut
2	DexterAbbott	Dexter	Abbott	M	02/07/1984	R9	Negocio	70.90
3	RobertAberne	Robert	Abernethy	M	07/04/1971	R9	Funciones transver	70.50
4	AndrewAceve	Andrew	Aceves	M	28/11/1968	R9	Negocio	100.20
5	MikeAcker288	Mike	Acker	M	01/12/1978	R7	Negocio	55.10

Puede ver que, desde A3, la fórmula que aparece semitransparente es la de A2, y así hasta la última fila de la columna A.

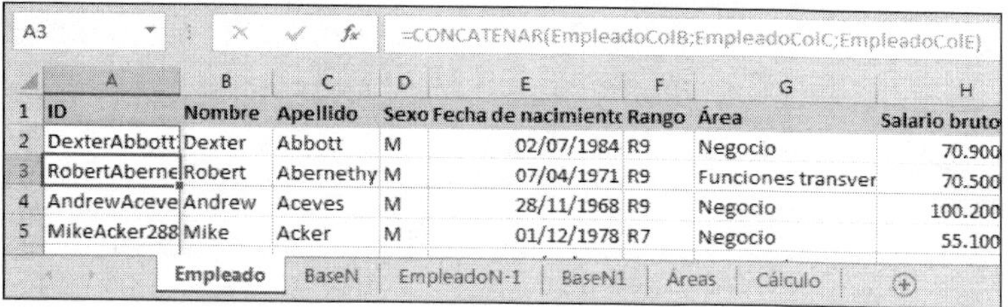

	A	B	C	D	E	F	G	H
1	ID	Nombre	Apellido	Sexo	Fecha de nacimiento	Rango	Área	Salario bruto
2	DexterAbbott	Dexter	Abbott	M	02/07/1984	R9	Negocio	70.900
3	RobertAberne	Robert	Abernethy	M	07/04/1971	R9	Funciones transver	70.500
4	AndrewAceve	Andrew	Aceves	M	28/11/1968	R9	Negocio	100.200
5	MikeAcker288	Mike	Acker	M	01/12/1978	R7	Negocio	55.100

Haga lo mismo con las fórmulas de las columnas K, L, M y N.

- Elimine todos los datos contenidos en las filas 3 a 3001 de estas 4 columnas dejando solo su fórmula respectiva en la fila 2.
- Modifique como hemos visto las fórmulas ubicadas en K2, L2, M2 y N2.

- En K2 sustituya:

```
=INDICE(MatrizRango;COINCIDIR(Empleado!F2;Áreas!$A$1:$A$13;0);
COINCIDIR(Empleado!G2;Áreas!$A$1:$E$1;0))
```

por:

```
=INDICE(MatrizRango;COINCIDIR(EmpleadoColF;Áreas!$A$1:$A$13;0);
COINCIDIR(EmpleadoColG;Áreas!$A$1:$E$1;0))
```

- En L2 sustituya:

```
=SI(ESERROR(BUSCARV(A2;InfoN1;8;FALSO));"Nueva incorporación";
BUSCARV(A2;InfoN1;8;FALSO))
```

por:

```
=SI(ESERROR(BUSCARV(EmpleadoColA;InfoN1;8;FALSO));
"Nueva incorporación";BUSCARV(EmpleadoColA;InfoN1;8;FALSO))
```

- En M2 sustituya:

```
=SI(FECHA(AÑO(HOY());MES(E2);DÍA(E2))>HOY();AÑO(HOY())-AÑO(E2)-1;
AÑO(HOY())-AÑO(E2))
```

por:

```
=SI(FECHA(AÑO(HOY());MES(EmpleadoColE);DIA(EmpleadoColE))>HOY();
AÑO(HOY())-AÑO(EmpleadoColE)-1;AÑO(HOY())-AÑO(EmpleadoColE))
```

- En N2 sustituya:

```
=SI(ESNUMERO(L2);(H2-L2)/L2;0)
```

por:

```
=SI(ESNUMERO(EmpleadoColL);(EmpleadoColH-EmpleadoColL)/EmpleadoColL;0)
```

Ahora las columnas **A**, **K**, **L**, **M** y **N** se rellenan automáticamente con una sola fórmula escrita en la fila 2, y esto en función del número de filas de la base de datos inicial en la que se han rellenado las columnas de la B a la J incluidas (a través de los archivos CSV).

Como segundo paso, vamos a hacer dinámicas las fórmulas de la hoja **EmpleadoN-1**.

- Elimine todos los datos de las filas **3** a **3001** de la columna **A**.
- En A2 sustituya:

```
=CONCATENAR(B2;C2;E2)
```

por:

```
=CONCATENAR(EmpleadoN1ColB;EmpleadoN1ColC;EmpleadoN1ColE)
```

La fórmula en **A2** rellena todas las celdas de la columna **A** de la siguiente manera:

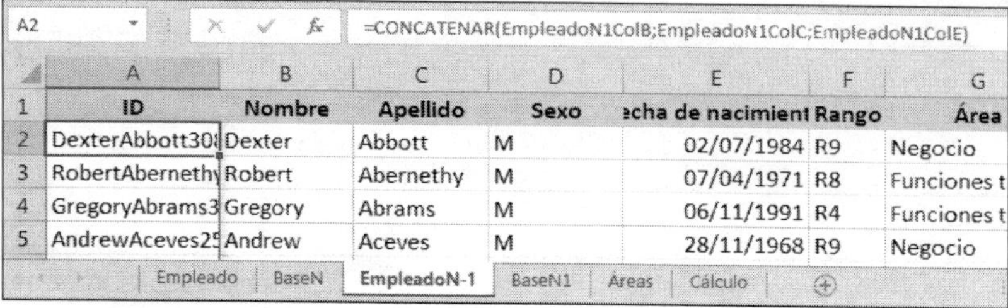

	A	B	C	D	E	F	G
1	ID	Nombre	Apellido	Sexo	echa de nacimient	Rango	Área
2	DexterAbbott30	Dexter	Abbott	M	02/07/1984	R9	Negocio
3	RobertAbernethy	Robert	Abernethy	M	07/04/1971	R8	Funciones t
4	GregoryAbrams3	Gregory	Abrams	M	06/11/1991	R4	Funciones t
5	AndrewAceves2	Andrew	Aceves	M	28/11/1968	R9	Negocio

Protección de hojas en Excel:

Ahora protegeremos las hojas **Empleado** y **EmpleadoN-1**.

- Active la hoja **Empleado**.
- En la pestaña **Revisar** vaya al grupo **Proteger** y haga clic en el botón **Proteger hoja**. Se abrirá el siguiente cuadro de diálogo, denominado **Proteger hoja**.

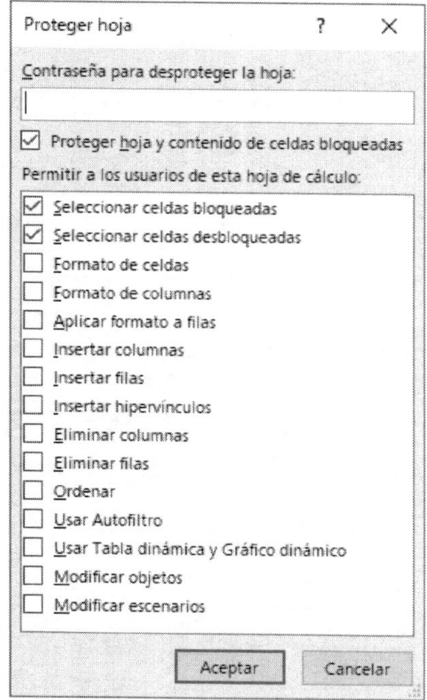

- En la parte superior de la ventana, introduzca una contraseña segura, pero fácil de recordar. Para nuestros libros **Corrección_2-ABC_3000.xlsx** y **Corrección_2-ABC_1000.xlsx**, se ha introducido la siguiente (y muy simple) contraseña: **enivba**.

Cuando se trate de su aplicación, elija una contraseña más fuerte, que otorgue mayor seguridad a sus datos. **Pero tenga cuidado: ¡deberá recordarla!**

- Haga clic en **Aceptar** o pulse la tecla ⏎.

  Se abre el siguiente cuadro de diálogo, denominado **Confirmar contraseña**:

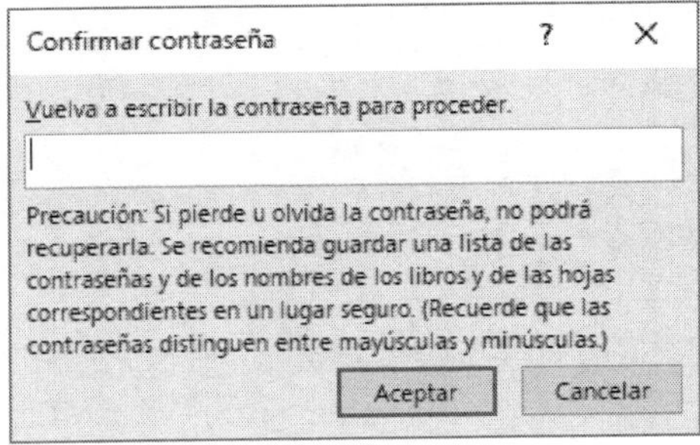

- Confirme la contraseña.
- Haga clic en **Aceptar** o pulse la tecla ⏎.

A partir de ese momento, su hoja activa (**Empleado** en este caso) está totalmente protegida contra escritura.

Si intenta editar una o más celdas, se mostrará el siguiente mensaje:

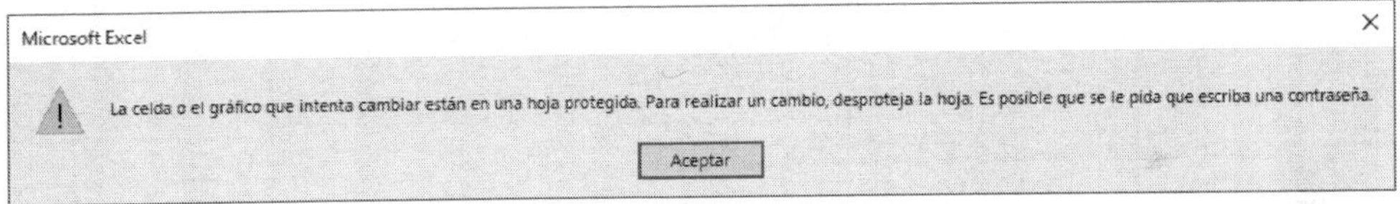

Esto le indica que ha intentado editar una celda o gráfico protegido en esta hoja.

Para poder realizar una modificación, será necesario eliminar la protección usando la contraseña correcta, mediante el botón **Desproteger hoja**, que se encuentra en el grupo **Proteger** de la pestaña **Revisar** de la cinta de opciones.

Pero, entonces, si nuestra hoja activa está protegida, ¿cómo procederemos a modificar su contenido en las columnas de la B a la J?

Pues bien: para actualizarla, será necesario modificar los datos de la hoja **BaseN** para **Empleado** y **BaseN1** para **EmpleadoN-1**.

La ventaja de esta solución es que las fórmulas de estas últimas hojas están protegidas con contraseña, pero los datos que las alimentan son de otra hoja. Gracias a ello, podremos insertar una tabla, en BaseN para nuestro caso, y ordenar los datos en una o más columnas. Es imposible realizar todas estas operaciones en la hoja **Empleado** porque está configurada con fórmulas matriciales que no admiten el cambio en el orden de posición de las filas que componen los rangos con nombre de tipo columna.

- Ahora, para proteger la hoja **EmpleadoN-1**, use el mismo procedimiento descrito anteriormente para la hoja **Empleado**, con la misma contraseña si es posible.

Después procederemos a la automatización de los resultados en la hoja **Cálculo**.

- Active la hoja **Cálculo**.

Por el momento, las fórmulas de la tabla **B4:D5** aún no son variables ni, por lo tanto, modificables según el número de empleados. Procederemos a sustituirlas:

- En **B4** sustituya:

```
=SUMAR.SI.CONJUNTO(Empleado!H2:H3001;Empleado!F2:F3001;B1;
Empleado! G2:G3001;B2)
```

  por:

```
=SUMAR.SI.CONJUNTO(EmpleadoColH;EmpleadoColF;B1;EmpleadoColG;B2)
```

- En **B5** sustituya:

```
{=SUMA((Empleado!F2:F3001=B1)*(Empleado!G2:G3001=B2)*
Empleado! H2:H3001)}
```

  por:

```
{=SUMA((EmpleadoColF=B1)*(EmpleadoColG=B2)*EmpleadoColH)}
```

  para validar esta fórmula, presione las teclas Ctrl Mayús ↵ al mismo tiempo.

La introducción de rangos con nombre de tipo columna automatiza las celdas modificadas de este modo, teniendo en cuenta todas las filas, y ello con independencia de su número.

Ahora, para la tabla **I2:J11**, usaremos el mismo principio que para las columnas **A**, **K**, **L**, **M** y **N** de la hoja **Empleado**, es decir:

- Elimine todos los datos del rango de celdas debajo de la fila 2, es decir, **I3:J11**, para dejar solo las fórmulas en la fila 2;
- En **I2** sustituya:

```
=CONTAR.SI.CONJUNTO(Empleado!$D$2:$D$3001;Cálculo!I$1;
Empleado!$M$2:$M$3001;">="&Cálculo!$F2;Empleado!$M$2:$M$3001;
"<="&Cálculo!$G2)
```

  por:

```
=CONTAR.SI.CONJUNTO(EmpleadoColD;Cálculo!I$1;EmpleadoColM;
" >="&Cálculo!$F2:$F11;EmpleadoColM;"<="&Cálculo!$G2:$G11)
```

- Y en **J2** sustituya:

```
=CONTAR.SI.CONJUNTO(Empleado!$D$2:$D$3001;Cálculo!J$1;
Empleado!$M$2:$M$3001;">="&Cálculo!$F2;Empleado!$M$2:$M$3001;
"<="&Cálculo!$G2)
```

  por:

```
=CONTAR.SI.CONJUNTO(EmpleadoColD;Cálculo!J$1;EmpleadoColM;
">="&Cálculo!$F2:$F11;EmpleadoColM;"<="&Cálculo!$G2:$G11)
```

Observe que los resultados son los mismos que en el ejemplo descrito en las secciones anteriores, con una fuerza laboral constante (recordemos que eran 3000 empleados), es decir:

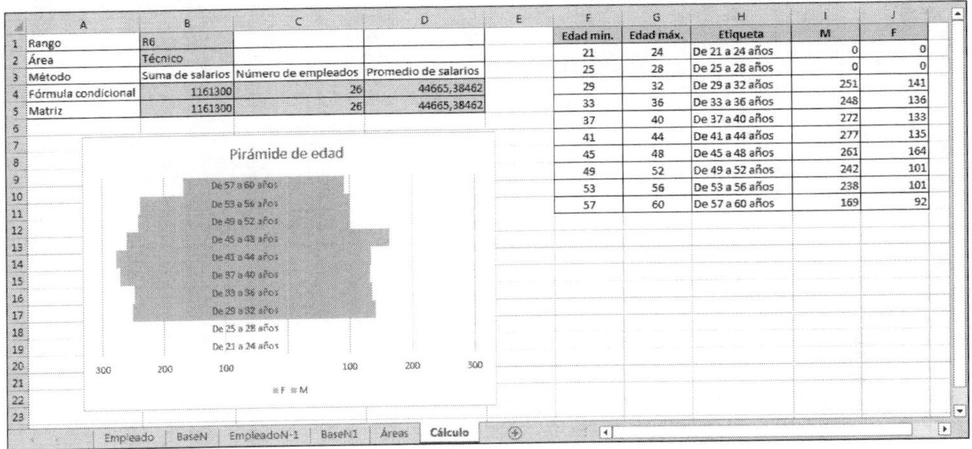

Rango	R6		
Área	Técnico		
Método	Suma de salarios	Número de empleados	Promedio de salarios
Fórmula condicional	1161300	26	44665,38462
Matriz	1161300	26	44665,38462

Edad mín.	Edad máx.	Etiqueta	M	F
21	24	De 21 a 24 años	0	0
25	28	De 25 a 28 años	0	0
29	32	De 29 a 32 años	251	141
33	36	De 33 a 36 años	248	136
37	40	De 37 a 40 años	272	133
41	44	De 41 a 44 años	277	135
45	48	De 45 a 48 años	261	164
49	52	De 49 a 52 años	242	101
53	56	De 53 a 56 años	238	101
57	60	De 57 a 60 años	169	92

Creación del libro de Excel con una plantilla de 1000 empleados:

La corrección de este libro corresponde al archivo extraído de los datos de los archivos CSVAnexo_2-ABC_Empleado_1000.csv y Anexo_2-ABC_EmpleadoN1_1000.csv.

El archivo en cuestión tiene el nombre Corrección_2-ABC_1000.xlsx.

A partir de nuestro archivo anterior, con 3000 empleados extraídos de los datos de los archivos CSV Anexo_2-ABC_Empleado_3000.csv y Anexo_2-ABC_EmpleadoN1_3000.csv, crearemos un duplicado que será el archivo Corrección_2-ABC_1000.xlsx.

- Para lograr este resultado, actualice las hojas **BaseN** y **BaseN1** con los archivos CSV Anexo_2-ABC_Empleado_1000.csv y Anexo_2-ABC_EmpleadoN1_1000.csv.

A continuación, podrá observar que los resultados son diferentes porque conciernen solo a 1000 empleados, en lugar de 3000. He aquí los resultados:

Rango	R6		
Área	Técnico		
Método	Suma de salarios	Número de empleados	Promedio de salarios
Fórmula condicional	365500	8	45687,5
Matriz	365500	8	45687,5

Edad mín.	Edad máx.	Etiqueta	M	F
21	24	De 21 a 24 años	0	0
25	28	De 25 a 28 años	0	0
29	32	De 29 a 32 años	86	54
33	36	De 33 a 36 años	81	50
37	40	De 37 a 40 años	93	51
41	44	De 41 a 44 años	91	34
45	48	De 45 a 48 años	91	38
49	52	De 49 a 52 años	76	27
53	56	De 53 a 56 años	71	41
57	60	De 57 a 60 años	59	37

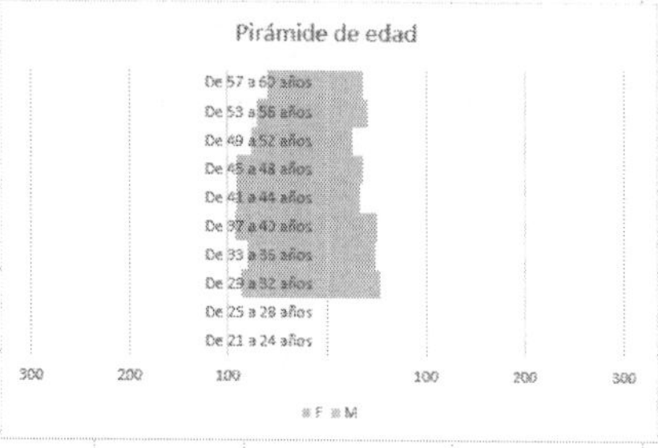

Empleado | BaseN | EmpleadoN-1 | BaseN1 | Areas | Cálculo

En conclusión, para importar los datos de archivos CSV, simplemente actualice las hojas **BaseN** y **BaseN1** con datos apropiados extraídos de archivos CSV compatibles con las columnas de estas hojas.

Todas las fórmulas del libro tendrán en cuenta el número de empleados de forma automatizada y darán los resultados correspondientes.

D. Indicadores clave y compartidos: descripción del ejemplo

1. Descripción general del ejemplo

El objetivo de este ejemplo es partir de la tabla consolidada creada en la primera parte para exponer los indicadores clave. Es interesante, pues, abordar las diferentes funcionalidades para poner el valor las cifras clave de la tabla incluida en la hoja **Empleado**.

2. Información general sobre el libro

El archivo **Enunciado_2-DEF.xlsx** es equivalente al archivo **Corrección_2-ABC.xlsx**. Este ejemplo es una continuación de la primera parte, por lo que contiene rangos con nombre constantes.

Si prefiere utilizar archivos dinámicos, es decir, con rangos con nombre variables, puede utilizar el archivo ***Enunciado_2-DEF_3000.xlsx*** *para la versión con 3000 empleados (equivalente al archivo Corrección_2-ABC_3000.xlsx) o el archivo* ***Enunciado_2-DEF_1000.xlsx*** *para la versión con 1000 empleados (equivalente al archivo Corrección_2-ABC_1000.xlsx).*

3. Funciones

En primer lugar, calcularemos las estadísticas salariales:

- Calcularemos el rango de un salario en relación con todos los salarios.
- Calcularemos el primer y noveno decil de salarios para identificar el 10 % de los salarios más altos/más bajos.
- Resaltaremos los salarios más altos usando el formato condicional.
- Mostraremos en un gráfico resumen todos los salarios.

E. Indicadores clave y compartidos: conceptos del curso

1. Funciones de Excel

De forma predeterminada, Excel ofrece muchas funciones estadísticas. Nuestro objetivo no es detallar todas las funciones estadísticas, sino aprender a usarlas.

¿Dónde se encuentran las funciones?

Las funciones se encuentran en la pestaña **Fórmulas** y están ordenadas por categorías: **Usadas recientemente**, **Financieras**, **Lógicas**, **Texto**, **Fecha y hora**, etc.

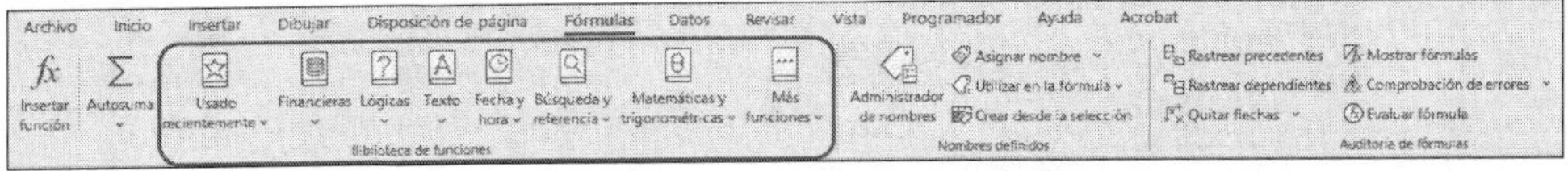

Es posible buscar una función a través del botón **Insertar función**; sin embargo, la búsqueda de funciones rara vez conduce al resultado deseado. Por lo tanto, para insertar una función, se recomienda buscar por tema.

¿Cómo interpretarlas?

Tomemos el ejemplo de una búsqueda vertical:

✎ Escriba = BUS.

Aparece la lista de funciones:

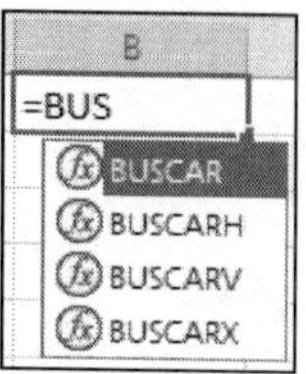

✎ Con las teclas del teclado ↑ y ↓, colóquese en la función deseada; luego, con la tecla ↵, confirme su selección.

La función se muestra con sus argumentos.

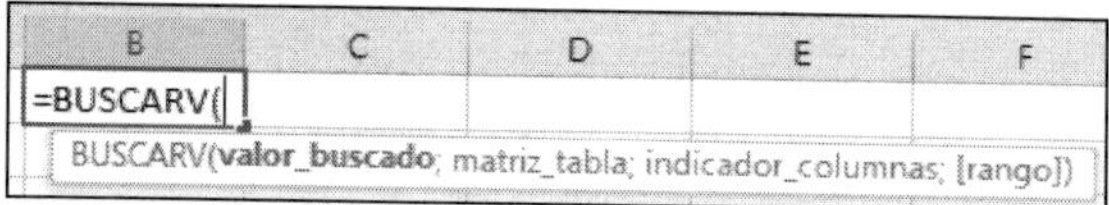

✎ En la etiqueta informativa, haga clic en el nombre de la función para mostrar la ayuda en línea, incluidos los argumentos asociados.

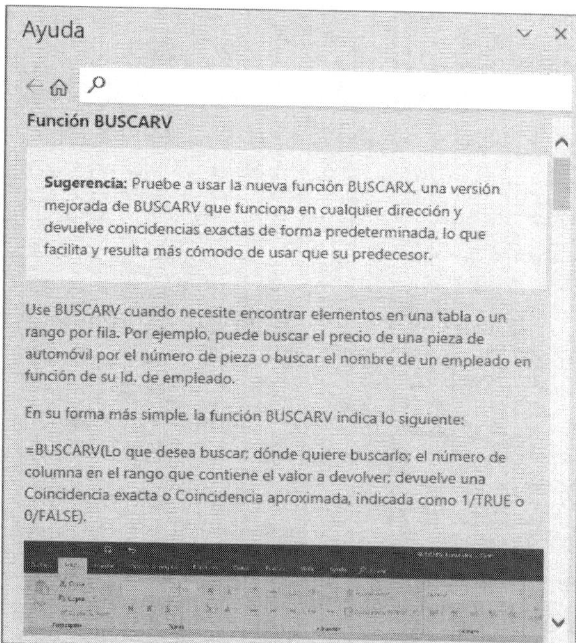

Los argumentos entre corchetes no son obligatorios, como en este ejemplo [rango].

¿Cómo analizarlas?

En la pestaña **Fórmulas**, el grupo **Auditoría de fórmulas** se utiliza para analizarlas y, en particular, para identificar posibles problemas:

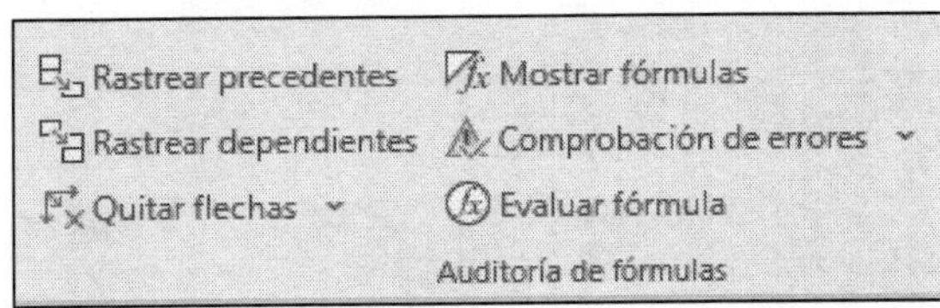

Rastrear precedentes/Rastrear dependientes muestra flechas que representan los vínculos entre las celdas implicadas en una fórmula. **Quitar flechas** borra estas flechas entre celdas.

Mostrar fórmulas muestra la fórmula en lugar de su resultado en la hoja de Excel. Es decir: en lugar de tener el resultado de la suma, se muestra la fórmula `=SUMA(A1:A4)`.

La evaluación de la fórmula a través del botón **Evaluar fórmula** permite validar los diferentes pasos de una fórmula.

Tomemos, por ejemplo, una fórmula que prueba el valor en A1: aquí es igual a 4.

```
=SI(A1=1;"El valor es 1";SI(A1=2;"El valor es 2";SI(O(A1=3;A1=4);
"El valor es 3 o 4";"Otro valor")))
```

Al hacer clic en **Evaluar fórmula**, esta opción le permite probar todas las condiciones una por una, como en las capturas de pantalla siguientes. Al hacer clic en **Evaluar fórmula**, se prueba la primera condición `A1=1`; luego la correspondiente al resultado falso, a saber: `A1=2`; luego el `O(A1=3;A1=4)`.

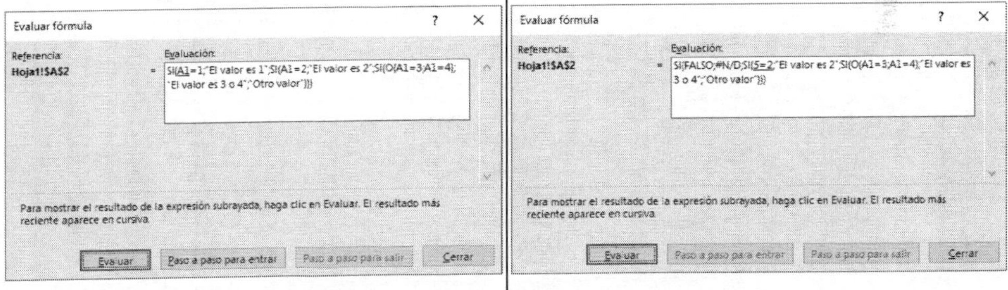

He aquí el resultado de la fórmula:

El botón **Comprobación de errores** muestra una explicación detallada del error:

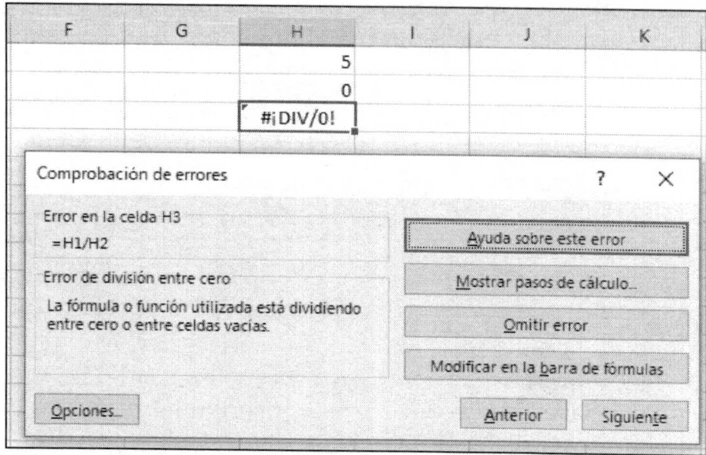

Al hacer clic en **Mostrar pasos de cálculo**, se muestra la ventana de evaluación de la fórmula para comprobar los cálculos paso a paso.

2. Creación de un minigráfico

Un minigráfico es una representación gráfica realizada en una sola celda. Esta opción es interesante porque permite mostrar numerosos datos en un espacio muy pequeño, es decir, una celda. Hay tres tipos posibles de gráficos: **Líneas**, **Columnas** y **Pérdidas y ganancias**.

Para crear un minigráfico:

- Cree un libro nuevo y, a continuación, escriba la tabla siguiente en el rango **A1:A11** y seleccione el rango de celdas que contienen los datos.

	A
1	5
2	3
3	4
4	10
5	12
6	10
7	18
8	21
9	21
10	19
11	25

✎ En la pestaña **Insertar**, vaya al grupo **Minigráficos** y, a continuación, haga clic en **Líneas**.

La ventana **Crear minigráficos** aparece como se muestra a continuación.

✎ Seleccione la **Ubicación** (el **Rango de datos** ya está introducido porque se seleccionó en el paso 1).

Si usted se coloca en una celda vacía al crear el gráfico, Excel considera que es una ubicación y entonces deberá completar el rango de datos.

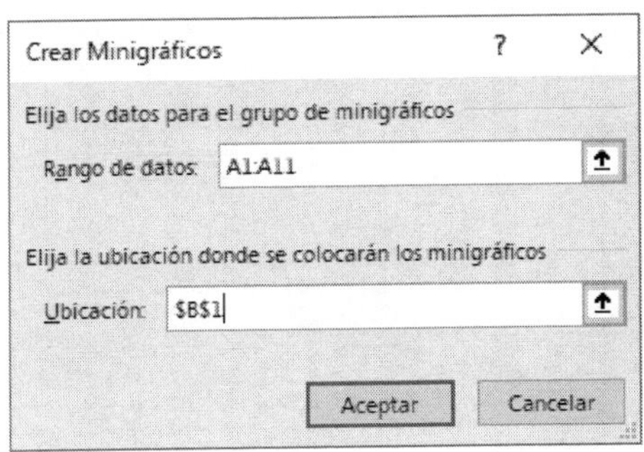

El gráfico se inserta en la celda **B1**:

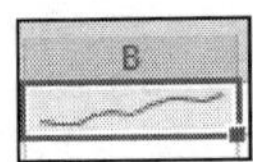

3. Formato condicional simple

El formato condicional simple es la visualización de un formato específico predefinido en función del contenido de las celdas de un rango.

Después de seleccionar el rango al que desea dar formato, esta característica se encuentra en la pestaña **Inicio**, grupo **Estilos**. Al hacer clic en **Formato condicional**, puede elegir entre cinco tipos de reglas predefinidas:

Reglas para resaltar celdas

Se aplica un formato específico cuando en un rango de celdas, una celda cumple una condición dada: por ejemplo, ser mayor que un valor.

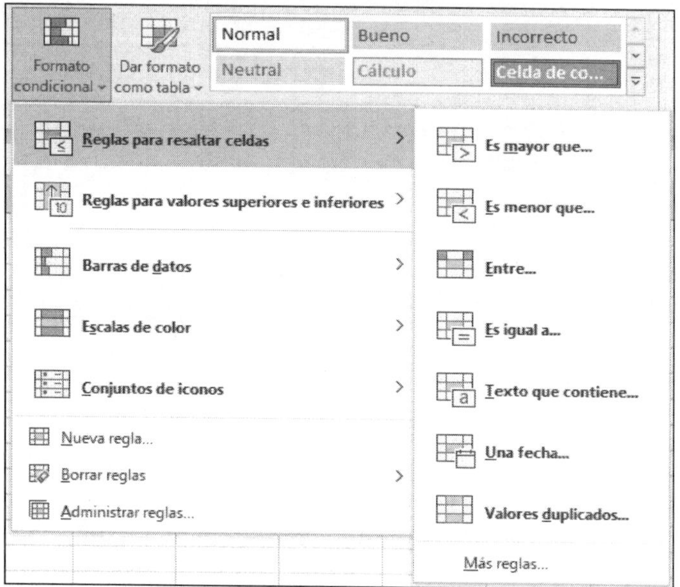

- Seleccione las celdas **A1:A11**.
- Para resaltar celdas iguales a **10**, en la pestaña **Inicio**, en el Grupo **Estilos**, haga clic en **Formato condicional**, luego en **Reglas para resaltar celdas** y elija **Es igual a**.
- Introduzca el valor del criterio que desea aplicar, en este caso **10**, en el campo **Aplicar formato a celdas que son IGUALES QUE:**.
- Elija **Relleno rojo claro con texto rojo oscuro** como formato condicional y, a continuación, haga clic en **Aceptar**.

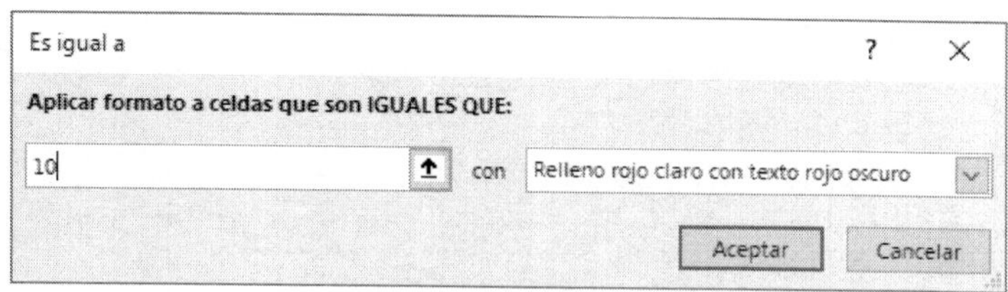

Obtendrá el siguiente resultado:

	I
1	5
2	3
3	4
4	10
5	12
6	10
7	18
8	21
9	21
10	19
11	25

Regla para valores superiores/inferiores

Consiste en aplicar un formato específico a las celdas que forman parte de una muestra determinada. Por ejemplo, valores situados en el 10 % superior.

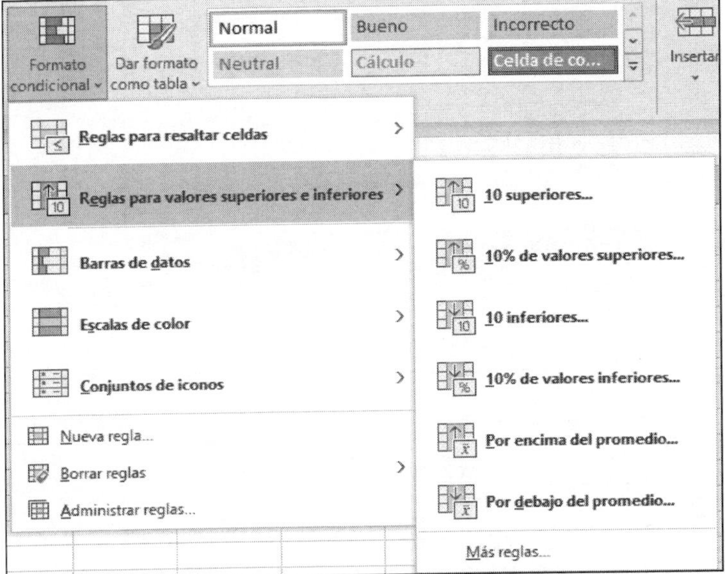

Para resaltar los tres valores más altos:

- Elija **Reglas para valores superiores/inferiores** y, a continuación, elija **10 superiores**.
- En el cuadro **Aplicar formato a las celdas cuyo rango sea SUPERIOR:**, escriba **3** para resaltar los 3 principales.
- Elija el formato de **Relleno verde con texto verde oscuro** y haga clic en **Aceptar**.

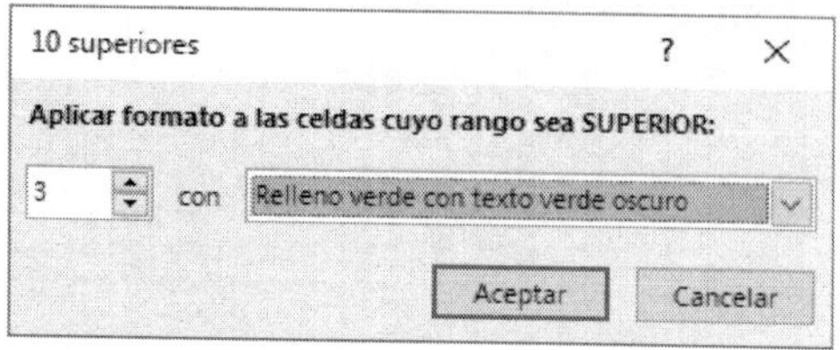

Barras de datos

Las barras de datos son efectos visuales que aparecen directamente en las celdas del rango seleccionado. La longitud de la barra dentro de una celda depende del valor de la celda en relación con el conjunto de los valores en el rango de celdas.

En el caso de las barras de datos, solo se debe elegir el color; la longitud de las barras se adapta automáticamente al valor.

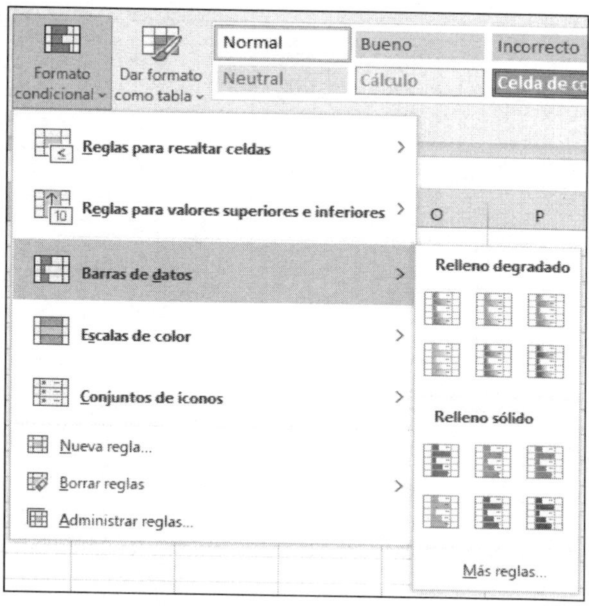

He aquí una representación de una serie de barras de datos:

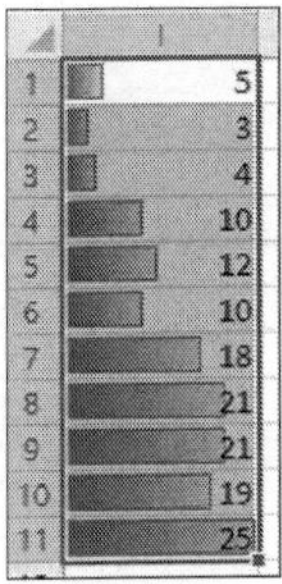

Escalas de color

Al igual que las barras de datos, las escalas de color son efectos visuales que aparecen directamente en las celdas del rango seleccionado. El color varía de un nivel menos intenso a un nivel más intenso dependiendo del valor de la celda en relación con el conjunto de los valores contenidos en el rango de celdas.

Solo se debe elegir el degradado; las escalas se adaptan automáticamente al valor.

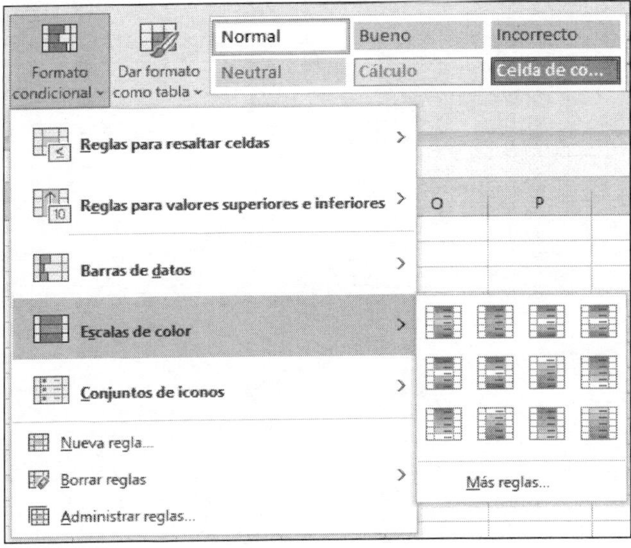

He aquí hay una representación de un formato condicional con escalas de color.

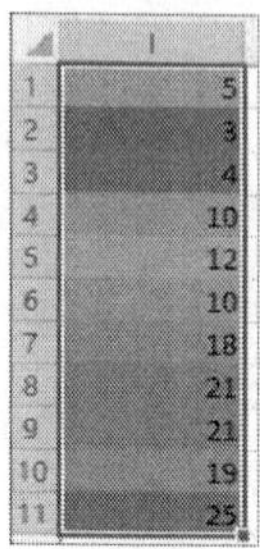

Conjuntos de iconos

Los conjuntos de iconos son efectos visuales que representan una serie de iconos aplicados a los valores de las celdas de un rango seleccionado. Los iconos de tipo «positivo» se aplicarán a los valores más altos, mientras que los iconos de tipo «negativo» se aplicarán a los valores más bajos.

Estos son los iconos disponibles:

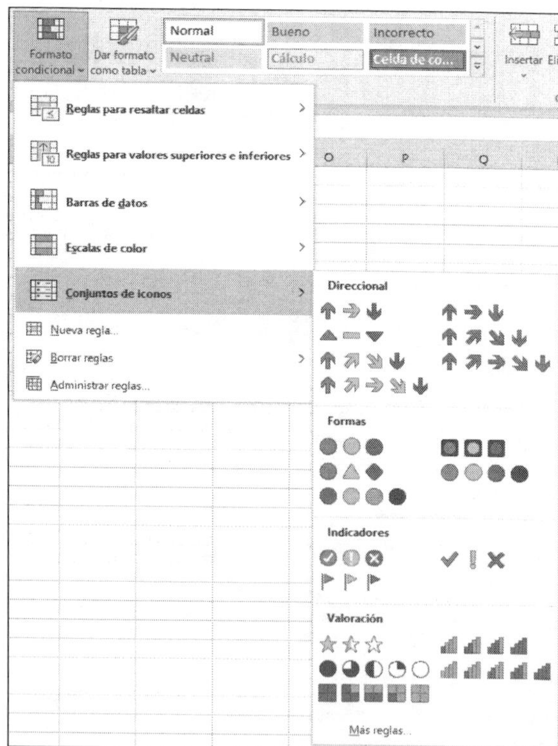

Y aquí, una muestra de su aplicación en nuestro ejemplo:

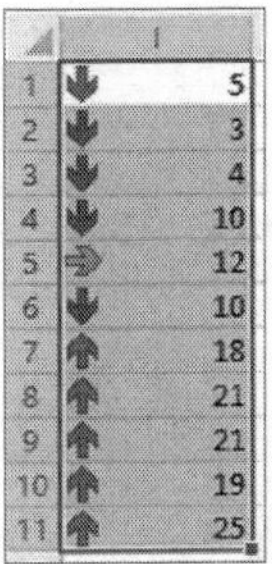

4. Introducción a la tabla

Desde Excel 2007, es posible crear una tabla a partir de un rango de datos. La tabla (también llamada tabla de datos) facilita trabajar con los datos usando filtros, clasificaciones y, especialmente, aplicando fórmulas a la totalidad de una columna.

¿Dónde se encuentra esta función?

Esta función está disponible en el menú **Insertar**, grupo **Tablas**.

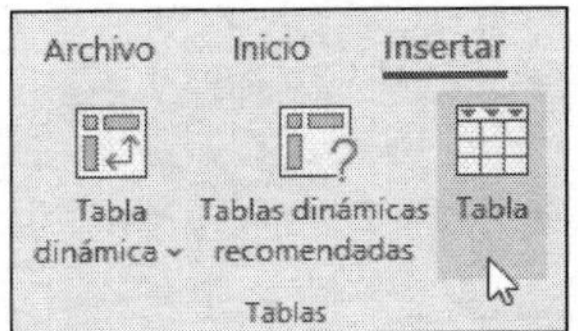

Se muestra la ventana **Crear tabla**, que se utiliza para determinar el rango que se convertirá en una tabla. También es posible elegir si la tabla tiene encabezados.

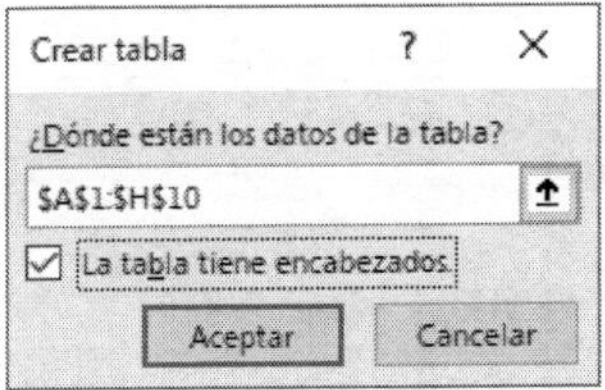

Cuando se crea una tabla, está disponible una pestaña nueva denominada **Diseño de tabla**.

Fórmulas

Cuando se aplica una fórmula al principio de una columna, se aplica a toda la columna.

Columna

La columna se nombra por su nombre de encabezado: [Nombre del encabezado]. Es posible referirse a celdas como en este ejemplo, donde nos referimos a la celda actual en la columna 1: =[@[Columna 1]

Aplicar formato

Es más fácil aplicar formato a una tabla porque en la pestaña **Diseño de tabla** ciertos estilos están disponibles y son fácilmente aplicables:

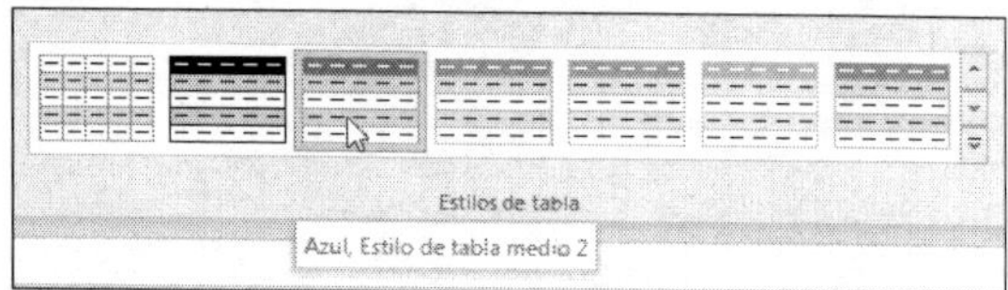

F. Indicadores clave y compartidos: realización del ejemplo

✎ Primero, abra el archivo que ha elegido:

- Ya sea **Enunciado_2-DEF.xlsx** para los rangos con nombre constantes.
- ya sea **Enunciado_2-DEF_3000.xlsx** o **Enunciado_2-DEF_1000.xlsx** para archivos dinámicos.

Los archivos **Enunciado_2-DEF_3000.xlsx** o **Enunciado_2-DEF_1000.xlsx** son idénticos, pero tienen rangos de datos dinámicos.

1. Configuración de la tabla

Como primer paso, crearemos una tabla de Excel para facilitar el trabajo con los datos que contiene la hoja **Empleado**.

✎ En la hoja **Empleado** de **Enunciado_2-DEF.xlsx** o en la hoja **BaseN** de **Enunciado_2-DEF_3000.xlsx** o **Enunciado_2-DEF_1000.xlsx**, vaya a la pestaña **Insertar** y haga clic en el botón **Tabla**.

Aparecerá la ventana **Crear tabla**.

✎ Seleccione el rango correspondiente a toda la tabla y active la casilla **La tabla tiene encabezados**.

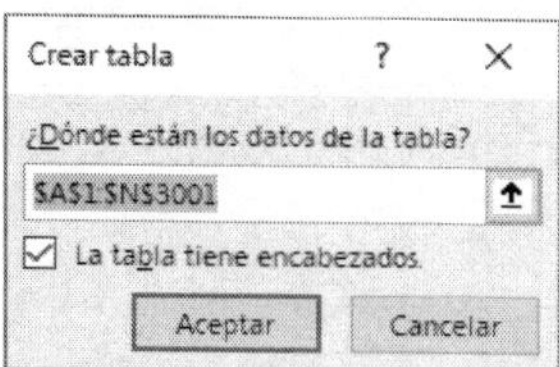

✎ Confirme pulsando **Aceptar**.
Aparece la pestaña **Diseño de tabla**.

✎ En el grupo **Propiedades**, cambie el nombre de la tabla a **TablaEmpleado**.

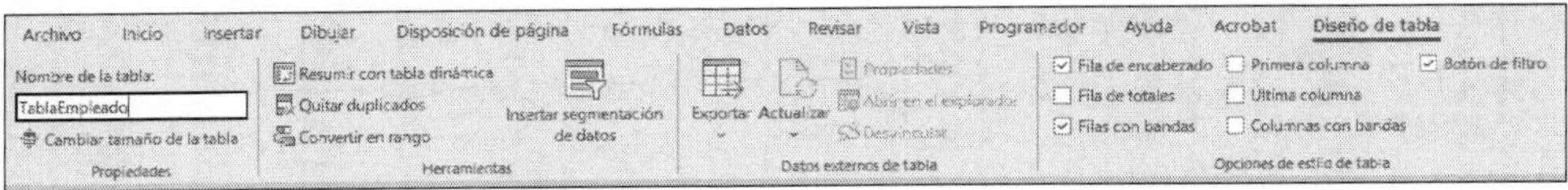

El rango de datos **$A$1:$N$3001** o **$A$1:$I$3001** para archivos dinámicos ahora es una tabla de Excel llamada **TablaEmpleado**.

*Para actualizar los datos de la hoja **BaseN** de archivos dinámicos, desde que se inserta una tabla (TablaEmpleado, recordemos) será necesario:*

- Seleccionar todas las filas desde la fila 2, pero no seleccionar la primera, para no eliminar TablaEmpleado.

*- Eliminar todas las filas seleccionadas, haciendo clic con el botón derecho y eligiendo **Eliminar**.*

A continuación, consulte el procedimiento para importar datos desde un archivo CSV que hemos visto con anterioridad, en la sección Cómo importar datos desde un archivo CSV.

2. Fórmulas estadísticas

A partir de las fórmulas estadísticas, calcularemos tres indicadores sobre los salarios actuales.

Conocer el rango salarial

Mostraremos en la columna O la información del rango salarial. Esto corresponde a la posición del importe del salario en relación con el total de los salarios. El salario más alto tendrá el rango 1, el más bajo tendrá el rango 3000.

Para determinar el rango del salario, la función JERARQUIA permite conocer la posición de un valor dentro de un rango. Su uso es relativamente intuitivo:

```
= JERARQUIA(valor;rango)
```

Esta fórmula dará la posición del salario entre los 3000 salarios de los empleados.

Para aplicar esta fórmula:

✎ Active la hoja **Empleado**.

✎ Elimine la protección de la hoja si es necesario para archivos dinámicos (contraseña **enivba**).

✎ En la celda **O1**, escriba **Jerarquía** como encabezado de columna.

Al hacer esto, la columna se agregará inmediatamente a la tabla **TablaEmpleado**, excepto para **archivos dinámicos**, donde solo se actualiza el encabezado.

- En la celda **O2**, escriba **=JERARQUIA** y luego elija la celda del salario, H2.
  Se mostrará de la siguiente manera: `[@[Salario Bruto Anual]]`
- En el caso de los archivos dinámicos: deberá elegir el rango denominado `EmpleadoColH`. Se mostrará así: `EmpleadoColH` y no `[@[Salario Bruto Anual]]`.
- Escriba ;
- Aún en la fórmula `JERARQUÍA`, elija el rango (conjunto de celdas) que se tomará para calcular el rango (posición del salario) seleccionando toda la columna **Salario bruto anual** o `EmpleadoColH` para archivos dinámicos:
  La fórmula se muestra de la siguiente manera: `=JERARQUIA([@[Salario bruto anual]];TablaEmpleado[[#Todo];[Salario bruto anual]])`.
  En el caso de los archivos dinámicos, la fórmula se muestra de la siguiente manera: `=JERARQUIA(EmpleadoColH;EmpleadoColH)`.
- Valide la fórmula de esta tabla, que no es **TablaEmpleado** en el caso de los archivos dinámicos. Se aplica a toda la columna O.

Cálculo de la media de salarios a partir de una tabla

En la hoja **Cálculo**, vamos a recuperar el promedio general de salarios. Nos basaremos en los datos de la tabla.

Para calcular el promedio, la fórmula homónima sigue siendo la más adecuada:

```
=PROMEDIO(rango)
```

La operación es la siguiente:

- Seleccione la celda **A7** en la hoja **Cálculo** y escriba **Promedio**.
- Seleccione la celda **A8** de la hoja **Cálculo** e introduzca la siguiente fórmula: `=PROMEDIO(TablaEmpleado[Salario bruto anual])`.

Cálculo del primer y del último decil de los salarios

Los deciles son los valores que permiten distribuir una lista de valores ordenados en 10 partes iguales. Según esto, los salarios por debajo del primer decil estarán en el 10 % más bajo, mientras que los salarios por encima del noveno decil estarán en el 10 % superior.

Incluiremos los deciles en el rango **A9:A12** de la hoja de trabajo.

No existe la fórmula `DECIL`; sin embargo, la fórmula `PERCENTIL` sí, y con una ligera adaptación podremos calcular el decil.

El percentil es un decil dividido por 10. Por lo tanto, adaptaremos la fórmula: 10 % para el primer decil y 90 % para el último.

La fórmula `PERCENTIL` tiene la siguiente estructura:

```
=PERCENTIL(rango,percentil)
```

Para tener el primer y noveno deciles:

- En la **hoja de cálculo**, en la celda A9, escriba **Primer decil**.
- Seleccione la celda A10 e introduzca la siguiente fórmula:

  ```
  =PERCENTIL(TablaEmpleado[Salario bruto anual];0,1)
  ```
- En la **hoja de cálculo**, en la celda A11, escriba **Último decil**.
- Seleccione la celda A12 e introduzca la siguiente fórmula:

  ```
  =PERCENTIL(TablaEmpleado[Salario bruto anual];0,9)
  ```

Obtendrá los siguientes valores:

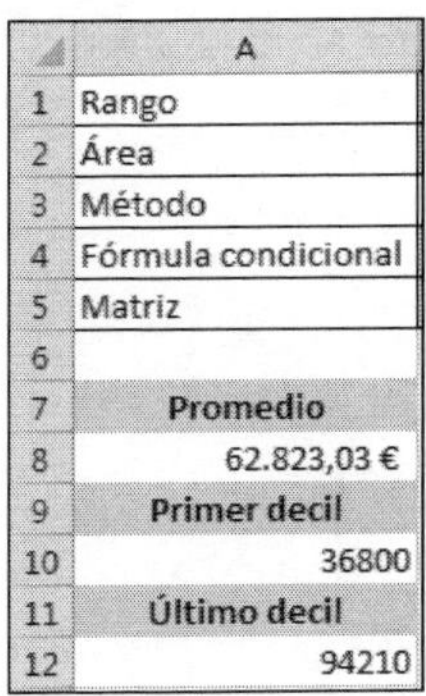

	A
1	Rango
2	Área
3	Método
4	Fórmula condicional
5	Matriz
6	
7	Promedio
8	62.823,03 €
9	Primer decil
10	36800
11	Último decil
12	94210

3. Destacar datos

Destacar los datos consistirá en aplicar un formato específico a determinados datos de la tabla **TablaEmpleado**. Aplicaremos un formato condicional para resaltar los datos.

Los 20 mejores salarios

Para mostrar los 20 salarios más elevados del año N, hay que aplicar un formato condicional y usar la opción **Reglas para valores superiores e inferiores**. El formato se aplicará a la columna H de la hoja **Empleado**.

Para lograrlo, se puede seguir este procedimiento:

- Seleccione el rango salarial H2:H3001.
- En la pestaña **Inicio**, haga clic en **Formato condicional**.
- Elija el submenú **Reglas para valores superiores e inferiores** y haga clic en **10 superiores**.

  Aparecerá la ventana de configuración de la opción de formato condicional.

- En la sección **Aplicar formato a las celdas cuyo rango sea SUPERIOR:**, seleccione 20 y, a continuación, para el formato, elija **Relleno verde con texto verde oscuro**.

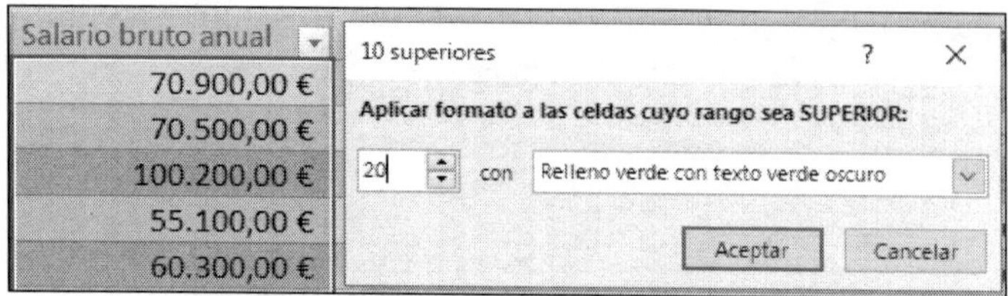

Compruebe el resultado en la hoja.

	F	G	H
1	Rango	Área	Salario bruto anual
2	R12	Funciones trans	199.500,00 €
3	R12	Funciones trans	190.200,00 €
4	R12	Funciones trans	170.600,00 €
5	R11	Funciones trans	159.900,00 €
6	R11	Funciones trans	155.900,00 €
7	R11	Funciones trans	155.600,00 €
8	R11	Funciones trans	155.500,00 €
9	R11	Funciones trans	154.400,00 €
10	R12	Negocio	153.400,00 €
11	R11	Funciones trans	151.900,00 €
12	R11	Funciones trans	150.900,00 €
13	R11	Funciones trans	150.800,00 €
14	R12	Negocio	150.300,00 €
15	R11	Negocio	148.700,00 €
16	R11	Negocio	148.300,00 €
17	R11	Negocio	148.200,00 €
18	R11	Funciones trans	147.900,00 €
19	R11	Negocio	147.000,00 €
20	R11	Negocio	146.800,00 €
21	R11	Negocio	146.600,00 €
22	R11	Negocio	146.500,00 €

Resaltar los empleados sin aumento

Para resaltar los empleados cuyo salario no se ha aumentado, debe aplicar un formato condicional y utilizar la opción **Reglas para resaltarceldas**. Esto se puede conseguir resaltando las celdas que contienen un valor cero como aumento. El formato se aplicará a la columna N de la hoja **Empleado**.

Para resaltar estos empleados:

- Seleccione el rango con los aumentos: N2:N3001.
- En la pestaña **Inicio**, haga clic en **Formato condicional**.

- Elija el submenú **Reglas para resaltar celdas** y haga clic en **Es igual a**.
  Aparecerá la ventana de configuración de la opción de formato condicional.
- En la parte **Aplicar formato a las celdas que son IGUALES QUE:** escoja 0 y, a continuación, elija **Relleno rojo claro con texto rojo oscuro**.

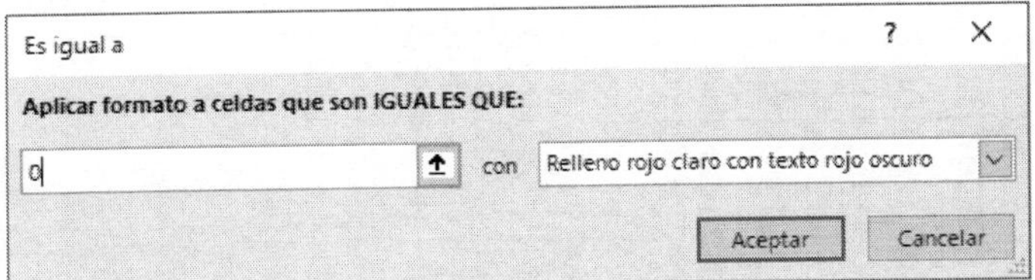

Compruebe el resultado en la hoja.

M	N
Edad	Aumento porcentual
43	7%
32	0%
55	8%
40	4%
34	8%
43	0%
29	3%
30	0%
50	9%
48	3%
44	9%

Se considera que los recién llegados no han tenido un aumento.

4. Minigráfico vs. gráfico clásico

El objetivo es mostrar los datos a través de un gráfico de una manera que sea clara y visual para los usuarios. El gráfico de curva de salarios de la empresa destaca la distribución de los salarios. Los gráficos se basarán en la columna **H** de la hoja **Empleado**.

¿Cuál es la mejor solución? ¿Usar un gráfico clásico o un minigráfico?

Visualización de un gráfico normal

- En la hoja **Empleado**, o en la hoja **BaseN** para archivos dinámicos, primero ordene la columna **H** (o la columna **G** para archivos dinámicos), que son los salarios brutos anuales del más bajo al más alto.
- Dado que se trata de mostrar una curva salarial, el único eje del gráfico será el salario. Por lo tanto, seleccione el rango **H1:H3001** de la hoja **Empleado** (o la columna **G** de la hoja **BaseN** para archivos dinámicos) de la siguiente manera:

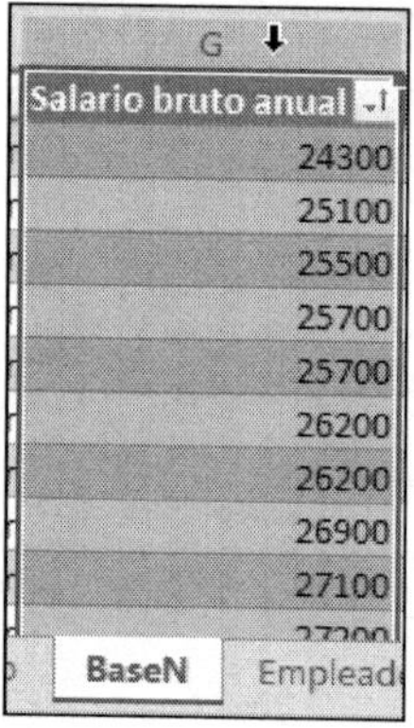

- Haga clic en la pestaña **Insertar** y, a continuación, en el grupo **Gráficos**, elija **Gráficos recomendados**.

- En la ventana, elija **Todos los gráficos** y luego, **Líneas**.

El gráfico de líneas se muestra así.

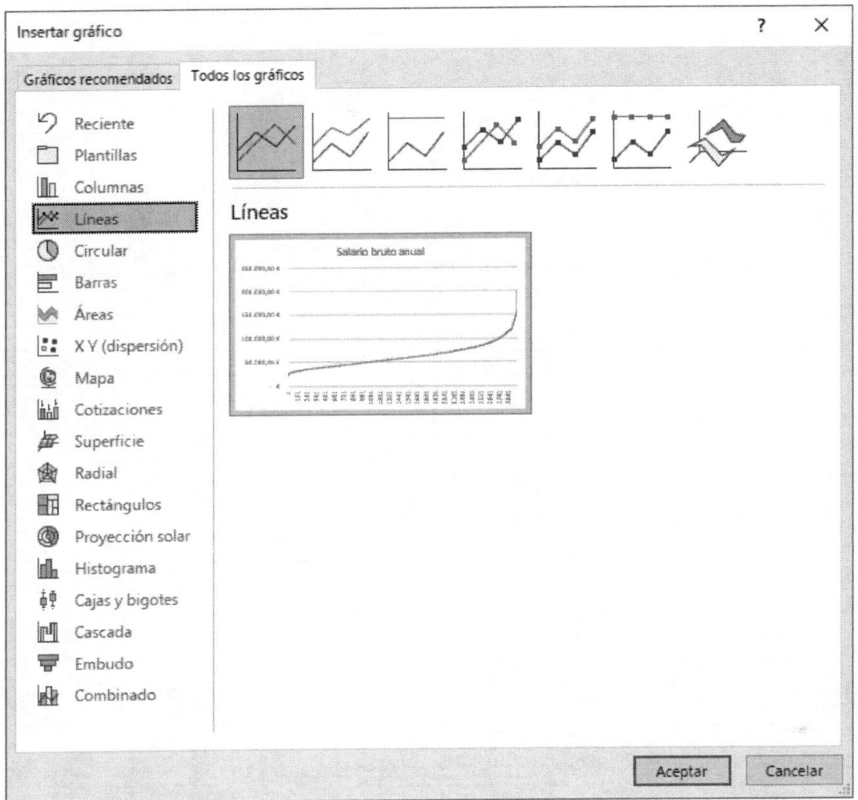

- Confirme haciendo clic en **Aceptar**.
- Copie el gráfico en la celda **B22** de la hoja **Cálculo** y cambie el título a **Curva salarial**.

Obtendrá el siguiente resultado:

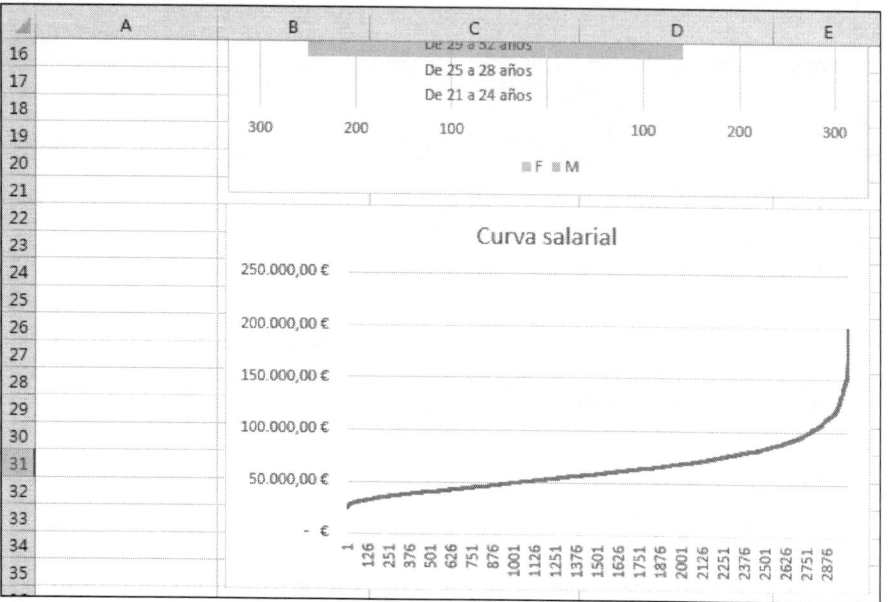

Creación de un minigráfico

- Seleccione los valores en el rango de salarios brutos anuales **H2:H3001** sin incluir el encabezado.
- En la pestaña **Insertar**, en el Grupo **Minigráficos**, elija **Líneas**.
- Aparecerá la ventana **Crear Minigráficos**.
- En el cuadro **Rango de datos**, se selecciona el intervalo **H2:H3001**. En el cuadro **Ubicación**, escriba Q2. No es posible mostrar el gráfico en una hoja que no sea **Empleado**.

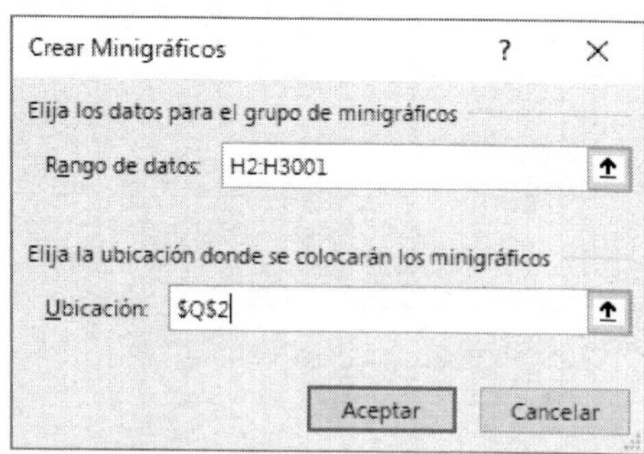

- Haga clic en **Aceptar**.

El gráfico aparece en la celda **Q2** de la hoja **Empleado** de la siguiente manera:

O	P	Q
arquía		**Curva salarial**
3000		
2999		

Esta representación gráfica permite visualizar rápidamente la curva salarial destacando primero la lenta evolución de los salarios y luego una fuerte evolución para los salarios más altos.

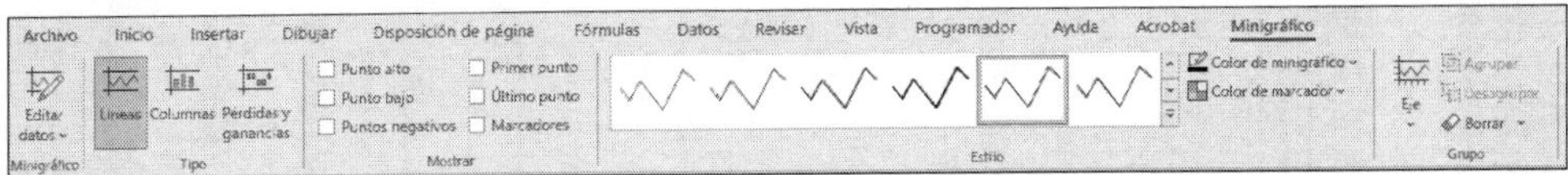

Aparece la pestaña **Minigráfico**, que le permite personalizar la línea según estos cinco grupos:

- Grupo **Minigráfico** para editar los datos.
- Grupo **Tipo** para elegir el tipo de línea de minigráfico.
- Grupo **Mostrar** para mostrar, en un color seleccionable, diferentes puntos y marcadores específicos.
- Grupo **Estilo** para elegir el color y el grosor de la línea y el color de los puntos y marcadores.
- Grupo **Grupo** para dar acceso a diferentes opciones del eje horizontal y valor mínimo y máximo del eje vertical, así como a la eliminación de uno o más minigráficos.

Capítulo 3

Administración de ventas y formularios VBA

A. Formulario de gestión de ventas: descripción del ejemplo

1. Presentación del ejemplo

Somos la empresa **BolEni**, un distribuidor que vende bolsas deportivas en dos tallas, L y XL. La empresa comienza su actividad y desea disponer de un archivo simple para hacer un seguimiento de sus ventas y su *stock*.

La herramienta que va a configurar permitirá al vendedor de esta pequeña empresa crear, almacenar y descargar facturas.

La herramienta se presentará como un formulario para ser rellenado por el vendedor. Estará accesible desde un archivo Excel y el botón **Ir a la herramienta de gestión de ventas**, que se colocará en la hoja de apertura del libro.

He aquí la herramienta finalizada:

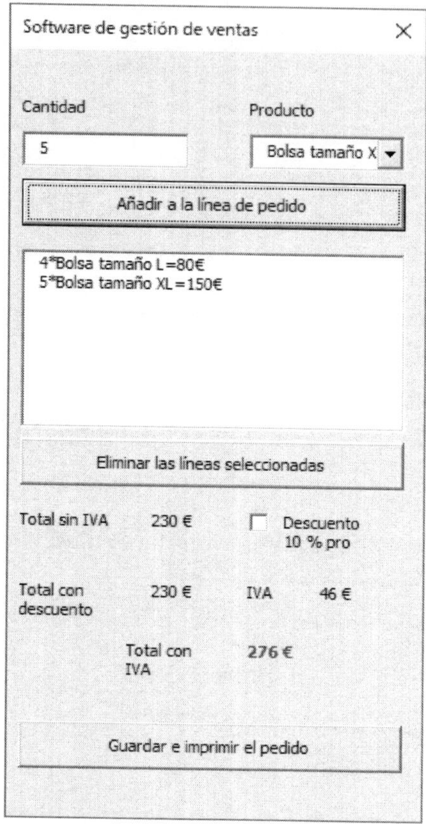

2. Presentación del archivo

Para realizar este ejemplo, utilizará el archivo de Excel **Enunciado_3-ABC.xlsm**. El formato **XLSM** significa que es un archivo de Excel que admite macros (lo que permite el uso de VBA, a menudo deshabilitado de forma predeterminada).

Este archivo contiene tres hojas de Excel (denominadas *sheets* en Visual Basic).

Hoja Inicio

Esta hoja está diseñada para contener solo el botón **Ir a la herramienta de administración de ventas** que facilita el acceso a la herramienta de gestión de ventas.

Hoja Productos

La hoja **Productos** enumera los productos vendidos por la empresa. Contiene tres columnas:

	Columna A	Columna B	Columna C
Fila 1	Nombre del producto	Precio sin IVA	Cantidad disponible
Fila 2	Bolsa tamaño L	20 €	90
Fila 3	Bolso tamaño XL	30 €	50

Hoja Facturas

Esta hoja contendrá las facturas creadas con la herramienta de gestión de ventas. Estarán referenciadas por número y también encontrará la fecha/hora de edición, así como el importe.

	Columna A	Columna B	Columna C
Fila 1	Número de factura	Fecha y hora	Importe de la factura

3. Funciones

El objetivo es disponer de una herramienta que permita gestionar las ventas de las bolsas de la empresa. He aquí la transcripción de las necesidades en forma de requisitos.

Requisitos operativos

Los requisitos operativos corresponden a la descripción de las funcionalidades generales de la aplicación; este es el nivel más bajo de detalle:

- Crear una factura
- Hacer el seguimiento de la factura
- Actualizar el *stock* de productos

Traducir estos requisitos operativos en funciones

Se trata de detallar los requisitos operativos como funciones que corresponden a las acciones del usuario y los procesos del sistema. Esta lista debe ser exhaustiva para realizar estas funciones en forma de aplicación.

- Agregar una fila de pedido.
    - Elegir la cantidad.
    - Elegir el producto.
    - Validar la fila de pedido.
- Ver el pedido.
- Eliminar una fila de pedido.

- Calcular el total y permitir la aplicación de un 10 % de descuento.
- Actualizar los *stocks*.

B. Formulario de gestión de ventas: conceptos del curso

Este ejemplo contiene muchos conceptos nuevos relacionados con la programación en lenguaje Visual Basic. Se trata, por lo tanto, de algunos puntos de referencia útiles para poder comenzar con tranquilidad.

1. Concepto de programación

He aquí una descripción simplificada de algunos conceptos básicos de programación que permiten un mejor enfoque de los ejemplos propuestos.

Objeto y clase

Un **objeto** es una entidad informática; puede tener cualquier forma y cada objeto es único. Se caracteriza según su tipo.

La **clase** corresponde a la definición del objeto; servirá como lienzo para la creación de objetos nuevos. Esto significa que todos los objetos de la misma clase tendrán las mismas propiedades y se diferenciarán por los valores de sus propiedades.

Ejemplo:

Clase	Objetos
Cell (celda en una hoja de Excel)	▸ Cells("A1"): Celda A1 de la hoja actual; ▸ Cells("C4"): Celda C4 de la hoja actual.
Sheet (hoja de libro)	▸ Sheets(0): primera hoja del libro actual; ▸ Sheets(1): segunda hoja del libro actual.
Textbox (cuadro de texto que se puede introducir en un formulario)	▸ Textbox1: cuadro de texto que se puede introducir denominado Textbox1 por el usuario; ▸ Textbox2: cuadro de texto que se puede introducir denominado Textbox2 por el usuario.

Propiedades

Una **propiedad** es un atributo de una clase. Cuando se crea un objeto, tiene valores asignados a sus propiedades.

Ejemplo: la celda de una hoja tiene muchas propiedades, como el valor: `Cells("A1").value`

Métodos

Un **método** corresponde a una acción que puede realizar un objeto. Por ejemplo, el objeto hoja de cálculo (**Sheets**) proporciona un método `Add` para agregar una hoja.

Ejemplo: Sheets.Add

Colecciones

Una **colección** es una lista de objetos de la misma clase. Por ejemplo, la colección `Sheets` corresponde al conjunto de hojas. En Visual Basic, las colecciones son objetos completos, con sus propios métodos y propiedades.

Variables

Una **variable** es una entidad informática que almacena información dentro de la aplicación. Se declara de la siguiente manera:

- `Dim`: permite definir la variable (`Public` para una variable pública);
- `Nombre_variable`: da un nombre a la variable;
- `As TypeVariable`: permite dar un tipo a la variable.

Ejemplo:

```
Dim MiVariable As String
```

Esto significa que la variable `MiVariable` se ha declarado como cadena de caracteres.

Las variables son las siguientes:

- Públicas: son accesibles en toda la aplicación. Se declaran fuera de cualquier procedimiento de código.
- Privadas: son accesibles solo en el procedimiento donde se declaran (en un procedimiento determinado).

Las variables se tipan principalmente por las tres razones siguientes:

- Para tener métodos (ver con anterioridad) adaptados a la variable: una adición de cadenas corresponde a la concatenación, mientras que una adición de números corresponde a la suma de los valores:

Operaciones	Valor de la variable cadena de caracteres	Valor de la variable número entero
`MiVar = "A" + "E"`	`"AE"`	`Error`
`MiVar = 1 + 2`	`"12"`	`3`

- Para facilitar el desarrollo y el uso de la variable; se espera el contenido de la variable.
- Cada tipo de variable tiene una cantidad asignada de memoria; por lo tanto, usar el tipo correcto de variable ahorra memoria.

He aquí los tipos de variables y los detalles de cada una:

Nombre	Tipo	Detalles
Byte	Numérico	Entero de 0 a 255
Integer	Numérico	Entero de -32'768 a 32'767
Long	Numérico	Entero de - 2'147'483'648 a 2'147'483'647
Currency	Numérico	Número decimal fijo de -922'337'203'685'477.5808 a 922'337'203'685'477.5807
Single	Numérico	Número en coma flotante de -3.402823E38 a 3.402823E38
Double	Numérico	Número en coma flotante de -1.79769313486232D308 a 1.79769313486232D308
String	Texto	Texto
Date	Fecha	Fecha y hora
Boolean	Booleano	True (verdadero) o False (falso)
Object	Objeto	Objeto de Microsoft (por ejemplo: celda, rango de celdas u hoja)
Variant	Todos	Valor por defecto si no se declara

2. Concepto de formulario

Formulario

Un **formulario** es una ventana de interacción entre el usuario y el sistema. Es una interfaz visual para reproducir o recopilar información con fines de procesamiento.

El objeto formulario es el contenedor de los otros objetos visuales. Esto significa que incorpora otros objetos visuales, también propuestos en la caja de herramientas.

Una misma aplicación puede contener varios formularios.

Los controles

Un formulario es un contenedor de controles. Estos **controles** son objetos visuales que permiten la interacción con el usuario.

De forma predeterminada, se proponen unos quince controles en la caja de herramientas; para los objetivos de este ejemplo, se detallarán siete de ellos. Sin embargo, es posible importar controles nuevos, pero se trata de un uso más avanzado de la aplicación VBA.

Un control se crea cuando se coloca en un formulario. Un formulario puede contener varios controles del mismo tipo porque los controles son objetos únicos. La propiedad *Name* (nombre) de cada control debe ser única dentro del mismo formulario. En contraposición, es posible encontrar un control con el mismo valor para la propiedad *Name* en otro formulario:

```
' Un objeto Control1 colocado en el Formulario1
Formulario1.Control1
' Un objeto Control1 colocado en el Formulario2
Formulario2.Control1
```

He aquí algunos tipos de controles y su uso:

Nombre del objeto	Icono en la caja de herramientas	Visualización en un formulario	Uso
CommandButton		CommandButton	Botón de formulario que normalmente desencadena acciones.
Label	A	Label	Cuadro de texto no editable por el usuario. Puede ser editado por el sistema.
TextBox	ab|	TextBox	Cuadro de texto donde puede escribir el usuario.
ComboBox		Combobox	Lista desplegable con la posibilidad de elegir un solo valor.
OptionButton		OptionButton	Botón de opción para seleccionar un valor en un grupo: normalmente, no se usa solo (ejemplo: hombre o mujer).
CheckBox		CheckBox	Casilla de verificación para seleccionar uno o más valores en un grupo (ejemplo: selección de aficiones).

Nombre del objeto	Icono en la caja de herramientas	Visualización en un formulario	Uso
`ListBox`		Listbox Listbox Listbox Listbox Listbox	Lista con la posibilidad de ver todos los elementos que la componen, a diferencia de un control ComboBox, donde solo se muestra un valor. Además, esta lista permite seleccionar varios valores (se puede configurar en los atributos del objeto).

3. Escribir código

Esta subparte le enseñará las instrucciones básicas para la codificación. ¿Dónde, cuándo y cómo escribir código?

Módulo

Un **módulo** es una hoja donde es posible escribir código. Los módulos pueden contener varios procedimientos.

Procedimiento

Un **procedimiento** representa un fragmento de código que cuenta con un título. Se puede llamar a un procedimiento en cualquier momento dentro de la aplicación mediante la instrucción `Call`.

Puede tener parámetros de entrada llamados **argumentos**, que pueden ser opcionales.

Un procedimiento comienza por la instrucción `Sub` con el nombre del procedimiento y termina con la instrucción `End Sub`. Por defecto, el ámbito del procedimiento es público, lo que significa que es visible (y, por tanto, es posible llamarlo) en cualquier parte de la aplicación. No obstante, puede especificarse el alcance del procedimiento escribiendo `Public` o `Private` (privado) antes de la instrucción `Sub`. La instrucción `Private Sub` limitará la visibilidad del procedimiento al módulo donde se declara.

He aquí un ejemplo de procedimiento que muestra el producto de un cálculo dentro de un módulo.

```
Public Sub MiProcedimiento()
'Definición de mis variables A y B como números enteros
Dim A As Integer
Dim B As Integer
'Asignación de valores a las variables
A = 3
```

```
B = 4
'Llamada al procedimiento Calcular con los 2 argumentos, A y B
Call Calcular(A, B)
End Sub

Public Sub Calcular(Valor1 As Integer, Valor2 As Integer)
'Definición de la variable Producto, que representará el cálculo
Dim Producto As Integer
Producto = Valor1 * Valor2
'Mostrar en una ventana emergente el valor de la variable Producto
MsgBox (Producto)
End Sub
```

Resultado de ejecutar el procedimiento MiProcedimiento:

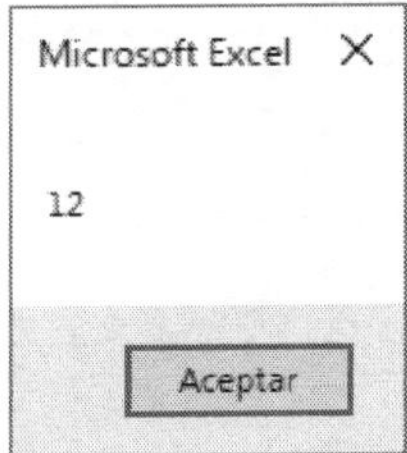

Función

Al igual que el procedimiento, la **función** es un fragmento de código que tiene su alcance y se coloca en un módulo. La función también puede tener argumentos de entrada.

La función, a diferencia del procedimiento, dispone de un valor de retorno o devuelto. El valor producido se almacena en una variable con el nombre de la función.

Una función comienza con la instrucción `Function` y termina con la instrucción `End Function`.

La función debe asignar un valor como resultado.

He aquí el mismo ejemplo que hemos visto antes, pero con el uso de una función.

```
Public Sub MiProcedimientoFunction()
'Definición de mis variables A y B como números enteros
Dim A As Integer
Dim B As Integer
'Asignación de valores a las variables
A = 3
B = 4
'Llamada a la función FN_Calcular con los 2 argumentos, A y B
MsgBox (FN_Calcular(A, B))
End Sub
```

```
Public Function FN_Calcular(Valor1 As Integer, Valor2 As Integer)
Dim Producto As Integer
Producto = Valor1 * Valor2
'Asignación del valor a la función
FN_Calcular = Producto
End Function
```

Resultado de ejecutar el procedimiento `MiProcedimientoFunction`:

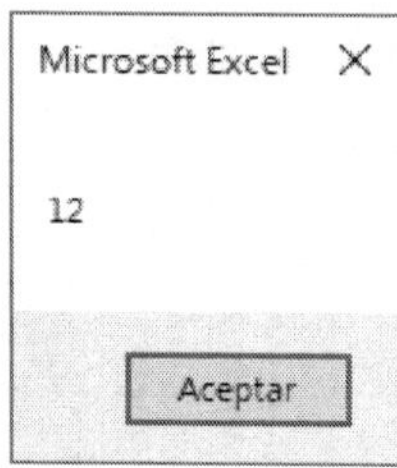

La función tiene una ventaja innegable: también se puede utilizar como función en una hoja de Excel, como en el siguiente ejemplo:

Función FN_Calcular durante la edición de la celda A1

Función FN_Calcular durante la ejecución.

Evento

Un **evento** representa una acción sobre un objeto dentro de un programa. La acción puede ser activada por el usuario, como un clic, o por el sistema, cambiando el valor de visualización.

A continuación, el evento puede dar lugar a que se llame o ejecute un procedimiento.

Se abordarán otros conceptos gradualmente a lo largo del ejemplo.

Instrucciones

Una **instrucción** es un comando que se ha dado al sistema en tiempo de ejecución. Visual Basic for Applications se basa en la programación controlada por eventos, es decir: el evento (un clic, una acción) es el que desencadena el código asociado a él. El código se lee desde el principio de la instrucción hasta el final de esta.

Las instrucciones son diversas y es necesario saber cómo dar algunas instrucciones básicas:

- Asignar un valor

Asignar el valor `Valor_a_asignar` a una variable o una propiedad.

```
Sub Test
Variable = Valor_a_asignar
Objeto.Propiedad = Valor_a_asignar
End Sub
```

- Ejecutar una función

Ejecutar la función `MiFuncion` que tiene dos argumentos `Argumento1` y `Argumento2`.

```
Sub Test
= MiFuncion(Argumento1, Argumento2)
End Sub
```

- Ejecutar un procedimiento

Llamar a la ejecución del procedimiento `MiProcedimiento` dentro de otro procedimiento `Test`.

```
Sub Test
Call MiProcedimiento
End Sub
```

- Probar una condición

Comprobar si la variable `MiVariable` es mayor o igual que 5. Si es así, la variable se multiplica por 10; de lo contrario, `MiVariable` pasa a ser igual a 50.

```
Sub Test
If MiVariable >= 5 Then
MiVariable = MiVariable * 10
Else
MiVariable = 50
End If
```

4. Utilidad de la instrucción Option Explicit

La instrucción `Option Explicit` en VBA evita el uso de una variable no declarada.

Esta instrucción debe colocarse al principio de un módulo, antes de cualquier procedimiento o función.

Observemos el siguiente ejemplo de código:

```
Option Explicit
Sub Test
If MiVariable >= 5 Then
MiVariable = MiVariable * 10
Else
MiVariable = 50
End If
End Sub
```

Si queremos ejecutarlo, aparece la siguiente ventana de diálogo titulada Microsoft Visual Basic para Aplicaciones:

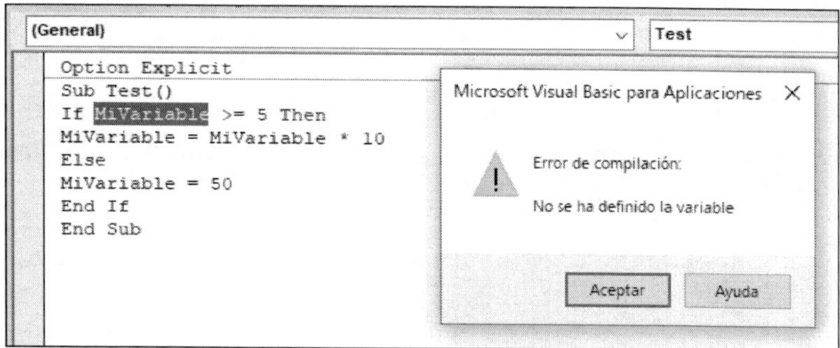

En realidad, tenemos tres piezas esenciales de información que se destacan cuando se muestra esta ventana:

- Resaltado azul de la variable `MiVariable`.
- La visualización del mensaje **Error de compilación**.
- La visualización del mensaje **No se ha definido la variable**.

Esto simplemente significa que la variable `MiVariable` no está definida, lo que conduce a un aviso de error de compilación: el código escrito de esta manera no se puede ejecutar tal cual.

Las razones son simples: utilizamos la instrucción `Option Explicit` al principio del código, que requiere, como se dijo al inicio de este capítulo, el uso exclusivo de una o más variables definidas.

Por lo tanto, es necesario definir esta variable `MiVariable`. Para ello, simplemente agregue `Dim MiVariable As...` en el código, como se muestra a continuación:

```
Option Explicit
Sub Test
Dim MiVariable As Integer
If MiVariable >= 5 Then
MiVariable = MiVariable * 10
Else
MiVariable = 50
End If
End Sub
```

Hemos definido la variable `MiVariable` como un `Integer`, es decir, un entero: así es compatible con las diferentes instrucciones escritas en este código.

Y este último ahora funciona perfectamente.

En conclusión, es preferible utilizar la instrucción `Option Explicit` al principio de sus diversos módulos antes de escribir sus procedimientos o funciones, ya que le permite el uso exclusivo de variables definidas y, por lo tanto, perfectamente controladas por usted.

De hecho, esto requiere que tenga un dominio perfecto de antemano de todas las variables utilizadas en los diferentes códigos imponiendo su tipo (`Integer`, `String`...) en perfecta armonía con los algoritmos.

Además, esto permite la optimización del espacio de memoria utilizado por cada una de ellas. De hecho, una variable indefinida ocupará de forma predeterminada un espacio de memoria mayor en su ordenador porque corresponde a todos los tipos posibles de datos, lo que puede causar lentitud al usar sus programas.

5. Cómo funciona el editor de Visual Basic

Acceso al editor de Visual Basic

El **editor** de Visual Basic (en inglés, **Visual Basic Editor**) es la interfaz de desarrollo para codificar en Visual Basic. Para acceder a él, se utilizan principalmente dos métodos:

- Método abreviado de teclado Alt F11.
- Mostrar la pestaña **Programador** y, a continuación, en el grupo **Código**, hacer clic en **Visual Basic**.
- Para mostrar la pestaña **Programador** en Excel 2013 a 2021: en la pestaña **Archivo**, haga clic en **Opciones** y, a continuación, en el submenú **Personalizar cinta de opciones**, active la casilla **Programador**.

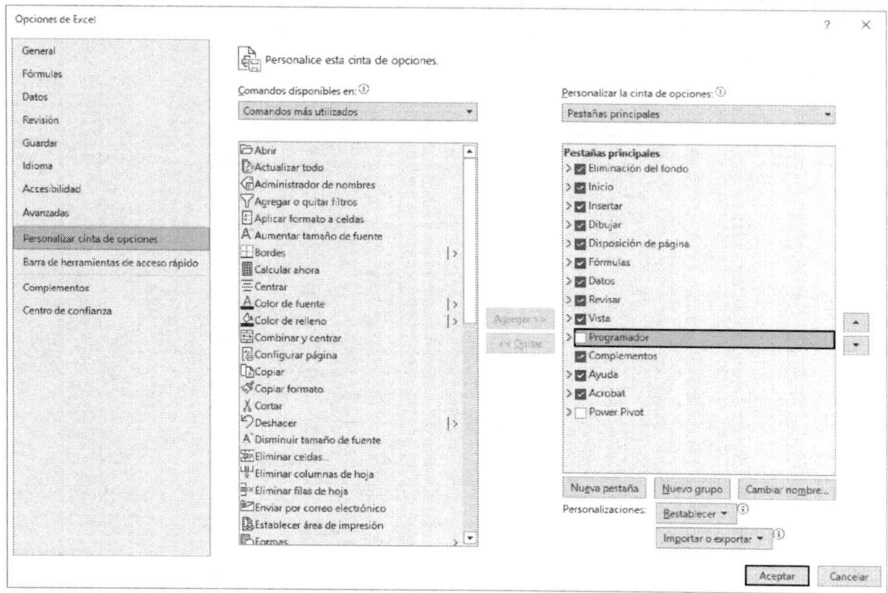

✎ Haga clic en **Aceptar**.

Presentación del editor de Visual Basic.

De forma predeterminada, el editor tiene este aspecto:

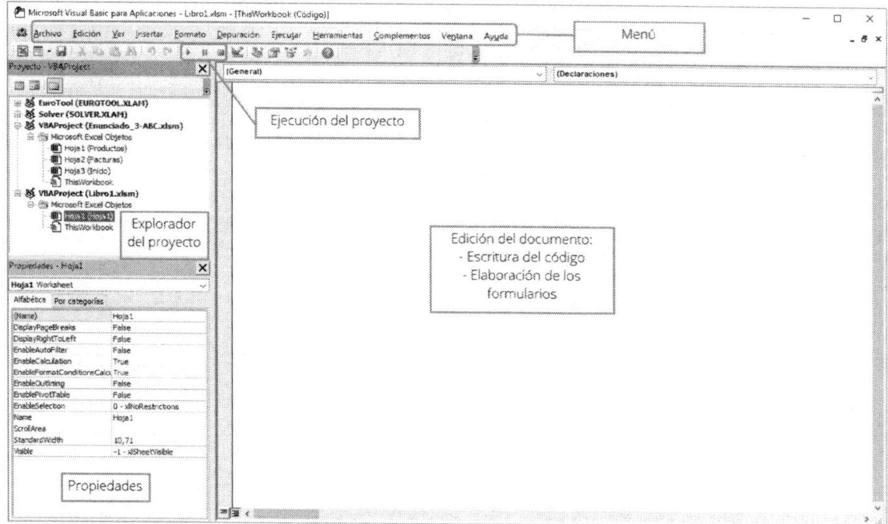

Presentación del editor de Visual Basic

Menú: el menú proporciona acceso a las funciones disponibles, como en cualquier otra aplicación. El menú **Ver** permite mostrar áreas que podría necesitar y que no puede encontrar en la pantalla.

Explorador del proyecto: el explorador proporciona la estructura de árbol del proyecto actual. En él encontrará sus hojas de Excel, formularios y módulos.

Ejecución del proyecto: la ejecución le permite arrancar el proyecto como usuario de la aplicación y no como diseñador.

Edición del documento: esta área se utiliza para diseñar la aplicación. En este contexto, «diseñar» consiste en escribir el código o colocar los elementos en un formulario.

Propiedades: el área de propiedades se utiliza para editar las propiedades del elemento seleccionado: un módulo/hoja/formulario seleccionado en el explorador de proyecto o un control seleccionado en el área de edición del documento.

Ejecución y depuración

De forma predeterminada, el editor está en el **Modo Diseño**, es decir, lo que usted ve es la interfaz de diseño. La ejecución implica iniciar el programa para que el usuario pueda interactuar con él.

La ejecución comienza:

- ya sea por el procedimiento correspondiente a la inicialización de la ventana seleccionada;
- ya sea ejecutando el procedimiento seleccionado (ver Módulos);
- o por una macro elegida por el usuario en una ventana de selección cuando no hay nada seleccionado.

Para ejecutar una macro:

- Haga clic en el botón **Ejecutar macro** o acceda al menú **Ejecutar** y, a continuación, haga clic en **Ejecutar macro**.
- O pulse la tecla F5.

Para pausar la ejecución:

- Haga clic en el botón **Interrumpir** o acceda al menú **Ejecutar** y, a continuación, haga clic en **Interrumpir**.
- O pulse las teclas Ctrl y Pausa simultáneamente.

Para detener la ejecución:

- Haga clic en el botón **Restablecer** o acceda al menú **Ejecutar** y, a continuación, haga clic en **Restablecer**.
- Cierre la ventana activa si se está ejecutando una ventana.

C. Formulario de gestión de ventas: realización del ejemplo

En el ejemplo siguiente se creará la herramienta de administración de ventas. Las operaciones se describirán paso a paso.

✎ En primer lugar, abra el archivo **Enunciado_3-ABC.xlsm** y, a continuación, acceda al editor de Visual Basic presionando las teclas Alt e F11 simultáneamente después de abrir el archivo.

Así, usted se sitúa en el editor de Visual Basic asociado al archivo **Enunciado_3-ABC.xlsm**.

1. Creación del formulario

Inserción del formulario

En este ejemplo, basta con un solo formulario de usuario que contenga todos los objetos utilizados para crear la factura.

✎ Para crearlo en el editor de Visual Basic, haga clic en el menú **Insertar** y, a continuación, haga clic en **UserForm**.

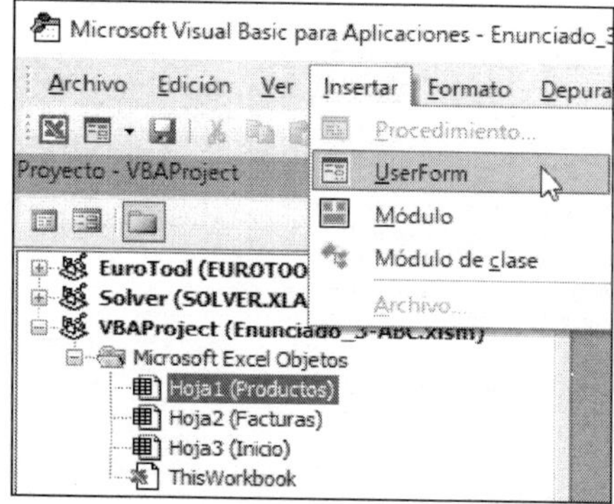

Aparecen dos elementos en la pantalla:

- El formulario **UserForm1** (nombre predeterminado del primer formulario) donde será posible crear objetos de interacción con el usuario.
- La ventana **Cuadro de herramientas** donde puede seleccionar los controles que desea colocar en el formulario.

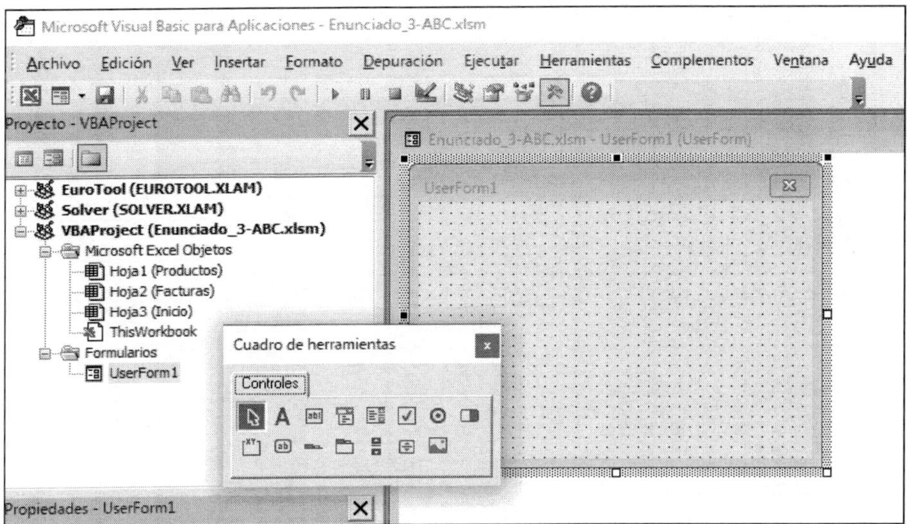

Para ver o editar las propiedades del formulario **UserForm1**, seleccione el formulario, haga clic con el botón derecho del ratón en él y, a continuación, haga clic en **Propiedades** para mostrar la ventana con este nombre.

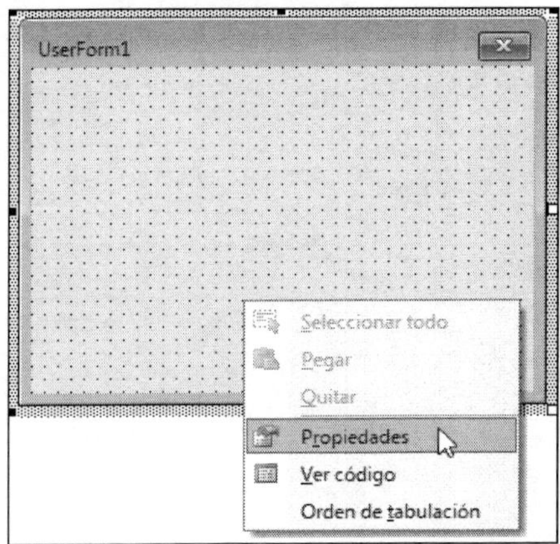

Esta acción también es posible usando la tecla F4 *o el menú* ***Ver*** *y luego* ***Ventana Propiedades****.*

Modificación de las propiedades

Aquí puede ver los nombres de las propiedades que vamos a modificar. Se trata principalmente de las propiedades de visualización: tamaño, texto de visualización, fondo de pantalla y nombre del objeto.

Nombre de la propiedad	Explicación	Otros objetos	Valor de la propiedad
Name	Nombre único del objeto	Común a todos los objetos	FormEjemplo
Caption	Valor que se muestra del objeto; para un formulario, se trata del texto en la parte superior.	Dos tipos de nombres para esta propiedad: ▸ Caption si el usuario no puede cambiar directamente el valor para mostrar. ▸ Texto si el usuario puede editar directamente el valor para mostrar (ejemplo: cuadro de introducción de texto)	Software de gestión de ventas
Height	Altura (tamaño)	Común a todos los objetos	400 (píxeles)
Width	Ancho (tamaño)	Común a todos los objetos	220 (píxeles)
BackColor	Color de fondo: en la paleta, elija un color de fondo para el objeto.	Común a todos los objetos	&H00FFFFFF&

Modifique los valores asignados a las propiedades para obtener el siguiente resultado en tiempo de ejecución:

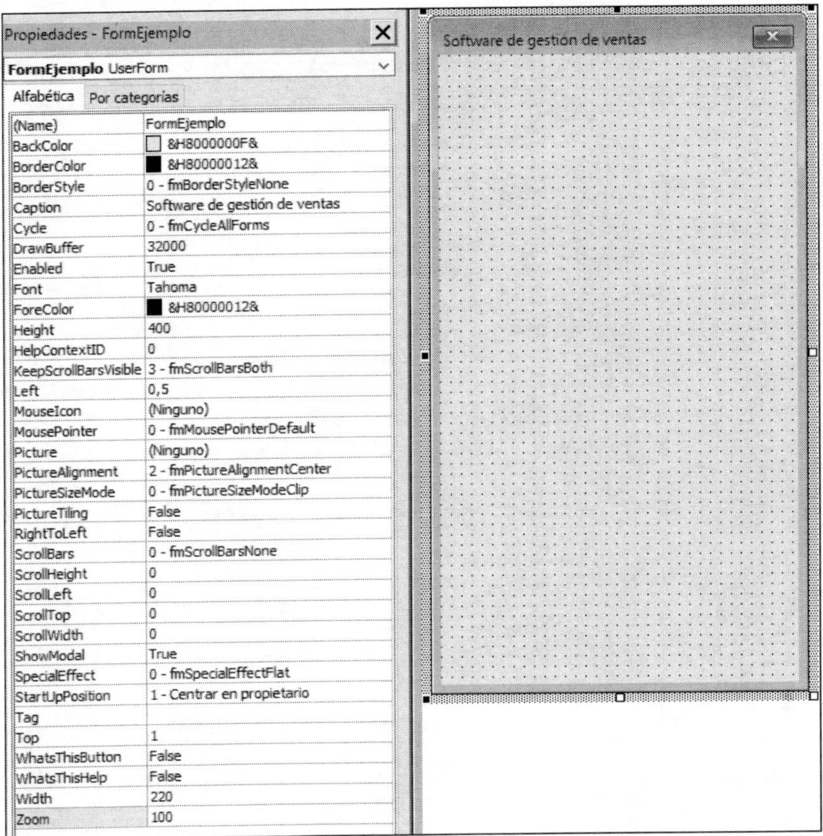

2. Crear controles en el formulario

¿Qué controles crear?

A partir del modelo proporcionado como punto de partida, hay que identificar los objetos necesarios que hay que introducir en el formulario denominado **FormEjemplo**.

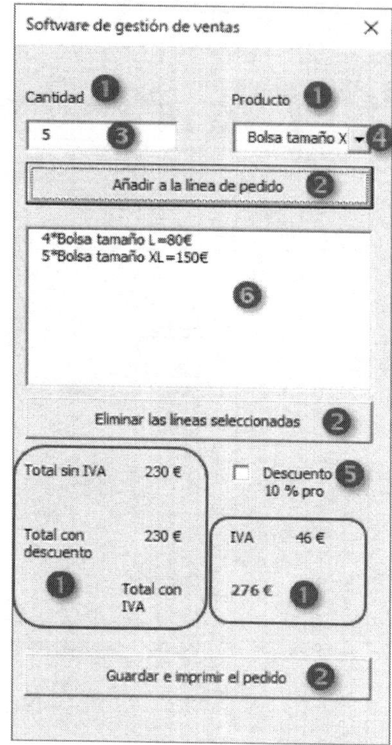

- 1 - Controles `Label`
- 2 - Controles `CommandButton`
- 3 - Control `TextBox`
- 4 - Control `ComboBox`
- 5 - Control `CheckBox`
- 6 - Control `ListBox`

Para crear un objeto, selecciónelo en la ventana **Cuadro de herramientas**, arrástrelo y suéltelo en el formulario (en este caso, FormEjemplo).

*Si no aparece el cuadro de herramientas, seleccione un formulario, haga clic en el menú **Ver** y, a continuación, haga clic en **Cuadro de herramientas**.*

La posición del objeto puede ser determinada por el usuario en el editor gráfico. Las propiedades `Left` (ubicación a la izquierda) y la propiedad `Top` (ubicación por arriba) no se abordarán.

Crear controles Label (etiquetas)

Los controles **Label** se utilizan de dos maneras diferentes:

- Algunos controles **Label** se usan exclusivamente para la presentación: no tienen interacción con el sistema.
- Algunos controles **Label** se utilizan como parte de un cálculo: su visualización será modificada por la aplicación.

Se nombrarán de manera diferente para distinguirlos: **Mos_Nombre_de_Label** para una etiqueta de visualización y **Calc_Nombre_de_Label** para una etiqueta utilizada por la aplicación.

N.º	Label	Uso	Propiedades	
1	Cantidad	Mostrar la etiqueta **Cantidad** encima del cuadro de texto introducible.	Name	Mos_Cantidad
			Caption	Cantidad
2	Producto	Mostrar la etiqueta **Producto** encima de la lista desplegable para seleccionar el producto.	Name	Mos_Producto
			Caption	Producto
3	Total sin IVA (visualización)	Mostrar la etiqueta **Total sin IVA** junto al valor de la base imponible.	Name	Mos_TotalSinIVA
			Caption	Total sin IVA
4	Total sin IVA (cálculo)	Valor calculado de la base imponible.	Name	Calc_TotalSinIVA
			Caption	0 €
5	Total con descuento (visualización)	Mostrar la etiqueta **Total con descuento** junto al valor del total después de aplicar un descuento.	Name	Mos_TotalDsDescuento
			Caption	Total con descuento
6	Total con descuento (Cálculo)	Valor calculado del total después de aplicar el descuento.	Name	Calc_TotalDsDescuento
			Caption	0 €
7	IVA (visualización)	Visualización de la etiqueta **IVA** junto al valor del IVA	Name	Mos_IVA
			Caption	IVA
8	IVA (Cálculo)	Valor calculado del IVA	Name	Calc_IVA
			Caption	0 €

N.º	Label	Uso	Propiedades	
9	Total IVA incluido (pantalla)	Visualización de la etiqueta **Total con IVA**	Name	Mos_TotalConIVA
			Caption	Total con IVA
			ForeColor (color del texto)	&H000000FF& (rojo)
10	Total IVA incluido (cálculo)	Valor calculado del total con IVA	Name	Calc_TotalConIVA
			Caption	0 €
			ForeColor (color del texto)	&H000000FF& (rojo)
			Font	Negrita
11	Descuento 10 % pro	Visualización de la etiqueta Descuento 10 % pro	Name	Mos_Descuento
			Caption	Descuento 10 % pro

✎ Cree los distintos controles **Label** para lograr el siguiente resultado:

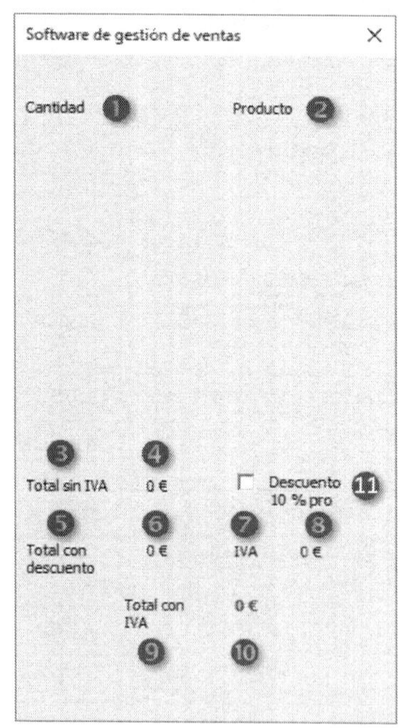

Creación de botones

En el ejemplo, hay que crear tres botones:

N.º	Label	Uso	Propiedades	
1	Añadir a la línea de pedido	Añade la línea de pedido a la lista.	Name	AgLinPedido
			Caption	Agregar a la línea de pedido
2	Quitar la línea de pedido	Elimina las líneas de pedidos seleccionadas de la lista	Name	SupLinPedido
			Caption	Eliminar las líneas seleccionadas
3	Guardar la factura e imprimirla	Guarda la factura y la imprime.	Name	SavePedido
			Caption	Guardar e imprimir el pedido.

✎ En el **Cuadro de herramientas**, haga clic en **Botón de comando** para agregar los tres botones.

Otros controles

Finalmente, quedan otros cuatro controles.

✎ En el **Cuadro de herramientas**, elija los siguientes controles:

- 4: **Cuadro de texto**
- 5: **Cuadro combinado**
- 6: **Cuadro de lista**
- 7: **Casilla**

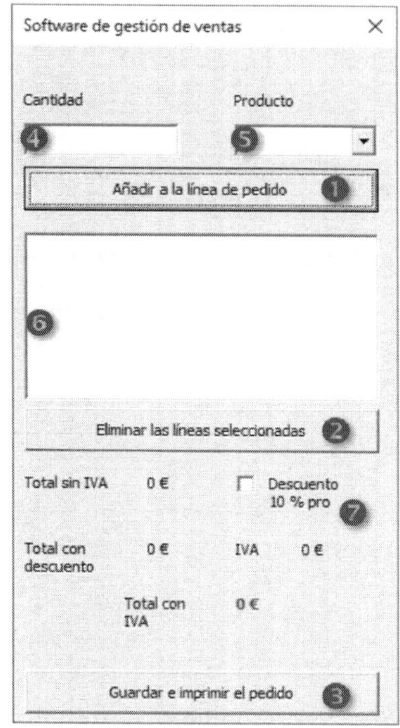

N.º	Etiqueta	Uso	Propiedades	
4	Cantidad	Introducir la cantidad deseada.	Name	Cantidad
			Text	vacío
5	Lista de productos	Seleccionar un producto de la lista de productos disponibles.	Name	Producto
			Style (estilo de lista desplegable)	2 – fmStyle DropDownList (obliga al usuario a buscar un valor en la lista)
6	Lista de líneas de pedido	Ver el detalle de la factura con todas las líneas de pedido.	Name	ListaLinPedido
			MultiSelect (da al usuario la posibilidad de elegir varias líneas)	1 - fmMultiSelect_ Multi (selección de varias líneas, especialmente para su eliminación)

N.º	Etiqueta	Uso	Propiedades	
7	Descuento pro	Casilla de verificación para determinar si se aplica un descuento del 10 % al profesional.	Name	Descuento
			Caption	Descuento 10 % pro

3. Definición de procedimientos y eventos

Los procedimientos presentes en las macros detallarán el código que se ejecutará. Sin embargo, esto solo tendrá lugar después de un evento.

He aquí la lista de eventos de la aplicación con las acciones asociadas. En negrita, acciones que aparecen varias veces:

Inicialización de la hoja	Acciones: ▸ **Reiniciar la lista de productos;** ▸ **Reiniciar objetos:** ▸ **Cuadro de texto Cantidad vacío** ▸ **Ningún producto seleccionado** ▸ **Ningún elemento en la lista de pedidos**
Clic en el botón para agregar una línea de pedido	Acciones: ▸ Control de la cantidad introducida ▸ Control de la selección de un producto ▸ Control de la presencia de stock ▸ **Actualización de stock** ▸ Adición de la línea de pedido a la lista del pedido ▸ **Actualización de totales** ▸ **Visualización de totales** ▸ Mostrar un mensaje de confirmación de la adición.

<table>
<tr><td>Clic en el botón para eliminar una línea de pedido</td><td>Acciones:
▸ Comprobación de la selección de una línea de pedido
▸ Actualización de stock
▸ Actualización de totales
▸ Mostrar totales
▸ Mostrar un mensaje de confirmación de eliminación</td></tr>
<tr><td>Clic en el botón para validar la línea de pedido</td><td>Acciones:
▸ Mostrar al usuario un mensaje de solicitud de confirmación
▸ Mostrar al usuario un mensaje de solicitud de impresión
▸ Reiniciar la lista de productos
▸ Reiniciar objetos:
  ▸ Cantidad en vacío
  ▸ Ningún producto seleccionado
  ▸ Ningún elemento en la lista de pedidos</td></tr>
<tr><td>Marcar la casilla de descuento</td><td>Acciones:
▸ Actualización de totales</td></tr>
</table>

Las acciones que se van a codificar a menudo son llamadas varias veces en la aplicación. Por lo tanto, es necesario crear varios procedimientos independientes que serán llamados por los diferentes eventos utilizando la instrucción `Call`.

He aquí la lista de procedimientos que hay que crear:

- Inicializar el formulario
- Actualizar el stock
- Añadir una línea de pedido
- Actualizar el importe total
- Eliminar una o más líneas de pedido
- Guardar la factura
- Imprimir la factura.

La redacción del código se dividirá en diez pasos, lo que permitirá una mejor división de las funcionalidades.

4. Redacción de código: procedimientos y eventos

Aquí puede ver una descripción de los diferentes pasos involucrados en la escritura del código:

- Paso 1: Crear el módulo
- Paso 2: Crear variables públicas
- Paso 3: Inicializar el formulario
- Paso 4: Agregar una línea de pedido
- Paso 5: Actualizar los stocks
- Paso 6: Actualizar el importe total
- Paso 7: Quitar una o más líneas de pedido
- Paso 8: Guardar la factura
- Paso 9: Vincular los eventos a los procedimientos
- Paso 10: Crear un botón en la hoja Inicio

Paso 1: Crear el módulo

El objetivo de este paso es crear el módulo que almacenará los procedimientos.

Al igual que con los formularios, para crear un módulo, haga clic en el menú **Insertar** y elija **Módulo**, como se muestra a continuación:

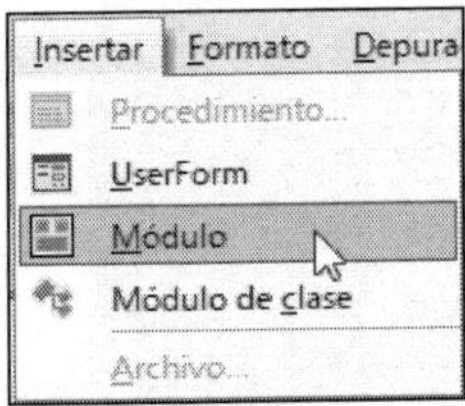

En el explorador de proyectos, el módulo tiene como valor predeterminado el nombre **Módulo1** y se muestra de la siguiente manera:

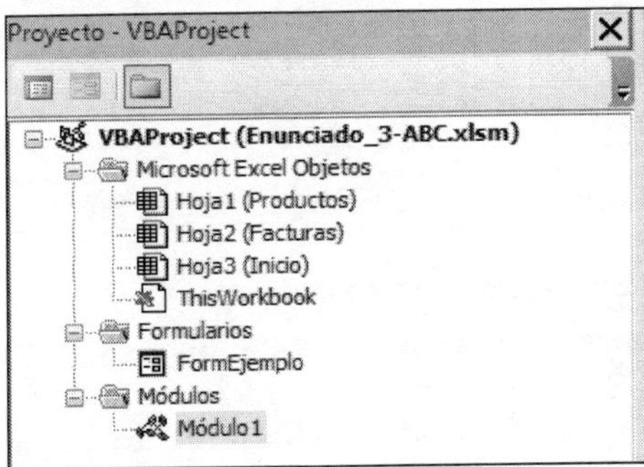

Paso 2: Crear variables públicas

El objetivo de este paso es crear las variables utilizadas en toda la aplicación.

En este ejemplo, se deben usar variables públicas para almacenar los valores introducidos y efectuar los cálculos de arriba. Las variables públicas se describen en la parte superior del módulo, antes de los procedimientos. No se pueden crear en un procedimiento y existen durante toda la ejecución de la aplicación.

Es necesario crear las siguientes variables:

Nombre	Tipo	Detalles
`TotalSinIVA`	Double	La finalidad de esta variable será almacenar el total sin impuestos de la factura.
`TotalConIVA`	Double	La finalidad de esta variable será almacenar el total con IVA de la factura.
`TotalConDescuento`	Double	La finalidad de esta variable será almacenar el total sin impuestos de la factura tras la aplicación de un posible descuento.

El código se escribe así, antes de los primeros procedimientos.

```
Option Explicit
Public TotalSinIVA As Double
Public TotalConIVA As Double
Public TotalConDescuento As Double
```

Paso 3: Inicializar el formulario

El objetivo de este paso es crear el procedimiento que inicializará el formulario.

La primera acción es crear el procedimiento `Init`. Como se mencionó anteriormente, comienza con `Sub Init` y termina con `End Sub`. El código del procedimiento estará entre el `Sub` y el `End Sub`.

```
Sub Init()
'Código que se va a insertar
End Sub
```

A continuación, hay que inicializar el valor de presentación (valor para mostrar) del control TextBox `Cantidad`, definir que la casilla `Descuento` para seleccionar relativa a la aplicación de un descuento esté desmarcada y dar el valor 0 a la variable `TotalSinIVA`.

Por lo tanto, la propiedad `Text` debe establecerse en 0 para el control Label de la cantidad, y la propiedad Value de la casilla CheckBox del descuento se establecerá como `False` (falso; verdadero si debe estar marcada). La variable `TotalSinIVA` también se establecerá en 0.

✎ Escriba el código siguiente dentro del procedimiento `Init`.

```
'Cantidad a 0
FormEjemplo.Cantidad.Text = 0
'Descuento no marcado:
FormEjemplo.Descuento.Value = False
'Poner el total sin IVA a 0
TotalSinIVA = 0
```

La actualización de las variables `TotalConIVA` y `TotalConDescuento` junto con la visualización de sus valores en los controles `Label` se realizarán en otro procedimiento. Dado que las acciones para actualizar y mostrar estos valores se llaman varias veces en la aplicación, es mejor escribirlas en un procedimiento diferente al que se llamará cuando sea necesario. Este procedimiento se denominará `MostrarTotal` (consulte el paso 6). Se llamará con la instrucción `Call`.

✎ A continuación, escriba el siguiente código.

```
'Llamada al procedimiento MostrarTotal, que calculará los totales
y los mostrará
Call MostrarTotal
```

Para asegurarse de que cada vez que se abre el formulario no queda rastro de la venta anterior, ya se trate de líneas de pedido o de la lista de productos, que podría haber evolucionado agregando un producto a Excel o stock nulo de un producto, hay que eliminar el contenido (los `Items`) del control `ListBox`, que contiene la lista de líneas de pedidos y también el contenido (los `Items`) del control `ComboBox`, que contiene la lista de productos. El mismo método `Clear` ofrece borrar el contenido de la lista para los controles `ComboBox` y `ListBox`.

✎ Borre el contenido de los controles de la siguiente manera:

```
'Borrar el contenido de la lista de línea de pedidos
FormEjemplo.ListaLinPedido.Clear
'Actualizar la lista de productos (borrar y luego agregar los elementos
a la lista)
'Eliminar la lista
FormEjemplo.Producto.Clear
```

Para agregar los productos de la hoja **Productos**, debe recuperar la lista completa de productos introducidos en la hoja. El problema es que no sabemos exactamente qué valores recuperar.

No sabemos cuántos productos recuperaremos; de hecho, puede haber 2, 10 o incluso más productos en la lista. Por lo tanto, hay que desplazarse por la hoja desde la **línea 2** hasta la última línea de la lista de productos. El final de la lista no está determinado, por lo que pasaremos por todas las líneas hasta encontrar una línea cuya celda de la primera columna tenga un valor nulo.

Vamos a introducir el concepto de bucles. Los bucles permiten ejecutar un fragmento de código varias veces. El número de ejecuciones depende de las condiciones establecidas por el usuario.

Concepto de bucle

El **concepto de bucle** permite repetir una instrucción un cierto número de veces definidas por las condiciones del bucle. El código se sitúa entre la instrucción de inicio y la instrucción de fin del bucle.

Hay varios tipos de bucles:

Instrucción de inicio de bucle	Instrucción de fin de bucle	Condición de salida del bucle	Ejemplo

`For`	`Next`	En el nivel de instrucción For, el número de iteraciones se define con una variable.	`For I = 1 to 10`
			`Next`
			Se ejecuta 10 veces.

`While`	`Wend`	La condición de salida de bucle se define en el nivel de la instrucción While. Se establece una condición, si es verdadera el bucle termina.	`I = 1`
			`While I = 5`
			`I = I + 1`
			`Wend`
			Se ejecuta 4 veces.

`Do`	`Loop`	La condición de salida no se expresa en una instrucción del bucle. Desaconsejado.	`I = 0`
			`Do`
			`I = I - 1`
			`If I = -3 Then Exit Do`
			`Loop`
			Se ejecuta 3 veces y luego sale.

`For Each`	`Next`	El bucle recorre todos los objetos de una colección y termina cuando se han recorrido todos los objetos.	`For each Sh in Sheets` Next Se ejecuta tantas veces como hojas haya en el libro.

En el caso de un bucle `While-Wend`, donde `While` es la instrucción de inicio y `Wend` es la instrucción de final, el bucle se ejecuta siempre que la condición descrita después de la instrucción `While` sea verdadera.

Para recorrer las líneas, es necesario crear una variable `Linea` de tipo número entero que se inicializará en 2 (primera línea donde hay un producto en la hoja **Productos**). En cada iteración del bucle, el valor de la variable `Linea` se incrementará en 1, lo que permitirá analizar la siguiente fila.

```
Cells(Linea, 1).value
```

- Si la variable `Linea` es igual a 4, la instrucción anterior genera el valor de la celda **A4**.
- Si la variable `Linea` es igual a 8, la instrucción anterior genera el valor de la celda **A8**.

El bucle se escribe de la siguiente manera:

```
'Selección de la hoja Productos
Sheets("Productos").Select
'Creación de la variable Linea
Dim Linea As Integer
Linea = 2
'Se recorre la hoja Productos para buscar todos los productos disponibles
While Cells(Linea, 1).Value <> "" 'siempre que la celda sea diferente de null
       'insertar el código
       Linea = Linea + 1 'iterador: aumenta el valor en 1 para la variable
Linea en cada paso
Wend
```

Uso de la instrucción condicional

La adición de un artículo a la lista se realizará con la condición de que haya suficiente stock. Esto implica que es necesario probar si el valor del stock es suficiente (mayor que 0). Usaremos la instrucción condicional para realizar una lista de instrucciones si se cumple la condición y para realizar otra lista de instrucciones si no se cumple la condición:

```
if 'condición Then
'código si condición OK
Else
'código si condición no cumplida
End if
```

`Else` no es necesario y la instrucción se puede escribir en una sola línea de la siguiente manera:

```
If 'condición Then' código si condición OK.
```

El último paso es agregar el producto al control `ComboBox` que contiene la lista de productos. Para ello, debe utilizar el método `AddItem(valor)` donde el argumento `valor` corresponde a lo que se agregará a la lista. Por lo tanto, obtenemos el siguiente código dentro del bucle:

```
While Cells(Linea, 1).Value <> "" 'siempre que la celda sea
diferente de cero
     If Cells(Linea, 3).Value > 0 Then 'se comprueba si el stock es
mayor que 0
     FormEjemplo.Producto.AddItem (Cells(Linea, 1).Value)
'se agrega el valor de la celda a la lista Producto.
     End If
     Linea = Linea + 1 'iterador: aumenta el valor en 1 para
la variable Linea en cada pasada
Wend
```

El procedimiento completamente redactado es el siguiente; las primeras líneas se agregan para aplicar las dimensiones de la ventana UserForm, ya que, en algunos equipos, cuando se abre es muy pequeña.

```
Sub Init()
  'Alto a 420 y Ancho a 220
  FormEjemplo.Height = 420
  FormEjemplo.Width = 220
  'Cantidad en 0
  FormEjemplo.Cantidad.Text = 0
  'Descuento no marcado:
  FormEjemplo.Descuento.Value = False
  'Poner el total sin IVA en 0
  TotalSinIVA = 0
  'Llamada al procedimiento MostrarTotal, que calculará los totales
y los mostrará
  Call MostrarTotal
  'Borrar el contenido de la lista de la línea de pedidos
  FormEjemplo.ListaLinPedido.Clear
  'Actualizar la lista de productos (borrar y luego agregar los elementos
a la lista)
  'Eliminar la lista
  FormEjemplo.Producto.Clear
  'Agregar productos a la lista
  Sheets("Productos").Select
  Dim Linea As Integer
  Linea = 2
  'Recorrer la hoja Productos para buscar todos los productos disponibles
  While Cells(Linea, 1).Value <> "" 'mientras la celda sea diferente
de cero
    If Cells(Linea, 3).Value > 0 Then 'se comprueba si el stock es mayor que 0
      FormEjemplo.Producto.AddItem (Cells(Linea, 1).Value)
    End If
    Linea = Linea + 1 'iterador: aumenta el valor en 1 para la variable
Linea en cada pasada
```

```
    Wend
End Sub
```

Paso 4: Agregar una línea de pedido

El objetivo de este paso es agregar una línea de pedidos a la lista del pedido actual. La línea de pedidos consta de una cantidad y un producto. Una vez introducida, la línea de pedidos se puede agregar a la lista del pedido actual utilizando el botón **Añadir a la línea de pedido**.

Agregar una línea de pedido es un paso bastante largo, ya que requiere realizar diferentes controles en los campos de cantidad y producto. Para ello, crearemos un procedimiento denominado `AgregarLineaPedido` que realizará el conjunto de los controles.

El primer paso es declarar las variables necesarias en este procedimiento:

Nombre	Tipo	Detalles
TotalLineaPedido	Double	Su objetivo es almacenar el valor de la línea de pedido (precio * cantidad), valor cero de forma predeterminada
Etiqueta	String	El propósito de esta variable será almacenar la etiqueta de la línea de pedido que se agregará a la lista de líneas de pedidos. Por defecto, campo no rellenado
EsError	Boolean	Indicador Verdadero/Falso para saber si se ha encontrado un error funcional durante la ejecución del código
EtiquetaError	String	Mensaje de error. Campo no rellenado por defecto
ProductoString	String	Producto recuperado del `ComboBox`
CantidadString	String	Cantidad recuperada del `TextBox`
CantidadInteger	Integer	Cantidad convertida a número entero

Valor por defecto

El valor por defecto de una variable es cero. Esto se materializa mediante unas "" (comillas dobles, es decir, campo vacío) para una variable de tipo `String`, un valor `False` para una variable de tipo `Boolean` y un 0 para una variable de tipo numérico (`Integer`, `Long`, `Double`...). Para el procedimiento actual, los valores predeterminados son correctos y no es necesario inicializar las variables de manera diferente.

✎ Describa el comienzo del procedimiento de la siguiente manera:

```
Sub AgregarLineaPedido()
Dim TotalLineaPedido As Double
Dim Etiqueta As String
Dim EsError As Boolean
Dim EtiquetaError As String
Dim ProductoString As String
Dim CantidadString As String
Dim CantidadInteger As Integer
'Continuación del código
End Sub
```

Se realizarán una serie de controles para comprobar si la adición de la línea de comandos se puede hacer correctamente.

En efecto: la cantidad introducida debe ser un entero numérico positivo y se debe seleccionar un producto de la lista. Por último, es necesario garantizar que la cantidad introducida sea inferior o igual al stock actual para no quedarse sin existencias.

Los controles sucesivos son los siguientes:

- Comprobar si el valor introducido por el usuario para el control Cantidad es numérico.
- Comprobar si el valor introducido por el usuario para el control Cantidad es un entero.
- Comprobar si el valor introducido por el usuario para el control Cantidad es positivo.
- Comprobar si se ha seleccionado un artículo en la lista desplegable Productos.
- Comprobar si el stock del producto seleccionado es mayor que el valor introducido por el usuario para el control Cantidad.

Las comprobaciones se ordenarán de la siguiente manera:

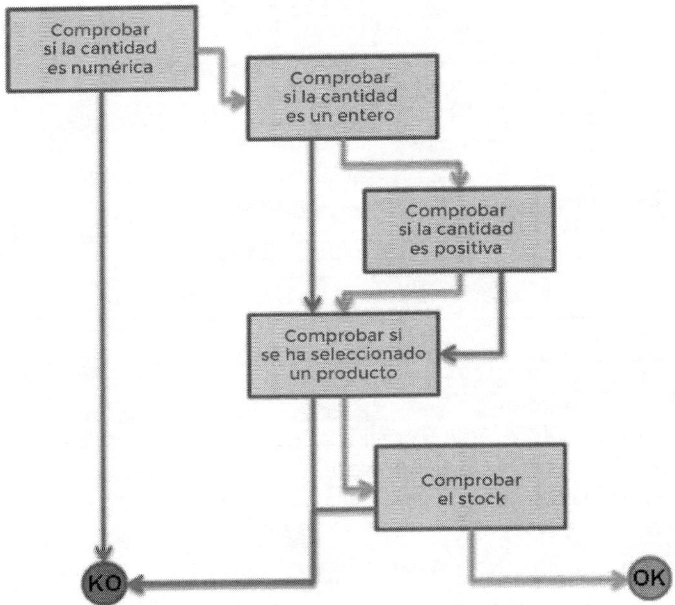

En caso de error, la variable de tipo **Boolean** `EsError` tomará el valor `True` y la etiqueta de error `EtiquetaError` contendrá el mensaje de error. Esto se codifica de la siguiente manera:

```
EsError = True
EtiquetaError = EtiquetaError & "Contenido del error
encontrado." & Chr(13) 'agregar un salto de línea al final
```

- Comprobación del valor numérico

Para probar el valor numérico, utilice la operación `IsNumeric(valor)`, que devuelve el booleano `True` (verdadero) si el valor es numérico y `False` si no lo es. En este caso, se debe mostrar un mensaje de error si el valor no es numérico.

- Comprobación de valor entero

Para comprobar si un valor numérico es un número entero, la solución consiste en utilizar dos convertidores de valores:

- `CInt(valor)` convierte el valor en `Integer`.
- `CDbl(valor)` convierte el valor en `Double`.

Por lo tanto, si `Cint(valor)` es igual a `CDbl(valor)`, significa que es entero:

- `CInt(4) = 4; CDbl(4) = 4` ➔ número entero.
- `CInt(4.5) = 4, CDbl(4.5) = 4.5` ➔ número decimal.
- Comprobación de valor positivo

Para comprobar si un valor es positivo, simplemente aplique un comparador lógico:

Operador	Definición
> / <	Mayor que / Menor que
>= / <=	Mayor o igual / Menor o igual
<>	Diferente de

- Comprobación de stock actual

Para comprobar la actualización del stock, verifique que el valor de la cantidad introducida no supere la cantidad de stock disponible. La actualización del stock se realizará instantáneamente cuando se agregue la línea de pedido. Por lo tanto, la actualización del stock solo debe llevarse a cabo si es posible.

Utilizaremos una función para actualizar las existencias. La función denominada `ACTStock` (definida en el paso 5) devolverá un booleano: `True` si la actualización del stock es correcta y `False` si dicha actualización no es posible.

✎ Introduzca el siguiente código:

```
'Controlar la cantidad
CantidadString = FormEjemplo.Cantidad.Text
'Comprobar si el valor del campo Cantidad es numérico con el operador
IsNumeric
'Not IsNumeric = True significa que el valor comprobado no es numérico
If Not IsNumeric(CantidadString) = True Then
    EsError = True
    EtiquetaError = EtiquetaError & "El formato de la cantidad
introducida no es numérico." & Chr(13) 'agregar un salto de línea al final
Else
'Comprobar si la cantidad introducida es un número entero
    If CInt(CantidadString) <> CDbl(CantidadString) Then
'comparar la cantidad convertida en número entero y la cantidad introducida
        EsError = True
        EtiquetaError = EtiquetaError & "El formato de la cantidad
introducida no es el de un número entero." & Chr(13)
    Else
        'Convertir la cantidad en número entero
        CantidadInteger = CInt(CantidadString)
        'Comprobar si la cantidad es inferior a 1
        If CantidadInteger < 1 Then
            EsError = True
```

```
            EtiquetaError = EtiquetaError & "La cantidad introducida
no puede ser negativa o nula." & Chr(13)
        End If
    End If
    'Recuperar el producto seleccionado en la lista desplegable
    ProductoString = FormEjemplo.Producto.Value
    'Comprobar que se ha seleccionado un producto
    If ProductoString = "" Then
      EsError = True
      EtiquetaError = EtiquetaError & "Debe elegir un producto." & Chr(13)
    End If
    'Comprobar la actualización del stock llamando a la función ACTStock.
Si la respuesta es OK, se tiene en cuenta la actualización.
Esta operación solo es posible si no hay ningún error hasta aquí.
    If EsError = False Then
        If ACTStock(ProductoString, CantidadInteger) = False
Then
            EsError = True
            EtiquetaError = EtiquetaError & "No hay suficiente stock en este
momento." & Chr(13)
        End If
    End If
End If
```

Una vez completadas las comprobaciones, son posibles dos escenarios:

- o bien hay un error y tiene que mostrar el mensaje de error;
- o bien los controles son correctos y el elemento debe agregarse a la lista.

Casos en los que se muestra un mensaje de error

En caso de que haya un mensaje de error, debe aparecer un cuadro de diálogo `MsgBox`. El cuadro de diálogo de tipo `MsgBox` muestra una ventana emergente que contiene un título, un mensaje y sobre todo botones que permiten al usuario interactuar con la aplicación. La sintaxis es la siguiente:

- `MiVariable = MsgBox ("Texto del MsgBox", vbOKCancel, "Título del MsgBox"`

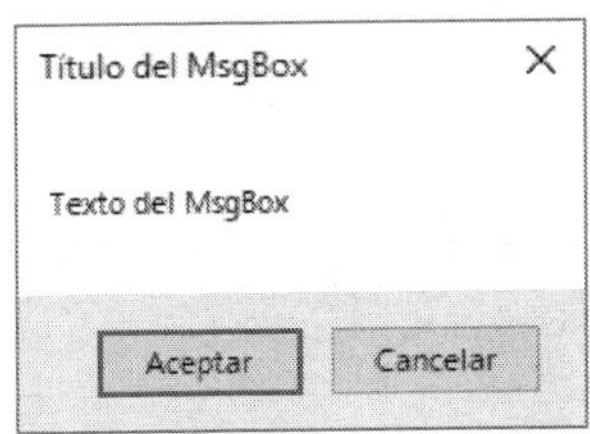

Introduzca el siguiente código:

```
if EsError Then
 'Mostrar un mensaje de error
 ValError = MsgBox(EtiquetaError, vbOKOnly, "Error")
Else
```

La etiqueta de este cuadro de diálogo es el valor de la variable `EtiquetaError`. Finalmente, solo habrá un botón en este cuadro de diálogo porque para el tipo de botón, hemos introducido el valor `vbOKOnly`, lo que significa que solo aparece el botón OK.

Esto se puede materializar de la siguiente manera:

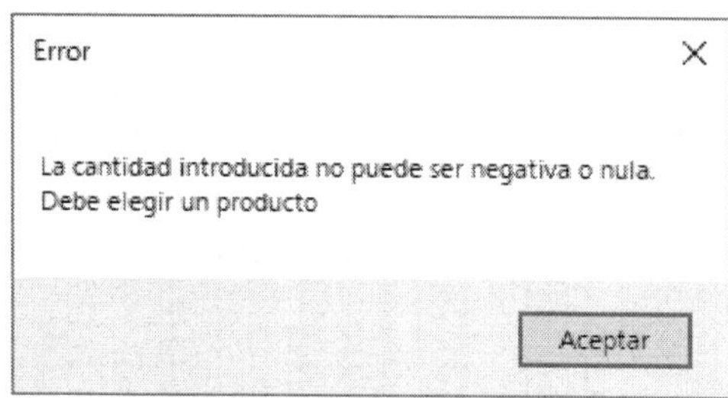

Casos en los que no hay error

En caso de que no haya ningún error, será necesario:

- Calcular el total de la línea de pedido.
- Crear la etiqueta de línea de pedido.
- Agregar la línea de pedido a la lista.
- Actualizar el TotalSinIVA.
- Calcular los totales.
- Mostrar el mensaje de confirmación.

Calcular el total de la línea de pedido

Para calcular el total de la línea de pedido, debe asignar a la variable `TotalLineaPedido` el producto de la variable `CantidadInteger` con el precio. Para recuperar el precio, es necesario crear una función que permita recuperar el precio con la referencia del producto que se denominará `RecuperarPrecio(Producto)`.

Los detalles de la función `RecuperarPrecio` se explican después de este procedimiento.

✎ Escriba el código de la siguiente manera:

```
'Cálculo del importe de la línea de pedido / uso de la
función recuperarPrecio para tener el precio por producto
 TotalLineaPedido = CantidadInteger *
RecuperarPrecio(ProductoString)
```

Con los campos producto, cantidad y precio total de la línea, es posible crear el texto que se agregará a la lista de líneas de pedido.

El operador & permite concatenar cadenas de caracteres.

Creación de la etiqueta de línea de pedido

```
'Creación de la línea de pedido en formato de texto
 Etiqueta = CantidadInteger & "*" & ProductoString & "=
" & TotalLineaPedido & "€"
```

Agregar la línea de pedido a la lista

A continuación, utilice el método `AddItem (valor)` del control `ListBox ListaLinPedido` para agregar la etiqueta anterior a la lista de pedidos.

El método AddItem se aplica de la siguiente manera:

```
 ObjetoListBox.AddItem Item
```

En el contexto de nuestro procedimiento, escriba la sintaxis siguiente:

```
'Agregar la línea de pedido a la lista
 FormEjemplo.ListLinPedido.AddItem (Etiqueta)
```

Actualizar los totales y mensaje de confirmación:

Finalmente, los totales se actualizan tras la suma de `TotalLineaPedido` con la variable pública `TotalSinIVA`.

- A continuación, llame al procedimiento `MostrarTotal` para mostrar los totales en el formulario. Este procedimiento se detallará en el paso 6.

Al final del proceso, un mensaje en una ventana `Msgbox` informa al usuario de que la operación se ha llevado a cabo correctamente. Este cuadro de diálogo solo ofrece el botón «Aceptar».

```
'Actualizar el Total sin IVA y luego calcular los totales
    TotalSinIVA = TotalSinIVA + TotalLineaPedido
    Call MostrarTotal
    'Mensaje de confirmación OK
    ValOK = MsgBox("Línea añadida", vbOKOnly, "Información")
```

He aquí el bloque de código en su conjunto:

```
'Los controles están terminados, agregue el valor a la lista
o muestre el error
If EsError Then
    'Mostrar un mensaje de error
    ValError = MsgBox(EtiquetaError, vbOKOnly, "Error")
```

```
Else
    'Calcular el importe de la línea de pedido / usar la función
recuperarPrecio para tener el precio por producto
    TotalLineaPedido = CantidadInteger *
 RecuperarPrecio(ProductoString)
    'Creación de la línea de pedido en formato texto
    Etiqueta = CantidadInteger & "*" & ProductoString & "=
" & TotalLineaPedido & "€"
    'Agregar la línea de pedido a la lista
    FormEjemplo.ListaLinPedido.AddItem (Etiqueta)
    'Actualización del Total sin IVA y cálculo de los totales
    TotalSinIVA = TotalSinIVA + TotalLineaPedido
    Call MostrarTotal
    'Mensaje de confirmación OK
    ValOK = MsgBox("Línea añadida", vbOKOnly, "Info")
  End If
End Sub
```

El procedimiento AgregarLineaPedido queda así:

```
Sub AgregarLineaPedido()
  Dim TotalLineaPedido As Double
  Dim Etiqueta As String
  Dim EsError As Boolean
  Dim EtiquetaError As String
  Dim ProductoString As String
  Dim CantidadString As String
  Dim CantidadInteger As Integer

  'Controlar la cantidad
  CantidadString = FormEjemplo.Cantidad.Text
  'Comprobar si el valor del campo Cantidad es numérico con el operador
IsNumeric
  'Not IsNumeric = True significa que el valor comprobado no es numérico
  If Not IsNumeric(CantidadString) = True Then
    EsError = True
    EtiquetaError = EtiquetaError & "El formato de la cantidad
introducida no es numérico." & Chr(13) 'agregar un salto de línea al final
  Else
    'Comprobar si la cantidad introducida es un número entero
    If CInt(CantidadString) <> CDbl(CantidadString) Then
    'comparar la cantidad convertida en número entero y la cantidad
introducida
      EsError = True
      EtiquetaError = EtiquetaError & "El formato de la cantidad
introducida no es el de un número entero." & Chr(13)
    Else
      'Convertir la cantidad en número entero
      CantidadInteger = CInt(CantidadString)
      'Comprobar si la cantidad es inferior a 1
```

```
      If CantidadInteger < 1 Then
        EsError = True
      EtiquetaError = EtiquetaError & "La cantidad introducida no puede
ser negativa o nula." & Chr(13)
      End If
    End If
    'Recuperar el producto seleccionado en la lista desplegable
    ProductoString = FormEjemplo.Producto.Value
    'Comprobar que se ha seleccionado un producto
    If ProductoString = "" Then
      EsError = True
      EtiquetaError = EtiquetaError & "Debe elegir un producto." & Chr(13)
    End If
    'Comprobar la actualización del stock llamando a la función
ACTStock. Si la respuesta es OK, se tiene en cuenta la actualización.
Esta operación solo es posible si no hay ningún error hasta aquí.
    If EsError = False Then
      If ACTStock(ProductoString, CantidadInteger) = False Then
        EsError = True
        EtiquetaError = EtiquetaError & "No hay suficiente stock en
este momento." & Chr(13)
      End If
    End If
  End If

  'Los controles están terminados, agregue el valor a la lista o muestre
el error
  Dim ValError, ValOK As Integer
  If EsError Then
    'Mostrar un mensaje de error
    ValError = MsgBox(EtiquetaError, vbOKOnly, "Error")
  Else
    'Calcular el importe de la línea de pedido / usar la función
recuperarPrecio para tener el precio por producto
    TotalLineaPedido = CantidadInteger * RecuperarPrecio(ProductoString)
    'Creación de la línea de pedido en formato texto
    Etiqueta = CantidadInteger & "*" & ProductoString & "=
" & TotalLineaPedido & "€"
    'Agregar la línea de pedido a la lista
    FormEjemplo.ListaLinPedido.AddItem (Etiqueta)
    'Actualización del Total sin IVA y cálculo de los totales
    TotalSinIVA = TotalSinIVA + TotalLineaPedido
    Call MostrarTotal
    'Mensaje de confirmación OK
    ValOK = MsgBox("Línea añadida", vbOKOnly, "Info")
  End If
End Sub
```

- Función Recuperar precio

Como se ha visto anteriormente, se utilizará una función para recuperar el precio de un producto.

La función tiene el producto como argumento de entrada.

La función de recuperación de precios le permite navegar por la hoja **Productos** para recuperar el precio del producto seleccionado.

La función tiene por valor de retorno el precio del producto.

```
PrecioProducto = RecuperarPrecio(Producto)
```

✎ Comience creando la función `RecuperarPrecio` con el nombre del producto en el `Módulo1` como argumento, tal y como se muestra a continuación:

```
Function RecuperarPrecio(Producto As String)
End Function
```

Al principio de la función, hay que asignarle el valor cero.

```
RecuperarPrecio = 0
```

A continuación, debe recorrer la hoja **Productos** con un bucle. Este bucle debe tener dos condiciones de salida:

- La lista de los productos se ha completado sin que se haya encontrado el producto correspondiente.
- El producto ha sido recuperado.

En este caso, el bucle `While-Wend` es adecuado con la condición de mantener en el bucle: el valor de la celda analizada es diferente del nombre del producto.

En el caso de que el producto ya no esté en la lista, se coloca una prueba para salir de la función actual si la celda analizada está vacía. Si es así, el resultado de la función sería `0`.

La instrucción `Exit Function` se utiliza para salir de la función:

```
If Cells(linea, 1).Value = "" then Exit Function 'salida de la función
si encuentra un valor nulo.
```

Esto da como resultado el siguiente bucle:

```
Sheets("Productos").Select
Dim Linea As Integer
Linea = 2
While Cells(Linea, 1).Value <> Producto 'mientras la celda sea
diferente del producto, el programa continúa
 If Cells(Linea, 1).Value = "" then Exit Function 'salida de la
función si hay un valor nulo
 Linea = Linea + 1 'iterador: aumenta el valor en 1 para la variable
Linea con cada pasada
Wend
```

A la salida del bucle, la variable `Linea` corresponderá a la fila donde se encuentra el producto en la hoja **Productos**. Por lo tanto, para recuperar el precio, será suficiente con asignar el valor del precio (columna 2) a la función `RecuperarPrecio` de la siguiente manera:

```
RecuperarPrecio = Cells(Linea, 2).Value
```

He aquí la función en su conjunto:

```
Function RecuperarPrecio(Producto As String)
  RecuperarPrecio = 0
  Sheets("Productos").Select
  Dim Linea As Integer
  Linea = 2
  While Cells(Linea, 1).Value <> Producto 'mientras la celda sea
diferente del producto, el programa continúa
    If Cells(Linea, 1).Value = "" Then Exit Function 'salida de
la función si hay un valor nulo
    Linea = Linea + 1 'iterador: aumenta el valor en 1 para la
variable Linea con cada pasada
  Wend
  RecuperarPrecio = Cells(Linea, 2).Value
End Function
```

Paso 5: Actualizar los stocks

La función de actualización del stock tiene los siguientes argumentos de entrada:

- Cantidad.
- Producto.

La función de actualización del stock realizará las siguientes acciones:

- Buscar el producto de entrada en la hoja **Productos**.
- Retirar del stock la cantidad especificada como argumento de entrada de la función.

La función de actualización de inventario devuelve un valor de tipo Boolean que corresponde al estado de la operación de actualización del stock:

- Devuelve el valor `True` (verdadero) si la actualización se ha realizado correctamente.
- Devuelve el valor `False` (falso) si la actualización se ha realizado correctamente.

✎ Cree la función `ACTStock` con los argumentos `Producto` y `Cantidad`.

```
Function ACTStock(Producto As String, Cantidad As Integer)
End Function
```

✎ Inicialice el valor de la función en `False`. Cambiará a `True` tan pronto como la actualización del stock se realice correctamente.

```
'Establecer el valor predeterminado en False
ACTStock = False
```

A continuación, debe recorrer la hoja **Productos** con un bucle.

- Utilice el bucle `While-Wend`. Permanezca en el bucle mientras el producto recorrido (columna A) sea diferente del producto buscado.

```
While Cells(Linea, 1).Value <> Producto
End While
```

Una vez dentro del bucle, si la lista de productos está completa, salga de él con la instrucción `Exit`.

```
If Cells(Linea, 1).Value = "" Then Exit Function 'salida de la función
si hay una celda vacía
```

El código será el siguiente:

```
'Selección de la hoja Productos
Sheets("Productos").Select
'Definir la variable Linea permite recorrer la hoja.
Dim Linea As Integer
Linea = 2
While Cells(Linea, 1).Value <> Producto 'mientras la celda sea
diferente del producto, el programa continúa
    If Cells(Linea,1).Value = "" Then Exit Function 'salida de la
función si hay una celda vacía.
    Linea = Linea + 1 'iterador: aumenta el valor en 1 para la
variable Linea con cada pasada
Wend
```

A la salida del bucle, la variable `Linea` corresponderá a la línea donde se encuentra el producto en la hoja **Productos**.

La variable `StockEnCurso` se utilizará para calcular el nuevo stock. Si el stock es negativo, la operación no será validada. Si el nuevo stock es mayor o igual a 0, se tendrá en cuenta la operación:

```
StockEnCurso = Cells(Linea, 3).value 'atribución de la variable a la
cantidad actual
StockEnCurso = StockEnCurso - Cantidad 'cálculo del nuevo stock
If StockEnCurso >= 0 Then
     Cells(Linea,3).value = StockEnCurso 'asignación del nuevo stock
al producto
     ACTStock = True 'La función está OK y toma el valor True
End if
```

Cuando se completa, la función se ve así:

```
Function ACTStock(Producto As String, Cantidad As Integer)
  Dim StockEnCurso As Integer
  'Asignación del valor por defecto en Falso
  ACTStock = False
  'Selección de la hoja Producto
```

```
  Sheets("Productos").Select
  'Definir la variable Linea permite recorrer la hoja.
  Dim Linea As Integer
  Linea = 2
  While Cells(Linea, 1).Value <> Producto 'mientras la celda sea
diferente del producto, el programa continúa
    If Cells(Linea, 1).Value = "" Then Exit Function 'salida de la
función si hay una celda vacía.
    Linea = Linea + 1 'iterador: aumenta el valor en 1 para la
variable Linea con cada pasada
  Wend
  'salida del bucle: esto significa que la variable línea corresponde
a la línea donde se encuentra el producto
  StockEnCurso = Cells(Linea, 3).Value 'atribución de la variable a
la cantidad actual
  StockEnCurso = StockEnCurso - Cantidad 'cálculo del nuevo stock
  If StockEnCurso >= 0 Then
    Cells(Linea, 3).Value = StockEnCurso 'Se asigna el nuevo stock al
producto
    ACTStock = True 'La función está OK y toma el valor True
    End If
End Function
```

Paso 6: Actualizar el importe total

El objetivo de este paso es crear un procedimiento para actualizar las diversas variables que contienen totales y mostrar los valores dentro de un formulario.

Por eso es necesario crear un procedimiento `MostrarTotal` al que se llamará al actualizar los diferentes totales en la aplicación (léase eventos).

Este procedimiento se divide en dos partes.

- Parte de cálculo

Se creará una variable para calcular el importe después de la entrega:

Nombre	Tipo	Detalles
Coef	Double	Tomará el valor 1 si no hay descuento; tomará el valor 0,9 si se aplica un descuento del 10 %.

```
Dim Coef As Double
Coef = 1
If FormEjemplo.Descuento.Value = True Then 'probamos la casilla de
verificación del descuento
    Coef = 0.9
End If
```

La variable `TotalSinIVA` se utilizará para calcular los otros totales.

```
TotalConDescuento = TotalSinIVA * Coef 'Coeficiente de aplicación del descuento (1 o 0,9)
IVA = TotalConDescuento * 0,2 '(aplicación del tipo de IVA del 20%)
TotalConIVA =  TotalConDescuento + IVA
```

- Parte Visualización de valores

Para mostrar los valores, simplemente asigne el valor de la variable a la propiedad `Caption` de los controles Label afectados.

```
'Actualización de los valores que se muestran en pantalla
FormEjemplo.Calc_TotalSinIVA.Caption = TotalSinIVA & " €"
FormEjemplo.Calc_TotalConIVA.Caption = TotalConIVA & " €"
FormEjemplo.Calc_TotalDsDescuento.Caption = TotalConDescuento & " €"
FormEjemplo.Calc_IVA.Caption = IVA & " €"
```

✎ Escriba el procedimiento `MostrarTotal` de la siguiente manera:

```
Sub MostrarTotal()
  'El coeficiente será 1 si no hay descuento y 0.9  si hay 10 % de descuento
  Dim Coef As Double
  Coef = 1
  If FormEjemplo.Descuento.Value = True Then 'Probar la casilla de verificación del descuento
     Coef = 0.9
  End If
  'Actualizar las diferentes variables
  Dim IVA As Double
  TotalConDescuento = Coef * TotalSinIVA
  IVA = TotalConDescuento * 0.2
  TotalConIVA = TotalConDescuento + IVA
  'Actualizar valores en pantalla
  FormEjemplo.Calc_TotalSinIVA.Caption = TotalSinIVA & " €"
  FormEjemplo.Calc_TotalConIVA.Caption = TotalConIVA & " €"
  FormEjemplo.Calc_TotalDsDescuento.Caption = TotalConDescuento & " €"
  FormEjemplo.Calc_IVA.Caption = IVA & " €"
End Sub
```

Paso 7: Eliminar una o más líneas de pedido

El objetivo de este procedimiento es eliminar la línea o las líneas de comandos seleccionadas en el objeto `ListBox ListLinPedido`.

Este procedimiento denominado `EliminarLineaPedido` se divide en tres partes:

- La primera consiste en recuperar las filas seleccionadas en el objeto `ListaLinPedido`.
- La segunda consiste en recuperar el precio y la cantidad de la línea seleccionada.
- La última consiste en actualizar las existencias y los totales después de la eliminación del elemento.

Recuperar las líneas seleccionadas

Para recuperar las líneas seleccionadas, hay que hacer un bucle sobre todos los elementos de la lista de las líneas de pedidos.

La solución es utilizar un bucle `For-Next`, que permite recorrer una lista con un número de iteraciones definidas por una variable.

Ejemplo

```
For I = ValorInicio To ValorFin Step Pas
      'código
Next
```

Aplicación

```
For I = 1 to 10 Step 1
Debug.Write(I) 'Mostrará 12345678910 en la consola de Debug
Next
```

En este ejemplo, es recomendable recorrer los elementos de la lista y eliminarlos si se han seleccionado.

✎ Revise esta lista desde el último hasta el primer elemento y elimine progresivamente de la lista los elementos seleccionados.

Para hacer el bucle en orden inverso, simplemente adapte el bucle `For`:

- Primero, el bucle debe ir desde el índice más alto hacia el índice más bajo.
- Agregar un paso (`Step`) de -1 permite que en cada iteración del bucle la variable del bucle disminuya en 1.

Para recuperar el número de elementos de la lista, utilice el valor `ListCount` de `ListaLinPedido`:

```
FormEjemplo.ListaLinPedido.ListCount
```

Los elementos de la lista se identifican de la siguiente manera:

```
FormEjemplo.ListaLinPedido.List(Index)
```

El primer elemento de la lista tiene un índice 0, luego 1 y así sucesivamente hasta que el último elemento tiene como índice el número total de elementos de la lista -1 (ya que comenzamos desde 0 y no desde 1).

Para identificar si un elemento está seleccionado, utilice la propiedad `Selected` de cada elemento, que devolverá `True` si el elemento está seleccionado y `False` si el elemento no está seleccionado.

```
If FormEjemplo.ListaLinPedido.Selected(Index) = True Then
End if
```

Por último, para eliminar un elemento, utilice el método `RemoveItem  Index` del elemento.

Así es como se verá el código:

```
For I = FormEjemplo.ListaLinPedido.ListCount - 1 To 0 Step -1
    If FormEjemplo.ListaLinPedido.Selected(I) = True Then
        'Instrucción para recuperar el precio y la cantidad y
actualizar el stock y los totales.
        'Eliminación de la línea de pedido de la lista
        FormEjemplo.ListaLinPedido.RemoveItem I
    End If
Next
```

▸ Extraer el producto y la cantidad a partir del texto seleccionado

El texto seleccionado se desglosa de la siguiente manera: Producto * Cantidad = Precio total

Es necesario extraer partes del texto para recuperar el producto y la cantidad presentes en el texto:

▸ El producto se sitúa entre el primer carácter y el carácter *

▸ La cantidad se sitúa después del carácter * hasta el carácter =

La instrucción `Instr` se utilizará para buscar una cadena de caracteres dentro de otra cadena de caracteres y para subir la posición de la primera aparición encontrada.

*Este ejemplo no puede funcionar si hay un carácter * o = en la etiqueta del producto.*

La instrucción `Instr` se define así:

```
Posición = Instr(TextoDeBase, TextoBusqueda)
```

Por ejemplo:

```
Posición = Instr("N","ENI") 'La posición será igual a 2.
```

Una vez que se encuentra la posición de los caracteres * y =, la instrucción `Mid` se utiliza para recuperar una parte de la cadena de caracteres.

La instrucción `Mid` se define como:

```
VariableText = Mid(TextoDeBase,Inicio,Fin)
```

Por ejemplo:

```
VariableText = Mid("ENI-Ediciones",3,4) 'VariableText será igual a "I-Ed"
```

Por lo tanto, la cantidad es igual a:

```
Cantidad = Mid(Elemento, 1, PosicionCaracterAsterisco - 1)
```

Y el producto:

```
Producto = Mid(Elemento, PosicionCaracterAsterisco +1,
PosicionCaracterIgual- PosicionCaracterAsterisco -1)
```

Actualizar los stocks y los totales

Para actualizar las existencias, será necesaria la llamada a la función `ACTStock` con el argumento del producto y la cantidad encontrada anteriormente. La función `ACTStock` que ha diseñado anteriormente reduce el stock, mientras que nuestro objetivo es aumentarlo. Por lo tanto, la variable de cantidad se multiplicará por -1.

```
ACTStock(Producto, Cantidad * -1)
```

Si esta función es OK, la lista de línea de pedidos se actualizará correctamente.

Al igual que sucede cuando se agrega una línea, tendrá que recuperar el precio de esta línea de pedido (a través de la función creada `RecuperarPrecio`) y luego restarlo del Total sin IVA. Finalmente, la llamada al procedimiento `MostrarTotal` actualizará los diferentes totales y los mostrará en el formulario.

El conjunto del procedimiento se materializa de la siguiente manera:

```
 Sub EliminarLineaPedido()
  Dim TotalLineaPedido As Double
  Dim Producto As String
  Dim I, Cantidad, PosicionCaracterAsterisco, PosicionCaracterIgual,
VBMessage As Integer
  For I = FormEjemplo.ListaLinPedido.ListCount - 1 To 0 Step -1
    If FormEjemplo.ListaLinPedido.Selected(I) = True Then
     'Analizar la línea seleccionada para recuperar la cantidad
y el producto.
     'Para determinar la cantidad, basta con retomar los caracteres
entre el inicio y el asterisco
      PosicionCaracterAsterisco =
InStr(FormEjemplo.ListaLinPedido.List(I), "*")
      PosicionCaracterIgual = InStr(FormEjemplo.ListaLinPedido.List(I), "=")
      Cantidad = CInt(Mid(FormEjemplo.ListaLinPedido.List(I), 1,
PosicionCaracterAsterisco - 1))
      Producto = Mid(FormEjemplo.ListaLinPedido.List(I),
PosicionCaracterAsterisco + 1, PosicionCaracterIgual -
PosicionCaracterAsterisco - 1)
      If ACTStock(Producto, Cantidad * -1) = False Then
        VBMessage = MsgBox("Actualización KO", vbOKOnly, "Error")
      Else
        'Cálculo del importe de la línea de pedido / uso de la función
recuperarPrecio para obtener el precio por producto
        TotalLineaPedido = Cantidad * RecuperarPrecio(Producto)
        'Actualización del Total sin IVA y cálculo de los totales
        TotalSinIVA = TotalSinIVA + TotalLineaPedido
        Call MostrarTotal
        'Eliminación de la línea de pedido de la lista
        FormEjemplo.ListaLinPedido.RemoveItem I
```

```
      End If
    End If
  Next
End Sub
```

Paso 8: Guardar la factura

Se creará un procedimiento denominado `Guardar` para validar la factura introducida. Se ejecutará al hacer clic en el botón **Guardar e imprimir el pedido**.

Guardar el documento consistirá en:

- Dar un número de factura.
- Escribir la fecha y la hora.
- Escribir el importe con IVA de la factura.
- Ofrecer la impresión.
- Reiniciar la factura.

✎ Cree el procedimiento Guardar en el Módulo 1:

```
Sub Save()
End Sub
```

Primero, es necesario hacer un bucle para encontrar la primera línea no vacía en la hoja **Facturas**.

```
'Selección de la hoja
Sheets("Facturas").Select
'Definir una variable Linea que permita recorrer la hoja empezando
por la línea 2.
Dim Linea As Integer
Linea = 2
'Recorrer la hoja Ventas para encontrar la primera fila disponible
While Cells(Linea, 1).Value <> "" 'mientras el valor de celda sea
distinto de cero
      Linea = Linea + 1 'iterador: aumenta el valor en 1 para la
variable Linea en cada pasada
Wend
```

Una vez identificada la línea:

- la columna A utilizará el número de línea menos 1 (la primera factura está en la línea 2);
- la columna B tomará la fecha y la hora del momento con la instrucción `Now`;
- la columna C tomará el valor del Total con IVA con el valor de la variable `TotalConIVA`.

```
Cells(Linea, 1).Value = Linea - 1
Cells(Linea, 2).Value = Now 'instrucción para recuperar la fecha y la
hora.
Cells(Linea, 3).Value = TotalConIVA
```

Para imprimir la línea de factura en un documento, el método que se debe utilizar es `PrintOut` del objeto `Range`. Este método imprimirá el rango actual y se puede aplicar al objeto `Worksheet`.

El código consiste en ofrecer al usuario la impresión de la factura utilizando el resultado de la `MsgBox`:

```
'Resp contendrá la respuesta del MsgBox
 Dim Resp As String
'Msgbox con el botón Aceptar y Cancelar
Rep = MsgBox("¿Desea imprimir la factura?", vbOKCancel, "Imprimir")
```

Solo quedará probar el valor de Resp para saber si comenzar a imprimir.

```
'comprobar si la respuesta de MsgBox es el botón Aceptar
If Resp = vbOK Then
'iniciar la impresión si se cumple la condición.
Range(Cells(Linea, 1), Cells(Linea, 3)).PrintOut
End If
```

✎ Complete el procedimiento llamando al procedimiento `Init` para restablecer el formulario.

```
'Restablecer el formulario
Call Init
```

El procedimiento quedará redactado de la siguiente manera:

```
Sub Guardar()
  'Seleccionar la hoja "Facturas"
  Sheets("Facturas").Select
  'Definir una variable Linea que permita recorrer la hoja comenzando
por la línea 2.
  Dim Linea As Integer
  Linea = 2
  'Recorrer la hoja Ventas para buscar la primera línea disponible
  While Cells(Linea, 1).Value <> "" ' mientras el valor de la celda sea
diferente de cero
    Linea = Linea + 1 'iterador: aumenta el valor en 1 para la
variable Linea con cada pasada
  Wend
  Cells(Linea, 1).Value = Linea - 1
  Cells(Linea, 2).Value = Now 'instrucción para recuperar la fecha y la hora.
  Cells(Linea, 3).Value = TotalConIVA
  Dim Resp As Integer
  Resp = MsgBox("¿Desea imprimir la factura?", vbOKCancel, "Imprimir")
  If Resp = vbOK Then
```

```
    Range(Cells(Linea, 1), Cells(Linea, 3)).PrintOut
  End If
  Call Init
End Sub
```

Paso 9: Vincular los eventos a los procedimientos

Este paso consiste en vincular los eventos presentes en los objetos (consulte Definiciones de procedimientos y eventos) con los procedimientos creados anteriormente.

Para acceder al evento de un objeto:

- Haga clic con el botón derecho en el objeto y seleccione **Ver código**.

Se colocará de forma predeterminada en el evento principal del objeto (por ejemplo, el evento `Click` para el botón).

Para cambiar el evento seleccionado:

- Elija en la lista desplegable el evento apropiado, como se muestra a continuación

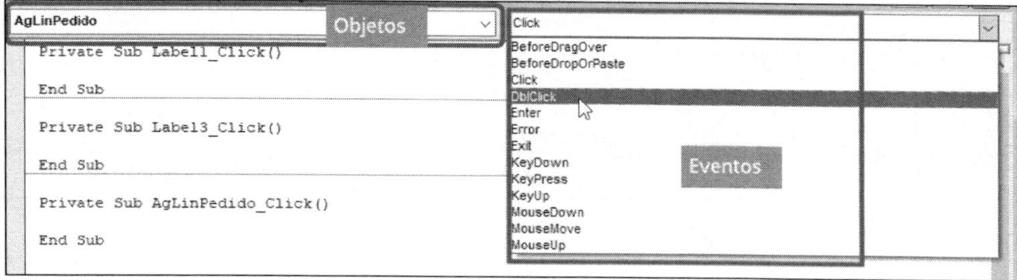

- Configurar eventos y procedimientos relacionados:

Evento	Procedimiento
Clic en el botón «Añadir a la línea de pedido» *Evento*: `Click`	Llamada al procedimiento `AgLinPedido`
Clic en el botón «Eliminar las líneas seleccionadas» *Evento*: `Click`	Llamar al procedimiento `EliminarLineaPedido`
Clic en el botón «Guardar e imprimir el pedido» *Evento*: `Click`	Llamada al procedimiento `Guardar`
Marcar/desmarcar la casilla de verificación del descuento. *Evento*: `Change`	Llamada al procedimiento `MostrarTotal`

Evento	Procedimiento
Clic en el botón «Acceder a la herramienta de gestión de ventas» en la hoja «Inicio»	Consulte el paso 10

El resultado es el siguiente:

```
Option Explicit
Private Sub AgLinPedido_Click()
Call AgregarLineaPedido
End Sub

Private Sub Descuento_Change()
Call MostrarTotal
End Sub

Private Sub SavePedido_Click()
Call Guardar
End Sub

Private Sub SupLinPedido_Click()
Call EliminarLineaPedido
End Sub
```

Paso 10: Crear un botón en la hoja Inicio

El último paso será agregar el botón en la hoja **Inicio** para que el usuario pueda hacer clic en él tan pronto como abra el archivo.

La operación es la siguiente:

- En Excel, vaya a la pestaña **Programador** y, en el grupo **Controles**, elija **Insertar**.
- Haga clic en **Botón de comando**, en los **Controles ActiveX**.

- Dibuje el objeto en la hoja.

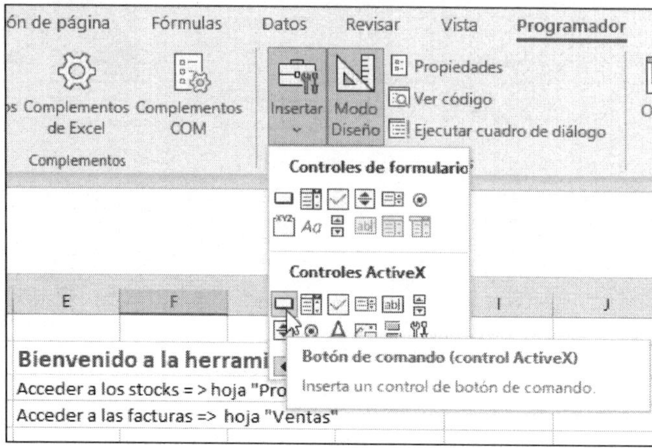

- Haga clic derecho en el botón y elija **Propiedades**.
- Cambie la propiedad **Caption** del **Botón de comando**; escriba **Ir a la herramienta de gestión de ventas**.
- Haga clic derecho en el botón y luego elija la opción **Ver código**.

*Si no es posible hacer clic con el botón derecho, significa que el Modo Diseño no está habilitado. Haga clic en **Modo Diseño** en la pestaña **Programador** para cambiar al Modo Diseño.*

Al hacer clic en **Ver** código, se le dirige de forma predeterminada al código en el evento de clic del botón. En este procedimiento:

- Llame al procedimiento `Init` que inicializa el formulario.
- Muestre este formulario con el método `Show` en el formulario.

```
Private Sub CommandButton1_Click()
Call Init
FormEjemplo.Show
End Sub
```

- Desactive el Modo Diseño haciendo clic en el botón **Modo Diseño** de la pestaña **Programador**. Haga clic en el botón **Ir a la herramienta de gestión de ventas** y pruebe la aplicación.

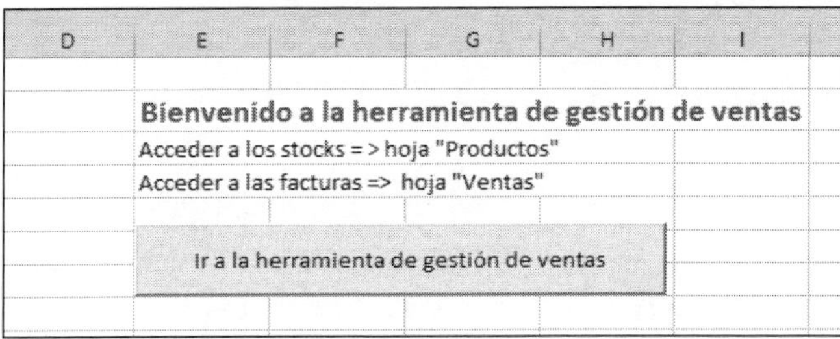

D. Protección de un libro: descripción del ejemplo

1. Presentación del ejemplo

La seguridad de los datos es un problema generalizado hoy en día, sobre todo la seguridad de los archivos. Estos ahora resultan muy accesibles ya que, por lo común, se almacenan en la web y se comparten fácilmente. Muchos usuarios se enfrentan a este problema y desean tener más protección en sus archivos, sobre todo para evitar revelar información confidencial.

En la actualidad, disponemos de muchas soluciones de protección de archivos diseñadas específicamente para el cifrado de datos.

De hecho, existen diversas funciones que evitan exponer el código a todos los destinatarios, limitan el uso compartido de hojas en el libro o impiden aplicar cambios en toda una hoja o solo en ciertas celdas.

Hay que reconocer que Excel no es la herramienta que ofrece más garantías en términos de seguridad, pero, con las siguientes opciones, al menos es posible desalentar a muchas de las personas que tengan la aviesa intención de atacar los datos que usted ha protegido.

El objetivo de este ejemplo es dotar de mayor seguridad al código, la hoja y los datos.

2. Presentación del archivo

El archivo **Enunciado_3-DEF.xlsm** es la continuación del ejemplo 3-ABC, las pestañas son las mismas. Por lo tanto, no hay elementos nuevos que presentar.

3. Funciones

Las funciones que se desarrollarán durante este ejemplo son las siguientes:

- Ocultar las hojas Facturas y Productos.
- Proteger la estructura del libro.
- Mostrar el stock a través de un formulario.
- Proteger las celdas de la hoja Inicio.
- Proteger el código VBA.

E. Protección de un libro: conceptos del curso

1. Mostrar/ocultar una hoja

Para ocultar una hoja, haga clic con el botón derecho del ratón en la pestaña correspondiente a la hoja que quiere ocultar y, a continuación, seleccione **Ocultar**:

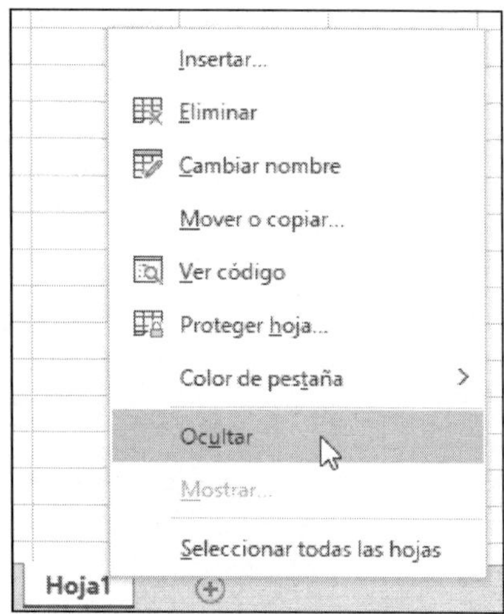

Para ver una hoja, haga clic con el botón derecho en la pestaña de una hoja que no esté ocultada y, a continuación, haga clic en **Mostrar**:

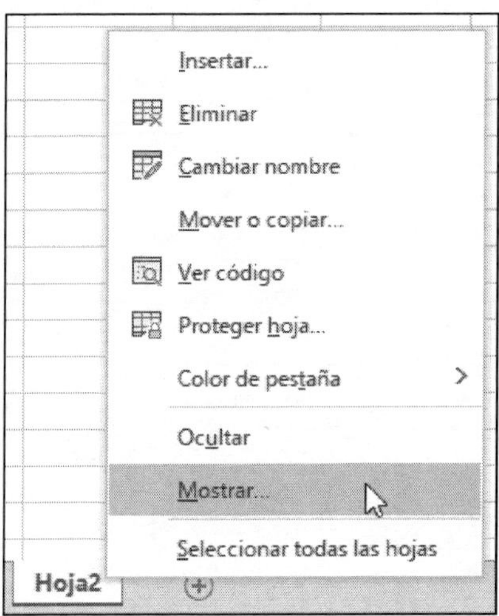

Aparece la ventana **Mostrar** que le permite elegir qué hojas mostrar.

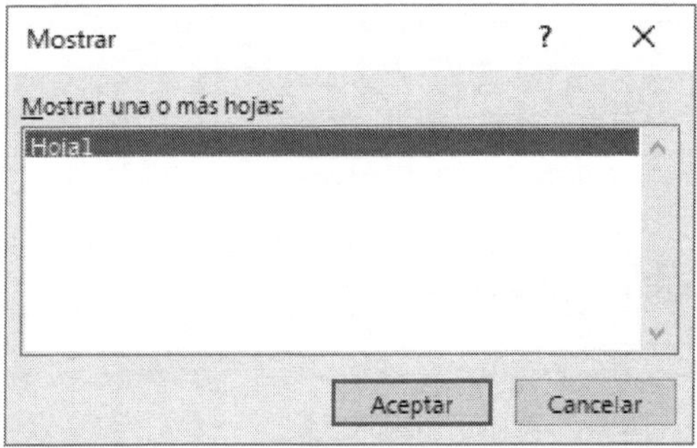

Termine haciendo clic en **Aceptar**.

a. Proteger la estructura

Proteger la estructura de un libro ayuda a evitar que se agreguen, editen y eliminen hojas dentro de él.

La función se encuentra en la pestaña **Revisar**, botón **Proteger libro**:

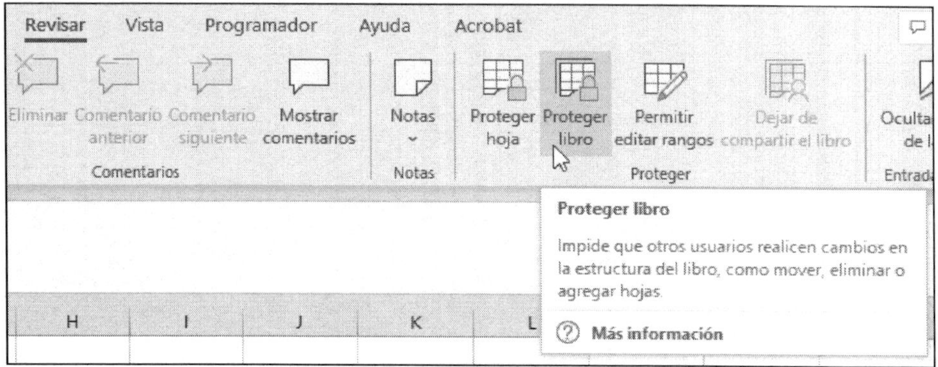

Aparecerá la ventana de protección del libro, que le permite seleccionar la protección de la estructura y asociar una contraseña con ella.

La contraseña es opcional, es decir: no tiene que introducirla para configurar la protección de la estructura y no se le pedirá una contraseña para eliminar la protección. Por otro lado, si introduce una contraseña en la ventana anterior, se mostrará otra ventana donde se le pedirá que confirme la contraseña que acaba de introducir.

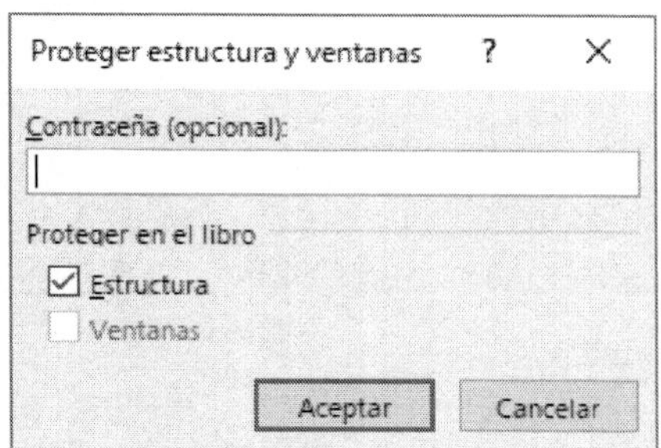

Después de hacer clic en **Aceptar** ya no podrá realizar más cambios en la estructura. Como puede ver haciendo un clic derecho en la pestaña de una de las hojas, es imposible insertar, modificar o eliminar una hoja. Tampoco es posible mostrarla u ocultarla.

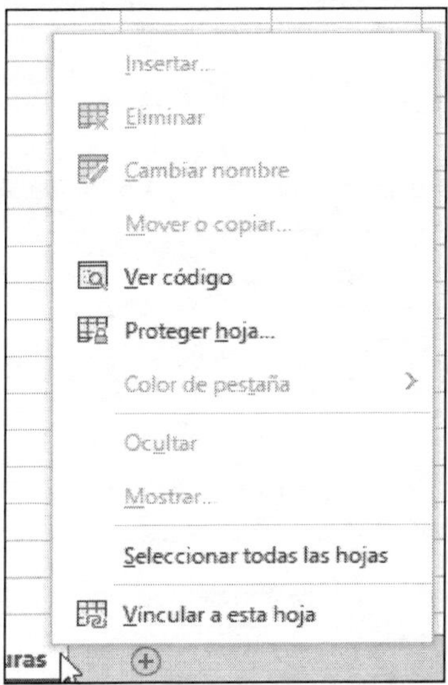

Para quitar la protección, vaya a la pestaña **Revisar** y vuelva a hacer clic en el botón **Proteger libro**, que está resaltado.

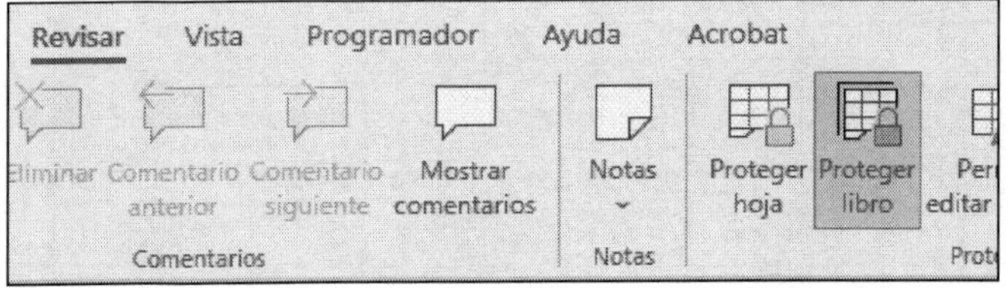

Para completar la operación, introduzca la contraseña y haga clic en **Aceptar**.

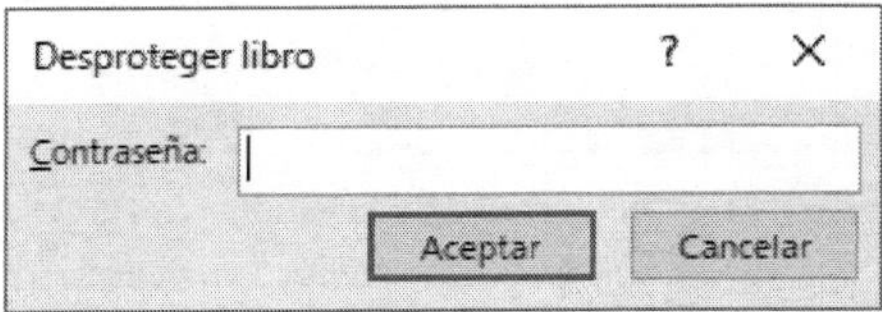

2. Proteger la hoja y sus celdas

Esta función le permite aplicar protección a las celdas bloqueadas dentro de una hoja. Las celdas que tienen la propiedad **Bloqueada** se protegerán según los criterios definidos al aplicar la protección de la hoja.

¿Cómo saber si una celda está bloqueada?

La información se encuentra en el formato de la celda. Haga clic con el botón derecho en una o más celdas y, a continuación, haga clic en **Formato de celdas**.

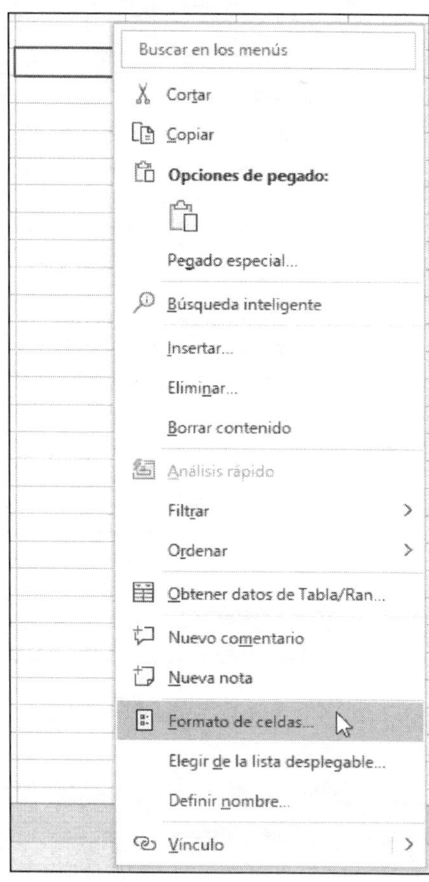

En la pestaña **Proteger**, puede ver si la información **Bloqueada** está activada. En la siguiente imagen la opción **Bloqueada** está activa.

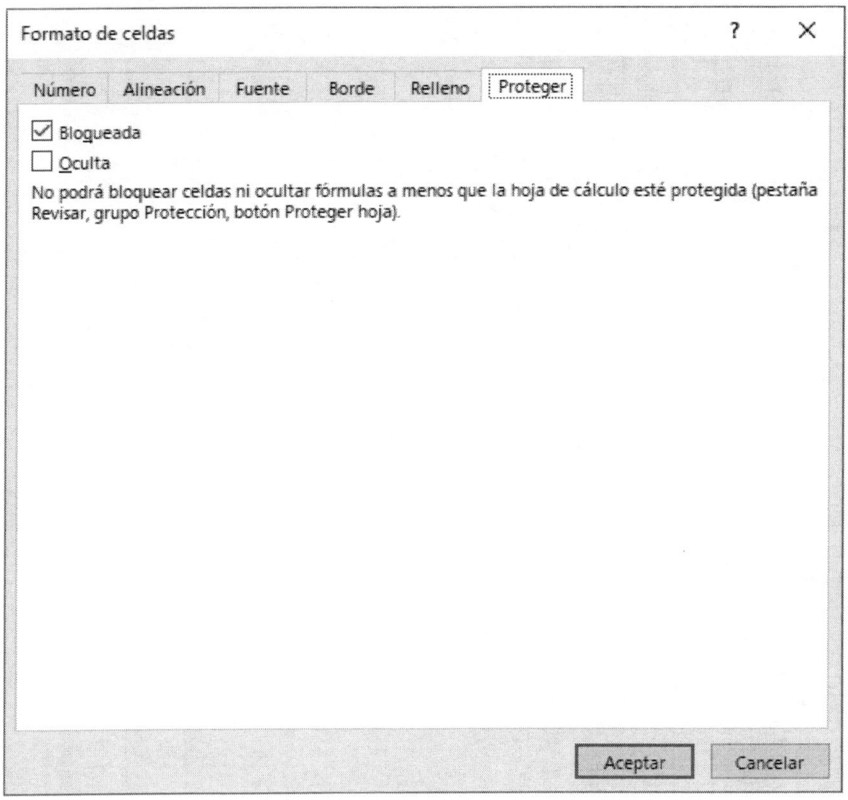

Si la casilla **Bloqueada** no está activada, la aplicación de la protección a la hoja no afectará a la celda o rango en cuestión.

Proteger la hoja

Para proteger la hoja, en la pestaña **Revisar**, haga clic en **Proteger hoja**.

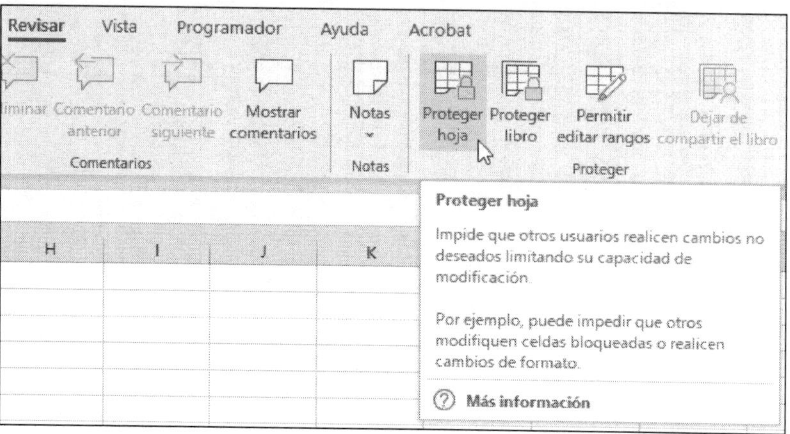

Aparecerá la ventana de configuración **Proteger hoja**. Las funciones seleccionadas son las que permanecerán accesibles después de aplicar la protección de hoja. La contraseña es opcional, lo que significa que no tiene que introducirla para configurar la protección de la hoja y no se le pedirá ninguna contraseña para eliminar la protección. Sin embargo, si introduce una contraseña en la ventana siguiente, se mostrará otra ventana donde se le pedirá que confirme la contraseña que acaba de introducir.

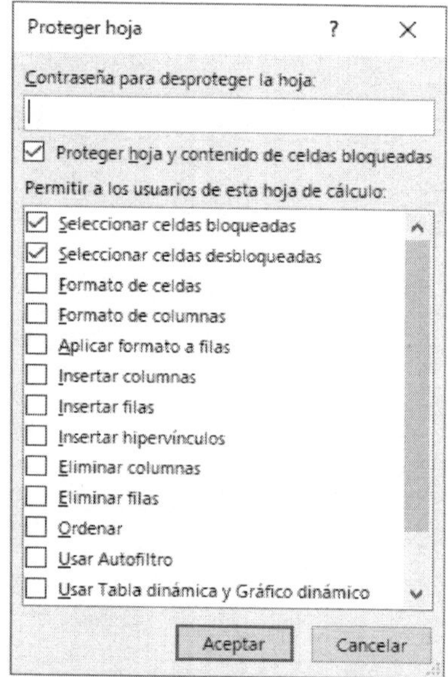

Después de hacer clic en **Aceptar**, aparece la siguiente ventana:

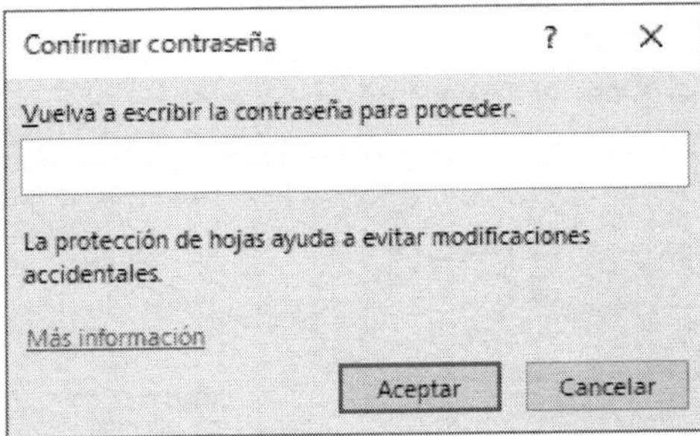

Una vez que haga clic en **Aceptar**, se activará la protección de la hoja.

Quitar la protección de la hoja

Para desproteger la hoja, vaya a la pestaña **Revisar** y haga clic en **Desproteger hoja**. El botón se encuentra en la ubicación donde estaba el botón **Proteger hoja** antes de activarlo.

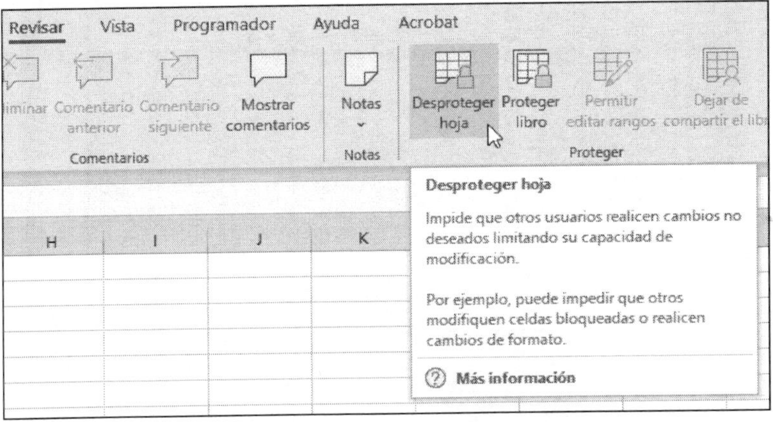

En caso de que se haya incluido una contraseña, aparece una ventana para introducirla:

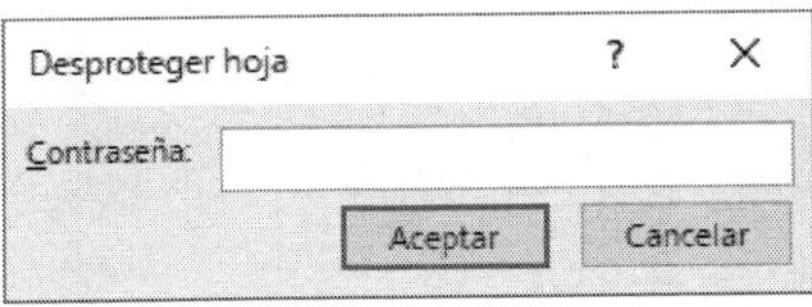

3. Proteger el código VBA

Proteger el código VBA significa bloquear a los usuarios el acceso al código VBA del archivo. Será posible eliminar esta protección a través de una contraseña.

En el **Editor de Visual Basic**, en el explorador de proyectos, haga clic con el botón derecho en el documento y luego en **Propiedades de VBAProject**.

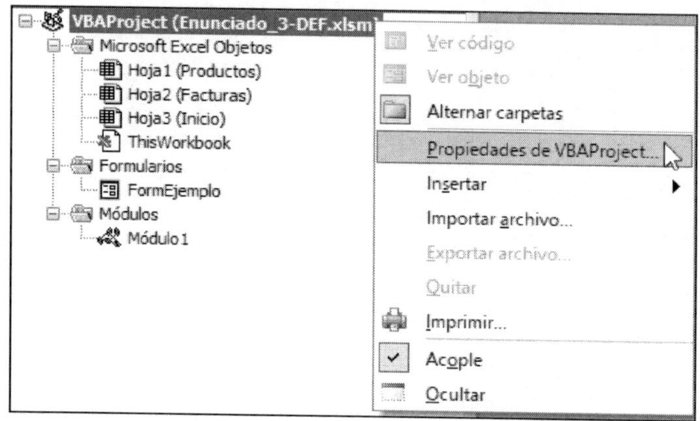

Aparecerá la ventana de propiedades. Vaya a la pestaña **Protección**.

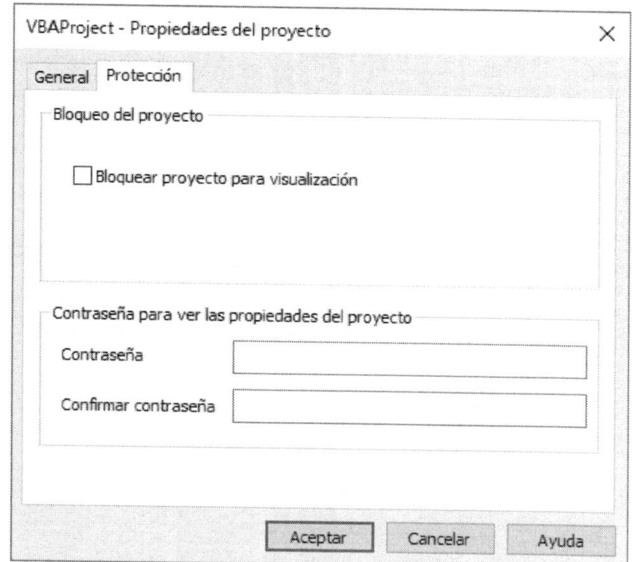

Seleccione **Bloquear proyecto para visualización** e introduzca una contraseña.

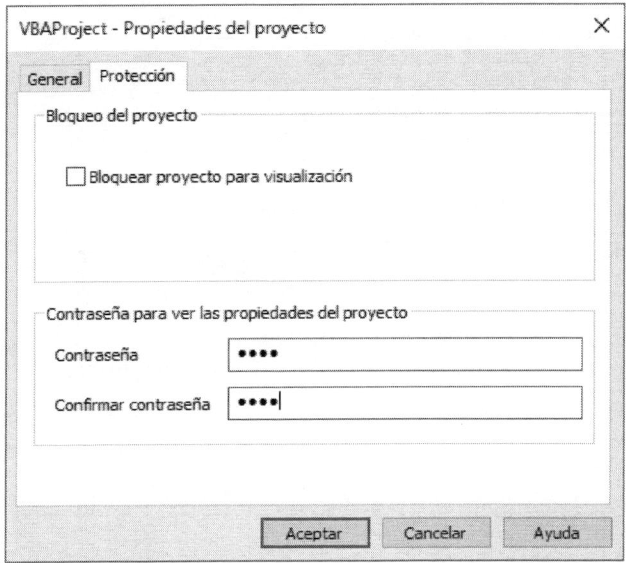

Una vez que haga clic en **Aceptar**, su proyecto de VBA estará protegido.

A continuación, debe guardar y cerrar el libro actual y volver a abrirlo para que la protección sea eficaz.

Luego, cuando vaya al Editor de Visual Basic, una ventana le permitirá desbloquear esta protección.

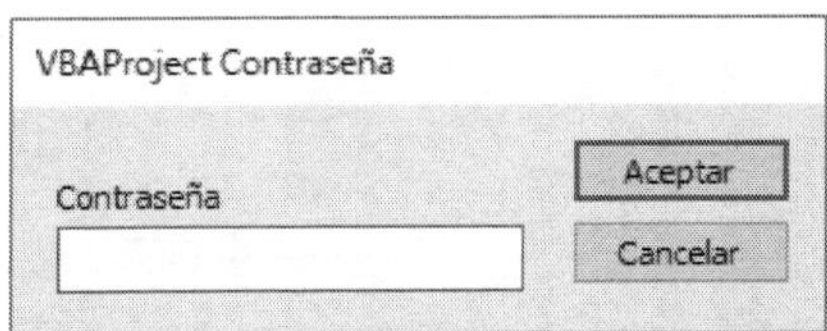

La protección se mantendrá hasta que se introduzca la contraseña; no es una protección permanente.

F. Protección de un libro: creación del ejemplo

✎ Primero, abra el archivo **Enunciado_3-DEFv2.xlsm**.

Este archivo contiene un código ligeramente diferente al del archivo Enunciado_3-DEF para permitir que se realicen las siguientes operaciones sin bloquear la herramienta de administración de ventas, aunque el libro va a estar protegido con contraseña.

1. Ocultar las hojas Facturas y Productos

Para ocultar las hojas **Facturas** y **Productos**, simplemente seleccione las dos hojas y luego ocúltelas usando el menú contextual de la pestaña de la hoja.

✎ Haga clic en la hoja **Facturas**.

✎ Pulse la tecla Ctrl y haga clic en la pestaña de la hoja **Productos**.

✎ Haga clic con el botón derecho en la ficha de la hoja **Productos** y, a continuación, haga clic en **Ocultar**.

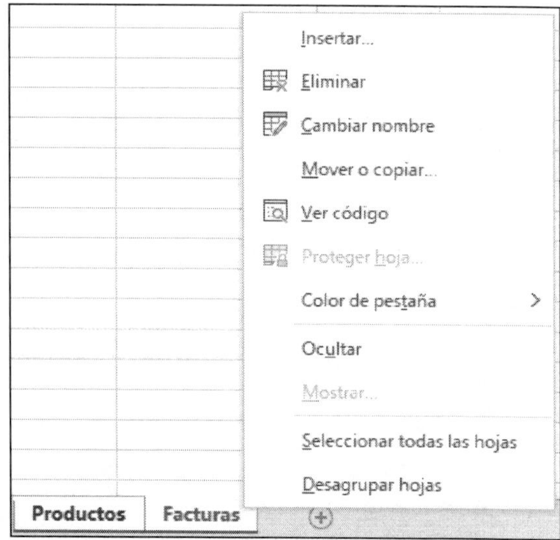

Como puede ver, solo es posible acceder a la hoja **Inicio**:

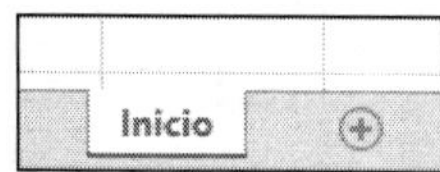

2. Proteger la estructura del libro

La protección de la estructura del libro evitará que los usuarios del archivo vean las hojas ocultas, agreguen nuevas hojas y cambien el nombre de la hoja **Inicio**.

- En la pestaña **Revisar**, haga clic en el botón **Proteger libro**.
- En la ventana de protección del libro, escriba la contraseña **eni** y haga clic en **Aceptar**.

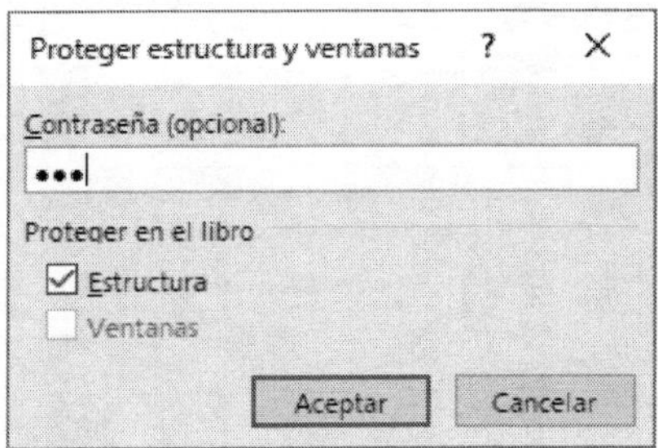

- Confirme la contraseña en la pantalla siguiente introduciendo **eni** de nuevo.

Ahora su libro está protegido y, sin conocer la contraseña, será imposible que un usuario pueda cambiar su estructura.

*Sin embargo, como resultado de estas operaciones, el botón **Ir a la herramienta de gestión de ventas** ya no está operativo.*

3. Mostrar el stock a través de un formulario

Esta función permite mostrar una ventana emergente con el stock actual de cada producto después de que el usuario haya introducido una contraseña. Al hacer clic en un botón de la hoja **Inicio**, se mostrará la siguiente ventana:

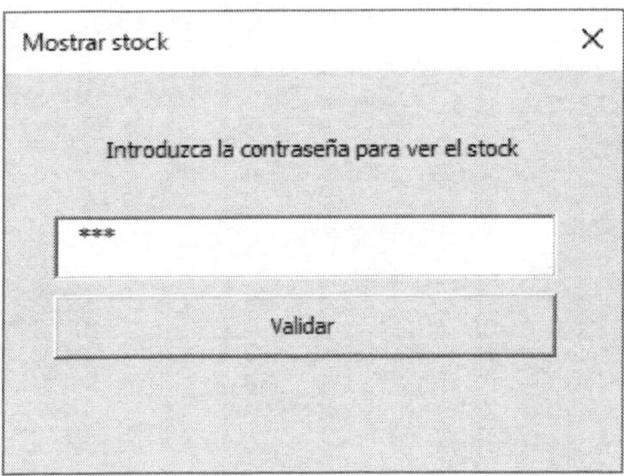

- En el editor de Visual Basic, agregue una ventana haciendo clic con el botón derecho en el proyecto, luego clic en **Insertar** y, a continuación, en **UserForm**.

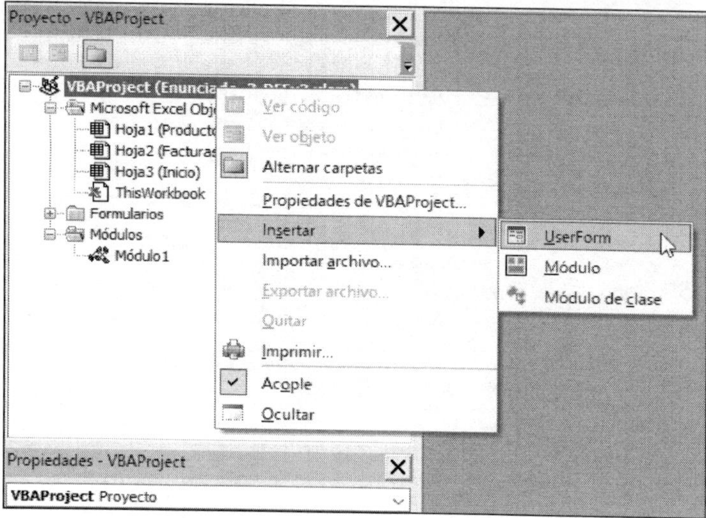

El formulario aparece en la pantalla.

- Haga clic con el botón derecho en él y luego clic en **Propiedades** para editar las propiedades del formulario.
- Cambie la propiedad **Name** a **MostrarStock** y la propiedad **Caption** a **Mostrar stock**.

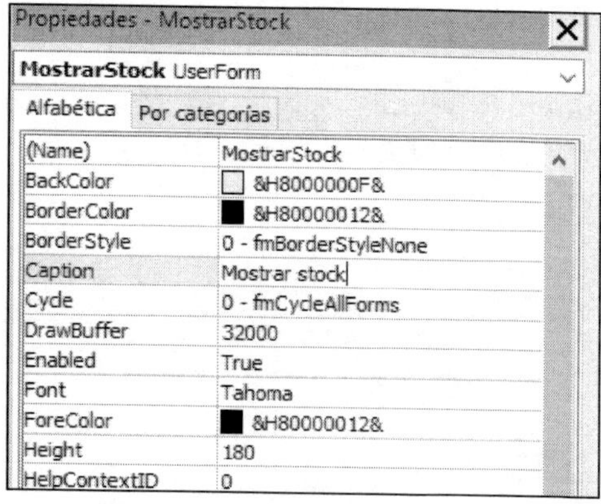

✎ En el formulario, agregue tres controles. De arriba abajo: una **Etiqueta** (Label), un **Cuadro de texto** (TextBox) donde se puede escribir y un **Botón de comando** (CommandButton) para que la ventana tenga este aspecto:

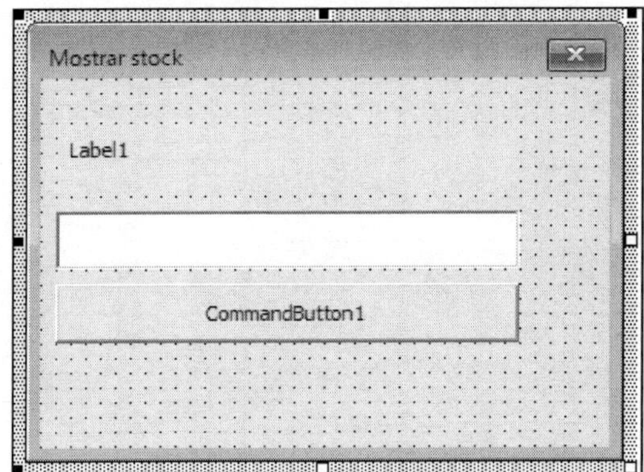

✎ Edite las propiedades de los objetos individuales.

Para la **Etiqueta**:

Propiedad	Definición de la propiedad	Valor
Caption	Aspecto visual de la etiqueta	Introduzca la contraseña para ver el stock

Para el **Cuadro de texto**:

Propiedad	Definición de la propiedad	Valor
Text	Aspecto visual del cuadro de texto	Vacío
PasswordChar	Esta propiedad permite tener un carácter distinto del especificado por el usuario en el cuadro de texto. Aquí cada carácter introducido se reemplazará por una estrella	*
Name	Nombre del objeto	Contrasena

Para el **botón de comando**:

Propiedad	Definición de la propiedad	Valor
Caption	Aspecto visual del botón de comando	Validar
Name	Nombre del objeto	Valid

El resultado es el siguiente:

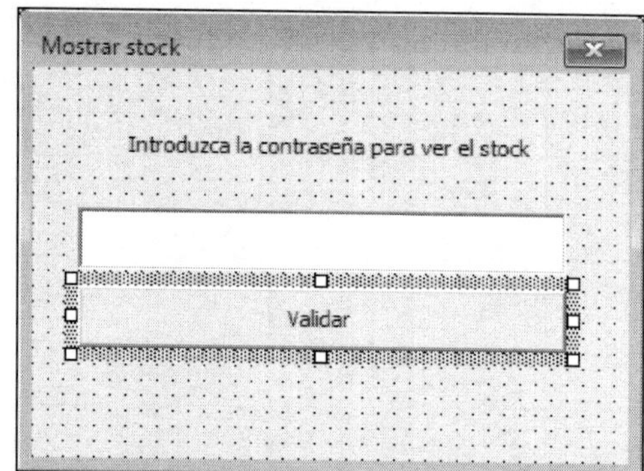

✎ Haga doble clic en el botón **Valid** para acceder al evento **Click** del botón **Valid**.

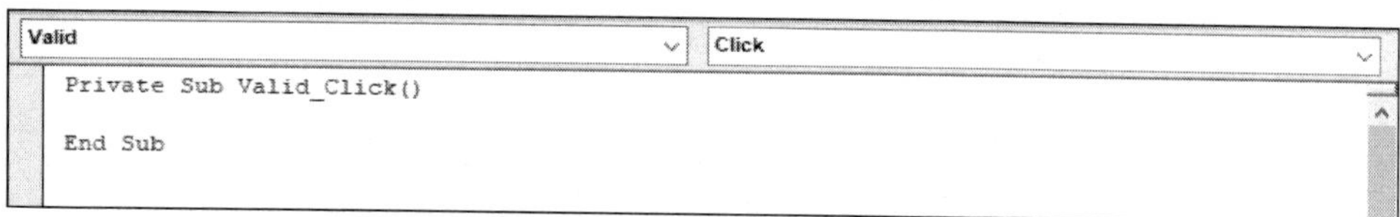

El procedimiento asociado con el evento de clic en el botón comprobará si la contraseña es correcta antes de mostrar la ventana emergente con el stock.

Para comprobar la contraseña, basta con comprobar que el texto introducido en el control Contrasena es igual a la contraseña establecida (nuestra contraseña será «enistock»).

✎ En el procedimiento Valid_Click, pruebe el valor de la propiedad Text del control Contrasena:

```
Option Explicit
Private Sub Valid_Click()
If Contrasena.Text = "enistock" Then
'visualizar Popup
End If
End Sub
```

- Muestre la ventana emergente (o popup) haciendo un bucle en la hoja **Productos**. La variable `ContenidoString` de tipo `string` (cadena de caracteres) contendrá cada línea del stock.
- Haga un bucle para recorrer todas las líneas con la instrucción `While... Wend` con una variable Linea que se incremente en cada iteración del bucle. Haga un recorrido a partir la línea 2 de la hoja **Productos** hasta que encuentre una línea vacía. Para cada línea no vacía, la variable `ContenidoString` agrega una porción de texto correspondiente a un salto de línea, el nombre del producto, un carácter separador y el stock del producto.
- Para terminar, agregue un cuadro de diálogo de tipo `MsgBox` con la variable `ContenidoString` como argumento de la etiqueta.

```
Private Sub Valid_Click()
  If Contrasena.Text = "enistock" Then
    'Crear variables
    Dim ContenidoString As String
    Dim Linea As Integer
    'La variable Linea recorre la hoja Productos. La primera línea
de stock es la línea 2.
    Linea = 2
    'crear un bucle para comprobar si la celda contiene un valor.
    While Sheets("Productos").Cells(Linea, 1).Value <> ""
      'Añadir a la variable ContenidoString el nombre del producto
y el stock actual
      ContenidoString = ContenidoString & Chr(13) &
Sheets("Productos").Cells(Linea, 1).Value & ": " &
Sheets("Productos").Cells(Linea, 3).Value
      'Para comprobar la línea siguiente en la próxima iteración del bucle
      Linea = Linea + 1
    Wend
    'Mostrar el texto de la variable ContenidoString en un MsgBox
    MsgBox ContenidoString
    Unload MostrarStock
  End If
End Sub
```

El último paso consistirá en agregar el botón en la hoja **Inicio** para que el usuario pueda hacer clic en él en cuanto abra la ventana de introducción de contraseña.

La operación es la siguiente:

- Vaya a la pestaña **Programador** y, en el grupo **Controles**, haga clic en el botón **Insertar**.
- Haga clic en **Botón de comando** en **Controles ActiveX**.

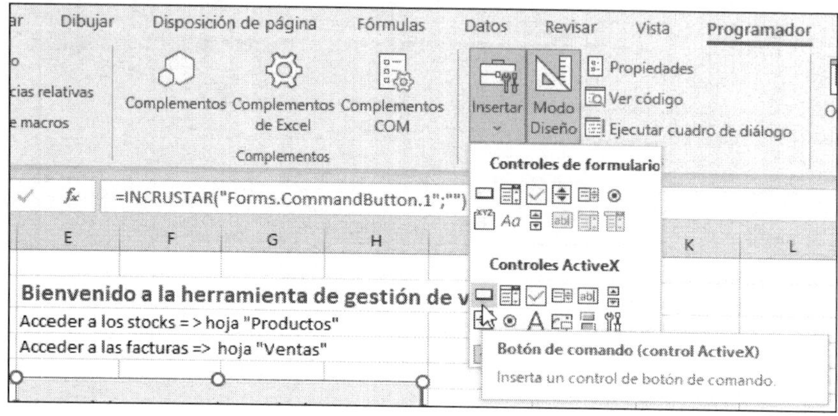

- Dibuje el objeto en la hoja.
- Haga un clic en el botón derecho y elija **Propiedades**.
- Cambie la propiedad **Caption**; escriba **Mostrar stock**.
- Haga clic con el botón derecho de nuevo en el botón y seleccione **Ver código**.
- Edite el evento relacionado con hacer clic en el botón.

*Si no es posible hacer clic con el botón derecho, es porque el Modo Diseño no está habilitado. Haga clic en el botón **Modo Diseño** en la pestaña **Programador** para cambiar al Modo Diseño.*

Al hacer clic en **Ver código**, se le dirige de forma predeterminada al código del evento de clic en el botón. En este procedimiento:

- Muestre el formulario MostrarStock con el método `Show` en el formulario.

```
Private Sub CommandButton2_Click()
MostrarStock.Show
End Sub
```

- Desactive el **Modo Diseño**, haga clic en el botón **Mostrar stock** y pruebe la aplicación.

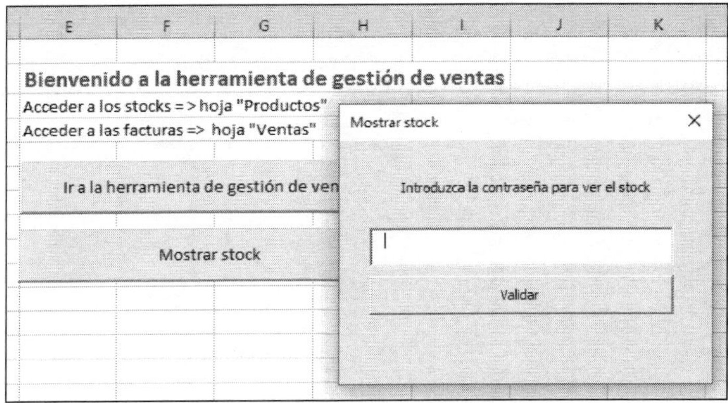

4. Proteger las celdas de la hoja Inicio

Para evitar cualquier cambio en la hoja **Inicio**, protegeremos las celdas de esta hoja dejando un campo para comentarios accesible:

- Cambie el tamaño de las celdas de la siguiente manera:

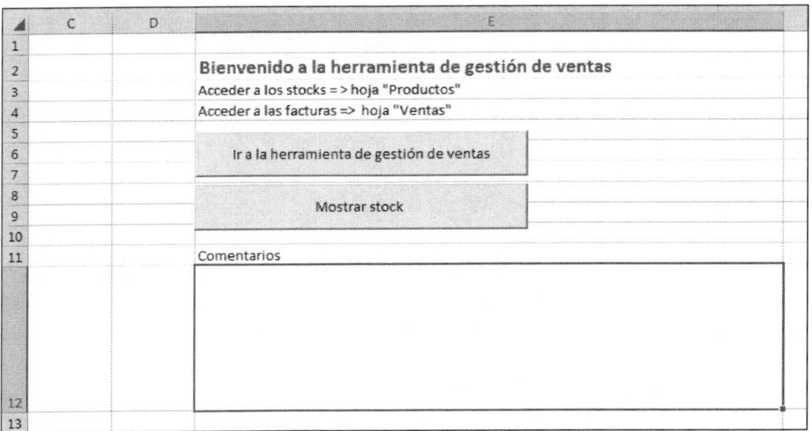

La celda **E12** será la única que se pueda modificar en la hoja.

- Haga un clic con el botón derecho en la celda y, a continuación, clic en **Formato de celdas**.

Aparecerá la ventana **Formato de celdas**.

- Active la pestaña **Proteger** y, a continuación, desactive la casilla **Bloqueada** para que esta celda no se vea afectada por la protección de hojas.

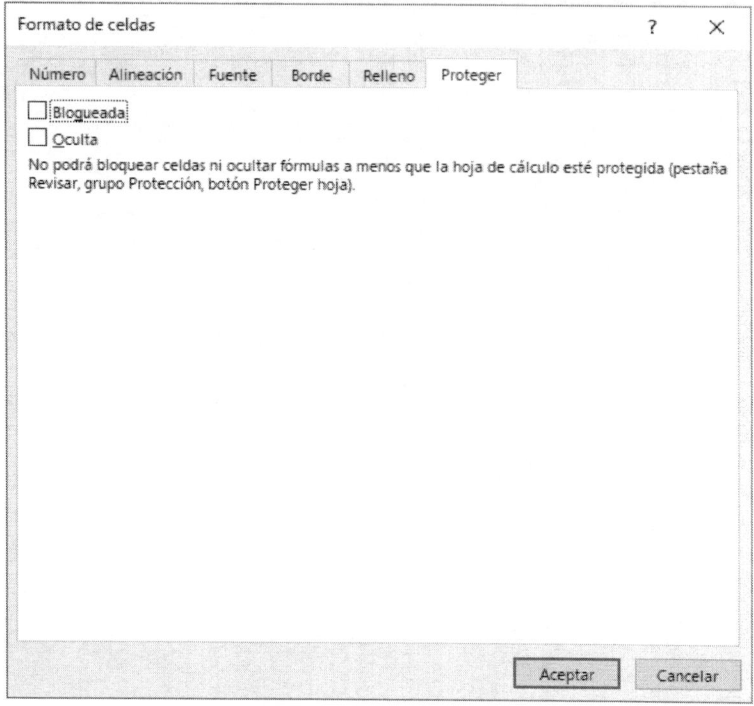

✎ Tras hacer clic en **Aceptar**, vuelva a la hoja **Inicio** y, a continuación, en la pestaña **Revisar**, haga clic en **Proteger hoja**.

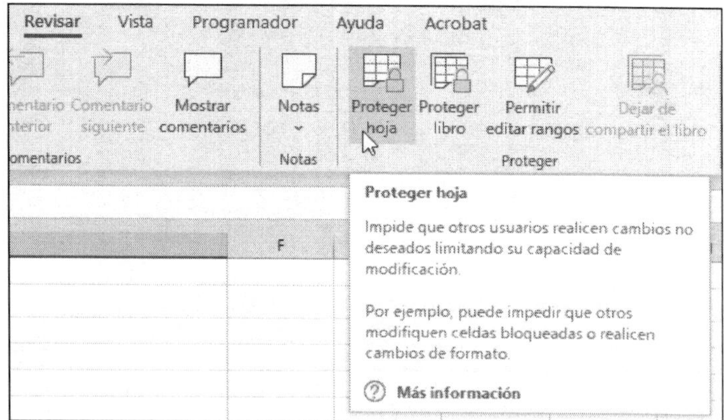

✎ Introduzca la contraseña de **enihoja** y no modifique ninguna de las casillas de selección. La única acción posible será seleccionar las celdas bloqueadas.

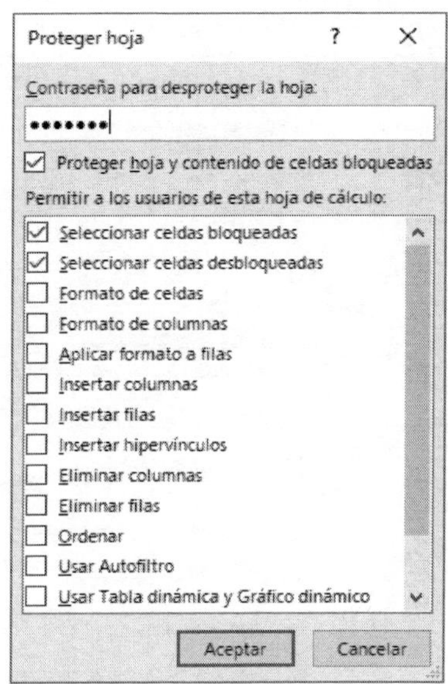

✎ Confirme la contraseña en la pantalla siguiente.

En la hoja **Inicio** solo se puede editar la celda **E12**.

5. Proteger el código VBA

El objetivo es proteger su código VBA para que nadie pueda acceder a él. Esto permitirá no dejar visible la contraseña utilizada para mostrar el stock.

- En el explorador de proyectos del **Editor de Visual Basic**, haga clic con el botón derecho en el documento y luego clic en **Propiedades** de VBAProject.
- En la pestaña **Protección**, active la casilla **Bloquear proyecto para visualización** y, a continuación, escriba la contraseña **enivba**.

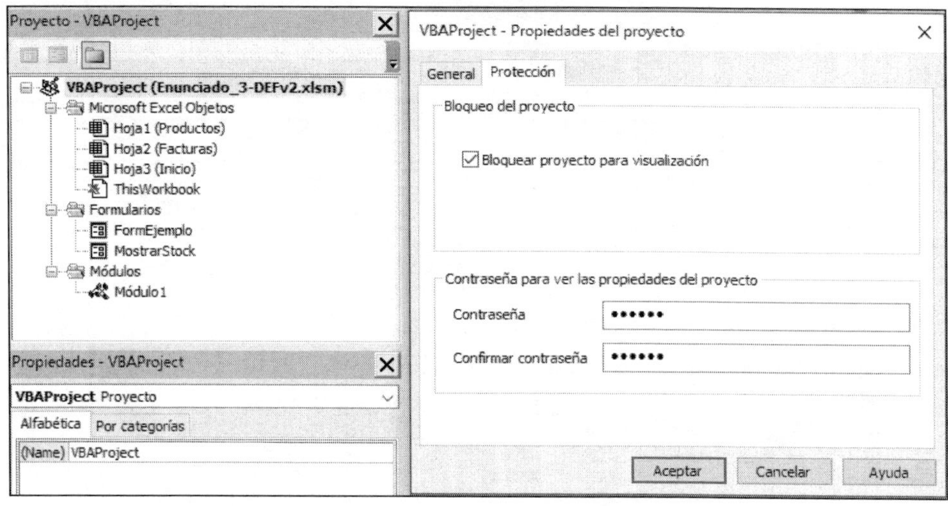

La protección estará activa en cuanto se vuelva a abrir el archivo.

Capítulo 4

Gestión de una campaña de prueba

A. Creación de tablas y gráficos dinámicos (TD y GD): descripción del ejemplo

1. Presentación del ejemplo

Como parte de un proyecto informático de la empresa **BolEni**, que comercializa bolsas, estamos trabajando en la fase de prueba de la aplicación del portal del cliente que permite la venta online de estas bolsas. La aplicación **EniBol_App** consta de tres partes: la parte Front, la parte Middle y la parte Back.

En aplicaciones informáticas, son habituales los conceptos Front-End, Middleware y Back-End: la parte Front-End se ocupa de la interfaz de la aplicación; la parte Middleware permite gestionar la relación entre los comandos vinculados con la interfaz y los datos; la parte Back-End permite el almacenamiento en bases de datos.

Durante esta fase de prueba, los evaluadores o testers hacen seguimiento de sus acciones en archivos de Excel. Desde Administración, también se le pide tener una visión del progreso general y del estado de la prueba.

Un poco de vocabulario:

- **Prueba (o test) de una funcionalidad**: una funcionalidad o característica se evalúa mediante un conjunto de casos de prueba, que cubren todos los requisitos de esta característica. Dicha cobertura debe ser completa.
- **Caso de prueba**: corresponde a un conjunto de pasos que conforman un escenario que se va a probar. Una prueba es:
  - OK si todos los pasos se han completado y todos ellos son conforme a su descripción;
  - KO si todos los pasos se han completado y al menos un paso no ha sido conforme a su descripción;
  - Bloqueada si, debido a una anomalía, la ejecución no ha podido ir hasta el final del escenario de prueba.

- **Anomalía**: una anomalía corresponde al hallazgo de un caso que no se ajusta a la descripción del caso de prueba.
- **Ciclo de prueba**: un ciclo de prueba es la ejecución de un conjunto de casos de prueba durante un período de tiempo determinado. Puede haber varios ciclos de prueba y, por lo tanto, varias ejecuciones de cada caso de prueba, especialmente para verificar el impacto de una posible corrección en las pruebas relacionadas.

2. Presentación del archivo

El archivo **Enunciado_4-ABC.xlsm** se divide en cinco pestañas:

- Hoja **Pruebas**

La hoja **Pruebas** resume las 60 pruebas de esta aplicación con su estado en el momento de iniciar este ejemplo.

Columna	Etiqueta	Descripción
Columna A	Nombre	Este es el nombre de la prueba. Aquí, las pruebas se diferencian por un número. En teoría, el nombre del caso de prueba es lo suficientemente explícito como para describir el propósito de la prueba.
Columna B	Prioridad	La prioridad es un criterio decisivo para calificar la importancia de una prueba respecto a otras. La prioridad puede tomar los valores P1, P2, P3.
Columna C	Estado de la prueba	Se trata de conocer el estado de la prueba en el momento de la extracción de datos. Puede ser: ▸ OK ▸ KO ▸ No iniciada ▸ No entregada
Columna D	Funcionalidad	Se trata de la funcionalidad sometida a prueba.

- Hoja **Ejecución**

La hoja **Ejecución** contiene todas las ejecuciones de casos de prueba. Una prueba se puede ejecutar varias veces en diferentes ciclos o cuando el caso de prueba se repite después de una corrección. Las columnas son las siguientes:

Columna	Etiqueta	Descripción
Columna A	ID ejecución	Identificador único de la ejecución de la prueba. Permite, por ejemplo, diferenciar entre dos ejecuciones de la misma prueba.
Columna B	Prueba	Nombre de la prueba que se está ejecutando.
Columna C	Prioridad	Prioridad de la prueba mencionada en la columna B (P1, P2, y P3).
Columna D	Estado de la ejecución	Estado de la prueba al final de su ejecución. Puede ser: ▸ OK ▸ KO ▸ Bloqueada
Columna E	Funcionalidad	Este es el tema que abarca la prueba discutida en la columna B.
Columna F	Fecha de ejecución	La fecha en que se ejecutó la prueba.
Columna G	Evaluador	Persona que realizó la prueba: en nuestro caso: Cecilia o Juan.

- Hoja **Anomalías**

La hoja **Anomalías** recoge las diversas anomalías detectadas durante la ejecución de las pruebas.

Columna	Etiqueta	Descripción
Columna A	ID	Identificador único de la anomalía.
Columna B	Etiqueta	Etiqueta de la anomalía, en este caso compuesta por el identificador y la prueba. En casos reales, la anomalía debe tener un nombre que sea lo suficientemente explícito como para describir el asunto de la anomalía.
Columna C	Fecha apertura ticket	Fecha de detección de la anomalía o de la creación del ticket en el archivo.

Columna	Etiqueta	Descripción
Columna D	Estado	Estado de la anomalía. Son posibles diferentes etapas: ▸ Creada: se acaba de crear, pero no se ha calificado. ▸ En calificación: la anomalía está probada, pero aún no tiene un proyecto asignado para la corrección. ▸ En corrección: la anomalía ha sido asignada a un proyecto que se encarga de la corrección. ▸ Por validar: la corrección se ha completado y entregado; el evaluador debe retomar el caso para terminar la anomalía. ▸ Terminada: la anomalía se ha corregido o se ha eliminado.
Columna E	Prueba asociada	Prueba en la que se detectó la anomalía.
Columna F	Fecha cierre	Fecha en que se dio por cerrada la anomalía (por las razones mencionadas anteriormente).
Columna G	Proyecto	Proyecto encargado de corregir la anomalía detectada. Los proyectos de la aplicación son los siguientes: ▸ Front. ▸ Middle. ▸ Back. ▸ No definido: si la anomalía aún no ha sido calificada.
Columna H	Evaluador	Evaluador que detectó la anomalía.
Columna I	Prioridad	Prioridad del ticket (P1, P2 o P3).

- Hoja **Informe**

La hoja **Informe** está inicialmente en blanco. Más adelante, contendrá el informe que se generará y se exportará a PowerPoint, en la segunda parte de este ejemplo.

- Hoja TD_GD

La hoja TD_GD contendrá las tablas dinámicas y los gráficos dinámicos que se configurarán en este ejemplo.

3. Funciones

El objetivo de este ejemplo es automatizar la creación de un informe de actividad de pruebas en la aplicación. Por lo tanto, es necesario crear diferentes tablas dinámicas para recuperar la información y luego transformarla en gráficos dinámicos para la parte visual.

Estas son las situaciones consideradas:

- Elaboración de un seguimiento semanal del stock de tickets.
- Número de anomalías por proyecto (y por prioridad).
- Progreso de los casos de prueba.
- Revisión de los ciclos de prueba.
- Indicador de estado de las pruebas: número de anomalías y porcentaje de pruebas OK.

B. Creación de tablas y gráficos dinámicos (TD y GD): conceptos del curso

1. Crear una tabla dinámica sencilla

Una **tabla dinámica**, abreviada como **TD**, se utiliza para exponer datos en función de ejes definidos por el usuario. Los datos se agregan según los ejes.

Un eje corresponde a una definición utilizada para calificar los datos. Por ejemplo: sexo, posición, grupo... Los ejes se expresan en columnas o en filas y su contenido se puede filtrar para no mostrar necesariamente todos los valores.

Los datos se agregan, es decir, se agrupan alrededor de los valores del eje. Es posible expresarlos de varias maneras diferentes: suma, promedio, número (contar)... Los datos son obligatoriamente valores numéricos.

<u>Ejemplo</u>

He aquí un ejemplo de transformación de una tabla de datos en TD.

✎ Para realizar este ejemplo, abra el archivo **EjemploCurso_Capítulo4.xlsm**, hoja **TD**.

La fuente de datos se expresa en forma de tabla con las calificaciones de los estudiantes:

	A	B	C
1	Sexo	Nota	Nombre
2	Varón	9,5	Alberto
3	Varón	12	Anthony
4	Mujer	15	Aurelia

	A	B	C
5	Mujer	9,5	Beatriz
6	Varón	8,5	Benito
7	Mujer	13	Berengaria

La transformación de estos datos en TD:

	Etiquetas de columnas		
	Mujer	Hombre	Total general
Nota media	12,5	10	11,25

Aquí, el eje corresponde al sexo, y los datos son las puntuaciones cuyo promedio se elabora según el eje.

<u>Operación</u>

- Para crear una TD, seleccione el intervalo de datos de la tabla (incluido el encabezado) **A1:C7** y, a continuación, en la pestaña **Insertar**, haga clic en **Tabla dinámica**.

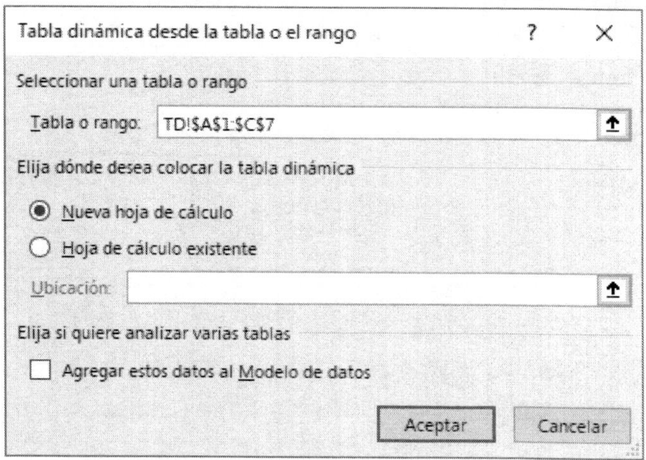

- Elija si la TD debe aparecer en una hoja nueva o en una hoja existente.
- Acepte la creación de la TD.

La TD se crea en la página. Puede arrastrar los diferentes campos que están en la parte superior de **Campos de tabla dinámica** para colocarlos como eje y datos (soltándolos en la parte inferior del panel). Los ejes se llaman **Etiquetas de filas** o **Etiquetas de columnas**. Los datos se llaman **Valores**. También aparecen dos pestañas nuevas en la cinta de opciones de Excel: **Analizar tabla dinámica** y **Diseño**.

✎ Arrastre el campo **Sexo** dentro del cuadro **Columnas** y el campo **Nota** al cuadro **Valores**.

Al hacerlo, se calcula la suma de las notas.

✎ Para obtener el promedio, haga clic en **Suma de Nota**, en el cuadro **Valores**, luego haga clic en **Configuración de campo de valor** y seleccione **Promedio**.

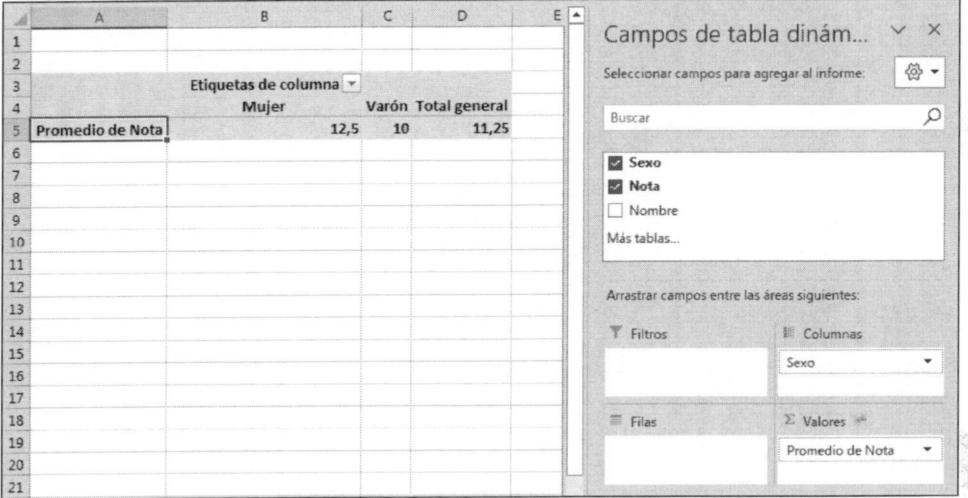

¿Puede un dato ser un eje? Si aún no ha entendido muy bien el funcionamiento de las TD, vuelva a esta observación más adelante; verá que, en vez de aportarle nuevas perspectivas, le enreda un poco más. Los más experimentados en TD reflexionarán que una columna como las notas, que se consideran datos, también puede ser un eje. Y el nombre se puede usar como datos. De hecho, si la puntuación se considera un eje, entonces es posible contar el número de personas que obtuvieron cada nota.

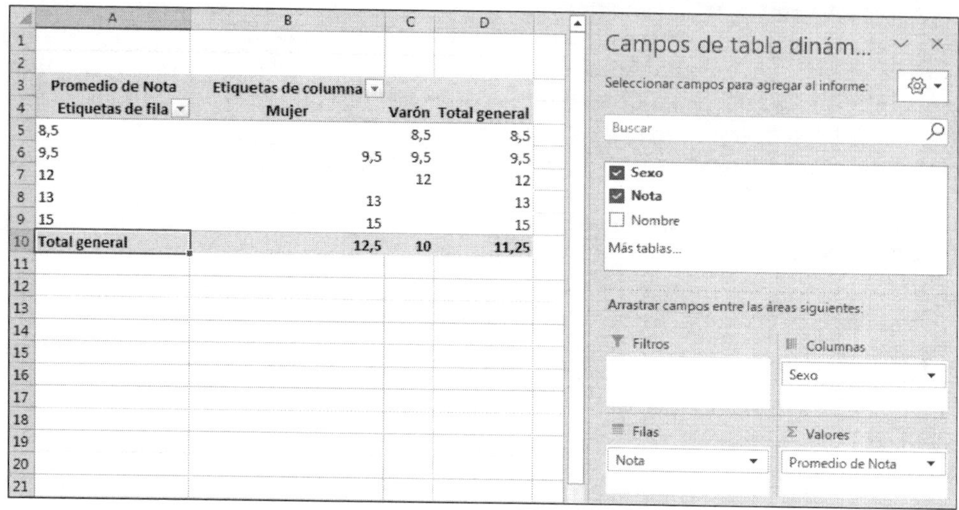

Promedio de Nota	Etiquetas de columna		
Etiquetas de fila	Mujer	Varón	Total general
8,5		8,5	8,5
9,5	9,5	9,5	9,5
12		12	12
13	13		13
15	15		15
Total general	12,5	10	11,25

En este caso, las notas están en columnas y el número de personas con la nota está al lado porque contamos el número de personas que han tenido esta nota.

2. Crear una tabla dinámica con el asistente

El **Asistente para tablas y gráficos dinámicos** le permitirá consolidar varios rangos de cálculo dentro de una única TD.

<u>Ejemplo</u>

Aquí tenemos una tabla que contiene las ventas de patines en una tienda especializada durante los cuatro trimestres (T1 a T4). Las ventas se distinguen por el tamaño de los patines (en columnas) y por el estilo de patinaje (en filas).

Realizaremos una pequeña operación para entender las posibilidades del **Asistente para tablas y gráficos dinámicos**.

✎ Para realizar este ejemplo, abra la hoja **Asistente_TD** de la hoja **EjemploCurso_Capítulo4.xlsm**.

Consolidaremos los cuatro rangos (Rango T1 - A1:E4; Rango T2 - A5:E8; Rango T3 - A9:E12; Rango T4 - A13:E16) en uno solo.

	A	B	C	D	E
1	**Ventas T1**	**35-37**	**38-40**	**41-43**	**44-46**
2	**Roller Freestyle**	24	33	51	41
3	**Roller Velocidad**	14	21	25	30
4	**Roller Street**	19	24	32	28
5	**Ventas T2**	**35-37**	**38-40**	**41-43**	**44-46**
6	**Roller Freestyle**	27	38	56	52
7	**Roller Velocidad**	16	24	30	38
8	**Roller Street**	21	29	38	33
9	**Ventas T3**	**35-37**	**38-40**	**41-43**	**44-46**
10	**Roller Freestyle**	27	37	58	47
11	**Roller Velocidad**	16	24	29	33
12	**Roller Street**	22	26	35	31
13	**Ventas T4**	**35-37**	**38-40**	**41-43**	**44-46**
14	**Roller Freestyle**	22	33	51	39
15	**Roller Velocidad**	13	20	23	29
16	**Roller Street**	20	25	34	28

Operación

El primer paso consiste en agregar el **Asistente para tablas y gráficos dinámicos** en Excel. Se trata de añadir una funcionalidad en el menú de funcionalidades existente.

- En la pestaña **Archivo**, elija **Opciones**.
- En el lado izquierdo de la ventana, seleccione **Personalizar cinta de opciones**.

Aparecerá la siguiente ventana.

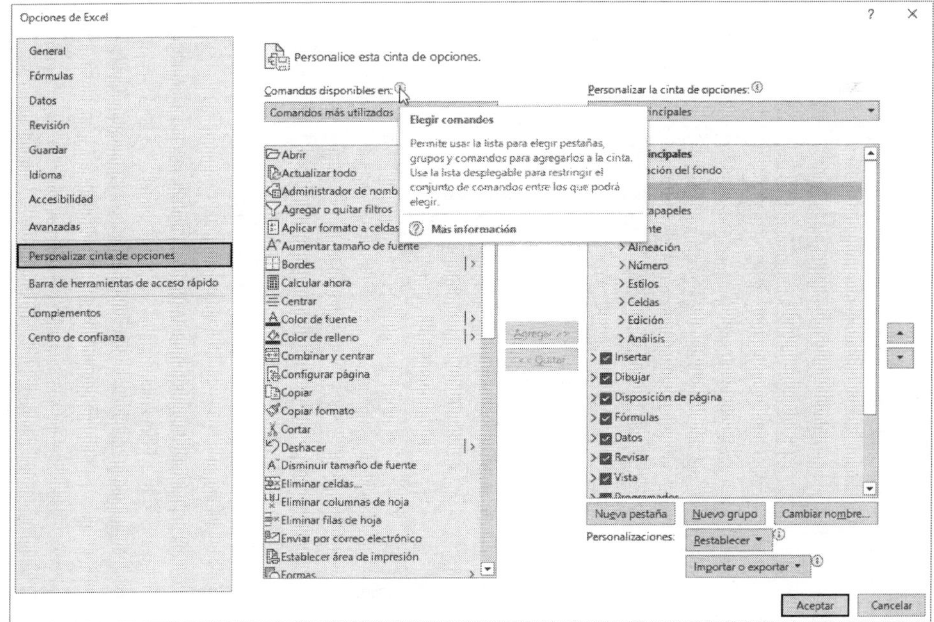

- En el cuadro **Personalice esta cinta de opciones**, elija **Todos los comandos** en la lista desplegable de la izquierda:

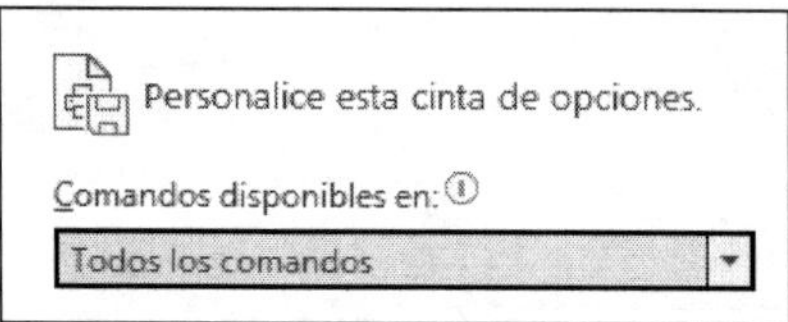

- De la larga lista de comandos disponibles, seleccione **Asistente para tablas y gráficos dinámicos**.

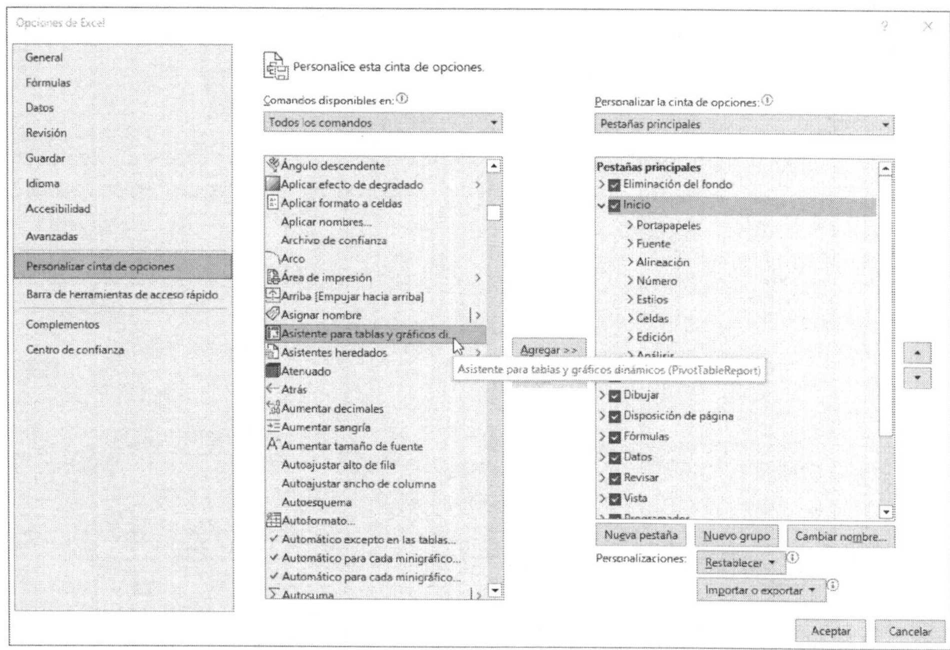

- En la parte derecha, agregue un grupo a la pestaña **Insertar** seleccionando el menú **Insertar** y haciendo clic en **Nuevo grupo**. Cámbiele el nombre a **Asistente TD** haciendo un clic derecho en el grupo recién creado.

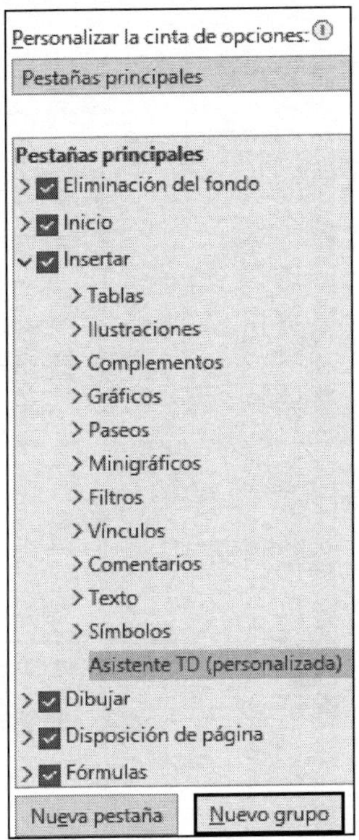

- Ahora está listo para agregar el botón **Asistente para tabla dinámica** al nuevo grupo, Asistente TD.

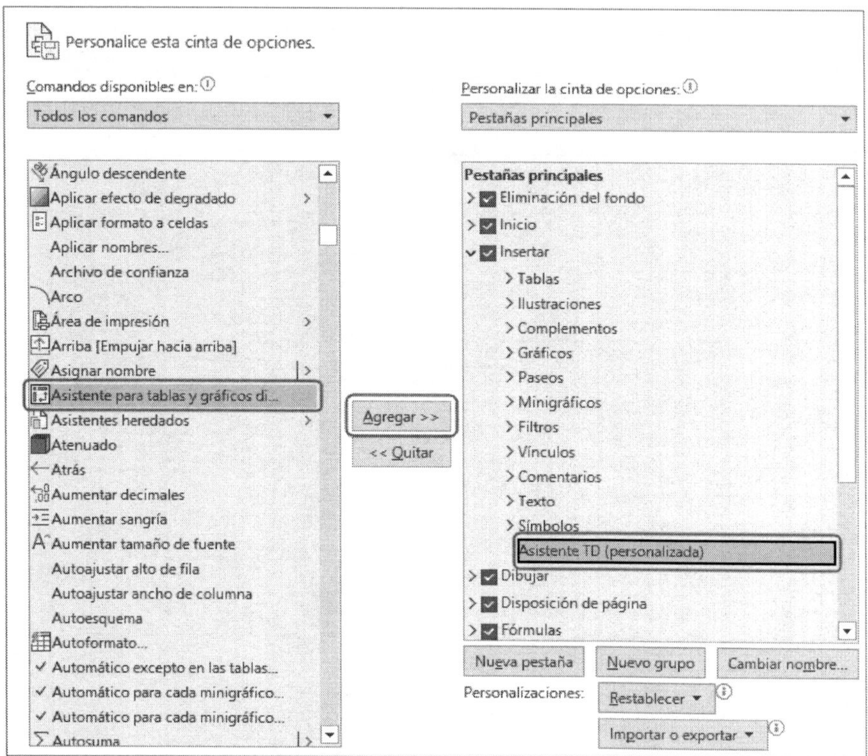

- Haga clic en **Agregar** para finalizar la operación.

Este es el resultado final en Excel:

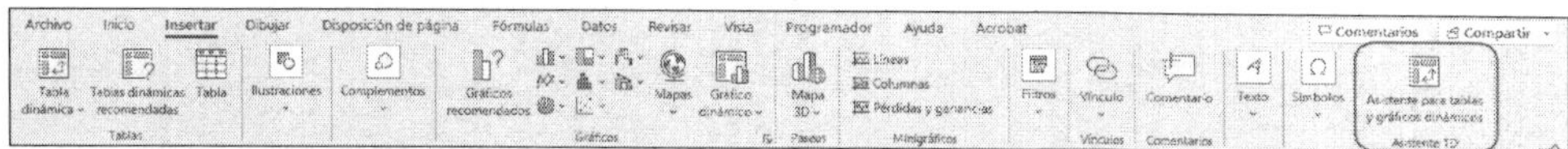

- Haga clic en el botón **Asistente para tablas y gráficos dinámicos** en el grupo personalizado **Asistente TD**.

Aparecerá la ventana **Paso 1** de dicho asistente.

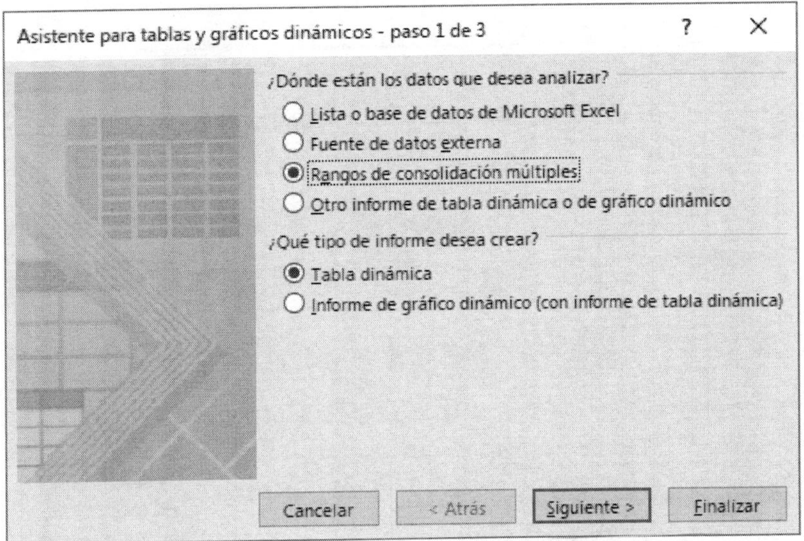

- Elija **Rangos de consolidación múltiples** y haga clic en **Siguiente**.
- En el **paso 2a** del asistente, elija **Crear un solo campo de página**, lo que le permitirá tener un solo elemento de filtro en la entrada de la tabla.

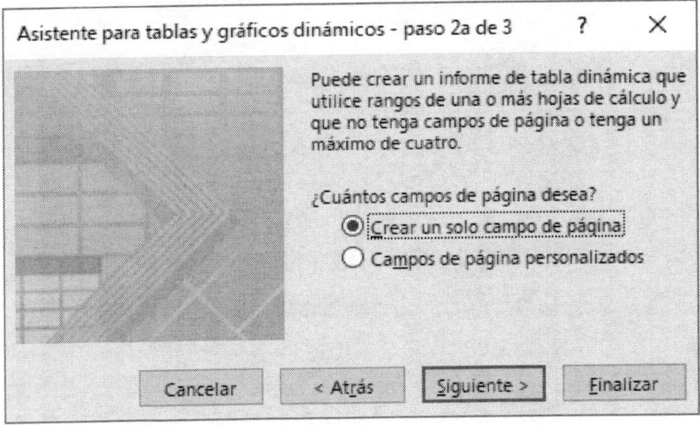

- Tras hacer clic en **Siguiente**, llega al **paso 2b**, que le permite agregar los diferentes rangos.

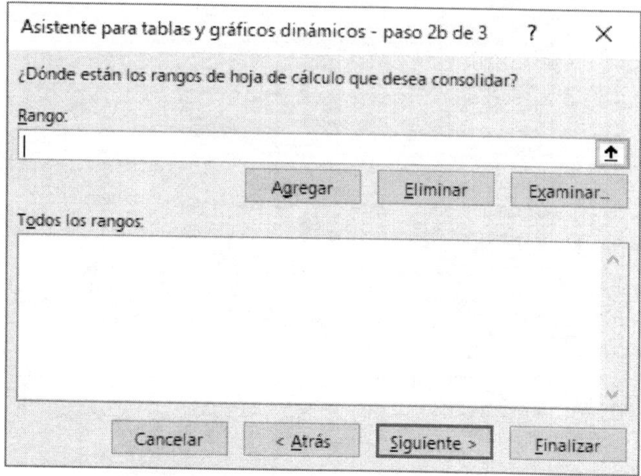

- Seleccione el rango **Ventas T1**, que corresponde a las celdas **A1:E4**, y haga clic en **Agregar**.
- Repita esto para los otros trimestres con los rangos **A5:E8**, **A9:E12** y **A13:E16** hasta que obtenga el siguiente resultado:

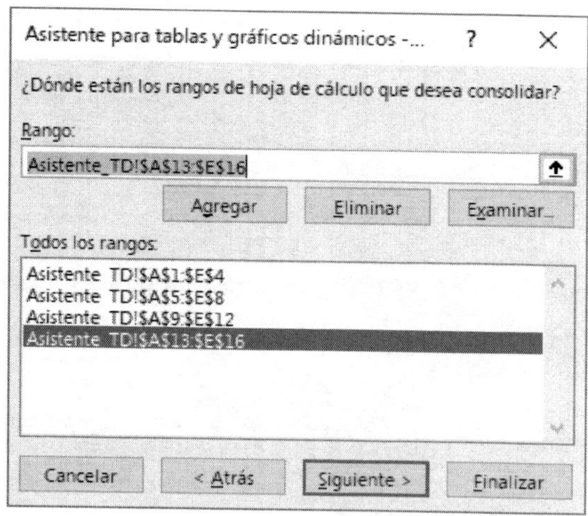

- Haga clic en **Siguiente**.

✎ En el **paso 3**, seleccione la opción **Hoja de cálculo existente** y, a continuación, elija la celda **H1** como celda de destino.

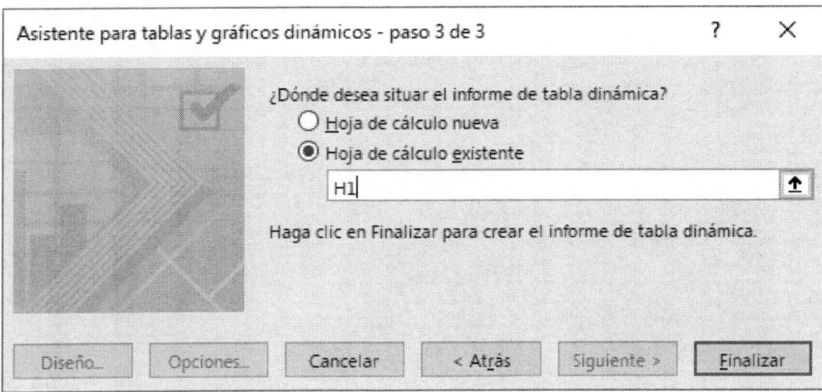

✎ Haga clic en **Finalizar**.

La TD se muestra de la siguiente manera:

H	I	J	K	L	M
Página1	(Todas)				
Suma de Valor	**Etiquetas de columna**				
Etiquetas de fila	**35-37**	**38-40**	**41-43**	**44-46**	**Total general**
Roller Freestyle	100	141	216	179	636
Roller Street	82	104	139	120	445
Roller Velocidad	59	89	107	130	385
Total general	**241**	**334**	**462**	**429**	**1466**

Esta tabla contiene los valores agregados de los datos de los cuatro trimestres. En la lista desplegable **Página**, es posible elegir los elementos para seleccionar un trimestre en particular.

✎ Seleccione el **Elemento1**, que muestra los datos del trimestre 1:

H	I	J	K	L	M
Página1	Elemento1				
Suma de Valor	**Etiquetas de columna**				
Etiquetas de fila	**35-37**	**38-40**	**41-43**	**44-46**	**Total general**
Roller Freestyle	24	33	51	41	149
Roller Street	19	24	32	28	103
Roller Velocidad	14	21	25	30	90
Total general	**57**	**78**	**108**	**99**	**342**

Ahora ya es posible navegar fácilmente entre los diferentes datos de la tabla.

3. Campos calculados y elementos calculados

Los cálculos están disponibles en la pestaña **Analizar tabla dinámica**, específicamente en el grupo **Cálculos**.

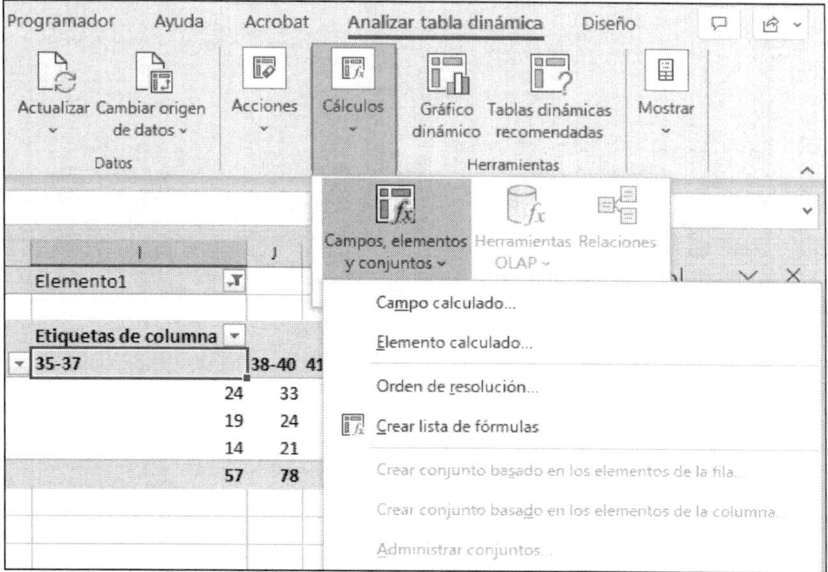

- Un **campo calculado** es un dato nuevo creado a partir de otros datos ya existentes.
- Un **elemento calculado** es un eje nuevo formado a partir de ejes existentes.

Ejemplo

- En la hoja **CampoElementoCálculo** del libro **EjemploCurso_Capítulo4.xlsm**, vaya a la celda **D1**.

D	E
Etiquetas de fila	**Suma de Vol. Negocio con IVA**
Anillo Oro	112.500,00 €
Anillo Plata	50.370,00 €
Brazalete Oro	21.900,00 €
Brazalete Plata	7.575,00 €
Collar Oro	7.200,00 €
Collar Plata	5.950,00 €
Total general	**205.495,00 €**

- En la pestaña **Analizar tabla dinámica**, haga clic en **Cálculos** y, a continuación, haga clic en el botón **Campos, elementos y conjuntos**.
- Cree un **campo calculado**. Aparecerá la ventana **Insertar campo calculado**.

- Cree una fórmula nueva con el nombre **VN conIVA** e introduzca en el campo **Fórmula** = 'Vol Negocio conIVA'*0,8.

  Para esta fórmula, también tiene la posibilidad de hacer doble clic en el campo **'Vol Negocio con IVA'** o seleccionar el campo **'Vol Negocio con IVA'** y hacer clic en **Insertar campo**.
- A continuación, escriba ***0,8** para obtener el mismo resultado.

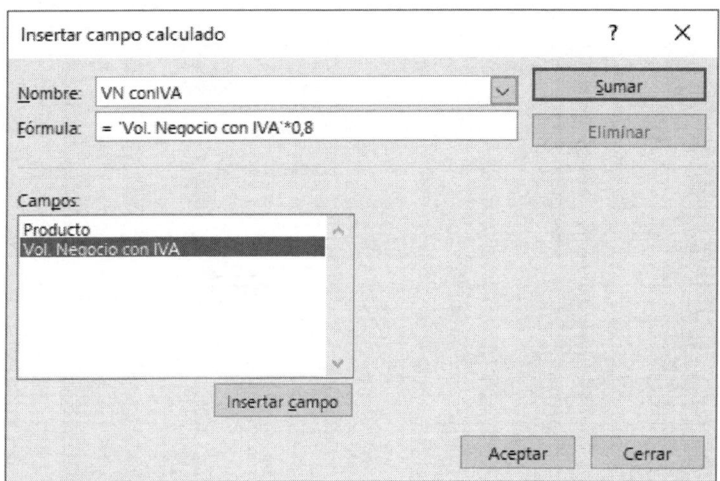

- Haga clic en **Sumar** y, a continuación, finalice haciendo clic en **Aceptar**.

Se crea un campo nuevo:

D	E	F
Etiquetas de fila	**Suma de Vol. Negocio con IVA**	**Suma de VN conIVA**
Anillo Oro	112.500,00 €	90.000,00 €
Anillo Plata	50.370,00 €	40.296,00 €
Brazalete Oro	21.900,00 €	17.520,00 €
Brazalete Plata	7.575,00 €	6.060,00 €
Collar Oro	7.200,00 €	5.760,00 €
Collar Plata	5.950,00 €	4.760,00 €
Total general	**205.495,00 €**	**164.396,00 €**

- Colóquese de nuevo en la TD y, más específicamente, en la celda **D1**, y esta vez cree un **Elemento calculado**.

Aparecerá la siguiente ventana:

Insertar elemento calculado en "Producto"
Nombre: Fórmula1
Fórmula: = 0
Sumar
Eliminar
Campos:
Producto
Vol. Negocio con IVA
VN conIVA
Elementos:
Anillo Oro
Anillo Plata
Brazalete Oro
Brazalete Plata
Collar Oro
Collar Plata
Insertar campo
Insertar elemento
Aceptar
Cerrar

- Cree un campo **Oro** que corresponda a la suma de las diferentes joyas de oro haciendo doble clic en cada una de ellas.

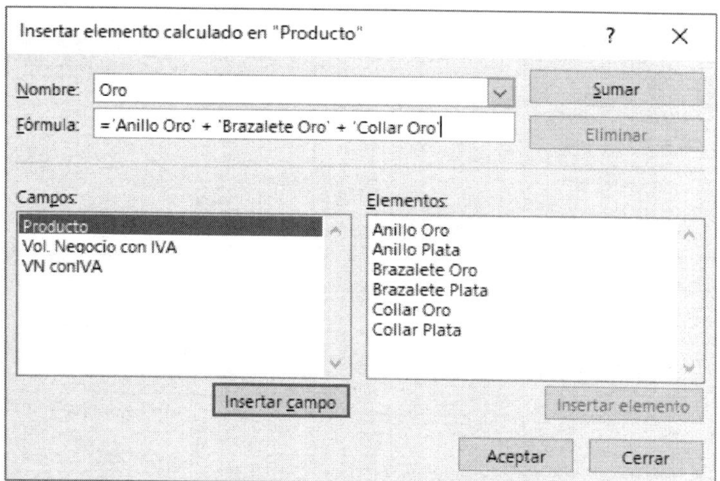

Puede seleccionar los diferentes campos en el área **Elementos**.

✎ Termine haciendo clic en **Sumar** y luego en **Aceptar** para ver que el campo aparece en su TD.

D	E	F
Etiquetas de fila	**Suma de Vol. Negocio con IVA**	**Suma de VN conIVA**
Anillo Oro	112.500,00 €	90.000,00 €
Anillo Plata	50.370,00 €	40.296,00 €
Brazalete Oro	21.900,00 €	17.520,00 €
Brazalete Plata	7.575,00 €	6.060,00 €
Collar Oro	7.200,00 €	5.760,00 €
Collar Plata	5.950,00 €	4.760,00 €
Oro	141.600,00 €	113.280,00 €
Total general	**347.095,00 €**	**277.676,00 €**

✎ Haga clic en la lista desplegable **Etiquetas de línea** y anule la selección de **Anillo Oro**, **Brazalete Oro** y **Collar Oro**.

D	E	F
Etiquetas de fila	**Suma de Vol. Negocio con IVA**	**Suma de VN conIVA**
Anillo Plata	50.370,00 €	40.296,00 €
Brazalete Plata	7.575,00 €	6.060,00 €
Collar Plata	5.950,00 €	4.760,00 €
Oro	141.600,00 €	113.280,00 €
Total general	**205.495,00 €**	**164.396,00 €**

a. Crear un gráfico dinámico

Un gráfico dinámico es un gráfico extraído de una **tabla dinámica**.

✎ Para crearlo, sitúese en una **tabla dinámica**, haga clic en la pestaña **Analizar tabla dinámica** y, a continuación, en **Gráfico dinámico**.

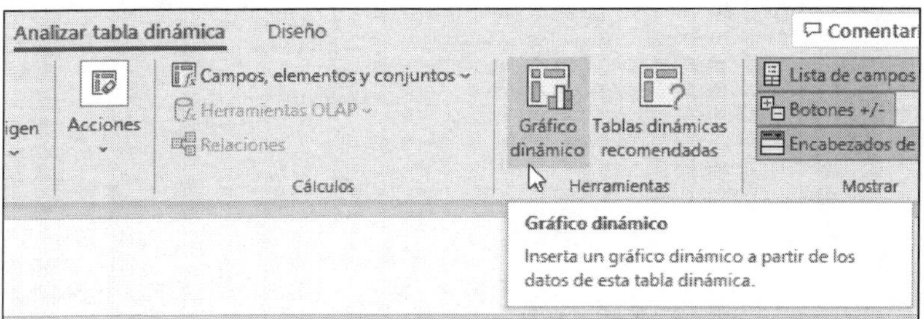

Aparecerá la ventana **Insertar gráfico**.

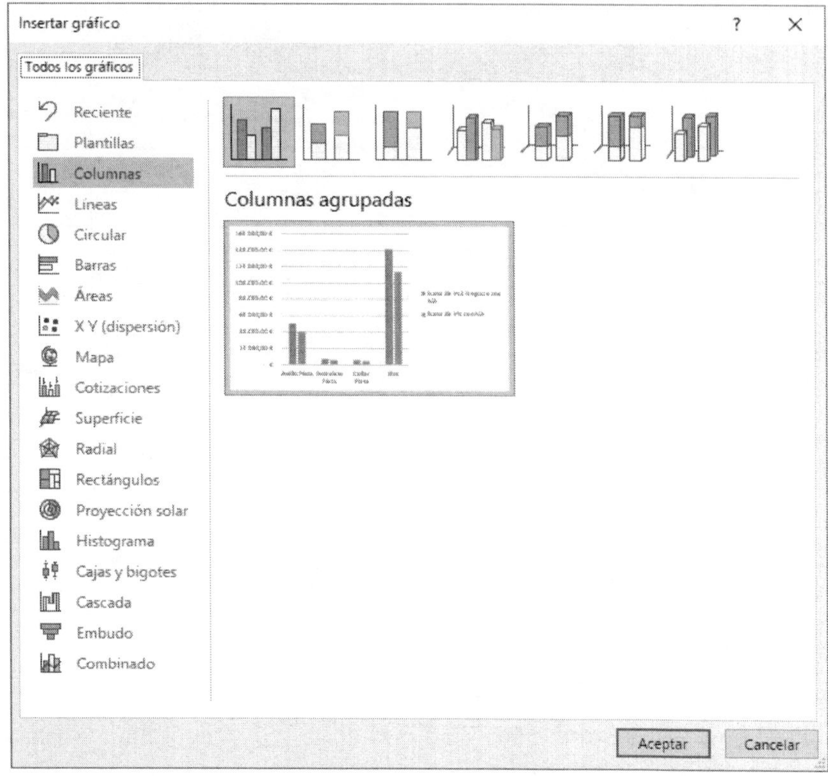

✎ Elija el tipo de gráfico y termine haciendo clic en **Aceptar**.

A continuación, el gráfico aparece en la hoja actual.

C. Crear tablas y gráficos dinámicos (TD y GD): realización del ejemplo

✎ Primero, abra el archivo **Enunciado_4-ABC.xlsm** y active la hoja TD_GD.

1. Stock de anomalías

El objetivo es obtener una curva con el stock de anomalías abiertas por semana. El resultado debería parecerse a este:

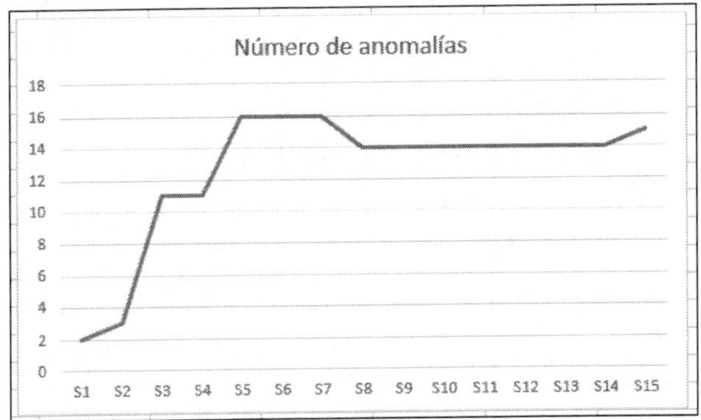

Para crear la curva de stock de anomalías, es necesario establecer el número de anomalías por semana. Según el ejemplo, las semanas comienzan a principios de 2022 y terminan a finales de abril. La tabla es la siguiente:

	A	B	C
1	Número	Fecha del inicio de semana	Número de anomalías
2	S1	3/1/2022	
3	S2	10/1/2022	
4	S3	17/1/2022	
5	S4	24/1/2022	
6	S5	31/1/2022	
7	S6	7/2/2022	
8	S7	14/2/2022	
9	S8	21/2/2022	
10	S9	28/2/2022	
11	S10	7/3/2022	
12	S11	14/3/2022	
13	S12	21/3/2022	
14	S13	28/3/2022	
15	S14	4/4/2022	
16	S15	11/4/2022	

El objetivo es llenar la columna C con el número de anomalías presentes en la fecha del día de inicio de la semana que figura en la columna B.

¿Cómo hacerlo?

Es necesario determinar el número de anomalías en curso en la fecha de inicio de la semana. Para ello, se deben contar las anomalías si estas cumplen las dos condiciones siguientes:

- Anomalías cuya fecha de creación sea anterior o igual a la fecha de inicio de la semana.
- Anomalías cuya fecha de cierre sea mayor o igual a la fecha de inicio de la semana o que no estén no cerradas.

Al sumar estas dos condiciones, el resultado corresponderá al número de anomalías abiertas en la fecha del día de inicio de la semana.

La fórmula consta de dos partes: anomalías cerradas y anomalías abiertas. Se debe utilizar la fórmula `CONTAR.SI.CONJUNTO`:

```
=CONTAR.SI.CONJUNTO(fecha apertura; "<="&dfecha_inicio_semana;
fecha_cierre;" >="&fecha_inicio_semana);
=CONTAR.SI.CONJUNTO(fecha apertura; "<="&fecha_inicio_semana;
fecha_cierre;vacío);
```

Se suman ambas condiciones.

```
=CONTAR.SI.CONJUNTO(Anomalías!$C$2:$C$27;"<="&B2;AnomAlías!$F$2:$F$27;">="&B2
+CONTAR.SI.CONJUNTO(Anomalías!$C$2:$C$27;"<="&B2;Anomalías!$F$2:$F$27;"")
```

También puede utilizar una fórmula matricial reemplazando B2 por B2:B16.

```
=CONTAR.SI.CONJUNTO(Anomalías!$C$2:$C$27;"<="&B2:B16;Anomalías!$F$2:$F$27;
">="&B2:B16)
+CONTAR.SI.CONJUNTO(Anomalías!$C$2:$C$27;"<="&B2:B16;Anomalías!$F$2:$F$27;"")
```

✎ Aplique esta fórmula al rango **C2:C16**, o C2 solo para la fórmula matricial, y, a continuación, cópiela.

Atención, esta fórmula se aplica solo al rango de anomalías A1:F27 y solo funciona para las 26 anomalías detectadas: no se tendría en cuenta una anomalía adicional. Para superar este problema, es necesario transformar la tabla que contiene las anomalías en una tabla en el sentido de Excel. De este modo, será posible recuperar una columna completa de la tabla independientemente de su tamaño.

A continuación, insertamos el gráfico:

- Seleccione el rango **A1:C16**.
- En la pestaña **Insertar**, grupo **Gráficos**, haga clic en el icono **Insertar gráfico de líneas o de áreas**.
- Se muestra la lista de gráficas disponibles; seleccione el gráfico **Líneas** en la zona **Línea 2D**.

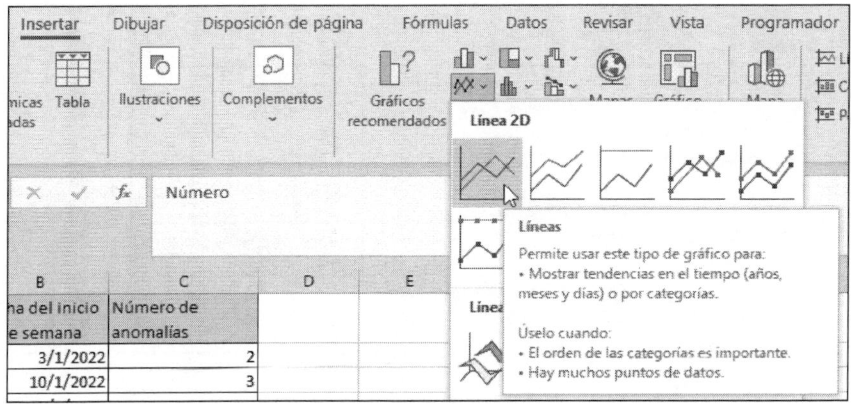

El gráfico se muestra de la siguiente manera:

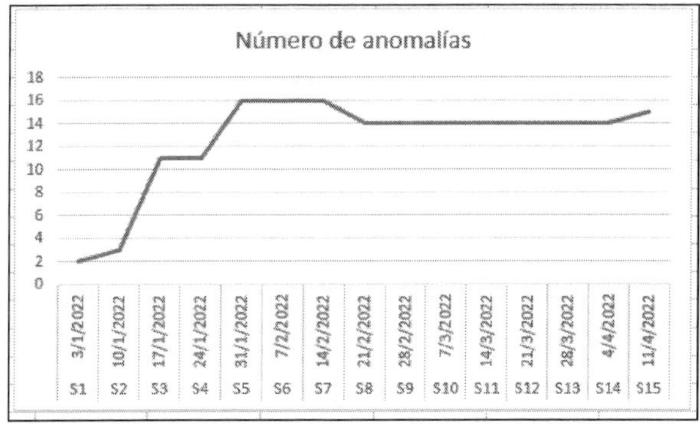

El eje de abscisas contiene la fecha y el número de semana. En nuestro ejemplo, queremos mostrar solo el número de semana.

✎ Para eliminar la fecha, haga clic en la pestaña **Diseño de gráfico**, grupo **Datos** y elija **Seleccionar datos**.

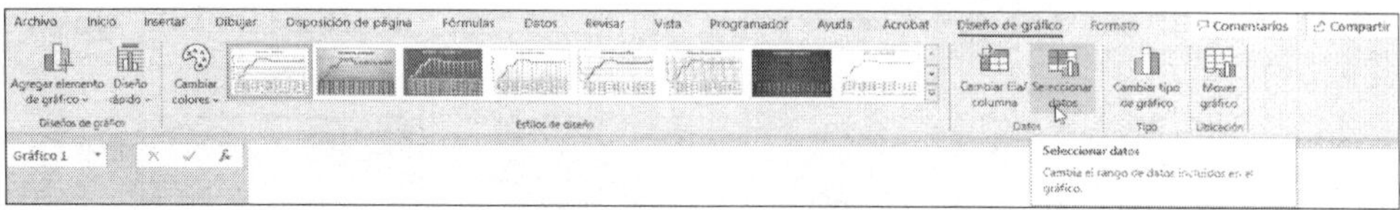

Aparece una ventana donde se puede revisar el origen de datos:

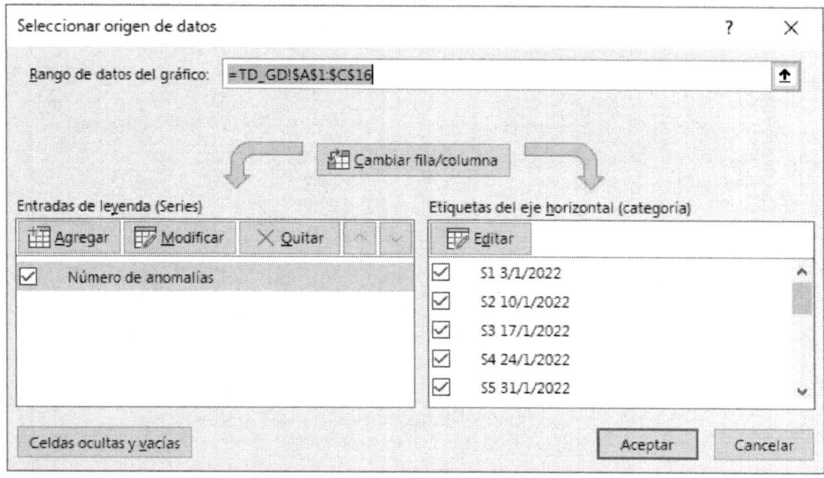

✎ Edite el origen haciendo clic en el botón ⬆.

Vamos a seleccionar un rango de datos diferente seleccionando el rango de los números de la semana (A1:A16) y el rango del número de anomalías (C1:C16).

✎ Primero seleccione el rango **A1:A16** y luego, mientras mantiene presionada la tecla Ctrl, seleccione el rango **C1: C16** y después valide.

El resultado es el siguiente en el área **Rango de datos del gráfico**:

```
='TD_GD'!$A$1:$A$16;'TD_GD'!$C$1:$C$16
```

El gráfico se muestra de la siguiente manera:

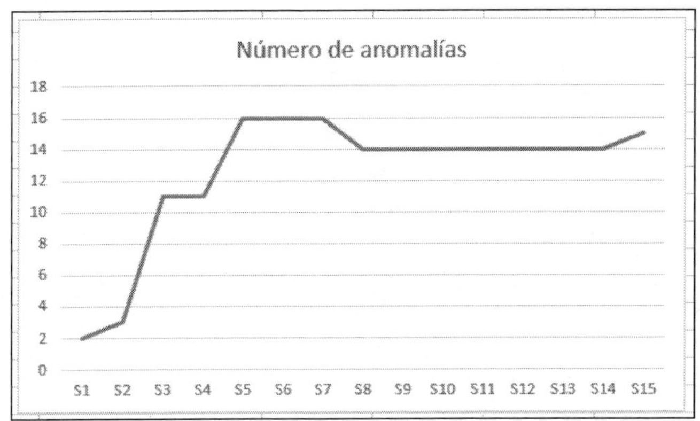

2. Número de anomalías por proyecto (y prioridad)

El objetivo es tener un gráfico de barras apiladas que represente el número de anomalías por proyecto. En cada barra de proyecto, las anomalías se presentarán por prioridad.

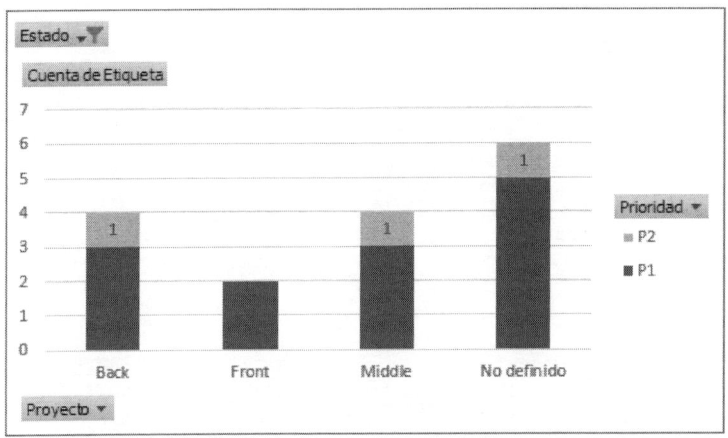

En primer lugar, deberá crear una tabla dinámica basada en el rango actual de anomalías de la hoja **Anomalías** (A1:I27) para poder organizar los datos con la finalidad de mostrar el gráfico dinámico posteriormente.

La ventaja de tener una tabla dinámica radica en la evolución potencial del rango de datos. En efecto: la tabla dinámica se adapta dinámicamente a los datos de origen, por lo que no hay riesgo de que se produzca un salto entre los datos y la visualización.

- Seleccione el rango **A1:I27** en la hoja **Anomalías**.
- En la pestaña **Insertar**, haga clic en **Tablas** y, a continuación, confirme la creación de una tabla con encabezado.
- Haga clic en la pestaña **Diseño de tabla** y cambie el nombre de la tabla a **Anomalías**.
- Seleccione toda la tabla **A1:I27** en la hoja **Anomalías**.
- En la pestaña **Insertar**, haga clic en **Tabla dinámica**.
- En la ventana de creación de la TD, en la sección **Elija dónde desea colocar la tabla dinámica**, seleccione la celda **A25** en la hoja **TD_GD**.

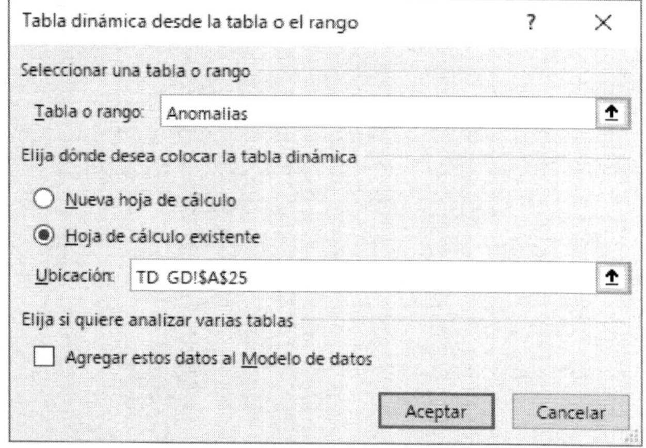

- Haga clic en **Aceptar**.

La estructura de la TD se muestra en la hoja TD_GD:

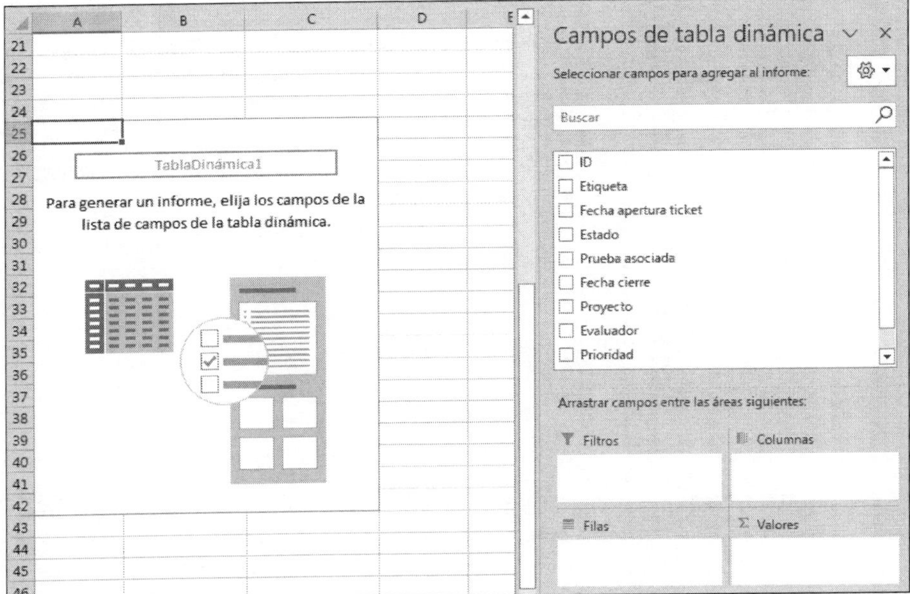

- Arrastre el campo **Proyecto** hasta el cuadro **Filas**.
- Arrastre el campo **Prioridad** hasta el cuadro **Columnas**.
- Finalmente, arrastre el campo **Etiqueta** hasta el cuadro **Σ Valores**.
- Mueva el campo **Estado** a la zona **Filtros**. Esto filtrará el informe en función de los valores de estado elegidos.

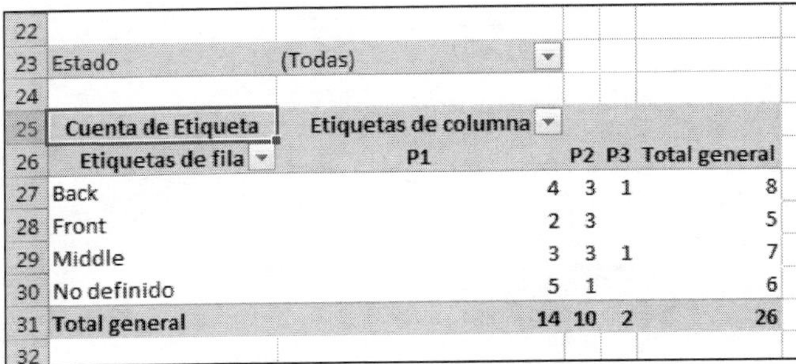

22					
23	Estado	(Todas)			
24					
25	Cuenta de Etiqueta	Etiquetas de columna			
26	Etiquetas de fila	P1	P2	P3	Total general
27	Back	4	3	1	8
28	Front	2	3		5
29	Middle	3	3	1	7
30	No definido	5	1		6
31	Total general	14	10	2	26
32					

- En **B23**, despliegue los estados posibles y haga clic en **Seleccionar varios elementos**.

- Desmarque el estado **Terminado**: solo las anomalías actuales se integrarán en la TD y se calcularán.

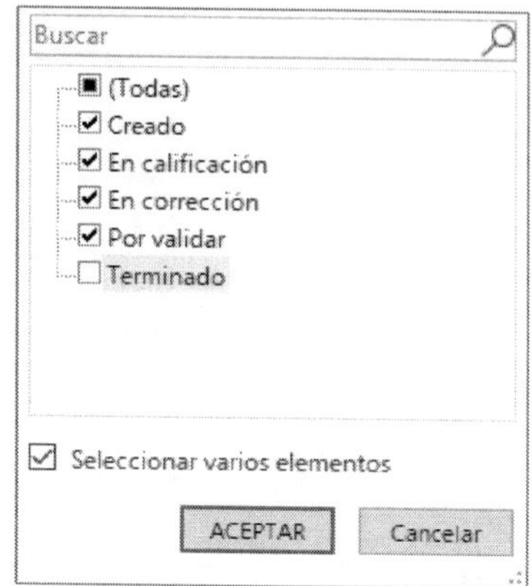

Filtrar el informe en el área Filtro del informe permite una mejor optimización de la TD. El filtrado a nivel de página filtra el origen de datos, no los datos dentro de la TD. El filtro de datos es más largo si se realiza dentro de la TD que si se hubiera hecho en el origen de datos.

La TD se muestra de la siguiente manera:

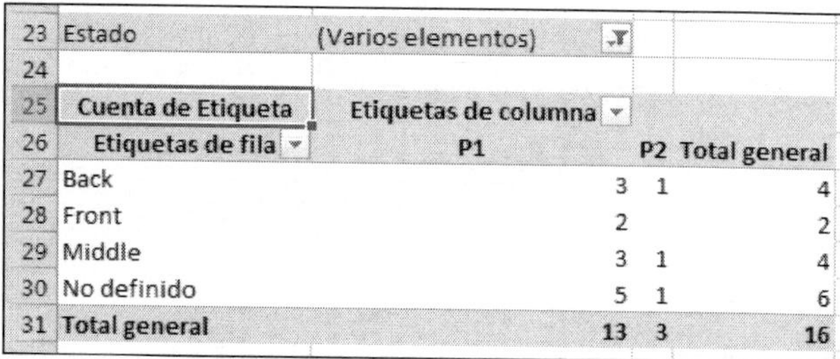

23	Estado	(Varios elementos)		
24				
25	**Cuenta de Etiqueta**	**Etiquetas de columna**		
26	**Etiquetas de fila**	**P1**	**P2**	**Total general**
27	Back	3	1	4
28	Front	2		2
29	Middle	3	1	4
30	No definido	5	1	6
31	**Total general**	**13**	**3**	**16**

La segunda parte consiste en mostrar el gráfico dinámico:

✎ Haga clic en la pestaña **Analizar tabla dinámica**.

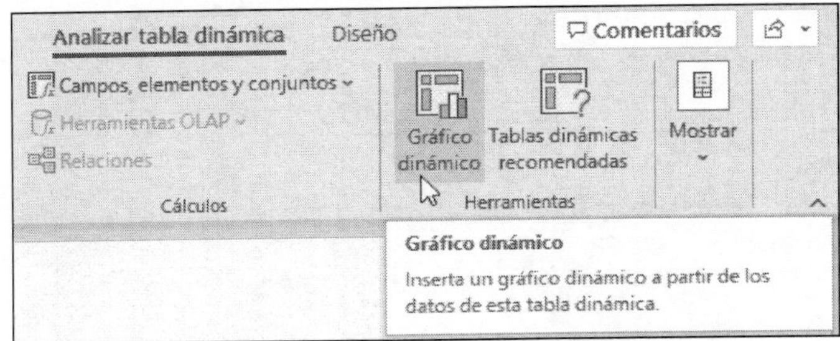

✎ En el grupo **Herramientas**, haga clic en **Gráfico dinámico**, elija el gráfico **Columnas apiladas** y, a continuación, haga clic en **Aceptar**.

Aparece el gráfico, así como las pestañas agrupadas bajo el nombre **Análisis de Gráfico dinámico**.

✎ Cambie la posición del gráfico para hacerlo más visible.

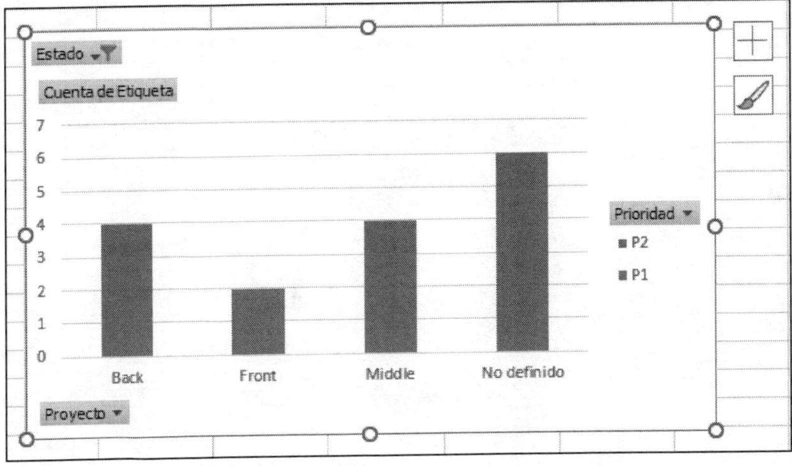

Agregaremos las etiquetas de datos para mostrar los valores de los datos en las diferentes barras del gráfico.

- En la pestaña **Diseño** (gráfico dinámico), haga clic en el botón **Agregar elemento de gráfico** y elija **Etiquetas de datos** y **Centro** para mostrar los valores en el centro de las barras.

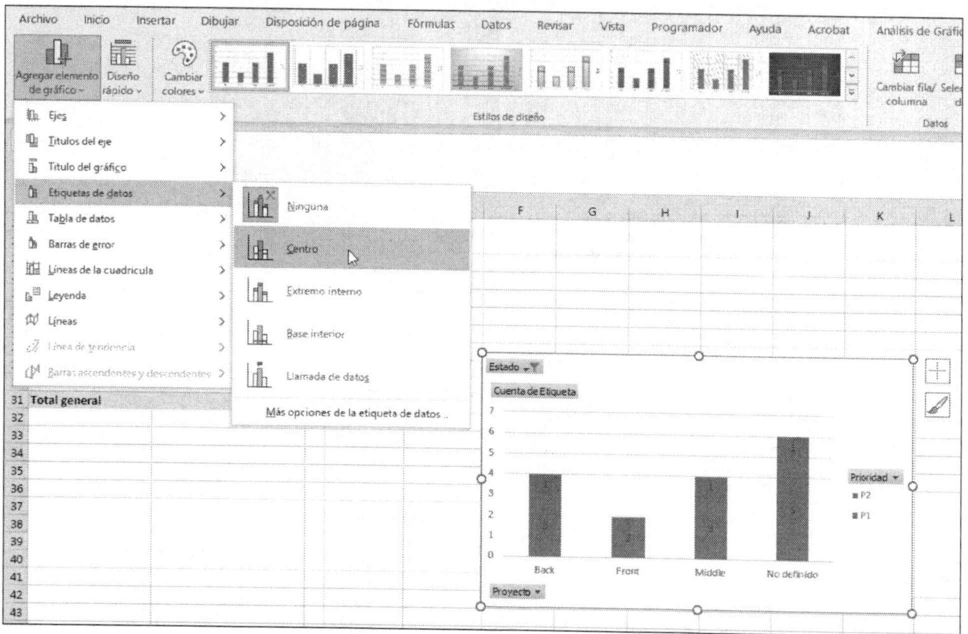

*En versiones anteriores de Excel, esta funcionalidad (junto con todas las funcionalidades relacionadas con el diseño) se encuentra en la pestaña **Diseño - Etiquetas de datos**.*

- En la pestaña **Formato** del gráfico dinámico, en el grupo **Selección actual**, seleccione la **Serie "P1"** y, a continuación, haga clic en **Aplicar formato a la selección**.

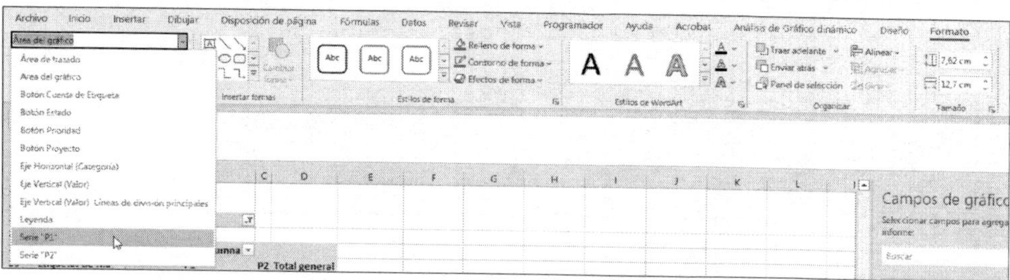

✎ En la ventana de formato de la selección elija **Relleno y línea** - **Relleno**.

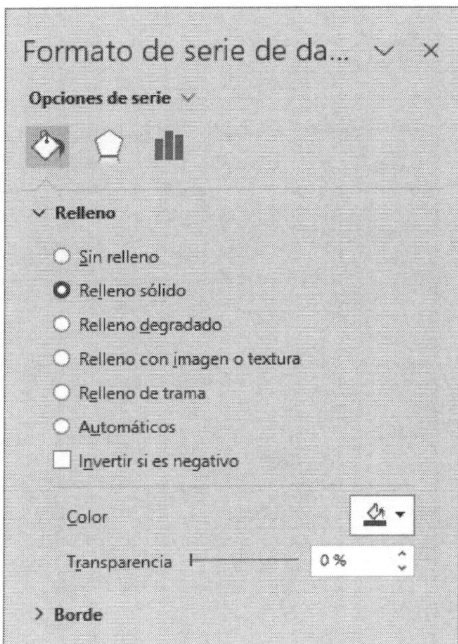

✎ Marque **Relleno sólido** y seleccione el color rojo para la serie P1.

✎ Aplique el color naranja para la serie P2.

El resultado es el siguiente:

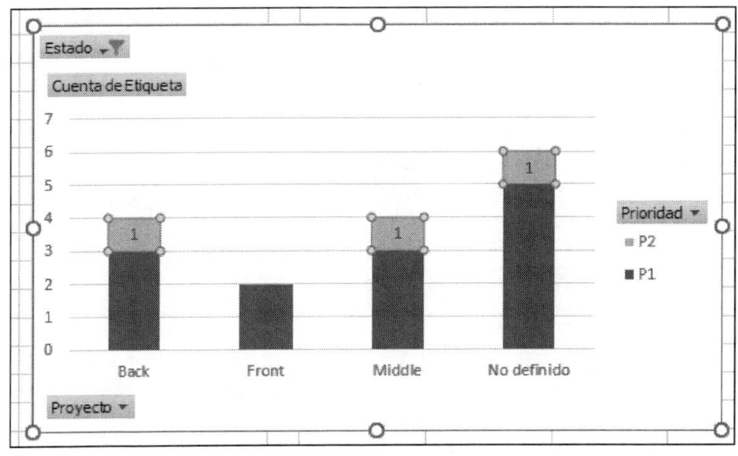

3. Progreso de los casos de pruebas

El objetivo es mostrar un gráfico circular con el estado de cada uno de los casos de prueba. El resultado debería parecerse a este:

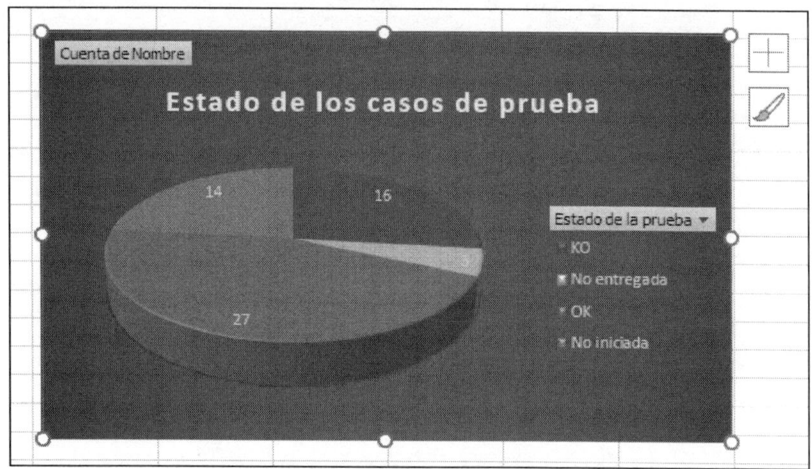

Para ello:

- Seleccione el rango **A1:D61** en la hoja **Pruebas** (seleccione cualquier celda de la tabla y, a continuación, Ctrl E).
- En la pestaña **Insertar**, haga clic en **Tabla** y, a continuación, confirme la creación de una tabla con encabezados.
- Abra la pestaña **Diseño de tabla** y cambie el nombre de la tabla a **Prueba**.
- Seleccione toda la tabla **Prueba**.
- En la pestaña **Insertar**, haga clic en **Tabla dinámica**.

✎ Coloque la TD en la celda **A40** de la hoja **TD_GD**:

- Marque la opción **Hoja de cálculo existente**.
- Colóquese en la celda **A40** de la hoja **TD_GD**.

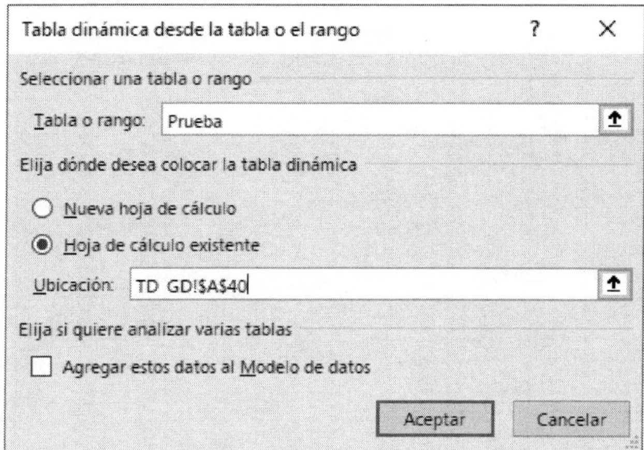

Después de hacer clic en **Aceptar**, el soporte de la TD está disponible y es posible arrastrar y soltar los campos en el panel de la derecha.

✎ Coloque el campo **Estado de la prueba** en el cuadro **Filas**.

- Coloque el campo **Nombre** en el cuadro **Σ Valores**.

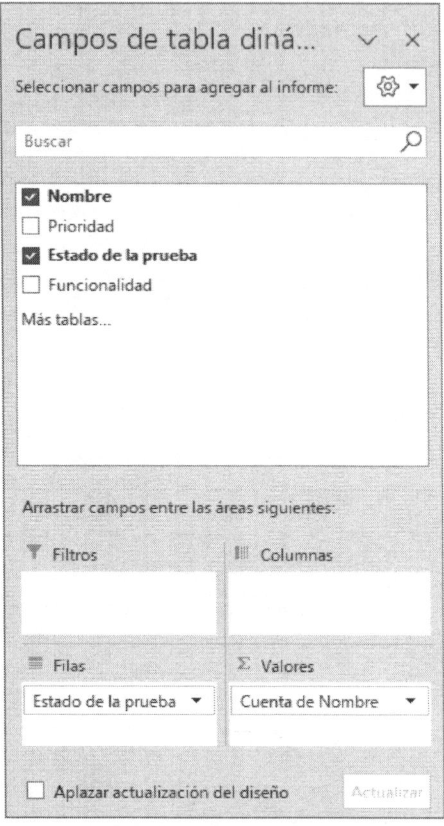

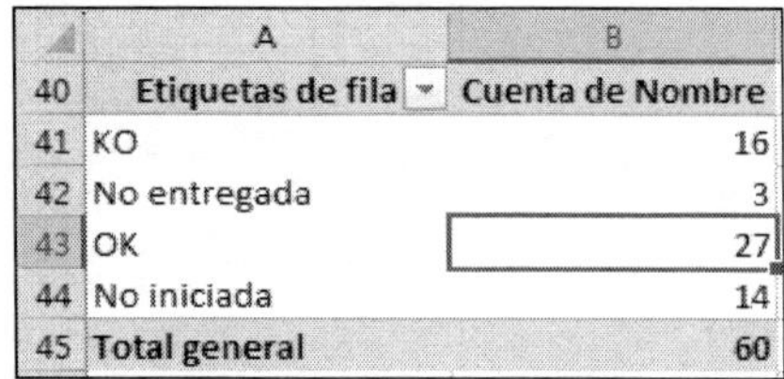

	A	B
40	**Etiquetas de fila**	**Cuenta de Nombre**
41	KO	16
42	No entregada	3
43	OK	27
44	No iniciada	14
45	**Total general**	**60**

- Seleccione la TD creada.
- En la pestaña **Analizar tabla dinámica**, haga clic en **Gráfico dinámico**.

✎ Elija aquí el gráfico **Circular** y luego **Circular 3D**.

El resultado es el siguiente:

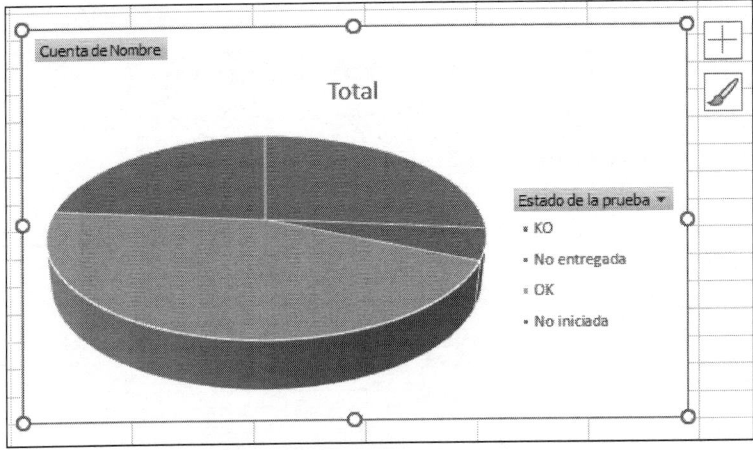

Vamos a agregar las etiquetas de datos para tener el número de cada **Estado de la prueba**.

✎ En la pestaña **Diseño**, haga clic en **Agregar elemento de gráfico** y, a continuación, elija **Etiquetas de datos - Ajuste perfecto**.

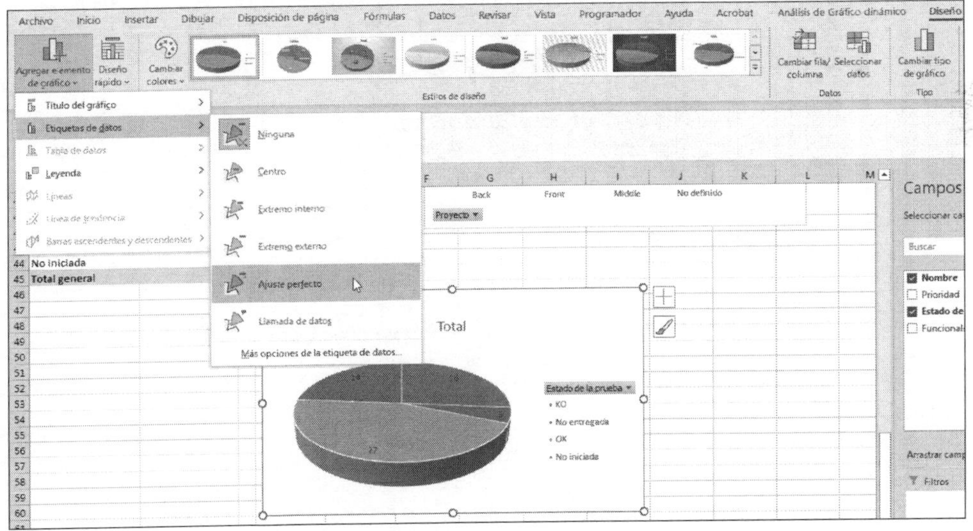

✎ Seleccione el título y haga doble clic en él para cambiarlo a **Estado de los casos de prueba**.

- En la pestaña **Diseño**, examine los **Estilos de diseño** y elija el que le parezca más adecuado entre los propuestos:

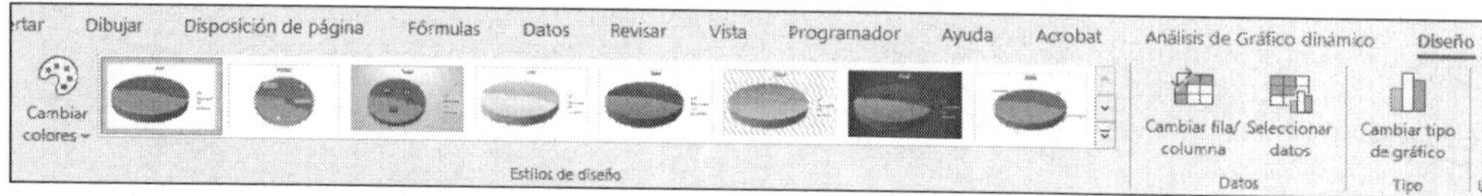

Cambiar los colores de cada serie

- Seleccione un punto de datos directamente en el gráfico (1). Puede comprobar la selección de puntos correcta en la ficha **Formato**, grupo **Selección actual** (2). Cambie su relleno en el panel **Formato de punto de datos** (3).

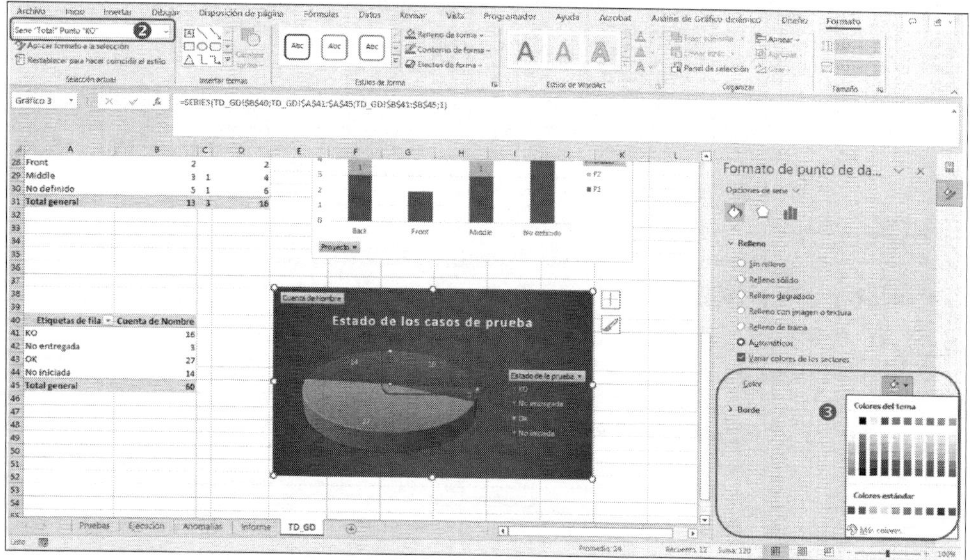

✎ Cambie los colores de cada serie usando el menú **Relleno**.

Puede obtener un resultado como este:

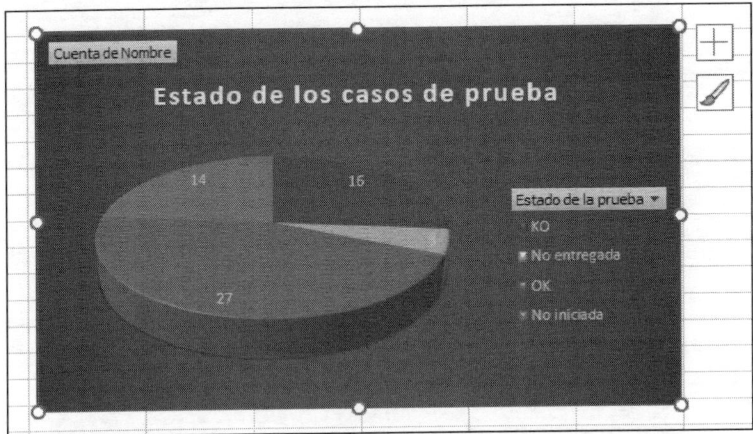

4. Revisión de los ciclos de prueba

El objetivo es mostrar una tabla consolidada de ciclos de prueba donde es posible ver el número de pruebas con estado OK, el número de pruebas con estado KO y el número de pruebas por campaña y por ciclo.

El resultado esperado es el siguiente:

Página1	(Todas)		
Suma de Valor	**Etiquetas de colu**		
Etiquetas de fila	**KO**	**OK**	**Total general**
P1	20	7	27
P2	9	29	38
P3	3	9	12
Total general	**32**	**45**	**77**

Para realizar este ejemplo, primero crearemos una tabla a partir de los datos de la hoja **Ejecución** y, a continuación, sintetizaremos los datos de la primera tabla para crear una TD con los datos sintetizados.

Creación de la tabla

- Seleccione el rango de datos **A1:G78** en la hoja de cálculo **Ejecución**.
- Haga clic en la pestaña **Insertar** y, a continuación, haga clic en **Tabla**.
- Elija una tabla con encabezados:

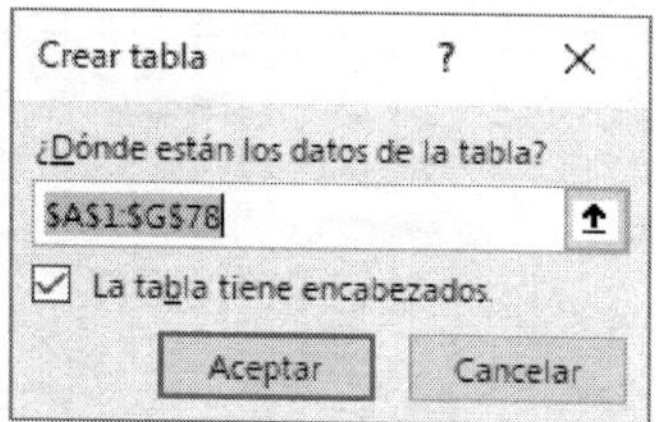

- En la pestaña **Diseño de tabla** - grupo **Propiedades**, cambie el nombre de la tabla a **Ejec**.

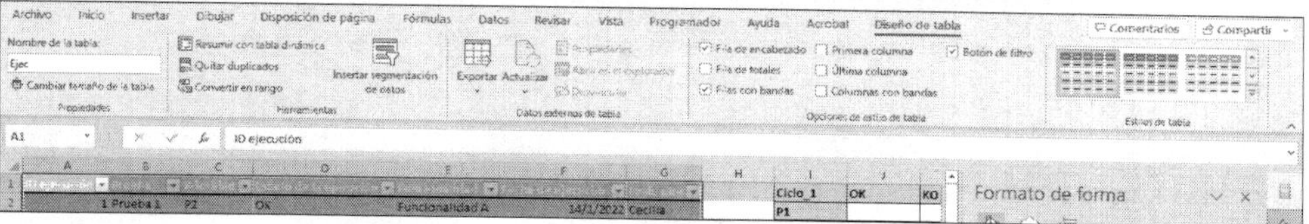

Rellenar la tabla con el resumen de los ciclos

Disponemos de una tabla en el rango **I1:K8** para sintetizar por ciclo el número de ejecuciones de casos de prueba por estado (OK y KO) y por prioridad (P1, P2 y P3).

El ciclo se define de acuerdo con los siguientes criterios:

- El primer ciclo se ha ejecutado entre el 01/01/2022 y el 28/02/2022.
- El segundo ciclo se ha ejecutado a partir del 01/03/2022.

En la hoja **Ejecución**, rellene la tabla con el número de ejecuciones de casos de prueba por estado y prioridad:

	I	J	K
1	Ciclo_1	OK	KO
2	P1		
3	P2		
4	P3		
5	Ciclo_2	OK	KO
6	P1		

	I	J	K
7	P2		
8	P3		

¿Qué fórmulas se deben utilizar?

La fórmula consistirá en contar el número de filas con las siguientes condiciones:

- El número de filas con un estado igual a OK y KO, que corresponden a las celdas J1 y K1 para el ciclo 1 y a las celdas J5 y K5 para el ciclo 2, respectivamente.
- El número de filas cuya prioridad es igual a los valores P1, P2 y P3, que corresponden a las celdas I2, I3 e I4 para el ciclo 1 y a las celdas I6, I7 e I8 para el ciclo 2, respectivamente.
- El número de filas con fecha de ejecución entre el 01/01/2022 y el 29/02/2022 (o superior o igual al 01/03/2022).

Por lo tanto, se debe utilizar la fórmula `CONTAR.SI.CONJUNTO`, que permite contar las filas con condiciones.

Operación

- Seleccione el rango **J2:K4**, que corresponde al ciclo 1, pulse la tecla F2 e introduzca la fórmula siguiente:

```
=CONTAR.SI.CONJUNTO(Ejec[Prioridad];$I2;Ejec[Estado de la ejecución];
J$1;Ejec[Fecha de ejecución];">=01/01/2022";Ejec[Fecha de ejecución];
"<=28/02/2022")
```

- Confirme la fórmula pulsando las teclas Ctrl ↵ al mismo tiempo.
- Para el rango **J6:K8**, que corresponde al ciclo 2, pulse la tecla F2 e introduzca la siguiente fórmula:

```
=CONTAR.SI.CONJUNTO(Ejec[Prioridad];$I6;Ejec[Estado de la ejecución];
J$1;Ejec[Fecha de ejecución];">=01/03/2022")
```

- Aplique la fórmula con las teclas Ctrl ↵.

El resultado es el siguiente:

Ciclo_1	OK	KO
P1	4	14
P2	13	6
P3	3	3
Ciclo_2	OK	KO
P1	3	6

P2	16	3
P3	6	0

Crear una tabla dinámica con una página

Hemos identificado dos rangos de datos correspondientes a los dos ciclos que hay que analizar. Crearemos una TD para consolidar estos dos rangos de datos en una misma TD.

- Use el tutorial descrito en la sección sobre los conceptos del curso de este capítulo para mostrar el botón **Asistente para tablas y gráficos dinámicos**.
- Inicie el **Asistente para tablas y gráficos dinámicos**.
- En la ventana del **paso 1** del asistente, elija **Rangos de consolidación múltiples**.

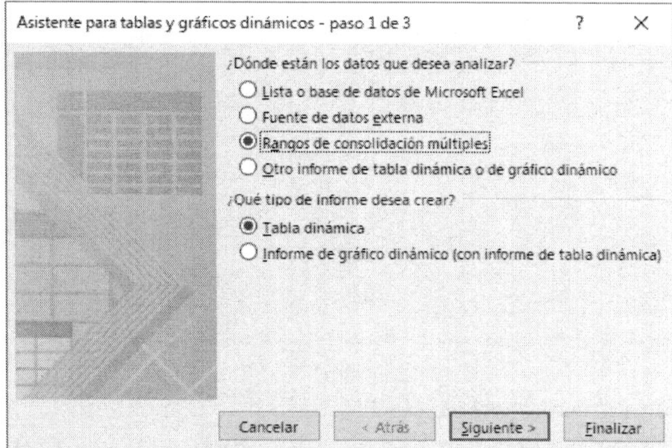

- Haga clic en **Siguiente** y, a continuación, en el **paso 2a** del asistente, elija la creación de un solo campo de página.

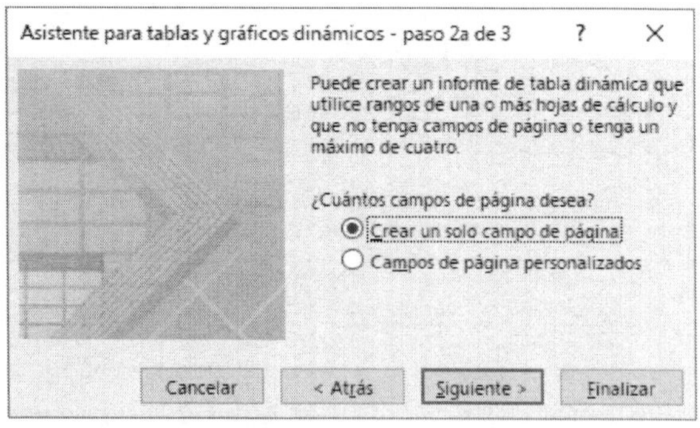

Después de hacer clic en **Siguiente**, llegará al **paso 2b**, que consiste en agregar los diferentes rangos. Aquí los rangos que hay que agregar son I1:K4 e I5:K8.

- En el cuadro **Rango**, agregue el rango I1:K4 escribiendo o seleccionando manualmente el rango.
- Haga clic en **Agregar** para insertar el rango.
- En el cuadro **Rango**, agregue el rango I5:K8 escribiendo o seleccionando manualmente el rango.
- Haga clic en **Agregar** para insertar el rango.

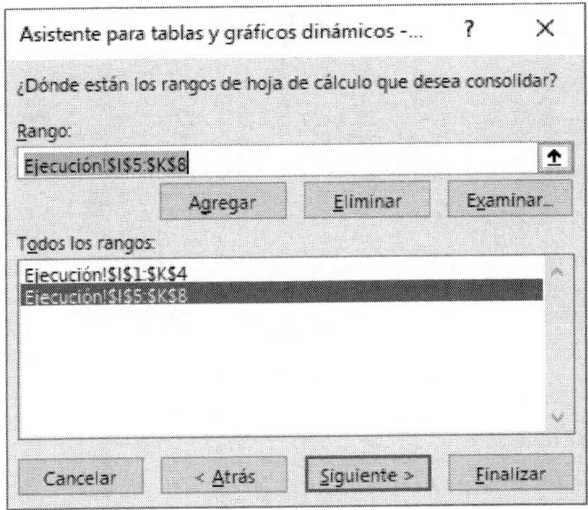

- Haga clic en **Siguiente** para mostrar el **paso 3**. Elija la celda A60 en la hoja TD_GD como celda de destino.

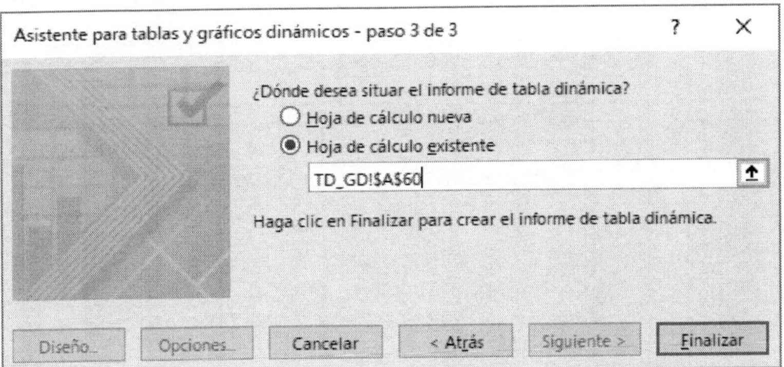

La tabla aparece en la celda **A60**.

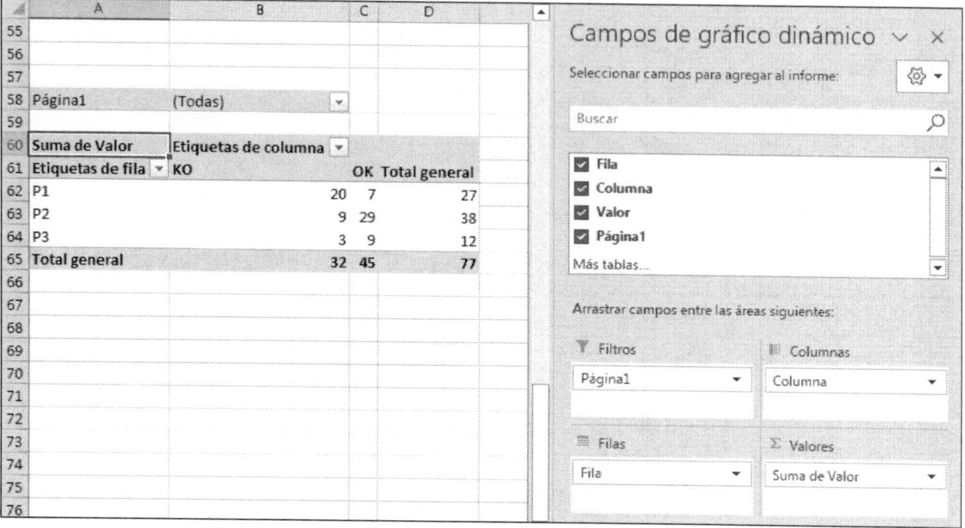

5. Indicador de estado de las pruebas

El objetivo es mostrar dos indicadores numéricos:

- El número de anomalías en curso:

78	Estado	(Varios elementos)
79		
80	**Cuenta de Etiqueta**	
81	16	

- El porcentaje de pruebas OK en comparación con todos los casos de prueba:

90	**Etiquetas de fila**	**Cuenta de Nombre**
91	% OK	**45%**
92	**Total general**	**45%**

Número de anomalías en curso

Para conocer el número de anomalías en curso, hay varias posibilidades:

- Aplicar una fórmula `CONTAR.SI` para contar el número de anomalías en la columna que tenga un estado distinto de «Terminado». De hecho, esta es la fórmula utilizada en el cálculo del stock de anomalías.
- Utilizar una TD para contar el número de anomalías con un filtro sobre el estado de las anomalías.

Aun cuando una fórmula de Excel sea simple, una TD siempre es más fácil de editar (ejemplo: agregar condición al filtro o cambiar la etiqueta de estado); por lo tanto, el ejemplo se basará en una TD.

A diferencia de otras TD cuyo tamaño varía, esta tiene un solo valor: el número de anomalías. Como resultado, será más fácil extraer los datos.

Para lograr este indicador:

- Seleccione la celda **A80** en la hoja **TD_GD**.
- En la pestaña **Insertar**, haga clic en **Tabla dinámica**.

Dado que no hemos seleccionado un origen de datos sino una celda de destino, puede ver que la ubicación de destino está rellena, pero no el origen de datos.

- En **Tabla o rango**, escriba **Anomalias**.

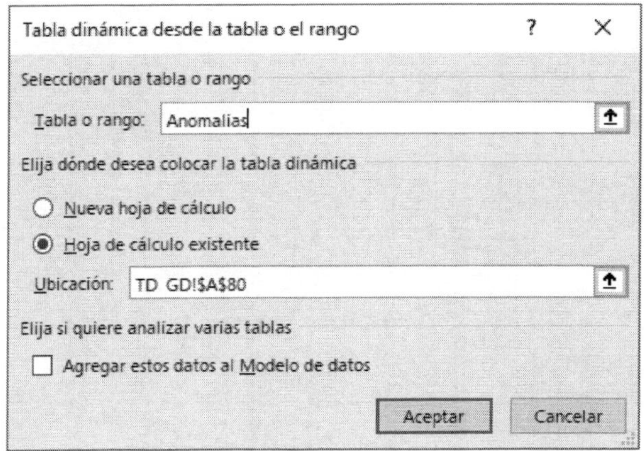

- Haga clic en **Aceptar**.

- Coloque el campo **Etiqueta** en el cuadro Σ **Valores** y el campo **Estado** en el área **Filtros** como se muestra a continuación:

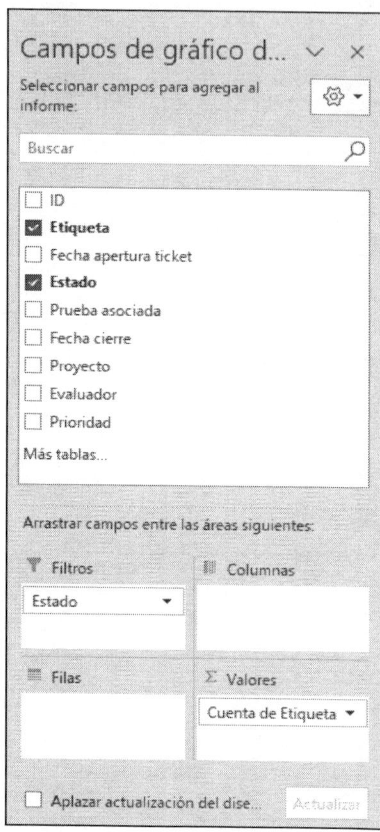

- Filtre el estado eliminando las anomalías terminadas:

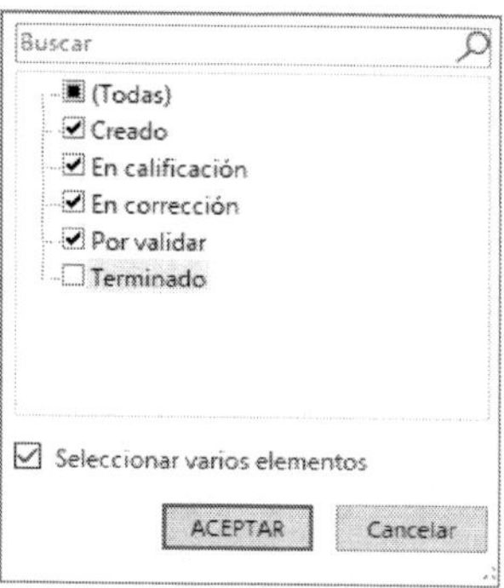

El resultado siempre estará presente en la celda **A81** de la hoja **TD_GD**: contiene el número de anomalías.

78	Estado	(Varios elementos)
79		
80	**Cuenta de Etiqueta**	
81	16	

Proporción de pruebas OK

El porcentaje de pruebas OK no está presente directamente en los campos de una TD extraída de la hoja **Pruebas**. Por otro lado, es posible crear un elemento calculado que dará el número de pruebas OK dividido por todas las pruebas.

- Seleccione la celda **A90** en la hoja **TD_GD** y, a continuación, en la pestaña **Insertar**, haga clic en **Tabla dinámica**.
- En **Tabla o rango**, escriba **Prueba**.

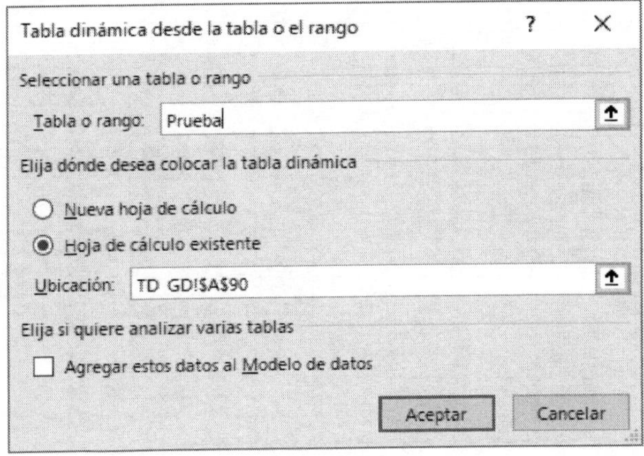

- Haga clic en **Aceptar**.

✎ Coloque el campo **Estado de la prueba** en el cuadro **Filas** y el campo **Nombre** en el cuadro **Σ Valores**. Se obtiene el siguiente resultado:

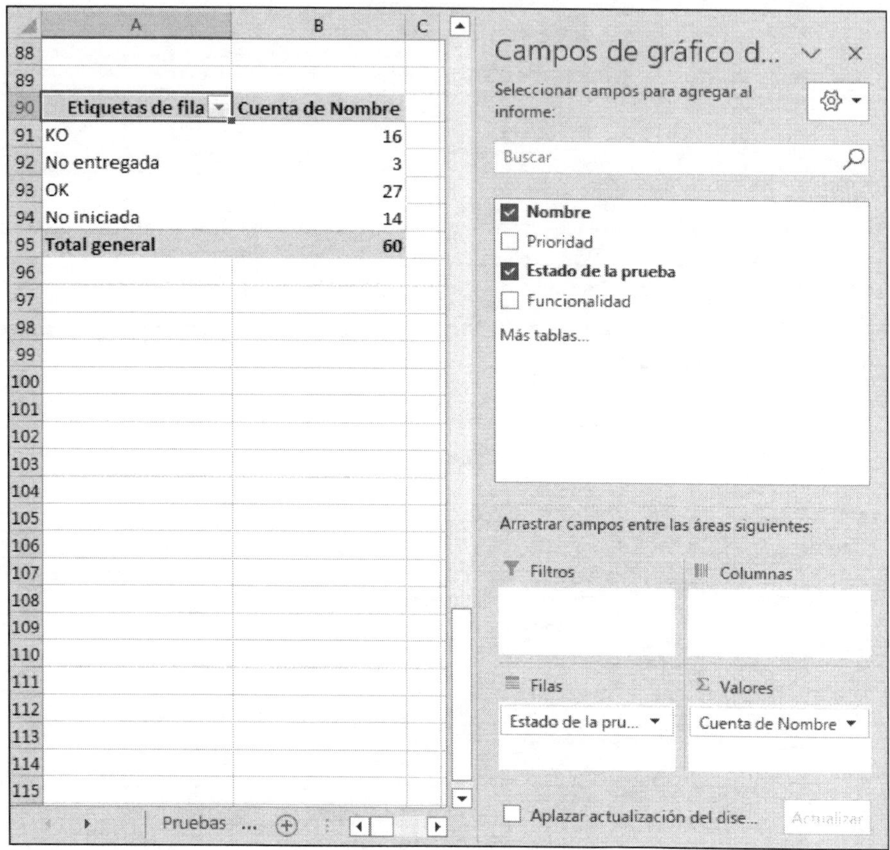

✎ Seleccione el rango **A91:A94** y, a continuación, en la pestaña **Analizar tabla dinámica**, en el grupo **Cálculos**, haga clic en **Campos, elementos y conjuntos** y elija **Elemento calculado**.

El objetivo es crear un campo **% OK** que calcule el porcentaje de pruebas OK en todas las pruebas. Aparece la siguiente ventana:

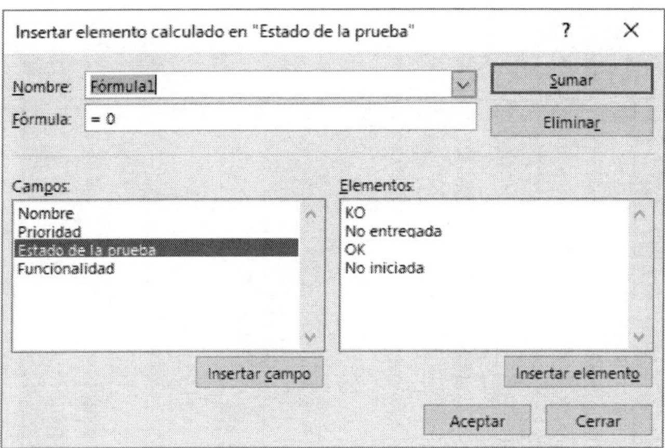

- En el campo **Nombre**, escriba % OK y en **Fórmula** introduzca = OK/(KO + 'No entregada' + OK + 'No iniciada').

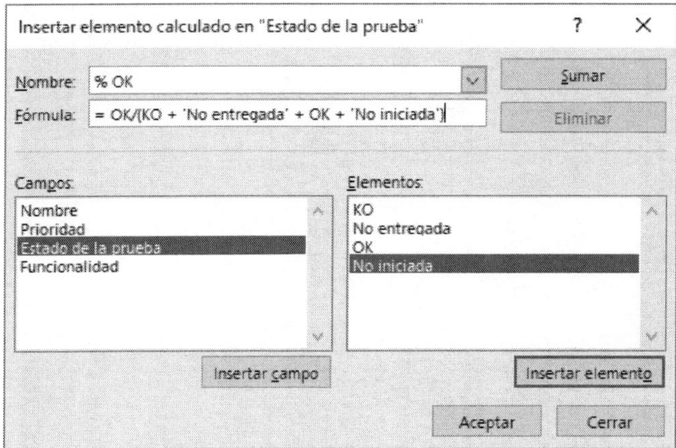

- Termine haciendo clic en **Sumar** y, a continuación, en **Aceptar** para ver que el campo aparece en la TD.

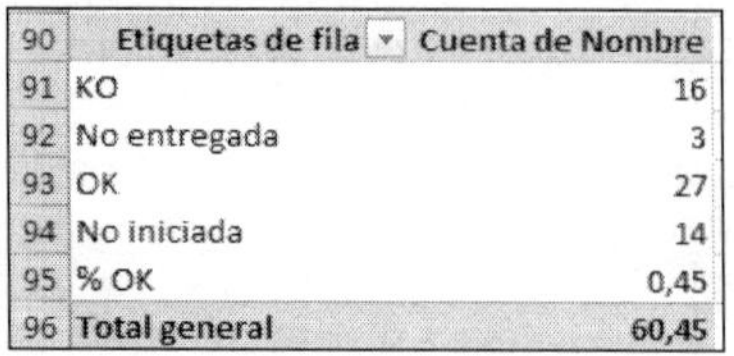

90	Etiquetas de fila	Cuenta de Nombre
91	KO	16
92	No entregada	3
93	OK	27
94	No iniciada	14
95	% OK	0,45
96	**Total general**	**60,45**

- Filtre para que solo esté visible el campo **% OK**.
- Seleccione las celdas **B91** y **B92**, haga clic en el icono [%] de la pestaña **Inicio**, en el grupo **Números**.

Se obtiene el siguiente resultado:

Etiquetas de fila	Cuenta de Nombre
% OK	45%
Total general	**45%**

Tiene la posibilidad de cambiar el formato del valor mostrado: haga clic en el valor y luego en ***Configuración de campo de valor****:*

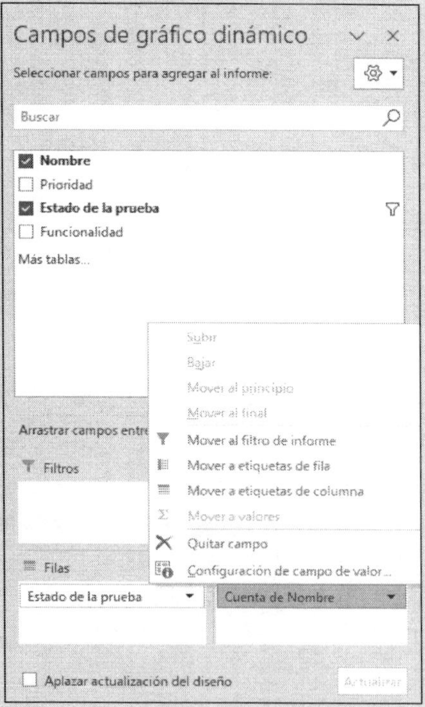

D. Automatizar la creación de un informe en PowerPoint: descripción de ejemplo

1. Presentación del ejemplo

El objetivo de este ejemplo es automatizar la creación de un informe en PowerPoint a partir de diferentes gráficos e indicadores realizados en la primera parte del ejemplo.

¿Cómo se hace?

Al informe se le aplicará formato en Excel desde la hoja **Informe**: el diseño se realizará dentro del rango **A1: L36** y luego todo el rango se copiará en un archivo nuevo de PowerPoint.

El resultado esperado es el siguiente:

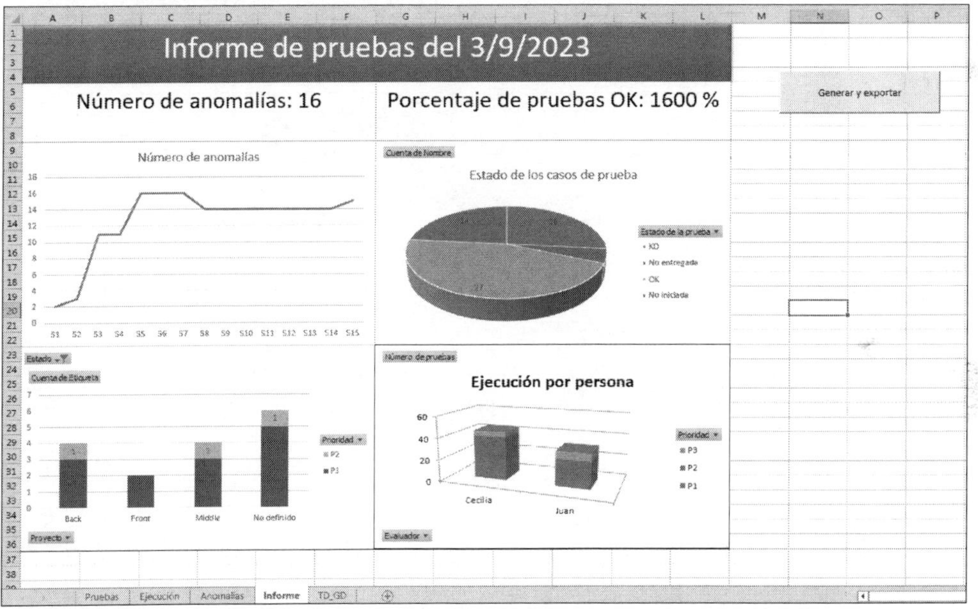

El documento de **PowerPoint** se presentará en una sola diapositiva. El archivo se guardará en la misma carpeta que el archivo de Excel del ejemplo, con el siguiente nombre: **Informe_Prueba_AAMMDD** y la extensión **.pptx** (o AAMMDD es la fecha de hoy).

2. Descripción general del archivo

El archivo utilizado, **Enunciado_4-DEF.xlsm**, corresponde a la versión obtenida al final de la primera parte, pero en la que se han cambiado los nombres de los gráficos (**Gráfico 1** pasa a ser **NumAnom**; **Gráfico 2**, **AnomProyectoPrioridad**, y **Gráfico 3**, **EstadoCasoPrueba**).

La hoja **Informe** se utilizará para crear el informe en formato Excel y luego copiarlo en una diapositiva de PowerPoint. Dicha hoja contiene un rango preestablecido, **A1:L36**, que corresponde al tamaño típico de una diapositiva de PowerPoint. El tamaño de esta relación es de 540 píxeles de alto y 720 de ancho. El informe se creará a través de gráficos y formas colocados en este rango predefinido.

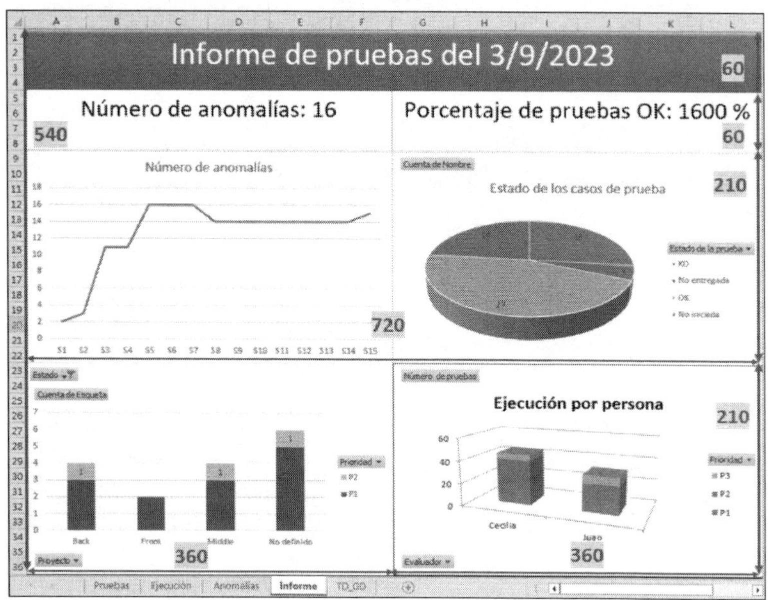

3. Funcionalidades

Las funcionalidades desarrolladas para este ejemplo son:

- Actualizar los datos de los gráficos en caso de que hayan cambiado desde que se generó el último informe y, a continuación, copiarlos desde la hoja **TD_GD** a la hoja **Informe**.
- Crear un gráfico dinámico nuevo que muestre el número de ejecuciones de prueba por persona.
- Dar formato al título del gráfico y a los indicadores.
- Exportar el informe de Excel a una diapositiva de PowerPoint.

E. Automatizar la creación de informes en PowerPoint: conceptos del curso

1. Grabación de macros

Esta funcionalidad permite registrar las acciones realizadas por los usuarios dentro de un macroprocedimiento.

Funciona como una grabadora: desde el momento en que el usuario decide activar la grabación mediante el botón , que se encuentra en la barra de estado, en la parte inferior de la aplicación, todas las acciones se registran dentro de una macro hasta que la grabación se detiene mediante del botón , que también se encuentra en la barra de estado, en la parte inferior de la aplicación.

Para ver las ventajas y desventajas de este tipo de uso, trabajaremos un ejemplo que permite realizar un llenado automático de la celda activa en rojo.

Ejemplo de grabación de macros

En una hoja en blanco, haga clic en el botón para comenzar a grabar una macro. Aparecerá una ventana; elija **Color_rojo** como nombre de la macro y Ctrl j como método abreviado de teclado.

Este método abreviado de teclado implica que, cuando el usuario presione las teclas Ctrl y j simultáneamente (minúsculas), se ejecutará la macro **Color_rojo**.

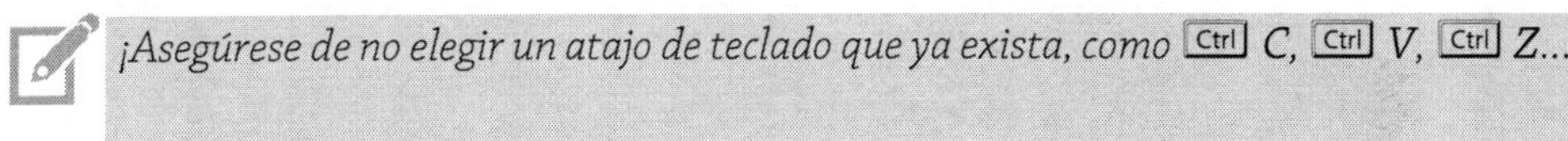
¡Asegúrese de no elegir un atajo de teclado que ya exista, como Ctrl C, Ctrl V, Ctrl Z...!

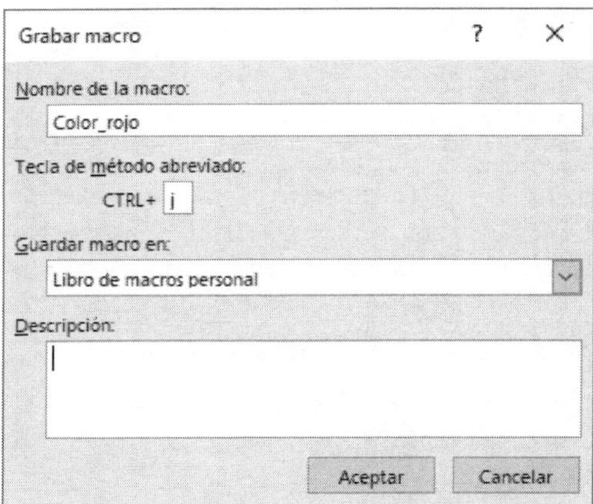

- Seleccione la celda **F10** y rellénela de color rojo.
- A continuación, pulse el botón ■ para detener la grabación de la macro.
- Pruebe la macro devolviendo a la celda **F10** el color transparente y pulsando Ctrl j a continuación.

  La macro se ejecuta y vuelve a colorear la celda actual.
- Compruebe el código accediendo al **Editor de Visual Basic** (teclas Alt e F11 simultáneamente).

  El código se ve así:

```
Sub Color_rojo()
'
' Color_rojo Macro
'
' Acceso directo: CTRL+j
'
    Range("F10").Select
    With Selection.Interior
        .Pattern = xlSolid
        .PatternColorIndex = xlAutomatic
        .Color = 255
        .TintAndShade = 0
        .PatternTintAndShade = 0
    End With
End Sub
```

Ventajas

Esta funcionalidad permite descubrir código sin tener que aprenderlo. Por ejemplo, cómo crear una tabla dinámica o cómo crear un gráfico. La generación de código automático permite saber cómo se estructuran ciertas clases o qué objetos usar.

En nuestro ejemplo, el registro generó este código para rellenar la celda en rojo:

```
Range(Celda).Interior.Color = 255
```

Desventajas

La grabación, como puede ver, es muy precisa. En nuestro ejemplo, cada vez que se ejecuta el código, se colorea la celda **F10**. El código no se adapta a la celda sobre la que estamos situados.

El objetivo era colorear la celda actual, no colorear la celda **F10**.

El registro genera códigos complejos, mientras que solo es útil el código que concierne al color. De hecho, puede limitarse a:

```
Selection.Interior.Color = 255
```

Conclusión

El uso de esta función permite descubrir nuevas posibilidades, especialmente para iniciarse en un tema que se domina poco. Sin embargo, no sustituye al conocimiento de Visual Basic for Application porque el código producido es «pesado» y fijo.

2. Crear una tabla dinámica con VBA

Crear una TD con VBA significa que todas las acciones que conducen a dicha creación están contenidas en una macro. La creación de una TD se divide en tres partes:

- Creación de la TD: es la creación del objeto base que vinculará los datos a la TD.
- Agregar de campo de valor a la TD.
- Agregar de campo de eje a la TD.

Creación de la TD

Los datos de una TD están contenidos en un objeto `PivotCache`. La sintaxis de VBA utilizada creará nuevos datos almacenados en caché en el objeto `PivotCache` mediante el método `Create` y, a continuación, creará una tabla dinámica a partir de estos datos con el método `CreatePivotTable`.

Estructura del código:

```
Workbook.PivotCaches.Create(Argumentos).CreatePivotTable Argumentos

PivotCaches.Create
```

Use este método para crear un origen de datos asociado a un libro.

Este método contiene dos argumentos principales:

- Tipo de origen de datos (obligatorio): el argumento `SourceType` puede extraerse de una tabla consolidada (`xlConsolidation`), de un rango de Excel (`xlDatabase`) o de un rango externo (`xlExternal`).
- Origen de datos (opcional): el argumento `SourceData` contiene la referencia al origen de datos.

Por ejemplo:

```
ThisWorkbook.PivotCaches.Create(SourceType:=xlDatabase,
SourceData:="MisDatos")

CreatePivotTable
```

Este método crea una tabla dinámica a partir de un origen de datos.

Contiene tres argumentos principales:

- Área de destino (obligatorio), celda donde se colocará la TD;
- Nombre de la TD (opcional): nombre libre;
- Tipo de TD (opcional): existen diferentes códigos para determinar la apariencia visual de una TD.

Por ejemplo:

```
ThisWorkbook.PivotCaches.Create(SourceType:=xlDatabase,
SourceData:="MisDatos").CreatePivotTable
TableDestination:="Hoja1!R1C1", TableName:="NuestraTD",
DefaultVersion:= xlPivotTableVersion14
```

El paso de creación de los datos almacenados en caché se puede disociar del paso de creación de la tabla dinámica.

Agregar campos de valor

Agregar un campo de valor significa que el campo se agrega como un dato de la TD.

Un campo de tipo `DataField` se integrará en la TD actual a través del método `AddDataField`.

El método `AddDataField` tendrá los siguientes argumentos:

- El campo que se va a agregar como valor (obligatorio);
- La etiqueta del campo en la TD (opcional);
- Tipo de agregación del campo (opcional).

```
Worksheet.PivotTables("NuestraTD").AddDataField
Worksheet.PivotTables("NuestraTD").PivotFields("CampoDatos"),
"Cuenta de datos", xlCount
```

Agregar campos de eje

Agregar un campo de eje significa que se añade un campo como eje de la TD.

En términos técnicos, no se trata de una adición, sino de colocar el campo en la tabla, como fila o columna. En efecto, el campo (`PivotField`) ya está presente en el origen de datos de `PivotCache`.

Agregar una línea:

```
Worksheet.PivotTables("NuestraTD").PivotFields("CampoEjeFila").
Orientation = xlRowField
```

Agregar una columna:

```
Worksheet.PivotTables("NuestraTD").PivotFields("CampoEjeColumna") .
Orientation = xlColumnField
```

Filtro de campo

Un campo (PivotField) puede tener filtros. El método AddFilter se utiliza para agregar filtros con el siguiente argumento:

Tipo de filtro (obligatorio): es la condición que se debe aplicar como filtro.

Valor (Value1 y Value2): estos campos se utilizan para introducir el valor del filtro. De forma predeterminada, solo se usa un valor (`Value1`), pero en algunos casos se puede utilizar un segundo valor (`Value2`): para un filtro entre dos valores.

```
Worksheet.PivotTables("NuestraTD").PivotFields("CampoEjeColumna").
AddFilter FilterType := xlCaptionEquals Value1 := "Prueba"
```

3. Crear un gráfico con VBA

La creación de un gráfico consiste en crear una forma (`Shape`) de tipo gráfico.

Es importante separar los objetos `Shape` y `Chart` porque no tienen los mismos métodos.

El método `Shapes.AddChart` permite crear un gráfico vacío.

Es posible indicar su posición y tipo en esta etapa; sin embargo, no es indispensable.

Es recomendable seleccionar el objeto recién creado con el método `Select` para utilizarlo con `ActiveChart`. `ActiveChart` es el gráfico actual seleccionado. Se trata de un objeto con las mismas características que un objeto `Chart`.

Una vez que se ha creado y seleccionado el gráfico, es más fácil de manejar para agregar información a través de sus propiedades.

```
Worksheet.Shapes.AddChart.Select
'Agregar origen de datos
ActiveChart.SetSourceData Source:=Range("MisDatos")
'Gráfico barras apiladas
ActiveChart.ChartType = xlColumnStacked
'Cambiar el nombre de la forma que contiene el gráfico (uso del elemento
primario)
ActiveChart.Parent.Name = "MiGrafico"
```

Una vez creado el gráfico, es posible añadir elementos (títulos, etiquetas, líneas o ejes), como, por ejemplo, añadir un título:

```
'Agregar título al gráfico
ActiveChart.SetElement (msoElementChartTitleAboveChart)
ActiveChart.ChartTitle.Text = "Título del gráfico"
```

También existe el método `Shapes.AddChart2`, que permite crear un gráfico con una nueva máscara de estilo predeterminada (título predeterminado).

4. Trabajar con PowerPoint

Agregar la biblioteca

El requisito previo principal para trabajar con un objeto de PowerPoint dentro de VBA para Excel es agregar la biblioteca de PowerPoint al archivo de Excel.

Una biblioteca (traducción de *library*, a veces llamada «librería») es un conjunto de funciones para agregar capacidades a una aplicación. Por ejemplo, la biblioteca de PowerPoint para VBA le permitirá manejar PowerPoint a través de Excel VBA. De esta manera agregará clases y métodos a la aplicación VBA de Excel.

- Para agregar esta biblioteca, vaya al editor de Visual Basic (teclas Alt e F11 simultáneamente o pestaña **Programador**).
- En el menú **Herramientas**, haga clic en **Referencias**.

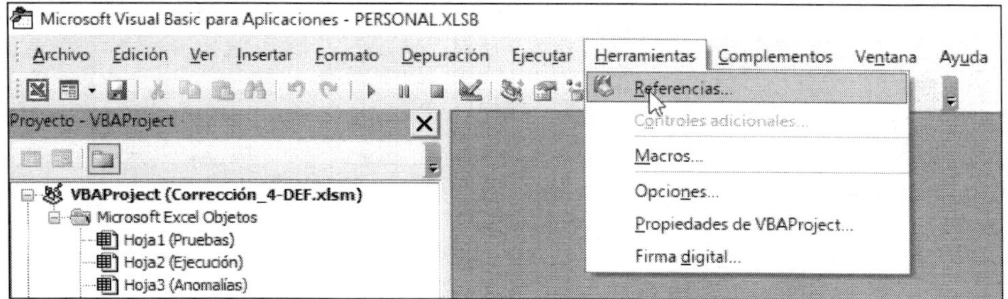

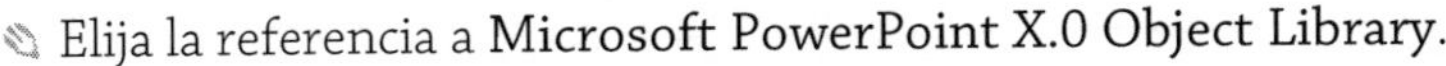
Elija la referencia a **Microsoft PowerPoint X.0 Object Library**.

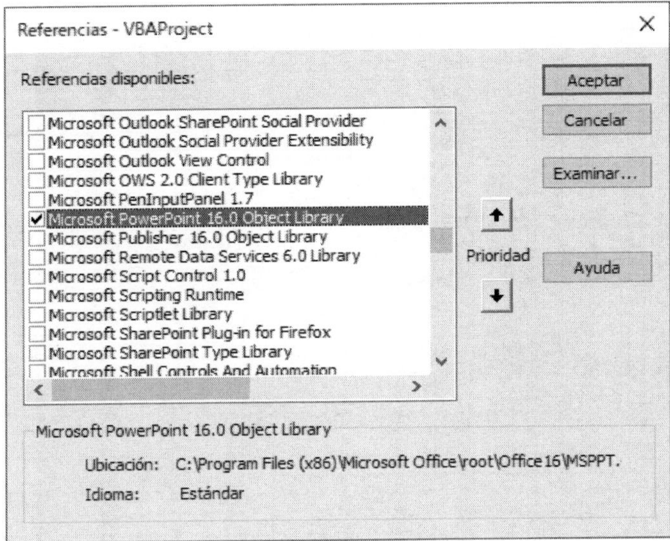

Preste atención: la versión de la biblioteca depende de su versión de Microsoft Office.

Una vez que se agrega la biblioteca, es posible «manipular» PowerPoint.

Manejar el objeto aplicación

Para trabajar con el objeto aplicación de PowerPoint, debe crear un objeto de tipo PowerPoint Aplication.

```
Dim PptApp As Variant
Set PptApp = CreateObject("Powerpoint.Application")
```

Una vez creado el objeto PowerPoint Application, es posible crear una presentación y agregarla a nuestro objeto de aplicación actual.

```
'Crear presentación de PowerPoint
Dim PptDoc As PowerPoint.Presentation
Set PptDoc = PptApp.Presentations.Add
```

Por último, agregar una diapositiva consiste en utilizar el método `Add` de la clase `Slides`, que tiene el objeto `Presentation` como elemento primario.

```
'Agregar una Slide
PptDoc.Slides.Add Index:=1, Layout:=ppLayoutBlank
```

En este caso, `Index` corresponde a la posición y `Layout` al formato típico de la diapositiva: en este caso, diapositiva vacía y blanca.

Guardar la presentación

Para guardar la presentación, simplemente utilice el método `Save` o `SaveAs(FileName)` del objeto `Presentation`, que corresponde a **Guardar** y **Guardar como** con el nombre del archivo de destino como argumento.

```
PptDoc.SaveAs Filename:=ThisWorkbook.Path & MiArchivo.pptx"
```

Cerrar la presentación

Cerrar la presentación no significa salir de la aplicación, sino simplemente cerrar la presentación mientras se deja la aplicación activa. El método `Close` del objeto `Presentation` cierra la presentación.

```
PptDoc.Close
```

Salir de la aplicación

Para salir de la aplicación, debe utilizar el método `Quit` del objeto Application.

```
PptApp.Quit
```

F. Automatizar la creación de informes de PowerPoint: realizar el ejemplo

1. Actualizar y copiar los gráficos

El objetivo de esta parte es comenzar a crear el informe copiando los gráficos (Número de anomalías, Anomalías por proyecto y prioridad, Estado de los casos de prueba) creados en la parte anterior en la hoja **TD_GD**, y luego colocándolos en la hoja **Informe**.

- Para comenzar, abra el archivo **Enunciado_4-DEF.xlsm**.

Operación que hay que realizar

Para copiar y pegar los gráficos en la hoja **Informe**, vamos a grabar la operación realizada en Excel y luego la adaptaremos para que los gráficos se coloquen en el lugar correcto del informe.

- Haga clic en el botón para iniciar la grabación de acciones dentro de un procedimiento de macro.

Aparecerá la ventana de grabación.

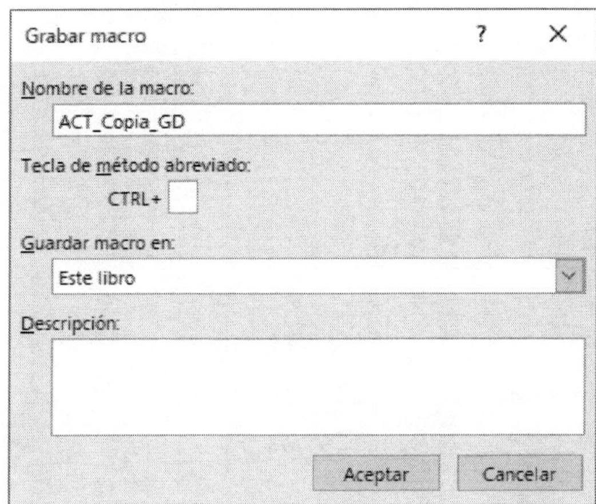

- Escriba el nombre de la macro ACT_Copia_GD; en la lista **Guardar macro en**, elija **Este libro** y haga clic en **Aceptar**.
- En la hoja TD_GD, seleccione el gráfico **Número de anomalías**. Cópielo y, a continuación, péguelo en la hoja **Informe**. La posición del gráfico en el informe es aproximada y se revisará más adelante.
- De nuevo en la hoja TD_GD, seleccione el gráfico dinámico **Anomalías por proyecto y prioridad**. Cópielo y péguelo en la hoja **Informe**, debajo del primer gráfico. La posición del gráfico en el informe es aproximada; se revisará más adelante.
- Seleccione el gráfico dinámico **Estado de los casos de prueba**. Cópielo y péguelo en la hoja **Informe**. La posición del gráfico en el informe es aproximada y se revisará más adelante.

En definitiva, la hoja **Informe** contiene los últimos tres gráficos actualizados recientemente.

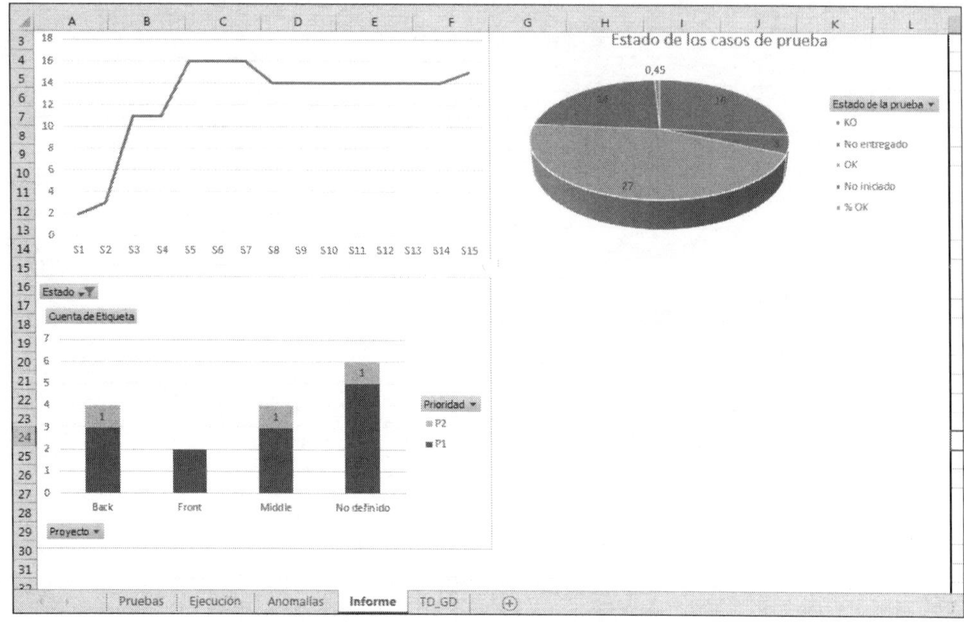

Haga clic en el botón ■ para detener la grabación.

La macro **ACT_Copia_GD** se genera en el Módulo 1. El código exacto de la macro puede diferir de lo que verá a continuación, ya que se ha generado por acciones del usuario.

En nuestro caso, el código generado es el siguiente:

```
Sub ACT_Copia_GD()

  With ThisWorkbook
    .Sheets("TD_GD").Select
    ActiveSheet.ChartObjects("NumAnom").Activate
    ActiveChart.ChartArea.Copy
    .Sheets("Informe").Select
    ActiveSheet.Paste
    .Sheets("TD_GD").Select
    ActiveSheet.ChartObjects("AnomProyectoPrioridad").Activate
'     ActiveChart.PivotLayout.PivotTable.PivotCache.Refresh
    ActiveChart.ChartArea.Copy
    .Sheets("Informe").Select
    Range("J12").Select
    ActiveSheet.Paste
    ActiveSheet.ChartObjects("AnomProyectoPrioridad").Activate
    .Sheets("TD_GD").Select
    ActiveSheet.ChartObjects("EstadoCasoPrueba").Activate
```

```
      ActiveChart.PivotLayout.PivotTable.PivotCache.Refresh
      ActiveChart.ChartArea.Copy
      .Sheets("Informe").Select
      Range("E28").Select
      ActiveSheet.Paste

      ActiveSheet.Shapes("NumAnom").Left = 0
      ActiveSheet.Shapes("NumAnom").Top = 120
      ActiveSheet.Shapes("NumAnom").Height = 210
      ActiveSheet.Shapes("NumAnom").Width = 360

      ActiveSheet.Shapes("AnomProyectoPrioridad").Left = 0
      ActiveSheet.Shapes("AnomProyectoPrioridad").Top = 330
      ActiveSheet.Shapes("AnomProyectoPrioridad").Height = 210
      ActiveSheet.Shapes("AnomProyectoPrioridad").Width = 360

      ActiveSheet.Shapes("EstadoCasoPrueba").Left = 360
      ActiveSheet.Shapes("EstadoCasoPrueba").Top = 120
      ActiveSheet.Shapes("EstadoCasoPrueba").Height = 210
      ActiveSheet.Shapes("EstadoCasoPrueba").Width = 360
   End With

End Sub
```

✎ Elimine elementos superfluos (posicionamiento, desplazamiento y selección de celdas) para obtener un código que solo copie y pegue gráficos, y actualice los datos.

```
Sub ACT_Copia_GD()

   With ThisWorkbook
      .Sheets("TD_GD").Select
      ActiveSheet.ChartObjects("NumAnom").Activate
      ActiveChart.ChartArea.Copy
      .Sheets("Informe").Select
      ActiveSheet.Paste
      .Sheets("TD_GD").Select
      ActiveSheet.ChartObjects("AnomProyectoPrioridad").Activate
      ActiveChart.PivotLayout.PivotTable.PivotCache.Refresh
      ActiveChart.ChartArea.Copy
      .Sheets("Informe").Select
      Range("J12").Select
      ActiveSheet.Paste
      ActiveSheet.ChartObjects("AnomProyectoPrioridad").Activate
      .Sheets("TD_GD").Select
      ActiveSheet.ChartObjects("EstadoCasoPrueba").Activate
      ActiveChart.PivotLayout.PivotTable.PivotCache.Refresh
      ActiveChart.ChartArea.Copy
      .Sheets("Informe").Select
```

```
        Range("E28").Select
        ActiveSheet.Paste

    End With

End Sub
```

El tamaño y la posición de los diferentes gráficos se muestran en la siguiente tabla:

Gráfico	Left (Izquierda)	Top (Arriba)	Height (Alto)	Width (Ancho)
NumAnom	0	120	210	360
AnomProyectoPrioridad	0	330	210	360
EstadoCasoPrueba	360	120	210	360

✎ Utilice las propiedades **Left**, **Top**, **Height** y **Width** del objeto **Shape** para establecer el tamaño y la posición de los gráficos. Escriba las líneas siguientes antes de `End With` para dar formato a los gráficos en la hoja **Informe**.

```
        ActiveSheet.Shapes("NumAnom").Left = 0
        ActiveSheet.Shapes("NumAnom").Top = 120
        ActiveSheet.Shapes("NumAnom").Height = 210
        ActiveSheet.Shapes("NumAnom").Width = 360

        ActiveSheet.Shapes("AnomProyectoPrioridad").Left = 0
        ActiveSheet.Shapes("AnomProyectoPrioridad").Top = 330
        ActiveSheet.Shapes("AnomProyectoPrioridad").Height = 210
        ActiveSheet.Shapes("AnomProyectoPrioridad").Width = 360

        ActiveSheet.Shapes("EstadoCasoPrueba").Left = 360
        ActiveSheet.Shapes("EstadoCasoPrueba").Top = 120
        ActiveSheet.Shapes("EstadoCasoPrueba").Height = 210
        ActiveSheet.Shapes("EstadoCasoPrueba").Width = 360
```

✎ Elimine los elementos de la hoja **Informe** y, a continuación, pruebe la macro.

2. Número de pruebas por persona

El objetivo de este procedimiento es crear una tabla dinámica para ver cuántos casos de prueba están ejecutando los dos evaluadores. Esto creará un gráfico que se situará en el informe que se va a exportar.

Estos son los pasos que hay que dar en el procedimiento `Crear_TD`:

- En caso de que ya haya iniciado el procedimiento, debe poder eliminar la TD anterior.
- Crear la TD.
- Agregar un campo de datos.
- Agregar los ejes.
- Crear el gráfico.
- Colocar el gráfico en la hoja **Informe**.

Estas son las operaciones que se deben realizar:

- Cree el procedimiento `Crear_TD`.

```
Sub Crear_TD()
End Sub
```

- Elimine la TD antigua que estaba colocada en el rango **A100:E104** en la hoja **TD_GD**.

```
'Suprimir la antigua TD
ThisWorkbook.Sheets ("TD_GD").Activate
Range("A100:E104").Select
Selection.Clear
```

- Cree los datos en caché con el método `PivotCaches.Create`, que utiliza el origen de datos del rango `Ejec`. A partir de esta caché, cree la TD. El rango de destino es la celda **A100** (expresada en este contexto por su nombre `R100C1`, de fila (*Row*) 100, columna (*Column*) 1) de la hoja **TD_GD**.

```
'Crear la TD
ActiveWorkbook.PivotCaches.Create(SourceType:=xlDatabase,
SourceData:= "Ejec", Version:=6).CreatePivotTable
TableDestination:="TD_GD!R100C1", _
 TableName:="TD_EjecPorPersona", DefaultVersion:=6
```

- Agregue el campo **Prueba** como valor de la TD **TD_EjecPorPersona**.

```
'Agregar el campo Prueba en Valores
ActiveSheet.PivotTables("TD_EjecPorPersona").AddDataField
ActiveSheet.PivotTables("TD_EjecPorPersona").PivotFields("Prueba"),
"Número de pruebas", xlCount
```

- Coloque el campo **Evaluador** en la fila y el campo **Prioridad** en la columna.

```
'Agregar el campo Evaluador en filas
With
ActiveSheet.PivotTables("TD_EjecPorPersona").PivotFields("Evaluador")
    .Orientation = xlRowField
    .Position = 1
End With
'Agregar el campo Prioridad en columnas
With
ActiveSheet.PivotTables("TD_EjecPorPersona").PivotFields("Prioridad")
    .Orientation = xlColumnField
    .Position = 1
End With
```

- Acceda a la hoja **Informe** y, a continuación, cree un gráfico.

```
'Seleccionar la hoja Informe
Sheets("Informe").Activate
'Crear y seleccionar el gráfico
ActiveSheet.Shapes.AddChart.Select
```

- Agregue a modo de origen de datos la **TD TD_EjecPorPersona**.

```
'Agregar el origen de datos correspondiente a la TD TD_EjecPorPersona
ActiveChart.SetSourceData Source:=Range("TD_GD!$A$100:$E$104")
```

- Determine el estilo del gráfico como columnas apiladas en 3D.

```
'Gráfico de columnas apiladas en 3D
ActiveChart.ChartType = xl3DColumnStacked
```

En los gráficos anidados, el nombre del objeto lo lleva la forma primaria que abarca el gráfico.

- Asigne un nombre a la forma primaria del gráfico.

```
'Cambio del nombre de la forma primaria del gráfico
ActiveChart.Parent.Name = "GD_EjecPorPersona"
```

- Añada el título **Ejecución por persona**.

```
'Agregar título al gráfico
ActiveChart.SetElement (msoElementChartTitleAboveChart)
ActiveChart.ChartTitle.Text = "Ejecución por persona"
```

- Rellene los ejes y el contorno sobre un fondo negro estableciendo su propiedad de color en `RGB(0,0,0)`.

Cada color se define por una combinación de una escala de 0 a 255 de rojo (red), verde (green) y azul (blue). `RGB (0,0,0)` *corresponde al negro,* `RGB (255,255,255)` *corresponde al blanco.*

```
'Actualizar el color del eje
ActiveChart.Axes(xlCategory).TickLabels.Font.Color = RGB(0, 0, 0)
'Agregar un contorno y actualizar su color
With ActiveSheet.Shapes("GD_EjecPorPersona").Line
.Visible = msoTrue
.ForeColor.RGB = RGB(0, 0, 0)
.Transparency = 0
End With
```

✎ Termine posicionando el gráfico en la relación: izquierda 360, alto 330, y definiendo su tamaño: ancho 360, alto 210.

```
'Definir la posición y el tamaño del gráfico
ActiveSheet.Shapes("GD_EjecPorPersona").Top = 330
ActiveSheet.Shapes("GD_EjecPorPersona").Left = 360
ActiveSheet.Shapes("GD_EjecPorPersona").Height = 210
ActiveSheet.Shapes("GD_EjecPorPersona").Width = 360
```

El resultado del procedimiento es el siguiente:

```
Sub Crear_TD()
'Suprimir la antigua TD
ThisWorkbook.Sheets ("TD_GD").Activate
Range("A100:E104").Select
Selection.Clear
'Crear la TD
ActiveWorkbook.PivotCaches.Create(SourceType:=xlDatabase,
SourceData:="Ejec", Version:=6).CreatePivotTable
TableDestination:="TD_GD!R100C1", _
TableName:="TD_EjecPorPersona", DefaultVersion:=6
'Agregar el campo Prueba en Valores
ActiveSheet.PivotTables("TD_EjecPorPersona").AddDataField
ActiveSheet.PivotTables("TD_EjecPorPersona").PivotFields("Prueba"),
"Número de pruebas", xlCount
'Agregar el campo Evaluador en filas
With ActiveSheet.PivotTables("TD_EjecPorPersona").PivotFields("Evaluador")
 .Orientation = xlRowField
 .Position = 1
End With
'Agregar el campo Prioridad en columnas
With ActiveSheet.PivotTables("TD_EjecPorPersona").PivotFields("Prioridad")
 .Orientation = xlColumnField
 .Position = 1
End With
'Seleccionar la hoja Informe
Sheets("Informe").Activate
'Crear y seleccionar el gráfico
ActiveSheet.Shapes.AddChart.Select
'Agregar el origen de datos correspondiente a la TD TD_EjecPorPersona
ActiveChart.SetSourceData Source:=Range("TD_GD!$A$100:$E$104")
'Gráfico de columnas apiladas en 3D
```

```
ActiveChart.ChartType = xl3DColumnStacked
'Cambio del nombre de la forma primaria del gráfico
ActiveChart.Parent.Name = "GD_EjecPorPersona"
'Agregar título al gráfico
ActiveChart.SetElement (msoElementChartTitleAboveChart)
ActiveChart.ChartTitle.Text = "Ejecución por persona"
'Actualizar el color del eje
ActiveChart.Axes(xlCategory).TickLabels.Font.Color = RGB(0, 0, 0)
'Agregar un contorno y actualizar su color
With ActiveSheet.Shapes("GD_EjecPorPersona").Line
 .Visible = msoTrue
 .ForeColor.RGB = RGB(0, 0, 0)
 .Transparency = 0
End With
'Definir la posición y el tamaño del gráfico
ActiveSheet.Shapes("GD_EjecPorPersona").Top = 330
ActiveSheet.Shapes("GD_EjecPorPersona").Left = 360
ActiveSheet.Shapes("GD_EjecPorPersona").Height = 210
ActiveSheet.Shapes("GD_EjecPorPersona").Width = 360
End Sub
```

Ejecute la macro Crear_TCD para probarla.

3. Dar formato al informe

El propósito de dar formato es crear un procedimiento para agregar los cuadros de texto al informe. Los cuadros de texto son el título del gráfico que contiene la fecha de hoy, el número de anomalías en curso y el porcentaje de pruebas OK.

¿Cómo proceder?

Usaremos la grabación de macros para generar el código asociado a la creación de una forma (`Shape`) de tipo cuadro de texto (`TextBox`) con un estilo predefinido.

Una vez que se genera el código, se puede adaptar para generar los tres cuadros de texto.

Guardar la creación de un cuadro de texto

Para comenzar, guarde la creación del cuadro de texto con un estilo preestablecido azul acentuado.

Comience a grabar haciendo clic en el botón .

Aparecerá la ventana de grabación de macros.

- Escriba **Forma_texto** para el **Nombre de macro**.

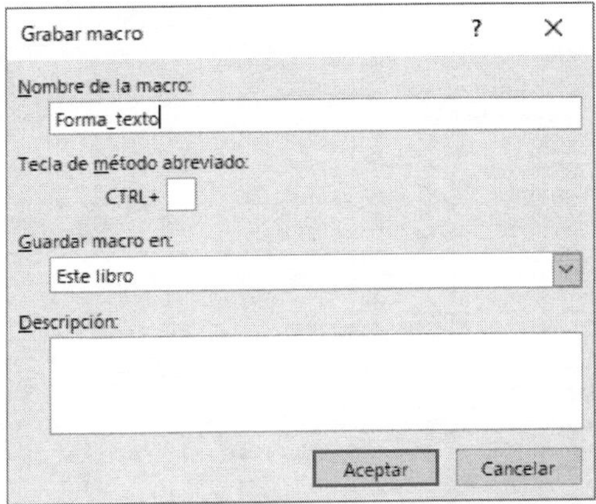

- Después de hacer clic en el botón **Aceptar**, vaya a la hoja **Informe**.
- En la pestaña **Insertar**, haga clic en **Ilustraciones** y, a continuación, elija **Formas**. En **Conceptos básicos**, haga clic en **Cuadro de texto**.

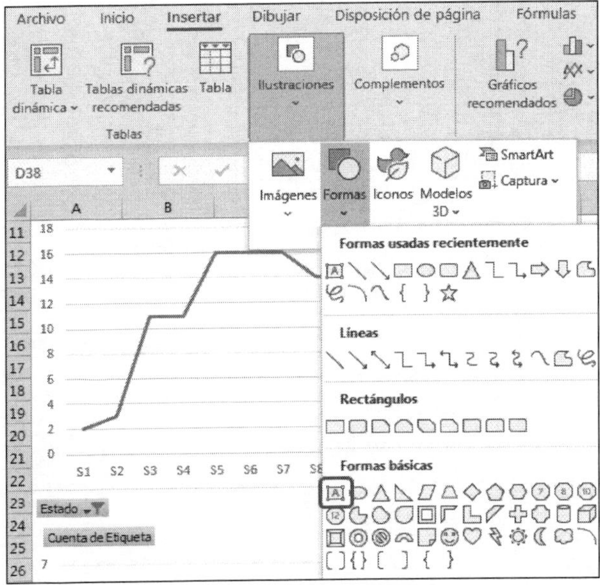

- Dibuje la forma aproximadamente en el área del informe del título (consulte el diagrama). El tamaño y la posición de la forma se retomarán en el código generado.

✎ Primero, cambie el **nombre de la forma** (1) a **Titulo_Informe**; luego, el **tamaño de fuente** (2) a **32** y, a continuación, cambie la **alineación del texto** (3) a **Centrar**.

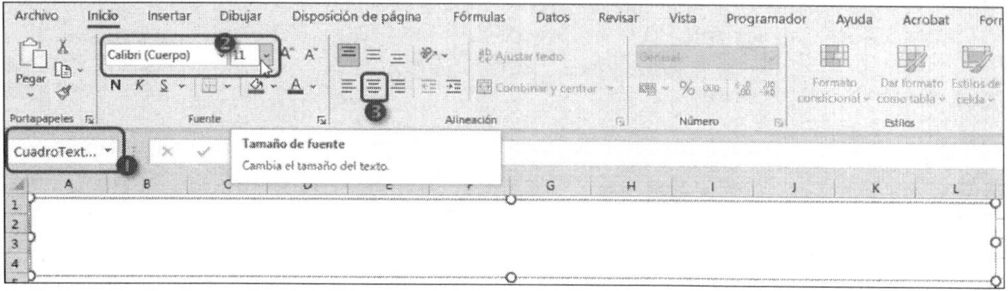

Aquí puede ver el resultado:

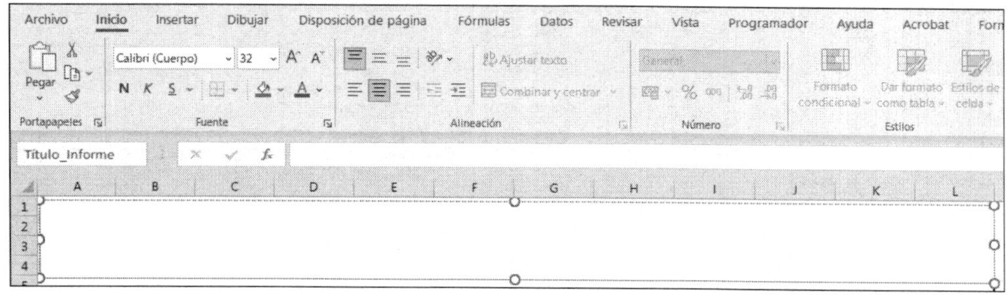

✎ Para cambiar el estilo de la forma, seleccione la forma recién creada y haga clic en la pestaña **Formato de forma**.

- En el área **Estilos de forma**, elija el estilo **Efecto intenso - Azul, Énfasis 1**.

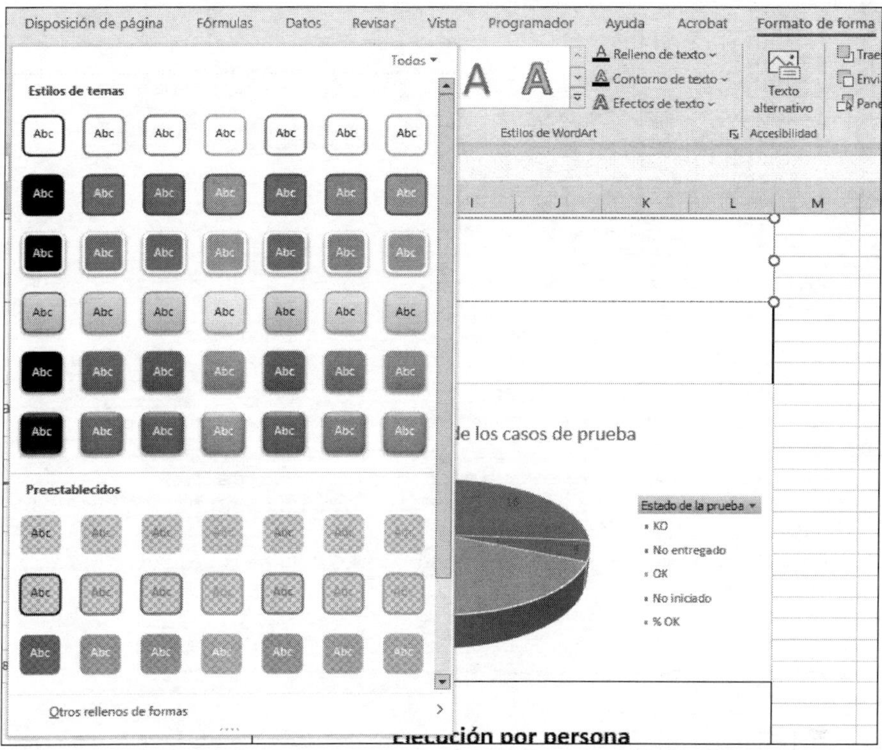

- Haga doble clic en la forma para escribir el texto **Título del gráfico**.

- Termine la grabación haciendo clic en el botón .
- Vaya al **editor de Visual Basic** y, más concretamente, al módulo que contiene el procedimiento **Forma_Texto**.

✎ Quite el código innecesario para obtener un procedimiento que contenga la siguiente información:

```
Sub Forma_Texto()
  'Crear el cuadro de texto: la información relacionada con la
posición no importa por ahora.
'La instrucción Select selecciona el textbox creado.

     ActiveSheet.Shapes.AddTextbox(msoTextOrientationHorizontal,
4.2857480315, _
        3.2142519685, 710.3570866142, 57.8571653543).Select
    'Atribuir nombre al gráfico
    Selection.ShapeRange(1).Name = "Titulo_Informe"
    'Cambiar tamaño del contenido
    Selection.ShapeRange(1).TextFrame2.TextRange.Font.Size = 32
    'Alinear al centro
    Selection.ShapeRange(1).TextFrame2.TextRange.ParagraphFormat.
Alignment = msoAlignCenter
    'Aplicar el estilo Efecto Intenso - Azul énfasis 1
    Selection.ShapeRange(1).ShapeStyle = msoShapeStylePreset37
    'Modificar el contenido del texto
    Selection.ShapeRange(1).TextFrame2.TextRange.Characters.Text = _
        "Título del gráfico"
    'Aplicar el color blanco al texto
    Selection.ShapeRange(1).TextFrame2.TextRange.Characters(1,
18).Font.Fill.ForeColor.ObjectThemeColor = msoThemeColorLight1
End Sub
```

Analizar el código generado

El código generado no gustaría a muchos programadores con una visión rigurosa de la programación porque este trozo no es muy «limpio»... Pero, para usted, el objetivo es aprender, y grabar es una muy buena manera.

- En primer lugar, `AddTextbox` es un método de `Worksheet.Shapes` que crea una forma de tipo Cuadro de texto (`TextBox`). Este método requiere tener orientación, posición y tamaño.

  `AddTextbox(`*`Orientation, Left, Top, Width, Height`*`)`

- El objeto ShapeRange es complicado de usar porque se trata de un intervalo de formas. La instrucción `Selection.ShapeRange`, en nuestro contexto, corresponde a nuestro cuadro de texto, ya que solo nuestro cuadro de texto está en la selección; si hay varias `shapes` en la selección, esto puede llevar a confusión en el código. Así, parece más apropiado utilizar el objeto `Shapes` que tiene como objeto padre `Worksheet`. Por consiguiente, `Worksheet.Shapes("NombreForma")` permite identificar con precisión la forma deseada.

- El estilo preestablecido está contenido en la propiedad `ShapeStyle` del objeto `Shape`.
- Para editar el estilo del texto, debe utilizar las propiedades contenidas en `Shapes.TextFrame2.TextRange`

Después de limpiar el código, está operativo para generar el título del informe con la fecha:

```
Sub Forma_Texto()
'Seleccionar la hoja Informe
ThisWorkbook.Sheets("Informe").Activate
'Crear el cuadro de texto
'Posición izquierda=0, alto=0, tamaño anchura: 720 altura: 60
ActiveSheet.Shapes.AddTextbox(msoTextOrientationHorizontal, 0, 0, 720,
60).Select
'Atribuir nombre al gráfico
Selection.ShapeRange.Name = "Titulo_Informe"
'Cambiar tamaño del contenido
ActiveSheet.Shapes("Titulo_Informe").TextFrame2.TextRange.Font.Size = 32
'Alinear al centro
ActiveSheet.Shapes("Titulo_Informe").TextFrame2.TextRange.ParagraphFormat
.Alignment = msoAlignCenter
'Modificar el contenido del texto con información de la fecha
ActiveSheet.Shapes("Titulo_Informe").TextFrame2.TextRange.Characters.Text
= "Informe de pruebas del " & Day(Now) & "/" & Month(Now) & "/" & Year(Now)
'Aplicar el estilo Efecto Intenso - Azul énfasis 1
ActiveSheet.Shapes("Titulo_Informe").ShapeStyle = msoShapeStylePreset37
'Aplicar el color blanco al texto
ActiveSheet.Shapes("Titulo_Informe").TextFrame2.TextRange.Characters.Font
.Fill.ForeColor.ObjectThemeColor = msoThemeColorLight1
End Sub
```

Añadir cuadros de texto para el número de anomalías y el porcentaje de pruebas OK

Ahora que el código para el título es correcto, basta con usar el mismo código con algunas adaptaciones.

✎ Copie y pegue el código creado para el título del informe y realice los siguientes cambios para crear el cuadro de texto que muestra el número de anomalías:

- El tamaño de fuente será 24 en lugar de 32.
- La posición será: izquierda 0, alto 60 (debajo del título) y el tamaño será anchura 360, altura 60.
- El número de anomalías recupera el valor de celda A81 de la hoja TD_GD.
- No se aplica ningún estilo.

El código resultante es el siguiente:

```
'Crear el cuadro de texto
ActiveSheet.Shapes.AddTextbox(msoTextOrientationHorizontal, 0, 60, 360,
60).Select
'Atribuir nombre al gráfico
Selection.ShapeRange.Name = "Num_Anom"
'Cambiar el tamaño del contenido
ActiveSheet.Shapes("Num_Anom").TextFrame2.TextRange.Font.Size = 24
'Alinear al centro
ActiveSheet.Shapes("Num_Anom").TextFrame2.TextRange.ParagraphFormat.
Alignment = msoAlignCenter
'Modificar el contenido texto con la celda A81
ActiveSheet.Shapes("Num_Anom").TextFrame2.TextRange.Characters.Text =
"Número de anomalías: " & Sheets("TD_GD").Cells(81, 1).Value
```

✎ Haga lo mismo para el cuadro de texto que muestra el número de pruebas correctas:

- El tamaño de fuente será 24 en lugar de 32.
- La posición será: izquierda 360 (junto al número de anomalías, alto 60 (debajo del título) y el tamaño será anchura 360, altura 60.
- El porcentaje de pruebas OK recupera el valor de la celda B91 de la hoja TD_GD, que contiene el porcentaje de pruebas OK que deberá multiplicarse por 100 y agregar el símbolo %.

Obtendrá el siguiente código:

```
'Código después de crear el cuadro de texto correspondiente al número
de anomalías
'Crear el cuadro de texto
ActiveSheet.Shapes.AddTextbox(msoTextOrientationHorizontal, 360, 60,
360, 60).Select
'Atribuir nombre al gráfico
Selection.ShapeRange.Name = "PruebaOK"
'Cambiar el tamaño del contenido
ActiveSheet.Shapes("PruebaOK").TextFrame2.TextRange.Font.Size = 24
'Alinear al centro
ActiveSheet.Shapes("PruebaOK").TextFrame2.TextRange.ParagraphFormat.
Alignment = msoAlignCenter
'Modificar el contenido del texto con la celda B91
ActiveSheet.Shapes("PruebaOK").TextFrame2.TextRange.Characters.Text =
"Porcentaje de pruebas OK: " & Sheets("TD_GD").Cells(91, 2).Value
* 100 & " %"
End Sub
```

✎ Elimine el cuadro de texto que contiene el título creado cuando se grabó la macro y, a continuación, ejecute la macro **Forma_Texto** para probarla.

4. Crear el informe de PowerPoint

El objetivo de este procedimiento es crear una presentación de PowerPoint y copiar todos los elementos del informe generado en la hoja de Excel **Informe** para, a continuación, pegarlos en la presentación de PowerPoint.

✎ Cree un procedimiento **Export_PPT**.

```
Sub Export_PPT()
End Sub
```

✎ En este procedimiento, cree una variable de tipo `Worksheet` que contenga la hoja **Informe**. Esto facilitará la copia de formas (`Shapes`) a la presentación de PowerPoint.

```
'Asignar la hoja a la variable WS
Dim WS As Excel.Worksheet
Set WS = ThisWorkbook.Sheets("Informe")
```

✎ Cree la aplicación de PowerPoint y, a continuación, cree una nueva presentación.

```
'Crear un objeto de aplicación de PowerPoint
Dim PptApp As Variant
Set PptApp = CreateObject("Powerpoint.Application")
'Crear una presentación de PowerPoint
Dim PptDoc As PowerPoint.Presentation
Set PptDoc = PptApp.Presentations.Add
```

✎ Asegúrese de que la presentación está en formato 4:3, ya que el informe definido en la hoja de Excel se realizó en este formato. Para ello, utilice la propiedad `SlideSize` de `PageSetup`.

```
'Formato de presentación en modo 4:3
PptDoc.PageSetup.SlideSize = ppSlideSizeOnScreen
```

✎ Coloque un bloque `With PptDoc ... End With` para no reescribir este fragmento de código muchas veces.

```
With PptDoc
End With
```

✎ Cree una diapositiva en blanco en la presentación.

```
'--- Agregar una diapositiva
.Slides.Add Index:=1, Layout:=ppLayoutBlank
```

✎ Use las variables Alto, Izquierda, Anchura, Altura de tipo número decimal para almacenar las posiciones y los tamaños de las diferentes formas (`Shapes`) que se han de copiar en la diapositiva de PowerPoint.

```
Dim Alto, Izquierda, Anchura, Altura As Double
```

- Haga un bucle de tipo `For ... Next` para examinar todas las formas incluidas en la hoja `WS` que corresponde a la hoja **Informe**. Así, será posible identificar cada forma con su número de índice `WS.Shapes(Index)`, donde `Index` es el elemento variable del bucle.

```
For i = 1 To WS.Shapes.Count
Next
```

- Dentro del bucle, asigne valores a las variables Alto e Izquierda.

```
Alto = WS.Shapes(I).Top
Izquierda = WS.Formas(I).Left
```

Solo se deben copiar las formas con una altura inferior a 540 y un valor a la izquierda inferior a 720. Las otras están fuera del informe.

Por ejemplo, los botones que se colocarán a la derecha del informe se consideran formas, pero no deben copiarse en la diapositiva.

```
If Alto < 540 And Izquierda < 720 Then
Enf If
```

Dentro de la instrucción condicional `If`:

- Asigne valores a las variables **Anchura** y **Altura**.
- Copie la forma de la hoja **Informe** del archivo de Excel.
- Péguela en la diapositiva de **PowerPoint**.

La diapositiva se identifica con el índice 1 porque es la única en la presentación. La forma se identificará en la diapositiva con su índice, que corresponde al número de formas en la diapositiva.

- Para evitar problemas de formato, se recomienda copiar y pegar elementos en la vista Imagen con un pegado especial (`PasteSpecial`), con el argumento `ppPasteMetafilePicture` que los transforma en una imagen.
- Asimismo, para evitar bloquear la proporcionalidad de la forma, atribuya el valor `msoFalse` a la propiedad `LockAspectRatio`.
- Cambie el tamaño y la posición de la forma recién creada en la diapositiva de PowerPoint.
- Cierre la instrucción condicional y el bucle.

```
For I = 1 To WS.Shapes.Count
Alto = WS.Shapes(I).Top
Izquierda = WS.Shapes(I).Left
If Alto < 540 And Izquierda < 720 Then
    Anchura = WS.Shapes(I).Width
    Altura = WS.Shapes(I).Height
    WS.Shapes(I).Copy
    .Slides(1).Shapes.PasteSpecial (ppPasteMetafilePicture)
    .Slides(1).Shapes(.Slides(1).Shapes.Count).LockAspectRatio = msoFalse
```

```
    .Slides(1).Shapes(.Slides(1).Shapes.Count).Top = Alto
    .Slides(1).Shapes(.Slides(1).Shapes.Count).Left = Izquierda
    .Slides(1).Shapes(.Slides(1).Shapes.Count).Width = Anchura
    .Slides(1).Shapes(.Slides(1).Shapes.Count).Height = Altura
End If
Next
```

El procedimiento es el siguiente:

```
Sub Export_PPT()
'Asignar la hoja a la variable WS
Dim WS As Excel.Worksheet
Set WS = ThisWorkbook.Sheets("Informe")
'Crear un objeto de aplicación de PowerPoint
Dim PptApp As Variant
Set PptApp = CreateObject("Powerpoint.Application")
'Crear una presentación de PowerPoint
Dim PptDoc As PowerPoint.Presentation
Set PptDoc = PptApp.Presentations.Add
'Formato de presentación 4:3
PptDoc.PageSetup.SlideSize = ppSlideSizeOnScreen
Dim i As Integer

With PptDoc
'--- Agregar una diapositiva
.Slides.Add Index:=1, Layout:=ppLayoutBlank
Dim Alto, Izquierda, Anchura, Altura As Double
For I = 1 To WS.Shapes.Count
Alto = WS.Shapes(I).Top
Izquierda = WS.Shapes(I).Left
If Alto < 540 And Izquierda < 720 Then
   Anchura = WS.Shapes(I).Width
   Altura = WS.Shapes(I).Height
   WS.Shapes(I).Copy
   .Slides(1).Shapes.PasteSpecial (ppPasteMetafilePicture)
   .Slides(1).Shapes(.Slides(1).Shapes.Count).LockAspectRatio = msoFalse
   .Slides(1).Shapes(.Slides(1).Shapes.Count).Top = Alto
   .Slides(1).Shapes(.Slides(1).Shapes.Count).Left = Izquierda
   .Slides(1).Shapes(.Slides(1).Shapes.Count).Width = Anchura
   .Slides(1).Shapes(.Slides(1).Shapes.Count).Height = Altura
End If
Next

.SaveAs Filename:=ThisWorkbook.Path & "\" & "Informe_Prueba_" & Year(Now)
& Month(Now) &Day(Now) & ".pptx"
'Cerrar la presentación
.Close
End With
'Cerrar PowerPoint
PptApp.Quit
End Sub
```

- Ejecute la macro para probarla. El archivo de PowerPoint se crea en la misma carpeta que el libro de Excel.

5. Operar con archivos guardados en OneDrive o SharePoint

En principio, esta sección trata sobre aspectos que debe cumplir el código VBA para garantizar la compatibilidad al usar OneDrive o SharePoint, que son soluciones en la nube (en línea) de Microsoft.

Como recordatorio, el propósito de este libro es el aprendizaje del lenguaje VBA y la experiencia en el uso de Excel. Recuerde que solo podrá manejar estas macros y programas de VBA accediendo a la pestaña **Programador** de Excel. Sin embargo, estas solo son accesibles en un archivo guardado en su PC. En otras palabras, las macros en VBA no se pueden usar en un archivo de OneDrive almacenado en línea: ¡tendrá que crear una copia en su ordenador!

La pregunta que se plantea es, pues: ¿cómo puede programar y automatizar en VBA un archivo guardado en su espacio de OneDrive?

Una solución es descargar e instalar OneDrive para Windows en su PC.

Para su información, esta aplicación ya está presente en Windows desde la versión 10.

Esto se debe a que esta aplicación descarga una copia de su espacio de OneDrive (en línea) a una carpeta llamada OneDrive, creada en el disco duro de su PC. Este directorio está en perfecta sincronización con todos sus datos, archivos y carpetas guardados de su espacio en línea OneDrive.

Las consecuencias son que cualquier adición, modificación o eliminación de archivos o carpetas en el espacio en línea de OneDrive se agregará, modificará o eliminará, respectivamente, en su carpeta OneDrive (de su PC) y viceversa (de su PC a OneDrive).

La instalación de este ecosistema de OneDrive en su PC puede causar un mal funcionamiento al usar macros que pertenecen a archivos antiguos recién copiados en la carpeta de OneDrive. De hecho, ¡no hay compatibilidad con versiones anteriores para algunas funciones de VBA!

Supongamos que recupera un archivo antiguo que incluye macros en VBA no guardadas inicialmente en OneDrive y debe mutar todos sus datos a un entorno de OneDrive en su PC. Se le ocurre copiar este archivo a la carpeta OneDrive (como recordatorio, carpeta de su PC sincronizada con el Cloud OneDrive) para poder usarlo.

Sin embargo, al utilizar las macros VBA en este archivo de Excel, se da cuenta de algunos errores de ejecución.

Si este es el caso, debe modificar el código VBA de estas macros para que sean 100 % funcionales.

En conclusión, es necesario pensar cuidadosamente sobre las consecuencias antes de pasar a un entorno OneDrive sincronizado... Sobre todo si tiene que manejar uno o más archivos antiguos con macros que ha estado usando durante algún tiempo porque, por desgracia, ¡no necesariamente serán compatibles!

En definitiva, hemos redactado esta sección precisamente para proponer soluciones, no exhaustivas, destinadas a resolver estos problemas que a veces podemos encontrarnos en este contexto, y más precisamente cuando se trata de administrar, a través de VBA, la ruta OneDrive de un archivo en su PC.

Consecuencias en la ruta (.Path) de un archivo de Excel guardado en OneDrive o SharePoint

Como recordatorio, el desarrollo lógico que sigue en este párrafo es válido si y solo si tiene una carpeta de tipo OneDrive en su PC en perfecta sincronización con la nube de Microsoft (OneDrive o SharePoint para el caso), como se explicó en el párrafo anterior.

En la sección anterior (trabajar con PowerPoint para hacer una copia de seguridad del archivo de informe de PowerPoint), pudo poner en práctica el código siguiente:

```
PptDoc.SaveAs Filename:=ThisWorkbook.Path & MiArchivo.pptx
```

Aquí se utiliza la propiedad `Path` del objeto `ThisWorkbook`. Esta devuelve la ruta del archivo `ThisWorkbook` (correspondiente al archivo donde está escrito este código VBA) guardado en su PC.

La ruta devuelta de este modo se puede dividir en dos partes:
Prefijo «&» Su_estructura_PC

Sin embargo, hay dos tipos de «Prefijo»:

- El que se conocerá en el resto de esta parte como **DOS**. Este último en realidad comienza con "`C:\...`" (en este ejemplo, se indica el disco C, pero podría haber sido otro disco: D, E..., O...) y sigue siendo perfectamente compatible con cualquier operación en las carpetas de Windows de tipo **DOS**; he aquí un ejemplo: "`C:\Usuarios\Nombre_Usuario\OneDrive\ENI`". Además, observamos que todos los directorios están separados, cada uno, por el carácter \, llamado barra invertida o backslash.
- Y el que se llamará en el resto de esta parte **URL**. Este último comienza, esta vez, con "`https://...`". Desafortunadamente, sigue siendo incompatible con algunas operaciones de VBA con carpetas de Windows de tipo **DOS**. Los invito a observar el siguiente ejemplo: https://d.docs.live.net/ID_OneDrive/ENI. Para este tipo de ruta, observamos que todos los directorios están separados, esta vez, por el carácter /, llamado barra o slash.

Además, si `.Path` devuelve el tipo **URL**, eso significa que su archivo se guarda en su PC, pero en perfecta sincronización con uno de los sistemas en la nube de Microsoft: OneDrive o SharePoint.

De lo contrario, si se devuelve el tipo **DOS**, este archivo se guarda en el PC sin conexión con la nube de Microsoft.

Observe que, para el tipo URL, como hemos visto, se usan las barras / y no las barras invertidas \.Esto puede dar lugar a errores de compatibilidad en algunos casos si se realiza una mezcla de / y \ en el nombre de una ruta. He aquí un ejemplo:
https://d.docs.live.net/ID_OneDrive\ENI

Para comprobar si la ruta enviada por `ThisWorkbook.Path` es compatible con **DOS**, es posible utilizar el objeto `FileSystemObject`.

Manejar nombres de archivos y rutas de acceso de DOS

Para facilitar el trabajo con nombres de archivos y carpetas, es posible que se requiera un objeto `FileSystemObject`. A continuación, es necesario crear un objeto de tipo Scripting `FileSystemObject`.

```
Dim o ArchivoSystem As Variant
Set oArchivoSystem = CreateObject("Scripting.FileSystemObject")
```

Una vez creado el objeto Scripting `FileSystemObject` que hemos denominado `oArchivoSystem` aquí, es posible consultar si existe o no una carpeta o directorio con la propiedad `.FolderExists`.

Este primer ejemplo muestra cómo comprobar la existencia de la ruta `Carpeta`. La instrucción `oArchivoSystem.FolderExists(Folder)` devolverá `True` si el directorio Carpeta existe, o `False` en caso contrario.

```
'Usar el miembro FolderExists del objeto oArchivoSystem
If oArchivoSystem.FolderExists(Carpeta) = True Then
  'Instrucción si la carpeta "Carpeta" existe
Else
  'Instrucción si "Carpeta" no existe o es, por ejemplo, de tipo "URL"
como:
'https://d.docs.live.net/ID_OneDrive/ENI
End If
```

Este segundo ejemplo comprueba la existencia del archivo `Archivo`. La instrucción `oArchivoSystem.FileExists(Archivo)` devolverá `True` si el archivo `Archivo` existe, o `False` en caso contrario.

```
'Usar el miembro FileExists del objeto oArchivoSystem
If oArchivoSystem.FileExists(Archivo) = True Then
  'Instrucción si el archivo "Archivo" existe
Else
  'Instrucción si "Archivo" no existe o es, por ejemplo, de tipo "URL"
como:
'https://d.docs.live.net/ID_OneDrive/ENI/MiArchivo.pptx
End If
```

Si en el procedimiento definido anteriormente en este capítulo, denominado `Export_PPT()`, desea comprobar que el informe de PowerPoint del día ya existe para evitar regenerarlo por error, entonces el uso de la instrucción `oArchivoSystem.FileExists(Archivo)` aplicada correctamente es realmente pertinente.

De hecho, aquí debemos reemplazar la variable `Archivo` por:

```
ThisWorkbook.Path & "\" & "Informe_Prueba_" _
& Year(Now) & Month(Now) &Day(Now) & ".pptx"
```

Y he aquí el código que le permite salir del procedimiento con `Exit Sub`, si ya ha creado el informe de PowerPoint del día y no desea sobreescribirlo volviendo a ejecutar la macro:

```
If oArchivoSystem.FileExists(ThisWorkbook.Path & "\" & "Reporting_Test_"
_ & Year(Now) & Month(Now) &Day(Now) & ".pptx") = True Then
If MsgBox("El archivo ya existe. ¿Desea sobreescribirlo e iniciar de
nuevo el informe de PowerPoint del día?", vbYesNo, "Solicitud de
confirmación, por favor") = vbNo Then
      Exit Sub
   End If
End If
```

Veamos juntos ahora un pequeño análisis de los tipos DOS vs URL.

Análisis del tipo DOS

Este tipo representa el caso en el que el archivo **Enunciado_4-DEF.xlsm** se guarda en una carpeta del PC que no está sincronizada con la nube de MicroSoft (es decir, ni OneDrive ni SharePoint).

✎ Haga clic con el botón derecho en el archivo y seleccione **Propiedades**.

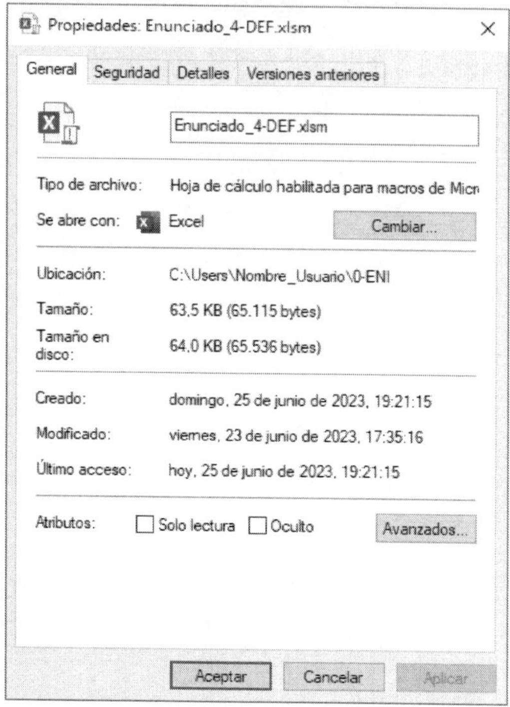

En el campo **Ubicación** se ha escrito, en este ejemplo, la ruta del archivo **Enunciado_4-DEF.xlsm**: «C:\Users\Nombre_Usuario\0-ENI».

Ahora, observe el siguiente código:

```
Sub sFolder()
    MsgBox ThisWorkbook.Path
End Sub
```

Esto es lo que ve cuando lo ejecuta.

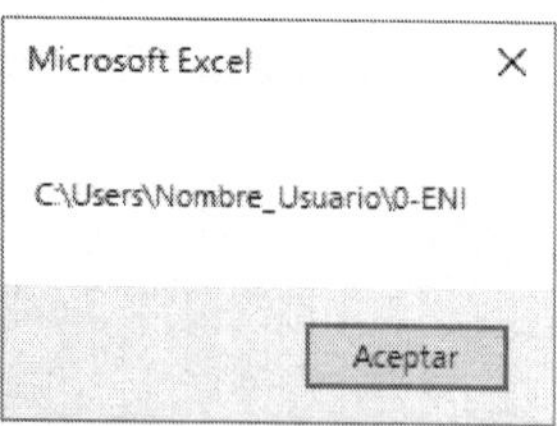

El cuadro de diálogo **MsgBox** muestra la misma ruta que la ubicación de la ventana **Propiedades** anterior: también es de tipo **DOS**.

Esta es la ruta que aparece: «`C:\Users\Nombre_Usuario\0-ENI`».

Análisis del tipo URL

Aquí, el archivo **Enunciado_4-DEF.xlsm** se ha guardado esta vez en la carpeta OneDrive de su PC (podría haber sido una carpeta de tipo SharePoint). Esta carpeta, como recordatorio, está en perfecta sincronización con la nube de Microsoft.

Ahora, observe las **Propiedades** de este archivo guardado de esta manera:

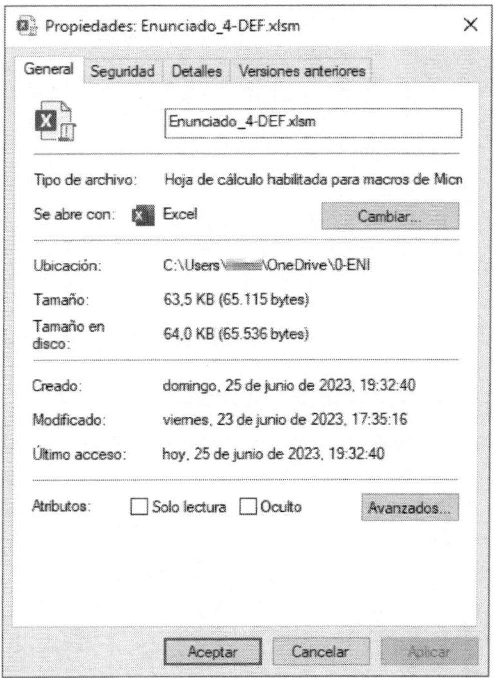

En el campo **Ubicación** también se escribe, en este ejemplo, una ruta de acceso de tipo DOS para el archivo **Enunciado_4-DEF.xlsm**: «C:\Users\Nombre_Usuario\OneDrive\0-ENI».

Sin embargo, con el mismo código que antes, esto es lo que aparece para este caso en el cuadro de diálogo **MsgBox**:

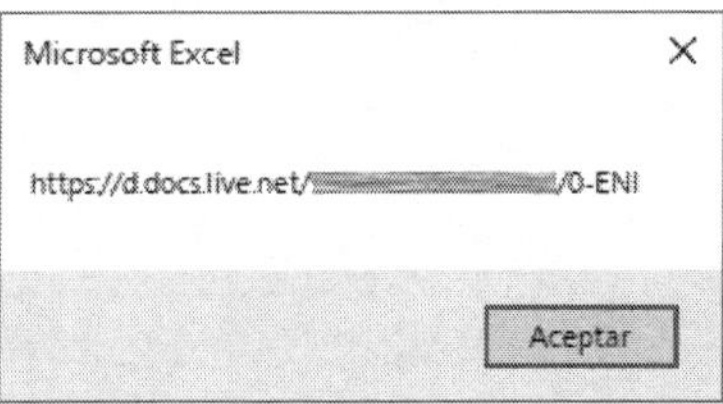

En este caso, el cuadro de diálogo muestra ¡una ruta de tipo URL!

Después de la primera parte, `https://d.docs.live.net/`, se muestra una combinación de números y letras correspondiente al ID de OneDrive; luego, `/0 -ENI`: «`https://d.docs.live.net/Identificador_OneDrive/0-ENI`».

Así, se puede ver que esta última ruta, o directorio, o ubicación, es de tipo URL, ya que empieza por `"https://`.

Además, la siguiente instrucción: `oArchivoSystem.FolderExists("https://d.docs.live.net/Identificador_OneDrive/0-ENI")` devolverá `False`.

De hecho, como se vio anteriormente, aquí la ruta es de tipo URL y, por lo tanto, no es compatible con la instrucción `oArchivoSystem.FolderExists`, que solo funciona con rutas de tipo DOS.

Por lo tanto, es necesario crear una función que devuelva siempre una ruta de tipo DOS, incluso aunque la ruta introducida en sus parámetros sea de tipo URL.

Usar la función fConvertRutaEnDos

Esta función debe:

- recuperar como parámetro una ruta de acceso en forma de cadena de caracteres (`String`);
- analizar esta cadena de caracteres para determinar si es de tipo DOS o URL;
- si es de tipo DOS, esta función devolverá la ruta indicada como parámetro sin ninguna modificación;
- si es de tipo URL, esta función transformará la ruta especificada al tipo DOS y la devolverá transformada;
- de lo contrario, si no es de tipo URL ni DOS, esta función devolverá un mensaje de error que explique el problema encontrado.

✎ Comience creando la función:

```
Function fConvertRutaEnDos As String
End Function
```

Esta función debe reemplazar los separadores de barra / específicos del tipo URL por el separador barra invertida \ específico del tipo DOS. Para ello se requiere la instrucción `Replace`.

Instrucción Replace

La instrucción `Replace` se utiliza, en una cadena de caracteres, para reemplazar una cadena de caracteres (o carácter) por otra (u otro).

A continuación, se indican los distintos parámetros que solicita la instrucción `Replace`.

```
Replace (texto, valor_a_reemplazar, valor_reemplazador, inicio,
número_de_iteraciones, mayusculas_minusculas)
```

Donde: `inicio`, `número_de_iteraciones` y `mayusculas_minusculas` son valores opcionales:

- `inicio` = 1 de forma predeterminada, si inicio es mayor que 1, entonces `Replace` reemplazará todos los valores a partir del carácter de `inicio` y eliminará todos los caracteres anteriores.
- `número_de_iteraciones` = infinito por defecto: todos los `valor_a_reemplazar` del texto serán reemplazados por los `valores_reemplazadores`. Puede limitar el número de reemplazos asignando un número entero de iteraciones.
- `mayúsculas_minusculas` = 0 de forma predeterminada: los reemplazos se llevan a cabo respetando las minúsculas/mayúsculas; establezca el valor en 1 para que el reemplazo no distinga entre mayúsculas y minúsculas.

Ejemplos de aplicación

Con texto = "`https://d.docs.net/tipo/`"

- Sin ningún valor opcional:

```
VariableTexto = Replace("https://d.docs.net/tipo/", "/", "\") '
VariableTexto será igual a "https:\\d.docs.net\tipo\"
```

- Lo mismo, pero con una letra; aquí "N" no existe en el texto:

```
VariableTexto = Replace("https://d.docs.net/tipo/", "N", "O") '
VariableTexto será igual a "https://d.docs.net/tipo/"
```

- Con `inicio` = 3 y `número_de_iteraciones` = 2

```
VariableTexto = Replace("https://d.docs.net/tipo/", "t", "*", 3, 2) '
VariableTexto será igual a "*ps://d.docs.ne*/tipo/"
```

- Con mayusculas_minusculas = 0 y, dado que "N" no existe en el texto, no se reemplazará

```
VariableTexto = Replace("https://d.docs.net/tipo/", "N", "O", , ,0) '
VariableTexto será igual a "https://d.docs.net/tipo/"
```

- Con mayusculas_minusculas = 1, no se respetará la distinción entre mayúsculas y minúsculas: así, incluso si "N" no existe, "n" (el equivalente en minúsculas de "N") será reemplazado por "*"

```
VariableTexto = Replace("https://d.docs.net/tipo/", "N", "*", , ,1) '
VariableTexto será igual a "https://d.docs.*et/tipo/"
```

Para poder reemplazar el prefijo de tipo **URL** (como: "https://d.docs.live.net/ID_OneDrive/ENI") por un prefijo de tipo **DOS** (como: "C:\Users\Nombre_Usuario\ENI"), la instrucción `Environ()` sigue siendo necesaria. A continuación se detallan las aplicaciones concretas:

La instrucción Environ:

La instrucción `Environ` se utiliza en programación avanzada de VBA, que no es el propósito de este libro. Sin embargo, permite encontrar las variables del sistema de un PC y, para ello, solo tendrá que conocer los tres usos siguientes:

```
RutaOneDrive = Environ("OneDrive")

RutaOneDrive = Environ("OneDriveConsumer")

RutaSharePoint = Environ("OneDriveComercial")
```

Esto es lo que hay que recordar:

- `Environ("OneDrive")` y `Environ("OneDriveConsumer")` devuelven los valores de la ruta de acceso al PC de tipo **DOS** para la nube OneDrive y,
- `Environ("OneDriveComercial")` devuelve los valores de la ruta de acceso al PC de tipo **DOS** para la nube SharePoint,

Así, las variables previamente definidas `RutaOneDrive` y `RutaSharePoint` tendrán como valor finalmente una cadena de caracteres de tipo "`C:\Users\nombre_usuario\OneDrive...`" perfectamente compatible con el procesamiento de tipo **DOS**.

Instrucción Application.PathSeparator:

La instrucción `Application.PathSeparator` devuelve el separador de directorios, independientemente del sistema utilizado (Windows o MAC). Aquí, será la barra invertida \, que corresponde al entorno de Windows (tipo **DOS**).

Además, para recuperar «*Su_estructura_en_árbol_PC*» de la ruta enviada por `ThisWorkbook.Path`, debe crear una función que se llamará `fRestante` en este ejemplo.

Función fRestante:

La función `fRestante` debe recuperar tres variables como parámetros:

- `sCadena`: es la cadena de caracteres que se va a analizar.
- `sTerminoABuscar`: es la cadena de caracteres que se busca.
- `iNumVeces`: es el número entero de veces que tendrá que buscar `sTerminoABuacar` en `sCadena`, comenzando desde la izquierda; una vez encontrado, la función `fRestante` devolverá la cadena de caracteres restante a la derecha (o «*Su_estructura_en_árbol_PC*» para este ejemplo).

Aquí podemos ver el código:

```
Function fRestante(sCadena As String, sTerminoABuscar As String,
iNumVeces As Integer) As String
    'Función que devuelve el resto de sCadena después de encontrar el
sTerminoABuscar iNumVeces veces
    Dim i As Integer
    For i = 1 To iNumVeces
        sCadena = Mid(sCadena, InStr(sCadena, sTerminoABuscar) + 1)
        'En cada iteración, sCadena recupera su parte a la derecha
del i_ésimo sTerminoABuscar
    Next i
    fRestante = sCadena
End Function
```

Finalmente, he aquí la función que convertirá cualquier ruta al tipo DOS.

Función fConvertRutaEnDos():

```
Function fConvertRutaEnDos(sRutaInit As String) As String
  'Función que convierte cualquier ruta en tipo DOS
  Dim sRuta As String, sSep As String, sRaizDrive As String
  Dim oArchivoSystem As Variant
  Set oArchivoSystem = CreateObject("Scripting.FileSystemObject")
    'Recuperar como parámetro la ruta de acceso sRutaInit en forma de cadena
    'de caracteres (String) ;
    'Analizar sRutaInit para determinar si es de tipo "DOS" o "URL" ;
    'Si es de tipo "DOS", esta función enviará la ruta de acceso indicada
    'como parámetro sin ninguna modificación ;
    sSep = Application.PathSeparator
    'sSep = \ si entorno de tipo DOS, / si no ;

    If oArchivoSystem.FolderExists(sRutaInit) = True Then
      '1: OK, la ruta existe en el PC => NO HACER NADA EN ESTE CASO ;-)
      fConvertRutaEnDos = sRutaInit

    Else
      sRuta = Replace(sRutaInit, "/", sSep)

      If InStr(1, sRutaInit, "d.docs.live.net") <> 0 Then
        '2: OK, la ruta es de tipo OneDrive (o OneDriveConsumer)

        If Environ("OneDrive") <> "" Then
            '2.1: OneDrive gestiona: reemplazar
          '"https://d.docs.live.net/Identificador_OneDrive/"
por Environ("OneDrive")
            sRaizDrive = Environ("OneDrive")

        ElseIf Environ("OneDriveConsumer") <> "" Then
          '2.2: También gestiona OneDrive: reemplazar
          '"https://d.docs.live.net/Identificador_OneDrive/" por
Environ("OneDriveConsumer")
          sRaizDrive = Environ("OneDriveConsumer")
        End If
```

```
        sRuta = fRestante(sRuta, sSep, 4)
       ' => Restan solo los caracteres a la derecha de los 4 primeros sSep
        fConvertRutaEnDos = sRaizDrive & sSep & sRuta

      ElseIf InStr(1, sRutaInit, "my.sharepoint.com") <> 0 Then
        '3: OK, la ruta es de tipo SharePoint

        If Environ("OneDriveComercial") <> "" Then
          'Esta vez gestiona SharePoint
"https://MiEmpresa-my.sharepoint.com/NombreSitio/MiSitio/Directorio/
          sRaizDrive = Environ("OneDriveComercial")
          sRuta = fRestante(sRuta, sSep, 6)
       ' => Restan solo los caracteres a la derecha de los 6 primeros sSep
        End If

        fConvertRutaEnDos = sRaizDrive & sSep & sRuta

      Else
        '4: No es una ruta válida, ni URL ni DOS
        MsgBox "La ruta no es válida"
        Exit Function

      End If

    End If

End Function
```

Además, para `Export_PPT()`, cuyo procedimiento se escribe a continuación, es interesante comprobar si el archivo definido por (`ThisWorkbook.Path & "\" & "Reporting_Test_" & Year(Now) & Month(Now) &Day(Now) & ".pptx"`) existe o no, antes de sobreescribirlo o detener el procedimiento `Export_PPT()`. Esta parte del código se escribe después del término AGREGADO en el siguiente procedimiento.

El procedimiento `Export_PPT` compatible con OneDrive es el siguiente:

```
Sub Export_PPT()

' => AGREGADO: Crear una variable "DOS" para la ruta del archivo .pptx
Dim sArchivoPPTX As String
' => AGREGADO: Crear un objeto "Scripting.FileSystemObject"
Dim oArchivoSystem As Variant
Set oArchivoSystem = CreateObject("Scripting.FileSystemObject")
' => AGREGADO: verificar la existencia del archivo ...pptx
sArchivoPPTX = fConvertRutaEnDos(ThisWorkbook.Path) & "\" &
"Informe_Prueba_" & Year(Now) & Month(Now) & Day(Now) & ".pptx"

If oArchivoSystem.FileExists(sArchivoPPTX) = True Then
  If MsgBox("El archivo ya existe. ¿Desea sobreescribirlo e iniciar de nuevo el
informe de PowerPoint del día?", vbYesNo, "Solicitud de confirmación, por favor")
= vbNo Then
    Exit Sub
  End If
End If
```

```
'Asignar la hoja a la variable WS
Dim WS As Excel.Worksheet
Set WS = ThisWorkbook.Sheets("Informe")
'Crear un objeto de aplicación de PowerPoint
Dim PptApp As Variant
Set PptApp = CreateObject("Powerpoint.Application")
'Crear una presentación de PowerPoint
Dim PptDoc As PowerPoint.Presentation
Set PptDoc = PptApp.Presentations.Add
'Formato de presentación 4:3
PptDoc.PageSetup.SlideSize = ppSlideSizeOnScreen
' => AJOUT : Création indice i
Dim i As Integer

' => Puede efectuarse el tratamiento
With PptDoc
'--- Agregar una diapositiva
.Slides.Add Index:=1, Layout:=ppLayoutBlank
Dim Alto, Izquierda, Anchura, Altura As Double
For i = 1 To WS.Shapes.Count
Alto = WS.Shapes(i).Top
Izquierda = WS.Shapes(i).Left
If Alto < 540 And Izquierda < 720 Then
    Anchura = WS.Shapes(i).Width
    Altura = WS.Shapes(i).Height
    WS.Shapes(i).Copy
    .Slides(1).Shapes.PasteSpecial (ppPasteMetafilePicture)
    .Slides(1).Shapes(.Slides(1).Shapes.Count).LockAspectRatio = msoFalse
    .Slides(1).Shapes(.Slides(1).Shapes.Count).Top = Alto
    .Slides(1).Shapes(.Slides(1).Shapes.Count).Left = Izquierda
    .Slides(1).Shapes(.Slides(1).Shapes.Count).Width = Anchura
    .Slides(1).Shapes(.Slides(1).Shapes.Count).Height = Altura
End If
Next i

.SaveAs Filename:=sArchivoPPTX
'Cerrar la presentación
.Close
End With
'Cerrar PowerPoint
PptApp.Quit
End Sub

Function fRestante(sCadena As String, sTerminoABuscar As String, iNumVeces
As Integer) As String
    'Función que devuelve el resto de sCadena tras haber encontrado el
sTerminoABuscar iNumVeces veces
    Dim i As Integer
    For i = 1 To iNumVeces
        sCadena = Mid(sCadena, InStr(sCadena, sTerminoABuscar) + 1)
    Next i
    fRestante = sCadena
End Function
```

6. Finalizar

El objetivo de este último procedimiento es realizar todas las acciones descritas hasta el momento y asociarlo con un botón que se ha de crear en la hoja **Informe**.

Creación de un procedimiento para ejecutar todos los procedimientos creados

Este procedimiento deberá:

- Eliminar todos los elementos del informe actual.
- Iniciar los diferentes procedimientos.

Primero, cree el procedimiento:

```
Sub ProcedimientoCompleto
End Sub
```

Para eliminar todas las formas del informe, hay que hacer un bucle sobre el conjunto de las formas de la hoja **Informe**. Sin embargo, hay que tener cuidado con no eliminar formas que están fuera del área del informe.

Para ello, dentro del bucle debe crear una instrucción condicional `If` que permita no eliminar las formas cuya altura sea mayor de 540 o cuya anchura sea mayor de 720.

Para eliminar la forma actual, utilice el método `Delete`.

```
Sheets("Informe").Select
For each SH In ActiveSheet.Shapes
If SH.Top < 540 And SH.Left < 720 then
SH.Delete
En If
Next
```

A continuación, utilice los diferentes procedimientos con la instrucción `Call`:

- Procedimiento para actualizar, copiar y pegar los gráficos.
- Procedimiento para crear la TD en el número de pruebas ejecutadas por evaluador.
- Procedimiento para crear las formas de texto.
- Procedimiento para exportar las formas en PowerPoint.

```
Call ACT_Copia_GD
Call Crear_TD
Call Forma_Texto
Call Export_PPT
MsgBox "Operación finalizada."
```

Y aquí tiene el código completo del procedimiento `ProcedimientoCompleto`:

```
Sub ProcedimientoCompleto()
Dim Sh As Shape
Sheets("Informe").Select
For Each Sh In ActiveSheet.Shapes
    If Sh.Top < 540 And Sh.Left < 720 Then
        Sh.Delete
    End If
Next
Call ACT_Copia_GD
Call Crear_TD
Call Forma_Texto
Call Export_PPT
MsgBox "Operación finalizada."

End Sub
```

Creación del botón de acción

El objetivo es crear un botón que desencadene el procedimiento `ProcedimientoCompleto`.

- Colóquese en la hoja **Informe**.
- En la pestaña **Programador**, haga clic en **Insertar** y, a continuación, haga clic en **Botón** en **Controles de formulario**.

- Coloque el botón a la derecha del informe.

Una vez creado el botón, aparece la ventana de asignación de macros.

✎ Asigne la macro `ProcedimientoCompleto` al botón que acaba de crear.

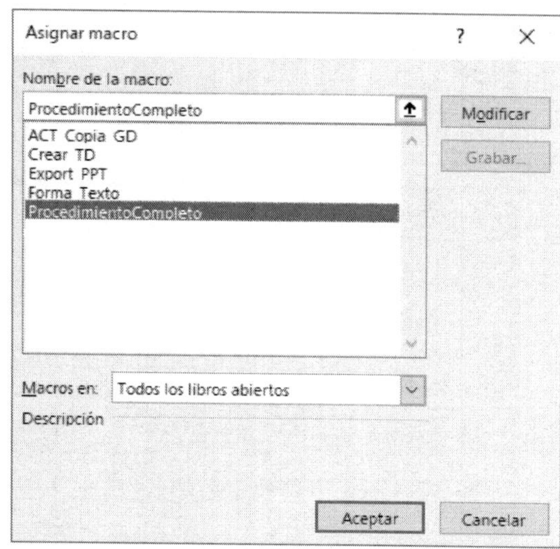

✎ Termine haciendo clic en **Aceptar** y cambie el nombre del botón a **Generar y exportar**.

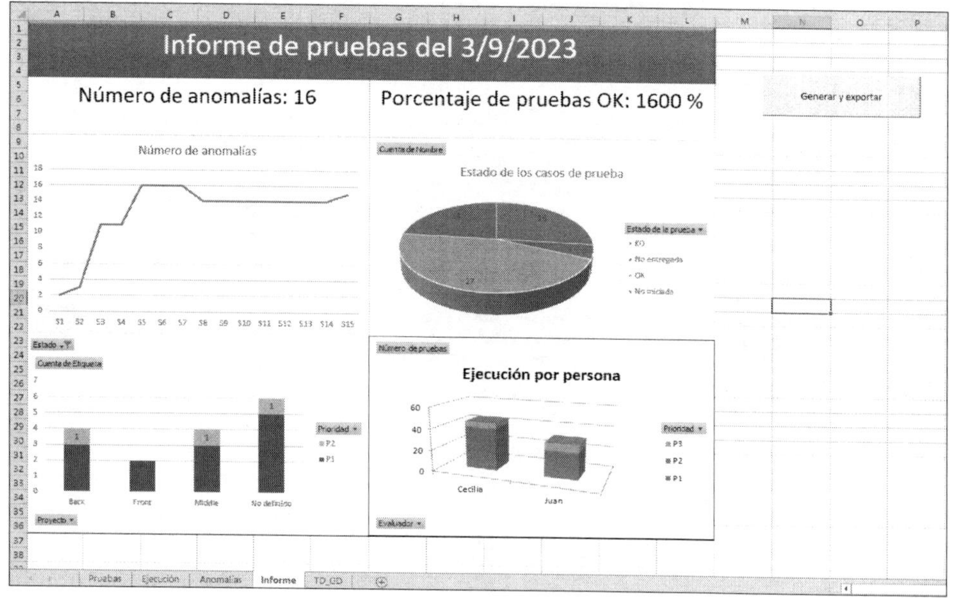

✎ Haga clic en el botón para ejecutar la macro `ProcedimientoCompleto`.

Capítulo 5

Gestión de los empleados

A. Cálculo de duración y horario: descripción del ejemplo

1. Descripción general del ejemplo

El objetivo de este ejemplo es llevar a cabo la planificación del proyecto informático del portal de clientes de la empresa **BolEni** con los recursos humanos a su disposición. Se debe completar un conjunto de tareas para entregar el proyecto.

Recursos humanos

Cada recurso tiene un puesto: manager, diseñador, desarrollador o evaluador.

Cada recurso ha indicado su disponibilidad durante el período comprendido entre el 01/04/2022 y el 30/06/2022.

Tareas

Cada tarea se considera completada cuando se ha consumido el número de días por recurso. Comienzan cuando se han realizado las tareas anteriores y terminan cuando se han asignado los recursos necesarios.

Objetivo

El objetivo es determinar la fecha más temprana para terminar el proyecto en función de la disponibilidad de los recursos humanos. También se solicitará tener una representación gráfica de esta fecha de finalización.

2. Descripción general del archivo

El archivo **Enunciado_5-ABC.xlsm** consta de dos hojas: **Planning** y **Tareas**.

<u>Hoja Planning</u>

- La hoja **Planning** contiene la lista de recursos humanos (columna A) que participan en el proyecto.
- Cada recurso tiene su propia posición (columna B).
- Cada recurso indica su disponibilidad para cada día marcando con una equis (X) la celda correspondiente a la fecha (a partir de la columna C).

	A	B	C	D	E	F	G	H	I
1	Núm Fechas	91	Núm Recursos	23					
2	Fila Tarea	4	3	3					
3	Recursos humanos	Posición	01/04/2022	02/04/2022	03/04/2022	04/04/2022	05/04/2022	06/04/2022	07/04/2022
4	Recurso 1	Manager	X			X	X	X	X
5	Recurso 2	Manager							
6	Recurso 3	Diseñador				X		X	X
7	Recurso 4	Diseñador	X			X	X		X
8	Recurso 5	Diseñador	X					X	
9	Recurso 6	Desarrollador				X			
10	Recurso 7	Desarrollador							

- El rango de celdas de disponibilidad de recursos **C4:CO26** se denomina **Planning**.
- El rango de celdas de vacaciones situado en **CQ4:CQ6** se llama **Festivos**.
- La celda **B1** se utiliza para averiguar el número de fechas contenidas en la hoja de **Planning**. Como recordatorio, la primera fecha se encuentra en la celda **C3** (01/04/2022); las otras fechas se colocan consecutivamente en la fila 3. Para contar el número de fechas, se cuenta el número de celdas con una fecha según la siguiente fórmula: `=CONTAR.SI(3:3;">01/01/2000")`.
- La celda **D1** se utiliza para averiguar el número de recursos contenidos en la hoja **Planning**. Como recordatorio, el primer recurso se encuentra en la celda **A4** (Recurso 1); los otros recursos se colocan consecutivamente en la columna A. Para contar el número de recursos, cuente el número de celdas no vacías de la columna A del que se deben restar las celdas no vacías que no contienen recursos. La fórmula es: `=CONTAR.SI(A:A;"<>")-3` (hay 3 celdas no vacías que no contienen recursos en la columna A, **A1:A3**).
- Las celdas B2, C2, D2 permiten el cálculo de costes. Se detallarán durante la realización del ejemplo.

Hoja Tareas

La hoja **Tareas** contiene la lista de tareas que hay que realizar, entre las que se cuentan:

- el número de días por puesto requerido (columnas B a E);
- las tareas anteriores que deben completarse antes de iniciar la tarea en cuestión (columna F);
- la fecha de inicio (columna G);
- la duración (columna H);
- la fecha de finalización (columna I);
- el planning en forma de diagrama de Gantt (desde la columna J).

	A	B	C	D	E	F	G	H	I	J	K	L	M	N	O
3		Manager	Diseñador	Desarrollador	Evaluador	Tarea anterior	Fecha de inicio mínima	Duraci	Fecha de fin	01/04/2022	02/04/2022	03/04/2022	04/04/2022	05/04/2022	06/04/2022
4	Tarea 1	3	17	4	0		01/04/2022		01/04/2022						
5	Tarea 2	6	13	4	1	Tarea 1									
6	Tarea 3	4	2	20	5	Tarea 1									
7	Tarea 4	9	10	33	12	Tarea 3									
8	Tarea 5	6	2	27	20	Tarea 4									
9	Tarea 6	3	3	17	18	Tarea 4									
10	Tarea 7	3	0	11	17	Tarea 6, Tarea 5									
11	Tarea 8	2	0	8	19	Tarea 7									
12															

El área del diagrama de Gantt **J4:CV11** se denomina **Tareas**.

Visual Basic

En la parte de Visual Basic del proyecto, se ha creado un módulo que contiene una función para calcular si el día forma parte de la lista de días festivos: `EsFestivo(fecha)`.

3. Funcionalidades

Las funcionalidades de este ejemplo incluyen:

- Calcular la duración de cada tarea.
- Establecer un diagrama de Gantt.

B. Cálculo de la duración y del planning: conceptos del curso

1. Fórmulas de fecha

Las fórmulas de fecha permiten realizar operaciones con fechas: sumar/contar días, encontrar el final del mes...

<u>Calcular el número de días laborables entre dos fechas</u>

La función `DIAS.LAB` permite calcular el número de días laborables entre dos fechas.

La sintaxis es la siguiente:

```
=DIAS.LAB(fecha_inicial; fecha_final; [vacaciones])
```

- `Fecha_inicial`: corresponde a la fecha de inicio de la serie.
- `Fecha_final`: corresponde a la fecha de finalización de la serie.
- `Vacaciones`: corresponde a un número de días festivos o a un rango que contiene días festivos. El argumento es opcional.

<u>Ejemplo:</u>

Cálculo del número de días laborables entre el 15 de diciembre de 2021 y el 31 de diciembre de 2021. El argumento es el día festivo del 25 de diciembre de 2021.

Resultado: el número de días laborables es 13.

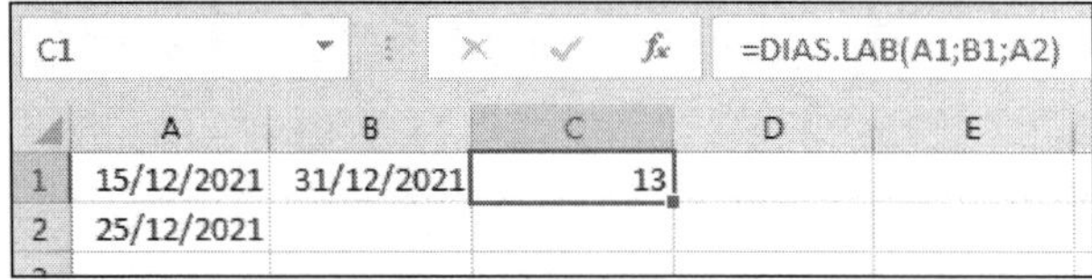

<u>Agregar un número de días laborables a una fecha</u>

La función `DIA.LAB` devuelve un número que representa una fecha que corresponde a una fecha (fecha de inicio) a partir de la cual se suma o resta el número especificado de días laborables.

La sintaxis es la siguiente:

```
=DIA.LAB(fecha_inicial; días; [vacaciones])
```

- `Fecha_inicial`: es la fecha base para el cálculo.
- `Días`: el número de días que se van a agregar a la fecha base.
- `Vacaciones`: corresponde a un número de días festivos o a un rango que contiene días festivos. El argumento es opcional.

Ejemplo: agregue 25 días hábiles a partir del 15 de diciembre de 2021.

Los días festivos son el 25 de diciembre de 2021 y el 1 de enero de 2022. Es posible mostrar un día festivo que no está en el rango (por ejemplo, agregar el 1 de mayo no impediría calcular la fecha del 19 de enero de 2022).

C1 =DIA.LAB(A1;B1;A2:A3)

	A	B	C	D	E
1	15/12/2021	25	19/01/2022		
2	25/12/2021				
3	01/01/2022				

Cálculo de fin de mes

La fórmula `FIN.MES` se utiliza para saber el último día del mes de una fecha determinada. También es posible agregar un número de meses para añadir.

La sintaxis de la fórmula es la siguiente:

```
=FIN.MES(fecha;número_meses)
```

- `Fecha`: Corresponde a la fecha de inicio del cálculo.
- `Número_meses`: es el número de meses que hay que añadir a la fecha para calcular el final del mes.

Ejemplo:

	A	B	C	D
1	**Fecha**	**Consigna**	**Resultado**	**Fórmula utilizada**
2	15/12/2021	Fin de mes	31/12/2021	=FIN.MES(A2;0)
3	15/12/2021	60 días fin de mes	28/02/2022	=FIN.MES(A3+60;0)
4	15/12/2021	Fin de mes en 3 meses	31/03/2022	=FIN.MES(A4;3)
5	15/12/2021	1.er día mes siguiente	01/01/2022	=FIN.MES(A5;0)+1

a. Formato condicional avanzado

El formato condicional puede tomar formas más complejas de lo que se había visto anteriormente. Esto se debe a que es posible basar la visualización del formato condicional en fórmulas condicionales.

El siguiente ejemplo destaca en amarillo y en negrita los números pares:

	A	B	C
1	**2**	3	**8**
2	**4**	1	5
3	9	**6**	7

Formulario condicional para dar formato

La fórmula condicional dará como resultado TRUE o FALSE. Cuando el resultado de la fórmula es TRUE, se aplica el formato condicional; si el resultado de la fórmula es FALSE, no se aplica el formato condicional.

La fórmula debe ser única para todo el rango: en un rango A1:C3, debe adaptarse tanto a A1 como a C3.

En este ejemplo, daremos formato a las celdas que contengan un número par.

- Seleccione el rango de celdas **A1:C3**.
- En la pestaña **Inicio**, grupo **Estilos**, haga clic en **Formato condicional** y, en el menú, haga clic en **Nueva regla**.

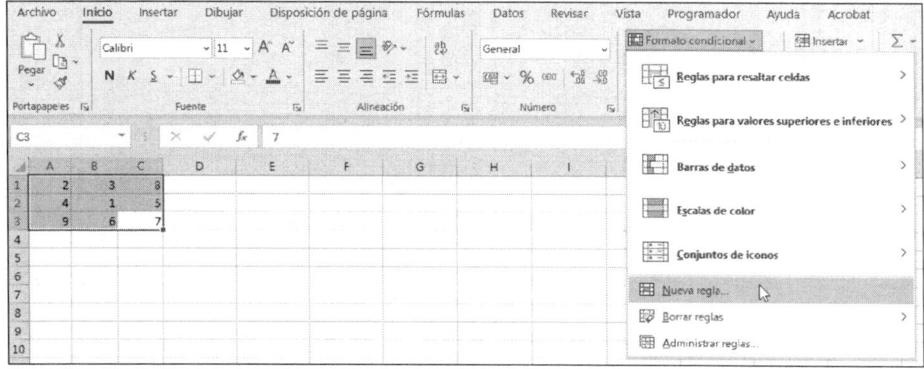

Aparecerá la ventana **Nueva regla de formato**.

- Haga clic en **Utilice una fórmula que determine las celdas para aplicar formato**:

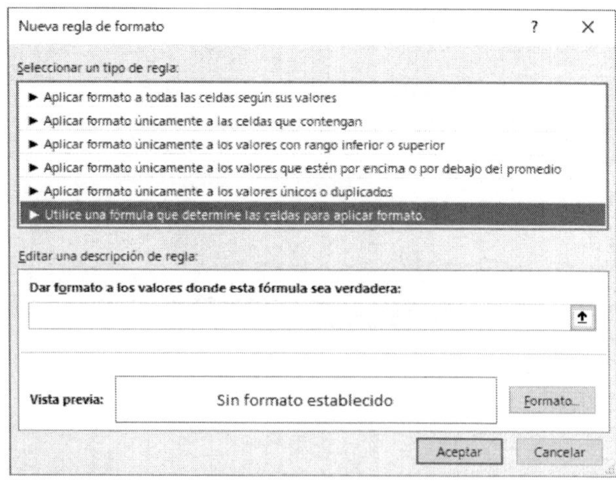

En la zona **Dar formato a los valores donde esta fórmula sea verdadera**, escriba la fórmula que desea aplicar:

=ES.PAR(A1)

- Añada un formato: aquí, estilo en negrita y fondo amarillo.

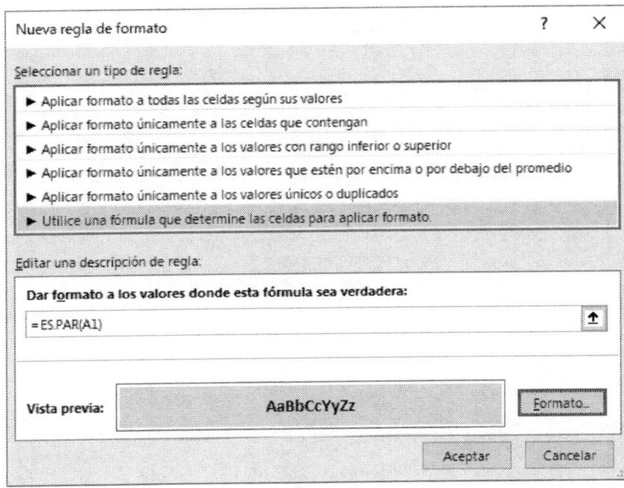

- Haga clic en **Aceptar**.
- Haga clic en **Formato condicional** y, a continuación, haga clic en **Administrar reglas** para acceder a la ventana **Administrador de reglas de formato condicionales**.
- En el cuadro **Mostrar reglas de formato para**, seleccione **Esta hoja**.

  En el cuadro **Se aplica a**, el intervalo seleccionado es **A1:C3**.

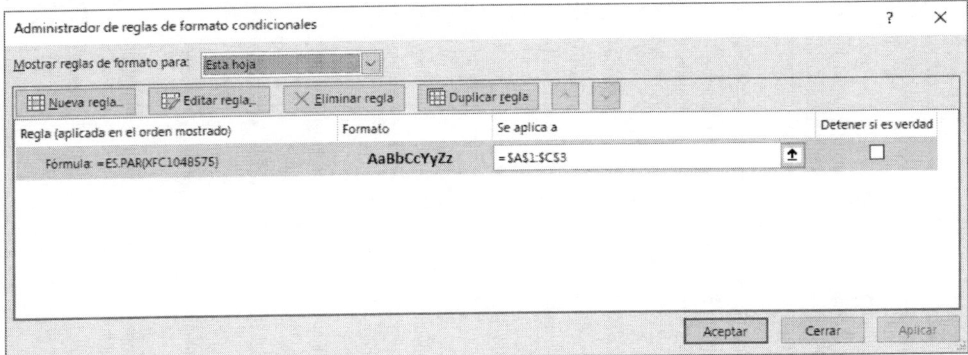

El resultado es el siguiente:

	A	B	C
1	2	3	8
2	4	1	5
3	9	6	7

Si en la fórmula `=ES.PAR(A1)` *congelamos la columna (*`=ES.PAR($A1)`*), entonces obtendremos el siguiente resultado:*

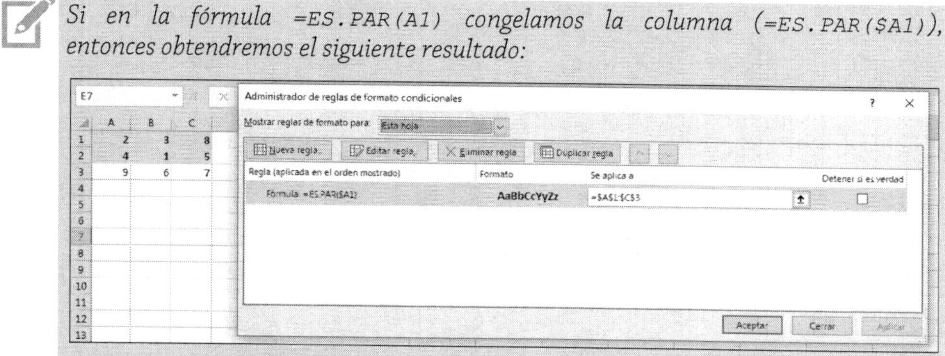

En este caso, las celdas B1, B2 y C2 se vuelven amarillas porque las celdas A1 y A2 son pares (no se prueban las celdas B1, B2 o C2, sino solo las celdas de la columna A, donde A1 y A2 cumplen el criterio).

C. Cálculo de la duración y del planning: realización del ejemplo

Abra el archivo Enunciado_5-ABC.xlsm.

1. Cálculo de la duración de cada tarea

Fecha de inicio y fecha de finalización

En la hoja **Tareas**, la duración de cada tarea se calculará en la columna H; en cualquier caso, ya es posible definir la estructura del diagrama de Gantt.

- Columna G: la fecha de inicio mínima es la fecha de finalización de la tarea anterior + 1.
- Columna I: La fecha de finalización es la fecha de inicio a la que se añade la duración.

E	F	G	H	I	J
Evaluador	Tarea anterior	Fecha de inicio mínima	Duración	Fecha de fin	01/04/2022
0		01/04/2022		01/04/2022	
1	Tarea 1				
5	Tarea 1				
12	Tarea 3				
20	Tarea 4				
18	Tarea 4				
17	Tarea 6, Tarea 5				
19	Tarea 7				

Para la columna G, no hay una fórmula particular; debe tratar cada fila individualmente:

- Para la fecha de inicio de las tareas 2 y 3, tome la fecha de finalización de la tarea 1 y agregue 1.
- La fecha de inicio de la tarea 4 corresponde a la fecha de finalización de la tarea 3 más 1 día.
- La fecha de inicio de las tareas 5 y 6 corresponde a la fecha de finalización de la tarea 4 más 1 día.
- La fecha de inicio de la tarea 7 corresponde a la fecha de finalización más alejada entre las tareas 5 y 6.
- Finalmente, la fecha de inicio de la tarea 8 corresponde a la fecha de finalización de la tarea 7 más 1 día.

✎ Introduzca las fórmulas siguientes:

Tarea anterior	Fecha de inicio mínima	Duración	Fecha de fin
	44652		
Tarea 1	=I4+1		
Tarea 1	=I4+1		
Tarea 3	=I6+1		
Tarea 4	=I7+1		
Tarea 4	=I7+1		
Tarea 6, Tarea 5	=MAX(I8:I9)+1		
Tarea 7	=I10+1		

Para la fecha de finalización, agregue la duración a la fecha de inicio y use la fórmula `DIA.LAB`:

✎ Seleccione el rango I4:I11.

✎ Pulse la tecla F2 para editar la fórmula de la celda I4.

✎ Introduzca en la celda =DÍA.LAB(G4;H4;Festivos) y pulse las teclas Ctrl ↵ al mismo tiempo para aplicar la fórmula a todo el rango.

=DIA.LAB(G11;H11;Festivos)

F	G	H	I	J
Tarea anterior	Fecha de inicio mínima	Duración	Fecha de fin	01/04/2022
	01/04/2022		01/04/2022	
Tarea 1	02/04/2022		02/04/2022	
Tarea 1	02/04/2022		02/04/2022	
Tarea 3	03/04/2022		03/04/2022	
Tarea 4	04/04/2022		04/04/2022	
Tarea 4	04/04/2022		04/04/2022	
Tarea 6, Tarea 5	05/04/2022		05/04/2022	
Tarea 7	06/04/2022		06/04/2022	

Calcular el tiempo necesario

En primer lugar, es necesario recuperar el número de recursos disponibles por negocio y por día. Con la fórmula CONTAR.SI.CONJUNTO podremos contar el número de recursos que han indicado su disponibilidad por puesto.

✎ En la hoja **Planning**, introduzca los diferentes elementos debajo de la tabla (rango B27:B30):

	A	B
26	Recurso 23	Evaluador
27		Manager
28		Diseñador
29		Desarrollador
30		Evaluador

✎ Seleccione todo el rango C27:CO30.

✎ La fórmula va a ser un CONTAR.SI.CONJUNTO con dos criterios: que el elemento del recurso en B4:B26 sea igual al elemento en el rango B27:B30 y que la celda del rango sea igual a
X: =CONTAR.SI.CONJUNTO($B$4:$B$26;$B27;C$4:C$26;"X")

✎ Pulse las teclas Ctrl ↵ simultáneamente para aplicar la fórmula a todo el rango.

C27 =CONTAR.SI.CONJUNTO($B$4:$B$26;$B27;C$4:C$26;"X")

	A	B	C	D	E	F	G	H	I	J	K	L	M	N	O	P	Q	R	S	T	U	V	W	X	Y	Z
13	Recurso 10	Desarrollador											X				X			X	X					
14	Recurso 11	Desarrollador																								
15	Recurso 12	Desarrollador								X			X	X	X	X	X									
16	Recurso 13	Desarrollador				X		X	X	X			X	X							X	X	X	X		
17	Recurso 14	Desarrollador								X			X	X							X	X	X	X		
18	Recurso 15	Desarrollador																					X			
19	Recurso 16	Desarrollador											X	X	X	X	X					X				
20	Recurso 17	Evaluador								X			X								X		X	X		
21	Recurso 18	Evaluador																								
22	Recurso 19	Evaluador				X	X	X	X				X	X	X	X	X				X	X				
23	Recurso 20	Evaluador				X	X	X	X							X	X				X	X				
24	Recurso 21	Evaluador					X		X																	
25	Recurso 22	Evaluador							X	X			X	X	X									X		
26	Recurso 23	Evaluador					X	X																		
27		Manager	1	0	0	1	1	1	1	1	0	0	1	1	1	1	1	0	0	1	1	1	1	1	0	0
28		Diseñador	2	0	0	2	1	2	2	2	0	0	1	2	3	0	0	0	0	1	0	1	0	1	0	0
29		Desarrollador	0	0	0	3	1	2	1	4	0	0	7	6	4	4	7	0	0	5	7	6	5	3	0	0
30		Evaluador	0	0	0	2	4	3	4	2	0	0	3	2	2	2	2	0	0	0	3	2	1	2	0	0

	A	B	AA	AB	AC	AD	AE	AF	AG	AH	AI	AJ	AK	AL	AM	AN	AO	AP	AQ	AR	AS	AT	AU	AV	AW	AX	AY	AZ	BA	BB
13	Recurso 10	Desarrollador	X	X	X	X	X							X			X	X	X	X	X				X			X		
14	Recurso 11	Desarrollador	X	X	X																									
15	Recurso 12	Desarrollador															X	X	X	X	X				X	X	X			
16	Recurso 13	Desarrollador		X		X	X				X									X	X					X				
17	Recurso 14	Desarrollador					X					X		X					X							X	X	X		
18	Recurso 15	Desarrollador	X	X	X						X	X					X	X	X	X				X			X	X		
19	Recurso 16	Desarrollador									X	X						X	X	X				X		X	X	X		
20	Recurso 17	Evaluador				X	X				X	X					X	X	X	X				X						
21	Recurso 18	Evaluador		X	X		X				X	X						X									X			
22	Recurso 19	Evaluador									X	X									X				X	X	X	X		
23	Recurso 20	Evaluador		X	X							X		X				X	X						X	X	X	X		
24	Recurso 21	Evaluador			X	X					X	X						X	X						X	X	X	X		
25	Recurso 22	Evaluador			X	X					X	X						X	X	X				X		X				
26	Recurso 23	Evaluador					X					X		X				X	X							X	X	X		
27		Manager	1	1	1	1	1	0	0	0	1	1	0	1	0	0	0	0	1	1	2	0	0	1	0	2	1	1	0	0
28		Diseñador	2	3	2	2	1	0	0	0	0	3	0	0	0	0	2	2	0	1	1	0	0	0	1	2	2	1	0	0
29		Desarrollador	6	7	6	3	4	0	0	0	5	5	0	3	0	0	4	5	7	8	5	0	0	4	5	7	6	5	0	0
30		Evaluador	0	2	4	3	3	0	0	0	5	7	0	2	0	0	1	6	5	2	1	0	0	2	3	5	5	4	0	0

Distribución de los recursos por tareas

Con objeto de contar el tiempo necesario para completar una tarea, debe crear un procedimiento que recorra cada una de las tareas del proyecto:

- Que cuente el número de recursos necesarios por puesto.
- Recorra todos los días desde la fecha de inicio de la tarea para determinar a partir de qué momento es posible completar la tarea.
- Incluya la duración en la columna H de la hoja **Tareas**.

Cree el procedimiento:

- Abra **VBA**.
- Al principio de cada módulo, aquí **Módulo1**, verá la instrucción `Option Explicit` para no olvidar declarar una variable, y así controlarlas todas.
- En **Módulo1**, cree un procedimiento nuevo `CalcularDuracion`.

```
Sub CalcularDuracion
End sub
```

- El procedimiento se aplicará en ambas hojas, por lo que debe crear dos variables de objeto para cada una de ellas. Esto facilitará la navegación entre las hojas del código.

```
'Declarar las variables de hojas y asignar el valor
Dim FTareas, FPlanning As Worksheet
Set FTareas = ActiveWorkbook.Sheets("Tareas")
Set FPlanning = ActiveWorkbook.Sheets("Planning")
```

- Luego declare las diferentes variables que serán útiles para calcular la duración.

```
'Declarar las variables de contador para cada puesto
Dim NumManager, NumDisenador, NumDesarrollador, NumEvaluador As Integer
'DuracionMax será la variable que almacenará la duración máxima para los 4
puestos; la duración relativa almacenará la duración máxima para un puesto
Dim DuracionMax, DuracionRelativa As Integer
'Valor esperado para cada puesto
Dim ValorEsperado As Integer
'Fecha de inicio de la tarea
Dim FechaInicio As Date
```

Anidar bucles

En el ejemplo, debe revisar los datos disponibles en la hoja Planning para calcular el tiempo que lleva completar una tarea. Hay 8 tareas, 4 puestos y 90 días; por lo tanto, es necesario anidar tres bucles:

- Bucle en las tareas

El bucle en las tareas le permitirá pasar de la fila 4 a la fila 11 en la hoja **Tareas**. En cada iteración del bucle, deben restablecerse los valores esperados para cada tarea: número de días necesarios para cada uno de los puestos, fecha de inicio de la tarea.

- Bucle en los puestos

Para cada tarea, se debe recuperar el número de recursos disponibles por día. Por lo tanto, debe pasar de la fila 27 a la fila 30 en la hoja **Planning**.

- Bucle en las fechas

Una vez definidas las tareas y los puestos, se debe pasar por todas las fechas del proyecto en la hoja **Planning**. Por lo tanto, es necesario pasar de la columna 3 a la columna 93 de la hoja **Planning**.

- Estructura

```
For Fila = 4 To 11
   For Puesto = 27 To 30
      For Columna = 3 To 93
      Next
   Next
Next
```

Dentro del bucle de las tareas, inicialice los valores de las variables para el resto del cálculo:

```
    'inicializar los valores
    DuracionMax = 0
    ' almacenar en la variable el número de días por puesto
necesarios para realizar la tarea
    NumManager =  FTareas.Cells(Fila, 2).Value
    NumDisenador =  FTareas.Cells(Fila, 3).Value
    NumDesarrollador =  FTareas.Cells(Fila, 4).Value
    NumEvaluador =  FTareas.Cells(Fila, 5).Value
    'Fecha desde la que buscar recursos disponibles
    FechaInicio = CDate(FTareas.Cells(Fila, 7).Value)
```

✎ En el bucle **Puesto**, se define un valor esperado para cada puesto correspondiente al número. También es necesario inicializar la duración relativa para cada puesto, es decir, la duración total necesaria para consumir todos los recursos requeridos para un puesto.

```
        'Inicializar la duración máxima relativa
        DuracionRelativa = 0
        'Inicializar el valor esperado
        Select Case Puesto
        Case 27
        ValorEsperado = NumManager
        Case 28
        ValorEsperado = NumDisenador
        Case 29
        ValorEsperado = NumDesarrollador
        Case 30
        ValorEsperado = NumEvaluador
        End Select
```

En el bucle de los días, es necesario revisar todas las fechas para descontar la cantidad de recursos disponibles para el puesto. Antes que nada, es necesario verificar si la fecha cumple con los siguientes criterios:

- No es un fin de semana: uso de la fórmula `Weekday(Fecha, param_inicio_semana)`. Si `param_inicio_semana` es igual a 2, significa que el número del día se calculará a partir del lunes. Por lo tanto, el sábado y el domingo tomarán los valores 6 y 7, respectivamente.
- No es un día festivo: utilice la función `EsFestivo`, ya disponible en el módulo. La función devuelve `TRUE` si es un día festivo o `FALSE` si no lo es.
- No es inferior a la fecha de inicio: si la fecha de inicio de la tarea aún no es efectiva, no es posible recuperar el número de recursos disponibles ese día.

✎ Introduzca el siguiente código:

```
For Columna = 3 To 93
        FechaEnCurso = CDate(FPlanning.Cells(3, Columna).Value)
        'controlar si se ha superado la fecha de inicio
        If FechaEnCurso >= FechaInicio And Weekday(FechaEnCurso, 2)
< 6 Or EsFestivo(CStr(FechaEnCurso)) Then
    End If
  Next
```

Si la fecha cumple las condiciones, hay que deducir del valor esperado (`ValorEsperado`), los recursos disponibles para el puesto y la fecha actual (`FechaEnCurso`).

Si el valor esperado es negativo o cero, la duración debe calcularse con la función `WorksheetFunction.NetWorkDays(inicio,fin,días festivos)`, que corresponde a la función `DÍAS.LAB` en VBA.

Si esta duración relativa (`DuracionRelativa`) calculada para este puesto es mayor que la duración máxima actual (`DuracionMax`), la duración máxima actual (`DuracionMax`) será igual a la duración relativa (`DuracionRelativa`).

Una vez que se obtiene la duración máxima para un puesto, el programa abandona el bucle con la instrucción `Exit For`.

```
ValorEsperado = ValorEsperado - FPlanning.Cells(Puesto, Columna).Value
          If ValorEsperado <= 0 Then
            DuracionRelativa = WorksheetFunction.NetworkDays (FechaInicio,
FechaEnCurso, Range("Festivos"))
            If DuracionRelativa > DuracionMax Then
               DuracionMax = DuracionRelativa
            End If
            Exit For
          End If
```

Antes de pasar a la nueva tarea (antes del `Next` del bucle en las filas de tareas), actualice la duración como el valor `DuracionMax`.

```
FTareas.Cells(Fila, 8).Value = DuracionMax
```

El resultado del procedimiento es el siguiente:

```
Sub CalcularDuracion()
'Declarar las variables de hojas y asignar el valor
Dim FTareas, FPlanning As Worksheet
Set FTareas = ActiveWorkbook.Sheets("Tareas")
Set FPlanning = ActiveWorkbook.Sheets("Planning")
'Declarar las variables de contador para cada puesto
Dim NumManager, NumDisenador, NumDesarrollador, NumEvaluador As Integer
'DuracionMax será la variable que almacenará la duración máxima para los
4 puestos; la duración relativa almacenará la duración máxima para un
puesto
Dim DuracionMax, DuracionRelativa As Integer
'Valor esperado
Dim ValorEsperado As Integer
'Fecha de inicio de la tarea
Dim FechaInicio As Date
'N° Columna Fecha de inicio de la tarea
  Dim iColFechaInicio As Integer
  iColFechaInicio = 1
  While Not IsDate(FPlanning.Cells(3, iColFechaInicio))
    iColFechaInicio = iColFechaInicio + 1
  Wend
'Se recorren las 8 tareas que van de la fila 4 a la fila 11
Dim NumRecurso, NumFecha as Integer
NumRecurso = FPlanning.Cells(1, 4).Value
```

```
NumFecha = FPlanning.Cells(1, 2).Value
Dim Fila As Integer
Dim Puesto As Integer
Dim Columna As Integer
Dim FechaEnCurso As Date
For Fila = 4 To 11
    'Se inicializan los valores
    DuracionMax = 0
    'Se almacena en la variable el número de días por puesto necesarios
    'para realizar la tarea
    NumManager =  FTareas.Cells(Fila, 2).Value
    NumDisenador =  FTareas.Cells(Fila, 3).Value
    NumDesarrollador = FTareas.Cells(Fila, 4).Value
    NumEvaluador =  FTareas.Cells(Fila, 5).Value
    'Fecha a partir de la cual buscaremos recursos disponibles
    FechaInicio = CDate(FTareas.Cells(Fila, 7).Value)
    For Puesto = NumRecurso + 4 To NumRecurso + 6
      'Inicializar la duración máxima relativa
      DuracionRelativa = 0
      'Inicializar el valor esperado
      Select Case Puesto
      Case 27
      ValorEsperado = NumManager
      Case 28
      ValorEsperado = NumDisenador
      Case 29
      ValorEsperado = NumDesarrollador
      Case 30
      ValorEsperado = NumEvaluador
      End Select
      For Columna = iColFechaInicio to NumFecha + iColFechaInicio - 1
        FechaEnCurso = CDate(FPlanning.Cells(3, Columna).Value)
        'Se controla si ha pasado la fecha de inicio
        If FechaEnCurso >= FechaInicio And Weekday(FechaEnCurso, 2)
< 6 Or EsFestivo(CStr(FechaEnCurso)) Then
        'descontar recursos respecto al valor esperado
        ValorEsperado = ValorEsperado - FPlanning.Cells(Puesto,
Columna).Value
        'si el valor esperado es menor o igual que 0, se calcula la
duración relativa para realizar la tarea
          If ValorEsperado <= 0 Then
          DuracionRelativa = WorksheetFunction.NetworkDays(FechaInicio,
FechaEnCurso, Range("Festivos"))
            'si la duración relativa es mayor que la duración máxima
hasta ahora, se actualiza la duración máxima.
            If DuracionRelativa > DuracionMax Then
              DuracionMax = DuracionRelativa
            End If
```

```
            Exit For
          End If
         End If
        Next Columna
       Next Puesto
       'Actualizar la duración
       FTareas.Cells(Fila, 8).Value = DuracionMax
Next Fila
End Sub
```

Vincular el código al botón

- En la hoja **Tareas**, haga clic con el botón secundario en el botón y haga clic en **Asignar macro**.

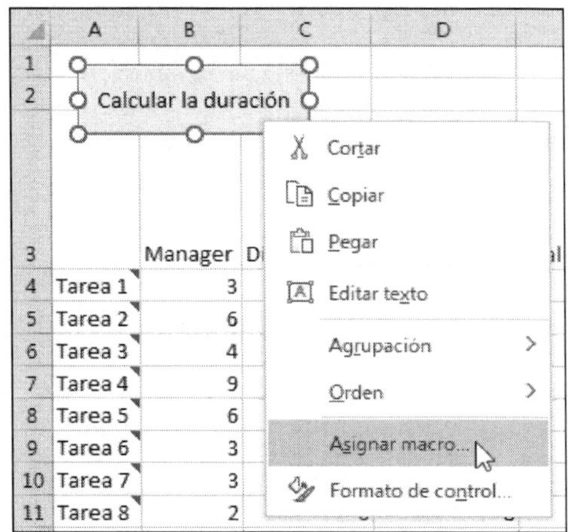

✎ Elija la macro `CalcularDuracion` de la lista de macros disponibles.

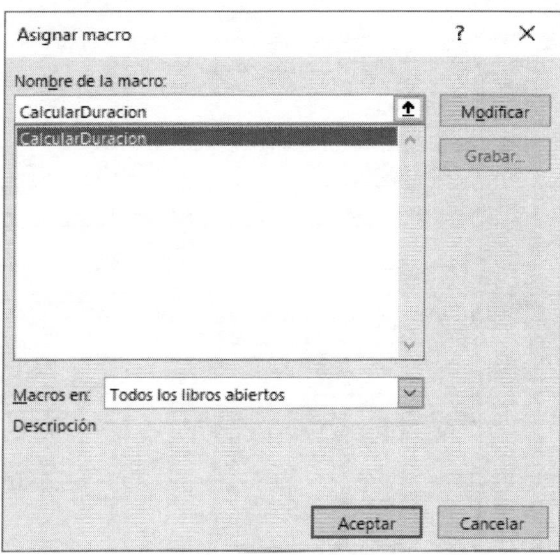

✎ Haga clic en **Aceptar**.

✎ Haga clic en el botón **Calcular la duración**.

Se ejecuta el procedimiento escrito anterior y se calculan las duraciones.

Fecha de inicio mínima	Duración	Fecha de fin
01/04/2022	9	14/04/2022
15/04/2022	11	03/05/2022
15/04/2022	4	21/04/2022
22/04/2022	10	09/05/2022
10/05/2022	7	19/05/2022
10/05/2022	4	16/05/2022
20/05/2022	7	31/05/2022
01/06/2022	2	03/06/2022

2. Formato del diagrama de Gantt

Una vez calculadas las duraciones, el diagrama de Gantt debe mostrarse en la hoja **Tareas** de forma automatizada con formato condicional.

El resultado esperado es el siguiente:

- Aplicación de formato para un fin de semana o día festivo;
- Aplicación de formato para los días en que se está llevando a cabo una tarea.

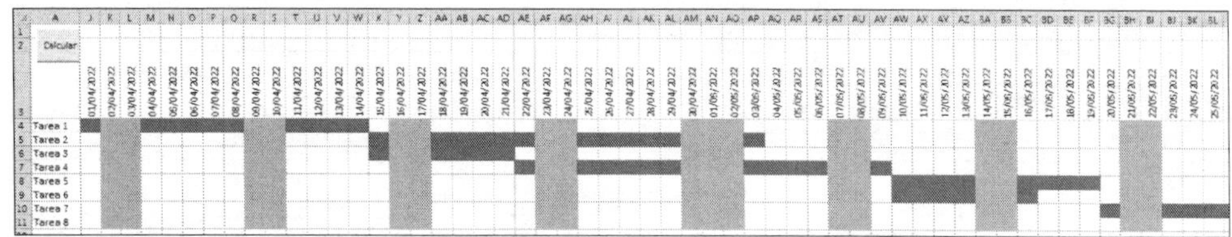

Formato para un fin de semana o día festivo

✎ Seleccione el rango **Tareas**: utilice el menú desplegable situado a la izquierda de la **Barra de fórmulas**.

✎ En la pestaña **Inicio**, grupo **Estilos**, haga clic en **Formato condicional** y, a continuación, elija **Nueva regla**.

La fórmula condicional debe cumplir una de las siguientes condiciones para tener formato:

- Ser un fin de semana: `DIASEM(día; 2) > 5`
- Ser un día festivo: `EsFestivo(fecha)`

La fórmula `EsFestivo(fecha)` ya existe en el `Módulo1`.

- Haga clic en **Utilice una fórmula que determine las celdas para aplicar formato** para especificar una fórmula.

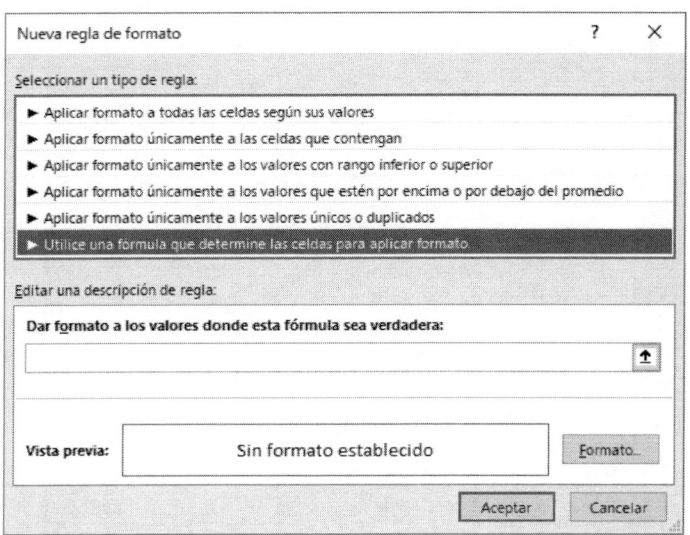

- Introduzca la siguiente fórmula: `=O(DIASEM(J$3;2)>5;EsFestivo(J$3))`.

Aunque se recorra el rango **Tareas (J4:CO11)**, la fila 3 se quedará fija en la fórmula porque esta fila contiene la fecha que se va a analizar.

- Aplique un formato con fondo gris para lograr el siguiente resultado:

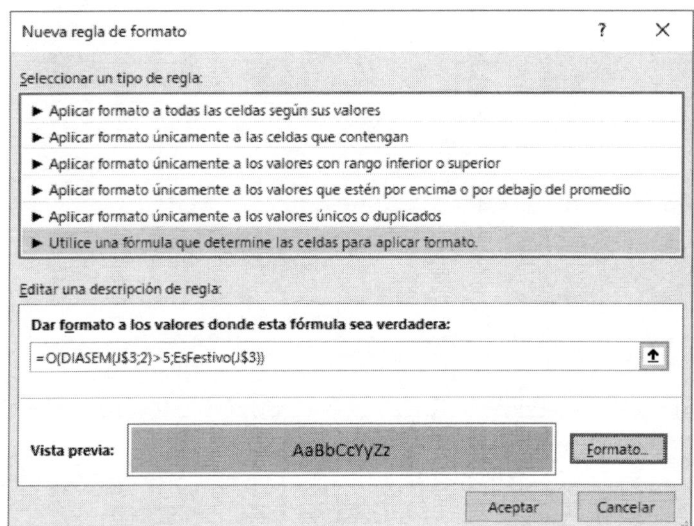

- Haga clic en **Aceptar**.

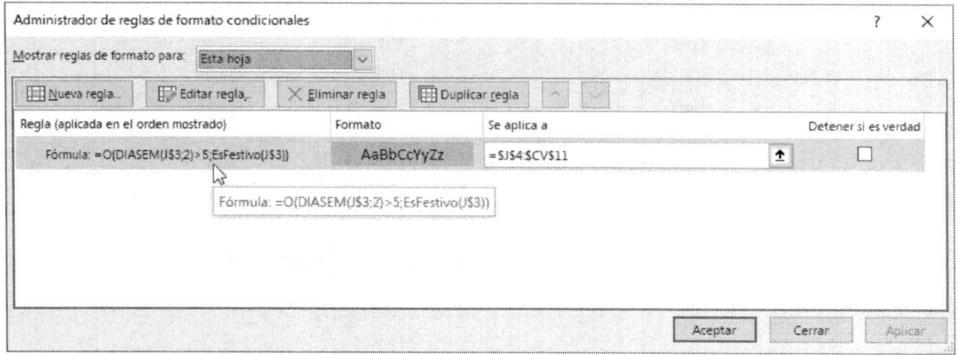

El resultado es el siguiente:

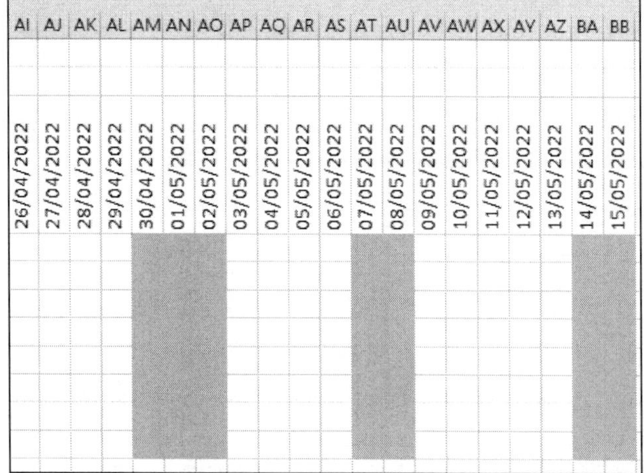

Aquí, el 2 de mayo de 2022 es un día festivo.

Formato para un día en el que se está llevando a cabo una tarea

- Seleccione de nuevo el rango **Tareas**.
- Haga clic en **Formato condicional** - **Nueva regla** para crear la regla para la tarea en curso.
- En la ventana **Nueva regla de formato**, seleccione **Utilice una fórmula que determine las celdas para aplicar formato.**
- Escriba la fórmula que devuelve VERDADERO cuando la tarea está en curso en la fecha contenida en la fila 3: `=Y(J$3>=$G4;J$3<=$I4)`.

- Aplique un relleno verde oscuro.

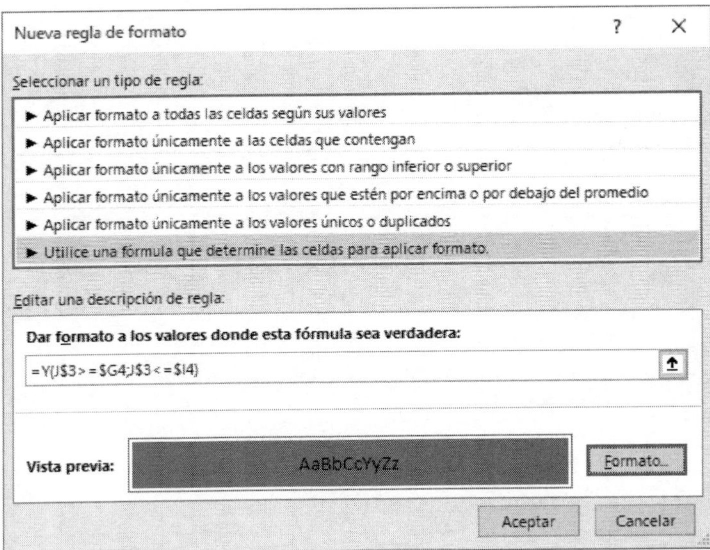

- Compruebe en la ventana **Administrador de reglas de formato condicional** que las fórmulas se aplican en el rango correcto:

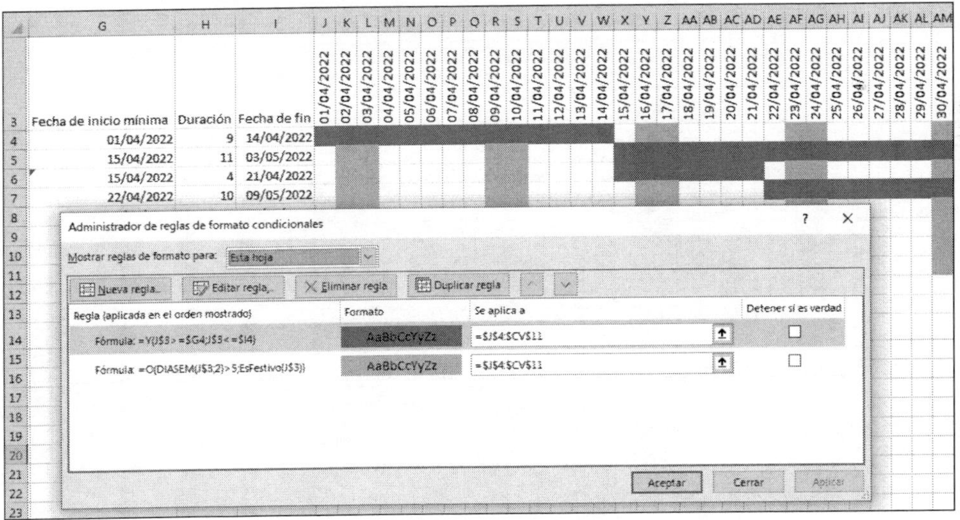

Tenga en cuenta que el orden de las reglas es incorrecto: de hecho, tal como se presenta, parece que las tareas se ejecutan durante los días festivos y los fines de semana. Por lo tanto, se debe cambiar el orden de las reglas.

- Seleccione la regla de fin de semana y colóquela primera en la lista haciendo clic en el botón **Subir** .
- Haga clic en **Aplicar**.

Se obtiene el siguiente resultado:

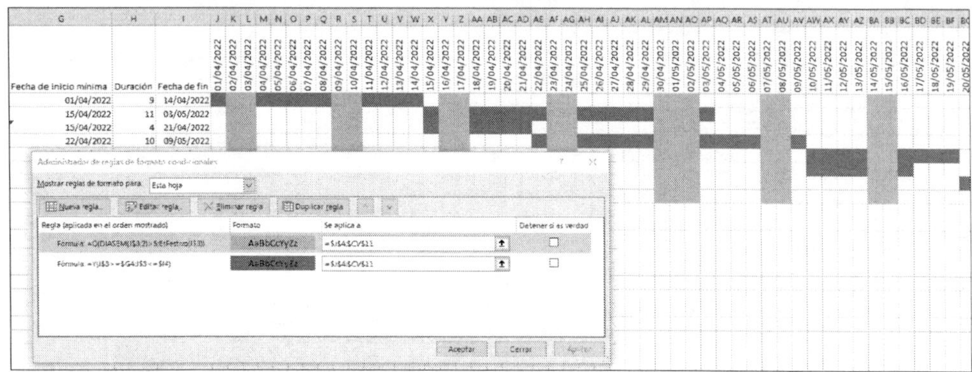

- En la pestaña **Vista** - grupo **Ventana**, haga clic en **Inmovilizar** y, a continuación, en **Inmovilizar primera columna**.

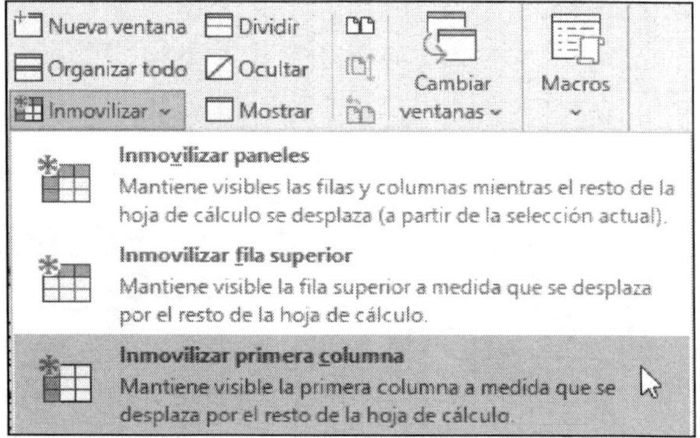

D. Gestión de asistencia. Herramienta de administración: presentación del ejemplo

1. Presentación del ejemplo

El objetivo de esta segunda parte es retomar el archivo de disponibilidad de los recursos humanos y añadir algunas funcionalidades para facilitar su uso.

Tal y como está, cualquier usuario del archivo puede cambiar la presencia/ausencia de todos los recursos humanos. El resto de este ejemplo le permitirá restringir, mediante una contraseña, la modificación de la disponibilidad.

El otro propósito de este ejemplo es calcular el coste de cada tarea y del total del proyecto. El coste de una tarea corresponde al coste de cada recurso requerido para una tarea. También se solicita optimizar el coste de cada tarea tomando el recurso menos costoso para ella.

Además, hay que tener en cuenta una limitación muy importante: el calendario no es fijo y puede extenderse mucho más allá de junio. El archivo debe tener la capacidad de adaptarse a esta posibilidad y generar tantos meses como sea necesario en el calendario.

2. Presentación del archivo

El archivo **Enunciado_5-DEF.xlsm** se basa en la primera parte de este capítulo; tiene la misma estructura, con las hojas **Planning** y **Tareas**. La hoja **Planning** contiene los datos de los recursos, mientras que la hoja **Tareas** contiene la planificación de cada tarea.

En comparación con el archivo **Corrección_5-ABC.xlsm**, el nuevo archivo de enunciado incorpora información adicional en la hoja **Planning**:

- **Identificador** (columna B): se trata de un código único y secreto que identifica a los usuarios. Solo ellos conocen, cada uno, su código, que se utilizará para permitirles identificarse en la aplicación.
- **Coste** (columna D): el coste corresponde a la cantidad diaria que hay que pagar para tener el recurso en el proyecto.
- Estos cambios implican modificar los rangos existentes:
  - El puesto está en la **columna C** de la hoja **Planning**.
  - El rango **Planning** se ha desplazado: `=Planning!$E$4:$CQ$26`.
  - El rango **Festivos** se ha desplazado: `=Planning!$CS$4:$CS$6`.
  - Se ha creado un rango **Puesto** que contiene la lista de puestos: `=Planning!$CT$4:$CT$7`.

En la hoja **Tareas**, hay dos botones nuevos que se llaman:

- **Editar disponibilidad por persona**. Está asociado a un procedimiento de VBA ahora vacío y denominado `MostrarFormularioPersona`. Este procedimiento se utilizará en el ejemplo para cargar el formulario específico de cada recurso.
- **Calcular el coste del proyecto**. Está asociado a un procedimiento de VBA ahora vacío y denominado `CalcularCoste`. Este procedimiento se utilizará en el ejemplo para calcular el coste de cada tarea y del proyecto.

Finalmente, la celda **G2** contendrá el coste total del proyecto.

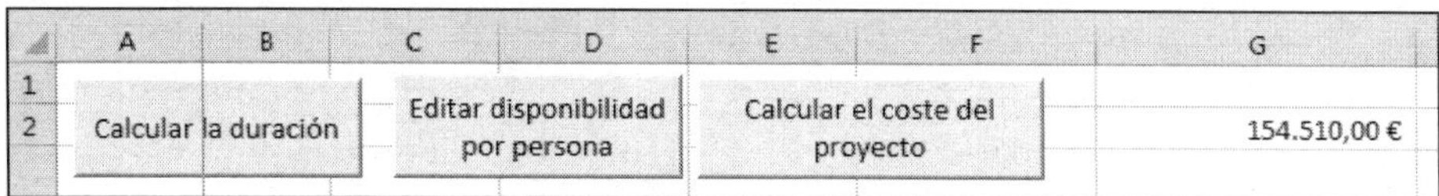

En cuanto a la parte de VBA, cabe destacar que se ha creado un formulario que permite la edición de la disponibilidad de los recursos. Este formulario puede verse en la carpeta **Hojas** del proyecto VBA.

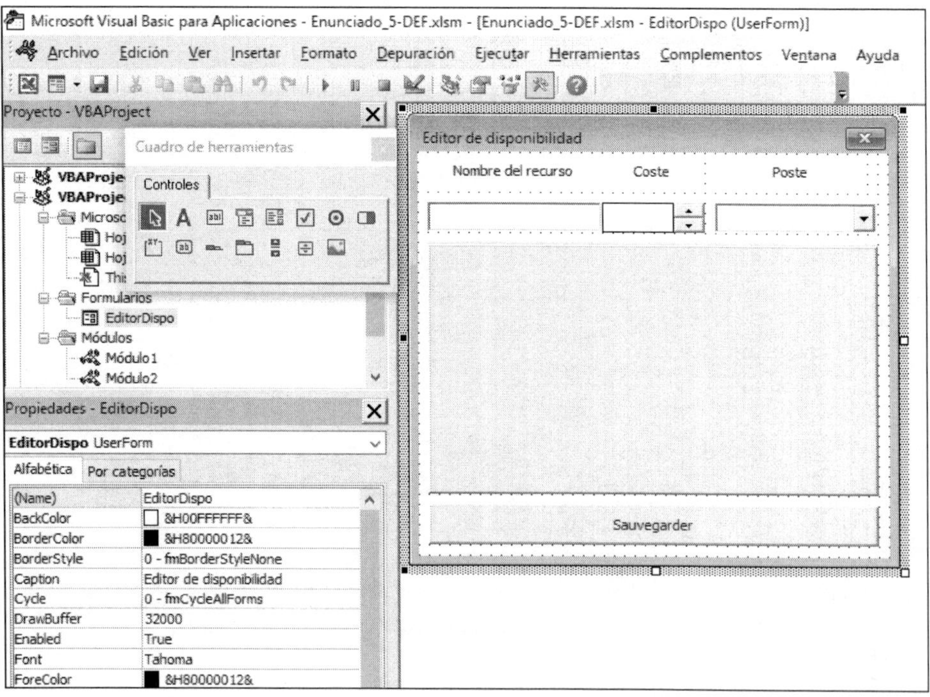

Como puede ver, hay un espacio para introducir la disponibilidad, pero el calendario está vacío por ahora. Aquí se indican los nombres de los diferentes controles del formulario:

Nombre del control	Tipo de control	Descripción
EditorDispo	Formulario (`UserForm`)	Es el formulario que contiene los distintos controles.
NombreRecurso	TextBox	Cuadro de texto editable en el que se puede introducir el nombre del recurso.
EtiquetaCoste	Label	Coste del recurso.
BotonMasMenosCoste	`SpinButton` (botón con dos métodos Up *Arriba* y Down *Abajo* para activar un evento haciendo clic en la flecha hacia arriba y otro haciendo clic en la flecha hacia abajo).	Botones para hacer variar el coste hacia arriba o hacia abajo. El código para variar el valor del coste ya se ha introducido.
ListaPuesto	Combobox	Lista desplegable que contiene posibles posiciones: "Gerente, Diseñador, Evaluador, Desarrollador"
MultiPageCalendario	`MultiPage` (se trata de un objeto utilizado para contener objetos de tipo Page que corresponden a pestañas).	Se trata de las pestañas (`Page`) que contienen los diferentes calendarios mes a mes.
Guardar	`CommandButton`	Guarda los cambios.

3. Funcionalidades

Las funcionalidades que proponemos para este ejemplo incluyen:

- Finalizar el formulario: cargar el formulario por persona y luego generar el calendario en el formulario. El formulario se parecerá a este:

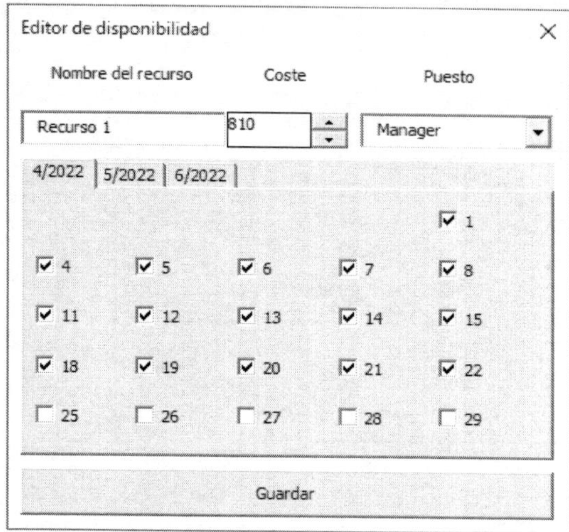

- Calcular el coste del proyecto: calcular el coste del proyecto en función de los recursos utilizados optimizando el uso de estos. El objetivo es tomar los recursos menos costosos para cada tarea.
- Bloquear el acceso a la hoja **Planning**.

E. Gestión de asistencia. Herramienta de administración: conceptos del curso

1. Creación dinámica de controles

¿Qué es?

Agregar controles dinámicamente significa que se crean controles nuevos en el formulario en tiempo de ejecución.

La adición del control se desencadena mediante un procedimiento, ya sea automáticamente o por acción del usuario.

La adición de un control se realiza en un control contenedor, es decir, capaz de contener otros controles: `Form`, `Frame`, `Page`...

¿Cómo funciona?

Hay que crear un objeto de tipo `Control` y, a continuación, agregarlo a un control contenedor.

```
Dim MiControl As Control 'instanciación de una variable de tipo Control
```

Para agregar el control a un control contenedor:

```
Set MiControl =
Form.ControlContenedor.Controls.Add("forms.Textbox.1")
'adición de un control Textbox nuevo al control contenedor.
```

Para los otros controles, esta es la sintaxis que se debe usar:

Control	Sintaxis
ComboBox (cuadro de lista modificable)	Forms.ComboBox.1
CommandButton (botón de comando)	Forms.CommandButton.1
Frame (marco)	Forms.Frame.1
Imagen	Forms.Image.1
Label (etiqueta)	Forms.Label.1
ListBox (cuadro de lista)	Forms.ListBox.1
MultiPage	Forms.MultiPage.1
OptionButton (botón de opción)	Forms.OptionButton.1
ScrollBar (barra de desplazamiento)	Forms.ScrollBar.1
SpinButton (arriba)	Forms.SpinButton.1
TabStrip (tira de pestañas)	Forms.TabStrip.1
TextBox (cuadro de texto)	Forms.TextBox.1
ToggleButton (alternar)	Forms.ToggleButton.1

Una vez creado el control, es más fácil cambiar sus propiedades.

```
MiControl.Name = "NombreDelControl"
MiControl.Left = 0 'Posicionamiento en el eje de las abscisas
MiControl.Top = 0 'Posicionamiento en el eje de las ordenadas
MiControl.Text = "Introducir texto aquí" 'Caso especial de un control
TextBox, ya que la propiedad Text no existe para todos los controles.
```

2. Tablas de VBA

Una tabla (matriz) se utiliza para almacenar valores de un tipo definido. Hay tantas variables como valores en la tabla. La tabla es particularmente útil porque es una herramienta muy poderosa, por ejemplo, cuando se necesita manejar un gran rango de datos. En este caso, es preferible usar las tablas de VBA en lugar de cálculos en Excel, incluso aunque eso implique volver a escribir los resultados en Excel.

Tamaño y definición

Las tablas tienen una dimensión definida o variable. La dimensión se define cuando se indica al crear la variable tabla. La dimensión es variable cuando no se ha definido en el momento de crear la variable tabla.

```
Dim Tabla() as String 'tamaño no definido
Dim TablaDef(5) as Integer 'tamaño definido
```

La instrucción ReDim permite redefinir el tamaño de una tabla de tamaño variable.

```
ReDim Tabla(4)
```

Al redefinir el tamaño de la tabla, esta se reinicializa, es decir, se eliminan y reinicializan todos los valores de la tabla anterior. La instrucción `Preserve` conserva los valores de la tabla anterior:

```
ReDim Preserve Tabla(5)
```

La tabla puede ser multidimensional, es decir, puede tener varias dimensiones:

```
Dim TablaMD(1 to 10, 1 to 15, 1 to 5) as String
Dim TablaMD2(10,15,5) as String
```

Esta tabla tendrá un total de 750 valores posibles (10*15*5).

Option Base

La instrucción `Option  Base` se escribe antes del código, en un módulo antes del primer procedimiento. Determina si el índice de base de una tabla es 0 o 1.

```
Option Base 0 'el índice de base de la tabla será 0
Option Base 1 'el índice de base de la tabla será 1
```

De forma predeterminada, se aplica la option base 1.

UBound y LBound

La instrucción `UBound` proporciona el índice más alto de una tabla.

La instrucción `LBound` proporciona el índice más bajo de una tabla.

La sintaxis es la siguiente:

`UBound(Variable, [número_dimensión])`

- `Variable`: la variable a la que se refiere la instrucción.
- `Número_Dimensión`: número de la dimensión en cuestión en caso de que existan varias.

La sintaxis es la misma para la instrucción LBound.

Algunos ejemplos:

```
Dim T1(10) as Integer
Dim T2(1 to 5, 1 to 20) as String
Dim T3(8,7,6) as Long
Dim Val as String
Val = UBound(T1) 'devuelve 10
Val = UBound(T2,2) 'devuelve 20
Val = UBound(T3,3) 'devuelve 6
```

F. Gestión de asistencia - Herramienta de administración: realización del ejemplo

Abra el archivo **Enunciado_5-DEF.xlsm**.

1. Inicialización del formulario

El recurso que desee realizar un cambio en su disponibilidad abrirá el archivo y se colocará en la hoja **Tareas**. Luego hará clic en el botón **Editar disponibilidad por persona** para identificarse.

La identificación pasará por una ventana de tipo `InputBox` que le pedirá su identificador como paso previo para acceder al formulario.

Conexión para un recurso

Todo este código debe escribirse dentro del procedimiento `MostrarFormularioPersona`, porque cuando la persona hace clic en el botón se llama a este formulario. Este procedimiento está en el `Módulo2`.

Al principio del Módulo2, escriba la instrucción `Option Explicit`.

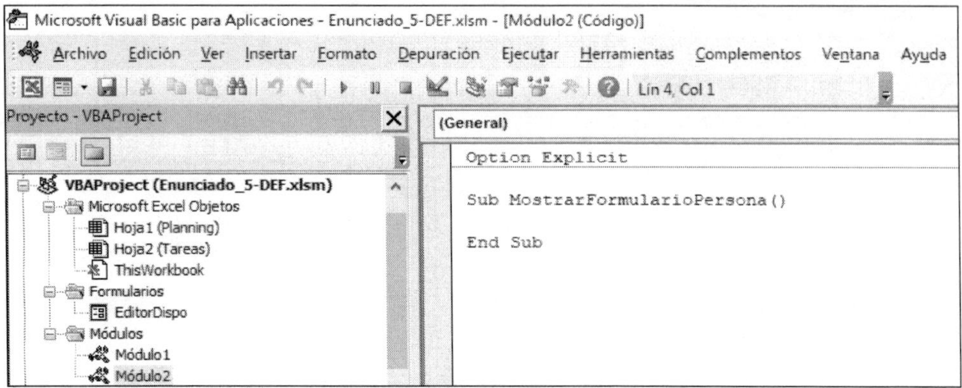

Aquí puede ver las operaciones que hay que realizar:

✎ Primero, cree las variables:

- Una variable de tipo cadena de caracteres para almacenar el identificador introducido por la persona.
- Una variable de tipo número entero para recorrer las filas de la tabla que contienen los recursos humanos.
- Una variable pública que contiene la fila del recurso encontrado. Esta debe definirse antes del procedimiento inicializarse en 0. La ventaja de tener una variable pública es conocer en todo momento, durante la ejecución, la fila donde se encuentra el recurso en la hoja **Planning**. Esto será especialmente útil al realizar copias de seguridad.
- Más adelante, se crearán otras variables en el código.

✎ Escriba el código siguiente:

```
Option Explicit
Public FilaRecurso As Integer
Sub MostrarFormularioPersona()
Dim Identificador As String
Dim Fila As Integer
FilaRecurso = 0
```

✎ A continuación, cree un cuadro de diálogo de tipo `InputBox` asociado a la variable `Identificador`.

El cuadro de diálogo `Inputbox` se describe con el método `Inputbox (encabezado, [título], [valor_por_defecto]...)` y devuelve un valor de tipo `String` correspondiente al texto introducido por el usuario.

En este caso, solo utilizará los argumentos de encabezado (obligatorio) y título (opcional), y asignará el resultado del cuadro de diálogo `Inputbox` a la variable identificador:

```
Identificador = InputBox("Introduzca su identificador", "Identificador")
```

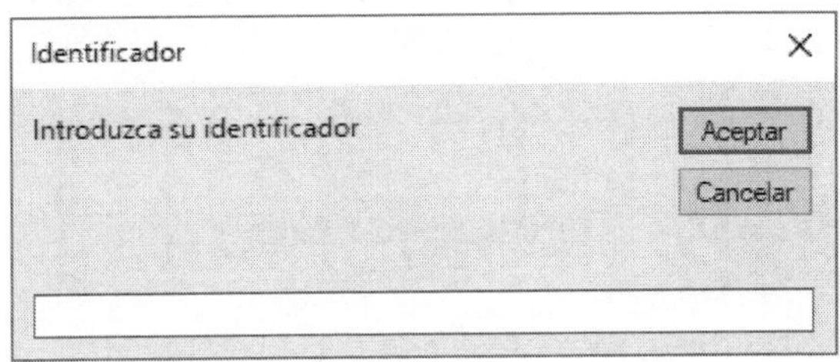

No se lleva a cabo ningún control sobre la entrada, solo va a recorrer la lista de identificadores para verificar si encuentra el introducido.

Para ello, creará un bucle de tipo `While... Wend` que recorre la tabla de la columna B de la hoja **Planning** a partir de la fila 4 hasta que encuentre una columna vacía. Como se ha visto anteriormente, la variable `Fila` se incrementará con cada iteración del bucle.

Si se encuentra una coincidencia, es decir, si el valor de la celda de la columna B y el número de fila contenido en la variable `Fila` corresponde al identificador introducido en el cuadro de diálogo `InputBox`, la variable `FilaRecurso` toma el valor de la fila. Si el valor de la variable `FilaRecurso` es distinto de 0, también se considera una condición de salida del bucle `While... Wend`.

✎ Introduzca el siguiente código:

```
Fila = 4
'la primera fila recorrida es la 4
Sheets("Planning").Activate 'selección de la hoja Planning
While Cells(Fila, 2).Value <> "" And FilaRecurso = 0
    If Cells(Fila, 2).Value = Identificador Then
        FilaRecurso = Fila
    End If
    Fila = Fila + 1
Wend
```

Después de la salida del bucle, o bien la variable `FilaRecurso` es igual a 0, lo que significa que no se ha encontrado el identificador, por lo que es incorrecto, o bien dicha variable es distinta de 0, lo que significa que el programa ha podido establecer una correspondencia con uno de los valores existentes en la columna B de la hoja **Tareas**.

En definitiva, es necesario probar el valor de la variable `FilaRecurso`. Si la variable es 0, aparece un cuadro de diálogo de tipo pop-up de error `Msgbox` con el título: **Error**, con el encabezado **Error en el identificador** y el botón **Aceptar**. No se incluirán instrucciones adicionales en esta rama de código después del mensaje de error. Equivaldrá a salir del código.

Sin embargo, si la variable `FilaRecurso` es distinta de 0, el código continuará con la presentación del formulario.

La continuación del código se estructura de la siguiente manera:

```
If FilaRecurso = 0 Then
    MsgBox "Error en el identificador", vbOKOnly, "Error"
Else
'generar el formulario
End If
```

Generar el calendario

La parte relativa a la generación del calendario se encuentra dentro de la instrucción Else de la estructura condicional.

Todas las fechas se recorrerán mediante un bucle. La única información conocida es la primera fecha: el 1 de abril. La fecha de finalización puede ser variable; por lo tanto, es necesario pasar una a una por todas las fechas presentes en la hoja **Planning**.

El formulario contiene la información del recurso: nombre, coste, puesto y especialmente un calendario que se presenta en forma de control `Multipage`, donde cada página corresponde a un mes. Los controles `Page` corresponden a pestañas. Se generarán dinámicamente, es decir, se generarán solo si una fecha requiere la creación del control `Page`.

En cada fecha vamos a crear un control de tipo `Checkbox` (casilla de verificación) que estará contenido en el control **Página** del mes al que corresponde. Cada control `Checkbox` se colocará en la página en función de dos criterios:

- Su día de la semana (de izquierda a derecha: lunes, martes...).
- Su número de semana (de arriba abajo: primera semana del mes, segunda semana del mes...).

Seleccionar o crear una página

Primero, iniciaremos las variables que necesitamos para el resto de este cálculo.

La variable `Columna` se utilizará para navegar por las columnas de fechas. La variable `Mes` dará la posibilidad de almacenar el nombre del mes actual. La variable `FechaDia` contendrá la fecha actual. Por último, la variable `PaginaMes` se utilizará para crear los controles de tipo Page que se insertarán en la `MultiPage`.

✎ Describa las variables de la siguiente manera:

```
Dim Columna As Integer
Dim Mes As String
Dim FechaDia As Date
Dim PaginaMes As Control
Dim PA As Object
EditorDispo.Height = 270
EditorDispo.width = 290
```

✎ Elimine todas las páginas existentes en el control de tipo `MultiPage` con el método `Clear`.

```
EditorDispo.MultiPagecalendario.Pages.Clear
```

✎ Inicialice la variable `Columna` con el número de la primera columna que contenga una fecha en la hoja **Planning**.

```
Columna = 5
```

El código recorrerá todas las fechas. Para cada fecha, recupere el mes para comprobar si existe una página con el nombre de la página. Recorra todas las páginas mediante el bucle `For ... Each` que pasa por todos los objetos de una colección. Hay que comprobar si una de las páginas tiene un **tag** igual al valor de la variable Mes.

Un tag es una propiedad «libre» de un objeto. No es visible, pero puede accederse a ella en cualquier momento en el código.

✎ Escriba el código siguiente:

```
    While Cells(3, Columna).Value <> "" 'bucle sobre todas las fechas
        FechaDia = CDate(Cells(3, Columna).Value) 'asignar la fecha a la variable
FechaDia
        Mes = Month(FechaDia) & "/" & Year(FechaDia) 'Asignar valor a la variable
Mes
'recorrer a continuación todas las Pages del control MultiPageCalendario
para ver si una de ellas posee el atributo Tag, que es igual a la variable Mes.
        For Each PA In EditorDispo.MultiPageCalendario.Pages
            If CStr(PA.Tag) = Mes Then
                Set PaginaMes = PA
                Exit For
            End If
        Next
'Si la página no existe, hay que crearla
        If PaginaMes Is Nothing Then
            Set PaginaMes = EditorDispo.MultiPageCalendario.Pages.Add
("Página" & Mes, Mes)
            'Asignar el valor Mes al Tag del objeto PaginaMes.
            PaginaMes.Tag = Mes
        End If
```

Una vez almacenado el control Page en la variable `PaginaMes`, debe crear el control de tipo CheckBox que contendrá la fecha de hoy y colocarlo según la fecha.

La posición del control se define según su día (posición horizontal) y su semana (posición vertical).

✎ Defina dos variables que almacenen las posiciones del objeto:

```
        Dim PosicionH As Integer
        Dim PosicionV As Integer
```

✎ Asigne su valor mediante funciones de Excel:

- `PosicionH` toma el valor del número del día menos uno. La posición horizontal estará entre 0 y 6.
- `PosicionV` toma el valor del número de la semana menos el número de la primera semana del mes. La posición vertical estará entre 0 y el número de semanas del mes.

```
      PosicionH = WorksheetFunction.Weekday(FechaDia, 2) - 1
      PosicionV = WorksheetFunction.WeekNum(FechaDia) -
WorksheetFunction.WeekNum(CDate("1/" & Mes))
```

Si el día no es ni un fin de semana ni un día festivo, entonces es posible crear el control en el contenedor Page y establecer su posición y texto. Finalmente, el tag del objeto se utilizará para enlazar con la celda de la hoja de Excel, ya que almacenaremos la columna en esta propiedad.

```
'Comprobar si el número del día es inferior a 5 y no festivo
If PosicionH < 5 Or EsFestivo(FechaDia) Then
      'Crear un control de tipo CheckBox
            Dim CBD As Control
            Set CBD = PaginaMes.Controls.Add("forms.checkbox.1")
'Definir la posición del CheckBox
            CBD.Top = 5 + PosicionV * 25
            CBD.Left = 5 + PosicionH * 50
            CBD.Width = 50
'El texto del control corresponde al día
            CBD.Caption = Day(FechaDia)
'Si el valor de la celda es X, el control CheckBox está marcado
            If Cells(FilaRecurso, Columna).value = "X"  Then
                CBD.Value = True
            End If
            'Asignar el valor de la variable columna al tag del nuevo
            'control creado.
      CBD.Tag = Columna
            Set CBD = Nothing
        End If
```

✎ Complete las operaciones reiniciando la variable `PaginaMes` y, a continuación, cierre el bucle sin olvidar incrementar la variable de columna.

```
Set PaginaMes = Nothing
  Columna = Columna + 1
  Wend
```

A continuación, debe completar el procedimiento inicializando los campos de los otros formularios.

La lista de puestos se encuentra en la propiedad `RowSource` del control `Combobox`. Utilice esta propiedad para asignar un rango como origen de datos. En este caso, la propiedad `RowSource` de `ComboBox` toma el valor "Puesto".

En nuestro caso, la propiedad `RowSource` del control `ListaPuesto` es igual a **Puesto**.

✎ Muestre la información de la persona en el formulario:

```
  'Nombre del recurso
  EditorDispo.NombreRecurso.Text = Cells(FilaRecurso, 1).Value
  'Puesto del recurso
  EditorDispo.ListaPuesto.Value = Cells(FilaRecurso, 3).Value
  'Coste del recurso
  EditarDispo.LibelleCout.Caption = Cells(FilaRecurso, 4).Value
```

✎ Termine mostrando el formulario:

```
EditorDispo.Show
```

Aquí puede ver el código completo:

```
Option Explicit
Public FilaRecurso As Integer
Sub MostrarFormularioPersona()
Dim Identificador As String
Dim Fila As Integer
FilaRecurso = 0
'Introducir el identificador
Identificador = InputBox("Introduzca su identificador", "Identificador")
Fila = 4 'la primera fila recorrida es la 4
Sheets("Planning").Activate 'seleccionar la hoja Planning
While Cells(Fila, 2).Value <> "" And FilaRecurso = 0
    If Cells(Fila, 2).Value = Identificador Then
        FilaRecurso = Fila
    End If
    Fila = Fila + 1
Wend
If FilaRecurso = 0 Then
    MsgBox "Error en el identificador", vbOKOnly, "Error"
Else
    'generar el formulario
    Dim Columna As Integer
```

```
    Dim Mes As String
    Dim FechaDia As Date
    Dim PaginaMes As Control
    Dim PA As Object
    EditorDispo.Height = 270
    EditorDispo.Width = 290
    EditorDispo.MultiPageCalendario.Pages.Clear
    Columna = 5
    While Cells(3, Columna).Value <> "" 'bucle sobre todos los datos
        FechaDia = CDate(Cells(3, Columna).Value) 'asignar fecha a
la variable FechaDia
        Mes = Month(FechaDia) & "/" & Year(FechaDia) 'asignar valor
a la variable Mes
        'recorrer a continuación todas las Pages del control
MultiPageCalendario para ver si una de ellas posee el atributo Tag,
que es igual a la variable Mes.
        For Each PA In EditorDispo.MultiPagecalendario.Pages
            If CStr(PA.Tag) = Mes Then
                Set PaginaMes = PA
                Exit For
            End If
        Next PA
        'Si la página no existe, hay que crearla
        If PaginaMes Is Nothing Then
            Set PaginaMes =

EditorDispo.MultiPageCalendario.Pages.Add("Página" & Mes, Mes)
            'asignar el valor Mes al Tag del objeto PaginaMes.
            PaginaMes.Tag = Mes
        End If

        Dim PosicionH As Integer
        Dim PosicionV As Integer
        PosicionH = WorksheetFunction.Weekday(FechaDia, 2) - 1
        PosicionV = WorksheetFunction.WeekNum(FechaDia) -
WorksheetFunction.WeekNum(CDate("1/" & Mes))
        'comprobar si el número del día es inferior a 5 y no es festivo
        If PosicionH < 5 Or EsFestivo(CStr(FechaDia)) Then
            'Crear un control de tipo CheckBox
            Dim CBD As Control
            Set CBD = PaginaMes.Controls.Add("forms.checkbox.1")
            'definir la posición del CheckBox
            CBD.Top = 5 + PosicionV * 25
            CBD.Left = 5 + PosicionH * 50
            CBD.Width = 50
            'El texto del control corresponde al día
            CBD.Caption = Day(FechaDia)
            'Si el valor de la celda es X, el control CheckBox se marca
```

```
            If Cells(FilaRecurso, Columna).Value = "X" Then
                CBD.Value = True
            End If
            'asignar el valor de la variable columna al tag del nuevo
control creado.
            CBD.Tag = Columna
            Set CBD = Nothing
        End If
        Set PaginaMes = Nothing
    Columna = Columna + 1
    Wend
    'Nombre del recurso
    EditorDispo.NombreRecurso.Text = Cells(FilaRecurso, 1).Value
    'Puesto del recurso
    EditorDispo.ListaPuesto.Value = Cells(FilaRecurso, 3).Value
    'Coste del recurso
    EditorDispo.EtiquetaCoste.Caption = Cells(FilaRecurso, 4).Value
    'Mostrar el formulario
    EditorDispo.Show
End If
End Sub
```

Guardar cambios

El almacenamiento de la información se produce cuando el usuario hace clic en el botón **Guardar** del formulario. Por lo tanto, el siguiente procedimiento se adjunta al evento `Click` del botón denominado **Guardar**.

Para guardar los cambios, debe examinar todos los controles `Page` del control `MultiPageCalendario` y, en cada uno de los controles `Page`, debe buscar todos los controles, especialmente los controles de tipo `Checkbox`.

Para cada control `CheckBox`, debe recuperar el contenido de su propiedad Value con la finalidad de averiguar si el recurso está disponible (Value es False si el recurso ha desactivado la casilla para que no esté disponible, Value es True si el recurso ha activado la casilla para que esté disponible) y su tag que contiene la columna correspondiente en la hoja **Planning**.

La instrucción `For Each ... Next` se usará para recorrer los controles Page y, a continuación, se usará de nuevo la instrucción `For Each ... Next` para examinar todos los controles Checkbox.

- En el panel izquierdo, haga clic con el botón derecho en el formulario `EditorDispo`, seleccione **Ver código** y escriba el código siguiente:

```
Option Explicit
Private Sub Guardar_Click
Dim PA, CB As Object
For Each PA In EditorDispo.MultiPageCalendario.Pages
    For Each CB In PA.Controls
    'código
    Next
Next
```

- Para cada Checkbox, recupere la columna correspondiente en la hoja **Planning** que se almacena en la propiedad Tag.

```
Dim Columna As Integer
    Columna = CInt(CB.Tag)
```

- En función de la propiedad Value del control `Checkbox`, coloque una X o no en la celda. Si la propiedad Value es True, aplique el fondo verde; en caso contrario, quite el relleno.

```
 If CB.Value = True Then
            Cells(FilaRecurso, Columna).Value = "X"
        Else
            Cells(FilaRecurso, Columna).Value = ""
        End If
```

- Después de los dos bucles, guarde también los valores nuevos introducidos para el nombre, el puesto y el coste:

```
Cells(FilaRecurso, 1).Value = EditorDispo.NombreRecurso.Text
Cells(FilaRecurso, 3).Value = EditorDispo.ListaPuesto.Value
Cells(FilaRecurso, 4).Value = EditorDispo.EtiquetaCoste.Caption
```

- Termine con un mensaje colocado en una ventana emergente de tipo MsgBox que tenga el título **Guardado correcto** y cierre el formulario `EditorDispo` con el método `Hide`.

```
MsgBox "Guardado correcto"
```

Este es el procedimiento completo para guardar los datos:

```
Option Explicit
Private Sub Guardar_Click()
Dim PA, CB As Object
For Each PA In EditorDispo.MultiPagecalendario.Pages
    For Each CB In PA.Controls
        Dim Columna As Integer
        Columna = CInt(CB.Tag)
        If CB.Value = True Then
            Cells(FilaRecurso, Columna).Value = "X"
        Else
```

```
            Cells(FilaRecurso, Columna).Value = ""
        End If
    Next
Next
Cells(FilaRecurso, 1).Value = EditorDispo.NombreRecurso.Text
Cells(FilaRecurso, 3).Value = EditorDispo.ListaPuesto.Value
Cells(FilaRecurso, 4).Value = EditorDispo.EtiquetaCoste.Caption
MsgBox "Guardado correcto"
EditorDispo.Hide
End Sub
```

2. Bloquear el acceso a la hoja Planning

Para bloquear el acceso a la hoja **Planning**, siga dos pasos:

- ocultar la hoja **Planning**;
- bloquear la estructura del documento.

Para realizar esta operación:

- En Excel, haga clic con el botón derecho en la pestaña correspondiente a la hoja **Planning**.
- En el menú contextual, haga clic en **Ocultar**.

  Su hoja ya no es visible, pero un usuario puede mostrarla fácilmente.

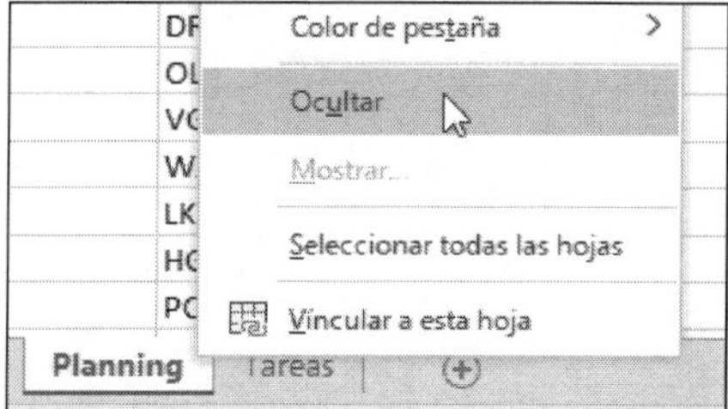

- En la pestaña **Revisar**, grupo **Proteger**, haga clic en **Proteger libro**.

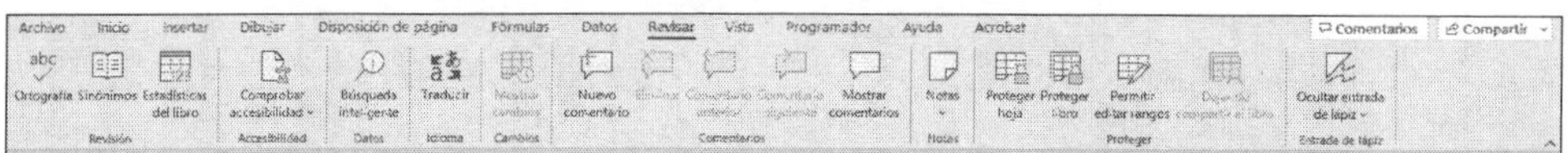

✎ En la ventana de bloqueo de la estructura, introduzca la contraseña **coneni**.

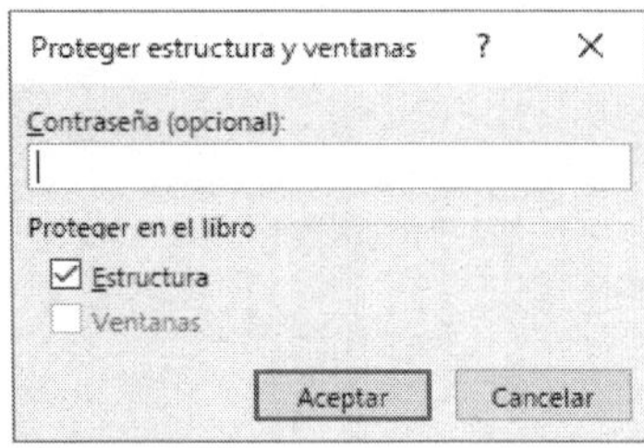

✎ Tras hacer clic en **Aceptar**, confirme la contraseña en la siguiente ventana.

La hoja **Planning** ahora está oculta; la eliminación de la protección requiere conocer la contraseña especificada.

3. Calcular el coste del proyecto

Como puede ver, cada recurso tiene su propio coste, que corresponde a su facturación diaria cuando trabaja.

El cálculo del coste del proyecto es, por lo tanto, la suma de los días trabajados por los recursos asignados al proyecto. Sin embargo, la ecuación entre la disponibilidad y el trabajo realizado por un recurso no es perfecta. De hecho, en algunos casos, la tarea requiere recursos inferiores al conjunto de los recursos disponibles para trabajar en el proyecto. En este caso, el interés radica en optimizar los costes seleccionando solo los recursos más baratos.

¿Cómo encontrar los recursos más baratos para una tarea?

En primer lugar, es necesario identificar el período en que se lleva a cabo la tarea. Para ello, simplemente recupere el valor contenido en la fecha de inicio mínima, en la columna **G** de la hoja **Tareas**, y el valor contenido en la fecha de finalización, en la columna **I** de la hoja **Tareas**. A continuación, debe hacer la correspondencia con las columnas de la hoja **Planning**.

La celda **B2** de la hoja **Planning** contiene la fila de la tarea en la hoja **Tareas**. A partir del valor de la celda **B2**, la celda **C2** contendrá una fórmula para buscar la fecha de inicio mínima de la tarea dentro de la fila **3** de la hoja **Planning**.

Columna de la fecha de inicio mínima de la tarea

La fórmula `INDICE` recupera el valor de la fecha de inicio mínima de la hoja **Tareas** a partir de la fila de la tarea: `=INDICE(Tareas!G1:I11;Planning!B2;1)`.

A partir de este valor, buscamos la columna que contiene el valor encontrado por la fórmula anterior en la fila 3. La fórmula `COINCIDIR` se utiliza para buscar la fecha mínima de la tarea en la línea 3.

```
=COINCIDIR(INDICE(Tareas!G1:I11;Planning!B2;1);3:3;0)
```

Columna de la fecha de finalización de la tarea

La fórmula `INDICE` recupera el valor de la fecha de finalización de la hoja **Tareas** a partir de la fila de la tarea: `=INDICE(Tareas!G1:I11;Planning!B2;3)`.

A partir de este valor, debe buscar la columna que contiene el valor encontrado con la fórmula anterior en la fila **3**. La fórmula `COINCIDIR` se utiliza para buscar la fecha mínima de la tarea en la fila **3**.

```
=COINCIDIR(INDICE(Tareas!G1:I11;Planning!B2;3);3:3;0)
```

Recorrer la hoja Planning

Todas las tareas se recorrerán para recuperar el número de recursos necesarios por puesto para cada tarea.

A continuación, conviene ordenar la tabla por coste desde el recurso menos costoso hasta el más caro. Luego, es necesario recorrer toda la tabla ordenada, comenzando por el recurso menos costoso. Para cada recurso, el programa explorará su disponibilidad en el período de duración de la tarea. Si quedan recursos que son necesarios para completar la tarea, hay que «consumir» el recurso y agregar su coste al coste total de la tarea.

Almacenar la información en una tabla

¿Qué hacer para no perderse con tanta información? Pues usar una tabla. Almacenaremos en una variable tabla la información recuperada. La tabla tendrá dos dimensiones:

La primera dimensión tendrá el valor 4, que corresponde a los puestos de tarea. La segunda dimensión tendrá un valor 3 y se utilizará para almacenar la etiqueta del puesto, el número de recursos necesarios y el coste total de cada puesto para la tarea.

Visualmente, la tabla toma la siguiente forma:

Puesto	Número de recursos necesarios	Coste total por puesto
1,1	1,2	1,3
2,1	2,2	2,3
3,1	3,2	3,3
4,1	4,2	4,3

Mostrar los datos de los comentarios

El coste de cada tarea se recupera y se muestra en un comentario en la columna **A** de la hoja **Tareas**. El comentario será visible solo si el usuario se sitúa en la celda que lo contiene.

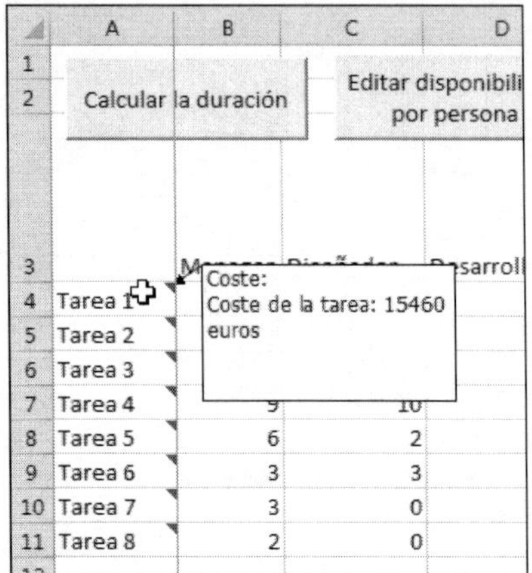

El costo total del proyecto se mostrará en la celda **G2**.

Redacción del procedimiento

El procedimiento `CalcularCoste` se halla en el Módulo1, que encontrará en el editor de Visual Basic. Se escribe después del procedimiento `CalcularDuracion`.

✎ En primer lugar, cree las variables `NumRecurso` y `NumFecha`, que contendrán, respectivamente, el número de días del calendario y el número de recursos de la hoja **Planning**. Estos valores corresponden a las celdas **D1** y **B1** de la hoja **Planning**.

```
'Seleccionar la hoja Planning
Sheets("Planning").Activate
'Crear variables que contengan el número de días del calendario y
el número de recursos
Dim NumRecurso, NumFecha As Integer
'Recuperar el número de recursos en la hoja Planning
NumRecurso = Sheets("Planning").Cells(1, 4).Value
'Recuperar el número de fechas en la hoja Planning
NumFecha = Sheets("Planning").Cells(1, 2).Value
```

✎ A continuación, cree las variables `FilaFinPlanning` y `ColumnaFinPlanning`, que contendrán las últimas fila y columna del rango que contiene la disponibilidad de los recursos en la hoja **Planning**, respectivamente. Para la variable `FilaFinPlanning`, agregue el número de recursos a la fila 3 (la última fila antes de la lista de recursos). Para la variable `ColumnaFinPlanning`, agregue el número de fechas a la columna 4 (última columna antes de la lista de fechas).

```
'Definir las variables que serán los límites de la tabla
Dim FilaFinPlanning, ColumnaFinPlanning As Integer
FilaFinPlanning = 3 + NumRecurso
ColumnaFinPlanning = 4 + NumFecha
```

✎ Para ordenar el rango, seleccione todo el rango, incluido el encabezado, que contiene los recursos y las fechas en la hoja **Planning**.

```
'Seleccionar el rango completo que contiene el planning
Range(Cells(3, 1), Cells(FilaFinPlanning, ColumnaFinPlanning)).Select
```

✎ A continuación, aplique un orden creciente (`Order1:=xlAscending`) en la columna de los costes (`Key1:=Range("D3")`) incluyendo los encabezados (`Header:=xlGuess`) utilizando el método `Sort` en el rango seleccionado.

```
'Orden ascendente en la columna D teniendo en cuenta los encabezados
Selection.Sort Key1:=Range("D3"), Order1:=xlAscending,
Header:=xlGuess, _
OrderCustom:=1, MatchCase:=False, Orientation:=xlTopToBottom
```

A continuación, defina:

- la tabla de dos dimensiones, 4 y 3, que contiene campos de texto (`String`);
- las variables de tipo número entero largo `CosteTotalTarea` y `CosteTotalProyecto` que contendrán los costes acumulados de la tarea y el proyecto. Inicialice la variable `CosteTotalProyecto` en 0 para realizar el cálculo. La variable `CosteTotalTarea` no requiere inicialización a 0.

```
'Definir variables
'La tabla que almacena los costes y el número de recursos necesarios
para cada tarea
Dim TablaCoste(4, 3) As String
'Variables para almacenar los costes
Dim CosteTotalTarea, CosteTotalProyecto, CosteRecurso As Long
'Inicializar la variable del coste total
CosteTotalProyecto = 0
```

Luego recorra todas las tareas con un bucle de tipo `For ... Next`. La variable `FilaTarea` contendrá la fila de la hoja **Tareas**. Asigne el valor de la variable `FilaTarea` a la celda **B2** de la hoja **Planning**. Esto calcula la columna inicial y la columna final del rango que hay que analizar. Este rango que se va a analizar corresponde a las fechas de la tarea en curso. Los valores de la columna inicial y la columna final se calculan en las celdas **C2** y **D2** de la hoja **Planning**.

```
'Fila de la hoja Tareas
Dim FilaTarea As Integer
'Índice de la TablaCoste
Dim IndicePuesto, FilaTabla As Integer
'Permite examinar los puestos indicados en las columnas 2 a 5 de
la fila 3 de la hoja Tareas
Dim ColumnaPuesto As Integer
'N.° Fila que recorre todos los recursos
Dim Recurso As Integer
'Coste del recurso
Dim CosteRecurso As Long
'N.° Columna que varía entre ColumnaInicio y ColumnaFin
Dim ColumnaPlanning As Integer
'Examinar todas las tareas del proyecto

For FilaTarea = 4 To 11
    'Se asigna el número de tarea a la celda B2 de la hoja Planning
=> esto actualiza las celdas C2 y D2
    Sheets("Planning").Cells(2, 2).Value = FilaTarea
    'Recuperar la columna de inicio y de fin del rango que hay que analizar
    Dim ColumnaInicio, ColumnaFin as Integer
    ColumnaInicio = Sheets("Planning").Cells(2, 3).Value
    ColumnaFin = Sheets("Planning").Cells(2, 4).Value
```

- A continuación, inicialice la variable `TablaCoste`. Para ello, haga un bucle que recorra los 4 índices de la primera dimensión de la tabla. Para cada índice, rellene el puesto (segunda dimensión, índice 1), el número de recursos necesarios (segunda dimensión, índice 2) e inicialice el coste de cada trabajo por puesto que ya se haya declarado previamente como entero justo antes del bucle en `FilaTarea` (segunda dimensión, índice 3). El bucle `For ... Next`, que itera la variable `IndexPuesto`, que ya se ha declarado previamente como un entero justo antes del bucle en `FilaTarea`, le permite examinar los 4 índices de la primera dimensión. A partir de esta variable, también se determinan las columnas de la hoja **Tareas** (columnas 2 a 5). La variable `ColumnaPuesto`, que se declaró antes del bucle en `FilaTarea` como un entero, se utiliza para examinar los puestos indicados en las columnas 2 a 5 de la fila 3 de la hoja **Tareas**, y también corresponde a la variable `ColumnaPuesto + 1`. Por lo tanto, la variable `ColumnaPuesto` tomará los valores 2 a 5.

```
'inicializar la tabla
    For IndicePuesto = 1 To 4
        'Corresponde a la variable IndicePuesto + 1
        ColumnaPuesto = IndicePuesto + 1
        'Nombre del puesto
        TablaCoste(IndicePuesto, 1) = Sheets("Tareas").Cells(3,
 ColumnaPuesto).Value
        'Número total de recursos necesarios para el puesto
        TablaCoste(IndicePuesto, 2) =
Sheets("Tareas").Cells(FilaTarea, ColumnaPuesto).Value
        'Inicializar el coste para el puesto
        TablaCoste(IndicePuesto, 3) = 0
    Next
```

- Explore todos los recursos y recupere el coste del recurso dentro de una variable.

```
'Examinar todos los recursos => de más barato a más caro
    For Recurso = 4 To FilaFinPlanning
        'Recuperar el coste del recurso
        CosteRecurso = Sheets("Planning").Cells(Recurso, 4).Value
```

- Recorra el rango entre la fecha de inicio mínima de la tarea (variable `ColumnaInicio`) hasta la fecha de finalización (variable `ColumnaFin`). Compruebe si el recurso ha indicado su disponibilidad. Para ello, es necesario probar si la propiedad Value de la celda examinada es igual a X.

✎ Si el recurso ha indicado su disponibilidad, actualice la tabla:

- Recorra toda la tabla hasta que haga coincidir el nombre del puesto de la tabla con el puesto del recurso. Una vez que se identifique el puesto, verifique si quedan recursos que sean requeridos por la tarea. Si es así, quite un recurso del total de recursos necesarios y agregue el coste del recurso al coste de la tarea por puesto.

```
 'Recorrer la duración de la tarea
        For ColumnaPlanning = ColumnaInicio To ColumnaFin
             'Controlar la disponibilidad del recurso
             If Sheets("Planning").Cells(Recurso, ColumnaPlanning).
Value = "X" Then
                 'Buscar el puesto del recurso
                 For FilaTabla = 1 To 4
                     If Sheets("Planning").Cells(Recurso, 3).Value
= TablaCoste(FilaTabla, 1) Then
                         'Si quedan recursos requeridos, entonces
contabilización del recurso
                         If TablaCoste(FilaTabla, 2) > 0 Then
                             'Quitar un recurso del número de recursos
requeridos
                             TablaCoste(FilaTabla, 2) =
TablaCoste(FilaTabla, 2) - 1
                             'Añadir el coste del recurso al coste
total de la tarea para el puesto.
                             TablaCoste(FilaTabla, 3) =
CLng(TablaCoste(FilaTabla, 3)) + CosteRecurso
                         End If
                     End If
                 Next FilaTabla
             End If
        Next ColumnaPlanning
```

✎ Cierre el bucle `Recursos`.

```
Next Recursos
```

En este punto, ha recuperado el coste de cada tarea por puesto.

✎ A continuación, sume los costes del puesto para la tarea. Termine agregando el coste total de la tarea al coste total del proyecto.

```
    'Acumulación del coste de cada puesto para definir el coste total de
la tarea
    CosteTotalTarea = CLng(TablaCoste(1, 3)) + CLng(TablaCoste(2, 3)) +
CLng(TablaCoste(3, 3)) + CLng(TablaCoste(4, 3))
    'Añadir el coste de la tarea al coste total del proyecto
    CosteTotalProyecto = CosteTotalProyecto + CosteTotalTarea
```

- Para agregar el comentario a la fila de la tarea en la hoja **Tareas**, elimine primero los comentarios existentes con el método `ClearComments`. Utilice el método `AddComment` para agregar un comentario nuevo.

```
'Eliminar el comentario existente
    Sheets("Tareas").Cells(FilaTarea, 1).ClearComments
    'Crear un nuevo comentario contenido
    Sheets("Tareas").Cells(FilaTarea, 1).AddComment
```

- Haga que el comentario sea visible solo cuando el usuario se coloque en la celda estableciendo la propiedad `Visible` del objeto `Comment` de la celda actual en `False`.

```
    'Hacer que el comentario esté oculto, solo visible si el usuario
se sitúa en la celda
    Sheets("Tareas").Cells(FilaTarea, 1).Comment.Visible = False
```

- Escriba el comentario cambiando la propiedad `Text` del objeto `Comment` de la celda actual. Recupere el valor de la variable `CosteTotalTarea` que inserte en el comentario.

```
    'Escribir el contenido del comentario
    Sheets("Tareas").Cells(FilaTarea, 1).Comment.Text Text:="Coste:"
& Chr(10) & "Coste de la tarea: " & CStr(CosteTotalTarea) & " euros"
```

- Cierre el bucle `FilaTarea`.

```
Next FilaTarea
```

- Complete el procedimiento mostrando el coste total del proyecto en la celda **G2** de la hoja **Tareas**.

```
Sheets("Tareas").Cells(2, 7).Value = CosteTotalProyecto
End Sub
```

Aquí puede ver el procedimiento completo:

```
Sub CalcularCoste()
Sheets("Planning").Activate
'Crear variables que contengan el número de días del calendario y el número
de recursos
Dim NumRecurso, NumFecha As Integer
'Recuperar el número de recursos en la hoja Planning
NumRecurso = Sheets("Planning").Cells(1, 4).Value
'Recuperar el número de fechas en la hoja Planning
NumFecha = Sheets("Planning").Cells(1, 2).Value
'Definir las variables que serán los límites de la tabla
Dim FilaFinPlanning, ColumnaFinPlanning As Integer
FilaFinPlanning = 3 + NumRecurso
ColumnaFinPlanning = 4 + NumFecha
'Seleccionar el rango completo que contiene el planning
Range(Cells(3, 1), Cells(FilaFinPlanning, ColumnaFinPlanning)).Select
'Orden ascendente en la columna D teniendo en cuenta los encabezados
```

```
Selection.Sort Key1:=Range("D3"), Order1:=xlAscending, Header:=xlGuess, _
OrderCustom:=1, MatchCase:=False, Orientation:=xlTopToBottom
'Definir variables
'La tabla que almacena los costes y el número de recursos necesarios para
cada tarea
Dim TablaCoste(4, 3) As String
'Variables para almacenar los costes
Dim CosteTotalTarea, CosteTotalProyecto, CosteRecurso As Long
'Inicializar la variable del coste total
CosteTotalProyecto = 0
'Fila de la hoja Tareas
Dim FilaTarea As Integer
'Índice de la TablaCoste
Dim IndicePuesto, FilaTabla As Integer
'Permite examinar los puestos indicados en las columnas 2 a 5 de la fila 3
de la hoja Tareas
Dim ColumnaPuesto As Integer
'N° Fila que recorre todos los recursos en columna 1
Dim Recurso As Integer
'N° Columna que varía entre ColumnaInicio y ColumnaFin
Dim ColumnaPlanning As Integer
'Examinar todas las tareas del proyecto
For FilaTarea = 4 To 11
   'Se asigna el número de tarea a la celda B2 de la hoja Planning => esto
actualiza las celdas C2 y D2
   Sheets("Planning").Cells(2, 2).Value = FilaTarea
   'Recuperar la columna de inicio y de fin del rango que hay que analizar
   Dim ColumnaInicio, ColumnaFin as Integer
   ColumnaInicio = Sheets("Planning").Cells(2, 3).Value
   ColumnaFin = Sheets("Planning").Cells(2, 4).Value
   'inicializar la tabla
   For IndicePuesto = 1 To 4
       'Corresponde a la variable IndicePuesto + 1
       ColumnaPuesto = IndicePuesto + 1
       'Nombre del puesto
       TablaCoste(IndicePuesto, 1) = Sheets("Tareas").Cells(3,
 ColumnaPuesto).Value
       'Número total de recursos necesarios para el puesto
      TablaCoste(IndicePuesto, 2) = Sheets("Tareas").Cells(FilaTarea,
ColumnaPuesto).Value
       'Inicializar el coste para el puesto
       TablaCoste(IndicePuesto, 3) = 0
    Next
    'Examinar todos los recursos => de más barato a más caro
    For Recurso = 4 To FilaFinPlanning
        'Recuperar el coste del recurso
        CosteRecurso = Sheets("Planning").Cells(Recurso, 4).Value
        'Recorrer la duración de la tarea
        For ColumnaPlanning = ColumnaInicio To ColumnaFin
```

```
            'Controlar la disponibilidad del recurso
          If Sheets("Planning").Cells(Recurso, ColumnaPlanning).Value = 
"X" Then
                '.Buscar el puesto del recurso
                For FilaTabla = 1 To 4
                    If Sheets("Planning").Cells(Recurso, 3).Value 
= TablaCoste(FilaTabla, 1) Then
                        'Si quedan recursos requeridos, entonces 
contabilización del recurso
                        If TablaCoste(FilaTabla, 2) > 0 Then
                            'Quitar un recurso del número de recursos 
requeridos
                            TablaCoste(FilaTabla, 2) = 
TablaCoste(FilaTabla, 2) - 1
                            'Añadir el coste del recurso al coste total 
de la tarea para el puesto.
                            TablaCoste(FilaTabla, 3) = 
CLng(TablaCoste(FilaTabla, 3)) + CosteRecurso
                        End If
                    End If
                Next FilaTabla
            End If
        Next ColumnaPlanning
    Next Recurso
    'Acumulación del coste de cada puesto para definir el coste total de la 
tarea
    CosteTotalTarea = CLng(TablaCoste(1, 3)) + CLng(TablaCoste(2, 3)) + 
CLng(TablaCoste(3, 3)) + CLng(TablaCoste(4, 3))
    'Añadir el coste de la tarea al coste total del proyecto
    CosteTotalProyecto = CosteTotalProyecto + CosteTotalTarea
    'Eliminar el comentario existente
    Sheets("Tareas").Cells(FilaTarea, 1).ClearComments
    'Crear un nuevo comentario contenido
    Sheets("Tareas").Cells(FilaTarea, 1).AddComment
    'Hacer que el comentario esté oculto, solo visible si el usuario se 
sitúa en la celda
    Sheets("Tareas").Cells(FilaTarea, 1).Comment.Visible = False
     'Escribir el contenido del comentario
    Sheets("Tareas").Cells(FilaTarea, 1).Comment.Text Text:="Coste:" 
& Chr(10) & "Coste de la tarea: " & CStr(CosteTotalTarea) & " euros"
Next FilaTarea
Sheets("Tareas").Cells(2, 7).Value = CosteTotalProyecto
End Sub
```

Haga clic en el botón **Editar disponibilidad** por persona y, a continuación, haga clic en el botón **Calcular el coste del proyecto** para probar las macros.

Capítulo 6

Consolidación y uso compartido de datos

A. Consolidación de datos diversos: descripción del ejemplo

1. Presentación del ejemplo

En informática, la consolidación permite agrupar datos procedentes de diferentes fuentes para obtener un informe estructurado.

En el ejemplo siguiente se consolidarán primero varios orígenes de datos en uno y, a continuación, se trabajará en la tabla consolidada para extraer información clave.

Se trata de un grupo inmobiliario compuesto por dos agencias separadas que se encuentran en Madrid y Sevilla. Aunque similar en su organización, la introducción de las transacciones actuales no se realiza de la misma manera para las dos agencias. Sin embargo, ambas usan un archivo de Excel que rastrea su actividad.

Por lo tanto, el objetivo será consolidar estas dos fuentes de datos en un único archivo que contenga toda la información. La agencia inmobiliaria también desea ofrecer una tabla resumen de su actividad.

En este ejemplo no se proporciona una interfaz de usuario. El resultado se presenta en forma de una fuente de datos consolidada.

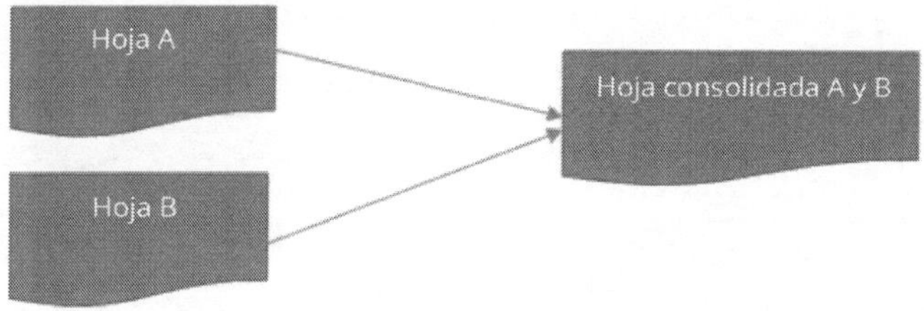

2. Descripción de los libros

Este ejemplo se presenta con tres libros independientes:

- El libro **Immo-Madrid.xlsx** contiene una hoja para la agencia de Madrid que incluye los siguientes datos:

Columna Excel	Etiqueta	Valor de ejemplo
Columna A	Fecha	Fecha de realización de la operación. Se almacenará en el formato Timestamp, que está muy extendido en informática: es un contador numérico correspondiente al número de segundos transcurridos desde el 1 de enero de 1970. Por ejemplo: 1 de enero de 2022: 1641016966. Una de las ventajas de este formato es la facilidad de realizar la comparación de fechas, ya que basta con obtener la diferencia entre dos números.
Columna B	Agente	Nombre del agente inmobiliario que gestiona la venta.
Columna C	Distrito	Distritos (en caso de que el municipio los tenga).
Columna D	Población	Madrid, Getafe...
Columna E	Código postal	28002, 28030...
Columna F	Tipo de bien	Casa, Apartamento, Loft, Villa.
Columna G	Precio de venta inicial	100 000 (sin unidad y sin decimales), vacío si se alquila.
Columna H	Precio de venta real	120 000 (sin unidad y sin decimales), vacío si se alquila.
Columna I	Importe honorarios	3000 (sin unidades y sin decimales).
Columna J	Número de visitas	4 (sin unidades y sin decimales).
Columna K	Número de ofertas	2 (sin unidades y sin decimales).
Columna L	Precio inicial del alquiler	3120 (sin unidades y sin decimales), vacío si se vende.
Columna M	Precio real del alquiler	3000 (sin unidades y sin decimales), vacío si se vende.

Columna Excel	Etiqueta	Valor de ejemplo
Columna N	Precio por m^2	5123,2 por m^2: precio por metro cuadrado con decimales potenciales y una unidad de medida que es siempre el precio por metro cuadrado.
Columna O	Operación realizada	VERDADERO / FALSO.
Columna P	Duración de la operación	25: duración en días entre la fecha de publicación de la oferta y la firma.

- El libro **Immo_Sevilla.xlsx** contiene una hoja para la agencia de Sevilla que incluye los siguientes datos:

Columna Excel	Etiqueta	Valor de ejemplo
Columna A	Agente inmobiliario	Nombre del agente inmobiliario.
Columna B	Venta/Alquiler	V en venta o A en alquiler.
Columna C	Honorarios en %	4,17 %: cantidad porcentual con 2 decimales posibles.
Columna D	Precio de venta / alquiler	200.000 € (importe con unidad sin decimales), común para alquiler y venta
Columna E	Superficie	43,5 m^2 (cantidad con unidad y decimales).
Columna F	Tipo de bien	C para casa, V para villa, A para apartamento o loft.
Columna G	Fecha de publicación	15/12/2021: fecha de publicación de la oferta en formato DD/MM/AAAA.
Columna H	Localidad	Sevilla, Morón de la Frontera.
Columna I	Código postal	51100, 51430.
Columna J	Parking	Sí / No.
Columna K	Piscina	Sí / No.
Columna L	Precio de salida	210.000 € (importe con unidad sin decimales), común para alquiler y venta.
Columna M	Fecha de firma	Fecha de firma de la compraventa / arrendamiento.
Columna N	Estado de la operación	Exitoso (VERDADERO), fallido (FALSO).
Columna O	Visitas	5: Número de visitas.

Columna Excel	Etiqueta	Valor de ejemplo
Columna P	Ofertas	3: Número de ofertas.

La dirección de la agencia ha creado un único archivo. Este archivo contendrá los datos consolidados.

▸ Datos consolidados:

Columna Excel	Etiqueta	Valor de ejemplo
Columna A	Agencia	Sevilla o Madrid.
Columna B	Agente inmobiliario	Nombre del agente inmobiliario.
Columna C	Tipo de operación	Venta o alquiler.
Columna D	Fecha de publicación de la oferta	01/01/2022: formato DD/MM/AAAA.
Columna E	Fecha de firma	31/12/2022: formato DD/MM/AAAA.
Columna F	Tipo de bien	Casa, Loft, Villa, Apartamento.
Columna G	Superficie	45 m^2 (con unidad en m^2 y sin decimales).
Columna H	Población	Nombre de la población: Madrid, Sevilla, Pinto, Villaviciosa de Odón, Morón de la Frontera.
Columna I	Código postal	28002, 28030, 28053... 41001, 41530.
Columna J	Parking	VERDADERO / FALSO / o No especificado.
Columna K	Precio de salida	210 000 € (importe con unidad sin decimales), común para alquiler y venta: precio al que se ofrece el bien inmueble.
Columna L	Precio final	200 000 € (importe con unidad sin decimales): común para alquiler y venta: precio al que se vende / alquila el bien inmueble.
Columna M	Honorarios	4.000 € (importe con unidad sin decimales).
Columna N	Número de visitas	10: entero digital.
Columna O	Número de ofertas	7: entero digital.
Columna P	Operación realizada	VERDADERO / FALSO.

3. Funciones

En este ejemplo, solo se propondrá una funcionalidad, a saber: la agrupación y consolidación de datos de ambas agencias (**archivos Inmo_Sevilla.xlsx** e **Inmo_Madrid.xlsx**) dentro de una misma tabla (**Enunciado_6-ABC.xlsm**).

Para activar la funcionalidad el usuario iniciará una macro, que solo se utilizará una única vez para esta importación.

La tabla de indicadores de la actividad de las agencias se realizará una vez que los datos se hayan importado, en la segunda parte del capítulo.

B. Consolidación de varios datos: conceptos del curso

1. Operación con hojas y libros

La operación con hojas y libros consiste en operar con variables de objetos.

Administración de la aplicación Excel

La importación consistirá en abrir libros de Excel (Sevilla y Madrid) y luego seleccionar las hojas necesarias. Toda esta información se almacenará en variables de tipo objeto.

```
Dim ExcApp As Excel.Application 'Variable de administración de la aplicación
Dim WB As Excel.Workbook 'Variable libro
Dim WS As Excel.Worksheet 'Variable hoja de cálculo
```

La administración de aplicaciones no es necesaria si la aplicación ya está abierta. Por otro lado, el mismo mecanismo se aplica para trabajar con otras aplicaciones, como PowerPoint.

2. Seleccionar y abrir un libro de Excel

Método GetOpenFileName

Para seleccionar el archivo de Excel, puede utilizar el método `GetOpenFileName` de la clase `Application`, que abre una ventana de selección de archivos. Este método devuelve la ruta de acceso de la aplicación seleccionada y se puede utilizar para abrir el archivo seleccionado.

```
Nombre_Archivo = Application.GetOpenFilename("Archivos de Excel (*.xlsm),
*.xlsm") 'filtro en los archivos de Excel
If Nombre_Archivo <> False Then
'Abrir archivo
Else
Msgbox ("Archivo no seleccionado")
End if
```

Método FileDialog

Sin embargo, el ejemplo propuesto utilizará otro método más completo: `Application.FileDialog`, que permite cualquier tipo de intercambio con directorios y archivos:

Dependiendo del argumento asociado con el método `FileDialog`, el cuadro de diálogo tendrá una forma diferente:

- Argumento `msoFileDialogFilePicker`: seleccionar archivo.
- Argumento `msoFileDialogFolderPicker`: seleccionar carpeta.
- Argumento `msoFileDialogOpen`: abrir archivo.
- Argumento `msoFileDialogSaveAs`: guardar archivo.

Por ejemplo:

```
With Application.FileDialog(msoFileDialogFolderPicker)
'Establecer el cuadro de diálogo para seleccionar un directorio.
        .Title = "Seleccionar el directorio" 'Agregar un título al cuadro
de diálogo
        .Show 'Visualizar la ventana
If .SelectedItems.Count > 0 Then
    Msgbox .SelectedItems(1) 'Visualizar el primer elemento seleccionado.
End If
```

Este método ofrece más posibilidades; por esta razón es más interesante aprenderlo.

3. Bucles

Los bucles le permitirán navegar por los datos de las dos hojas de origen. El bucle cambia el número de fila con cada iteración. Usaremos el bucle de tipo `While ... Whend` con la celda vacía como condición de salida.

```
Dim Fila As Integer
Fila = 2 'Establecer el valor de la primera fila
While Cells(Fila, 1).value <> "" 'Mientras la celda no esté vacía,
continuamos el bucle.
Fila = Fila +1 'Iteración de la variable
Wend 'Volver al principio del bucle
```

4. Formato de la celda

Para cambiar el formato de la celda a través de **VBA**, debe cambiar la propiedad de celda denominada `NumberFormat`. A continuación, se muestran algunos ejemplos de valores que puede tomar la propiedad `NumberFormat` de la clase `Range`.

Formato	NumberFormat
General	General
Número	0
Moneda	# ##0,00 €
Fecha	@dd/mm/aaaa
Hora	[$-F400]h:mm:ss
Porcentaje	0,00%
Fracción	#?/?
Científico	0,00E+000
Texto	@

5. Fórmula de Excel en código VBA

Usar una fórmula de Excel en VBA

Dado que algunas funciones ya existen en Excel, no es necesario volver a crearlas en el código. Por ejemplo, la función que cuenta el número de valores en un rango ya existe.

En Excel:

```
=CONTAR(A1:A10)
```

Equivalente con VBA:

```
Var = Application.WorksheetFunction.Count(Range("A1:A10"))
```

La principal diferencia es el idioma utilizado. Esto se debe a que estas funciones siempre están escritas en inglés y los argumentos no se describen como en Excel.

Propiedad Fórmula de una celda

La celda es un objeto por derecho propio y contiene sus propias propiedades. Una de las propiedades de la celda es la fórmula. La fórmula es la que aparece en las celdas y comienza con el signo =, como por ejemplo:

```
=SUMA(A1:A30)
```

Es posible introducir la fórmula directamente a través de VBA, pero con algunas diferencias porque la fórmula está en inglés.

Este cambio es menor porque resulta muy fácil encontrar el equivalente en inglés de una fórmula en castellano. Por otro lado, será necesario adaptar dos elementos de sintaxis:

- El punto y coma que separa los argumentos se convierte en una coma.
- La coma que separa los decimales del resto del número se convierte en un punto.

En Excel:

```
=BUSCARV(A1;C4:E10;3;FALSO)
=REDOND.MULT(A1 ;0,1)
```

Equivalente de la propiedad Fórmula:

```
Cells(1,1).Formula = "=VLOOKUP(A1,C4:E10,3,False)"
Cells(2,1).Formula = "=MROUND(A1,0.1)"
```

6. Select Case y estructura condicional

La instrucción `Select Case` permite definir diferentes escenarios para una expresión determinada como entrada. Dependiendo del valor de la expresión, se asignará una instrucción. Esta estructura simplifica el uso de una estructura condicional.

Por ejemplo, la prueba para la variable numérica Var es:

```
Select Case Var 'Prueba la variable Var
Case 1 'Caso donde el valor de Var es 1
Msgbox("Var es igual a 1" ) 'En el caso donde Var es igual a 1,
se lee el grupo de instrucciones debajo del Case correspondiente
Msgbox("2.ª instrucción") 'Esto no se limita a 1 sola instrucción
Code 0, 2, 3 'Casos en los que el Var es igual a 0, 2 o 3.
'Código
Case 4 to 10 'Caso en el que el valor está comprendido entre 4 y 10
'Código
Case Is > 10 'Caso en el que el valor es superior a 10
'Código
Case Else 'otros casos que no cumplan las condiciones anteriores.
'Código
End Select 'Fin de la instrucción.
```

La estructura condicional se utiliza para encadenar condiciones y asociar instrucciones con el éxito de la condición. Es cierto que este código es más pesado que **Select Case**, pero tiene la ventaja de disociar cada una de las condiciones probadas:

```
If Var = 1 Then
'Código
Elseif var2 = 1 Then
'Código
ElseIf Var3 And IsNumeric(Var4) Then
```

```
'Código
Else 'Caso donde no se cumplen condiciones.
'Código
End If
```

¿Cuándo usar `Select Case ... End Select` o `If ... ElseIf ... End If`?

El propósito de la estructura **Select Case** será simplificar un código algo engorroso, especialmente para probar N veces el mismo valor en una condición. Por ejemplo, un código como:

```
If Var = 1 then
'Código
ElseIf Var > 2 and Var <4 then
'Código
ElseIf Var = 12 then
...
End If
```

Es más interesante usar **Select Case** porque las diferentes sentencias se asignan según el valor de `Var`. En contraposición, cuando el valor probado en la condición no es siempre el mismo, conviene usar una estructura condicional en su lugar. También será posible utilizar las instrucciones And (Y) y Or (O) en la condición de prueba.

C. Consolidación de varios datos: realización del ejemplo

✎ Abra el archivo **Enunciado_6-ABC.xlsm** que contendrá los datos consolidados. Los archivos **Inmo_Madrid.xlsx** e **Inmo_Sevilla.xlsx** se utilizarán en la importación, pero no se abrirán en el ejemplo.

1. Estructura del código

El código se realizará dentro de un único procedimiento que se utilizará una sola vez para recuperar los datos de ambas hojas.

Por lo tanto, es necesario crear un procedimiento que almacenará todo el procesamiento y se llamará `InsercionDatos`.

✎ Inserte un módulo e introduzca las siguientes líneas de código:

```
Option Explicit
Sub InsercionDatos
'El código se insertará aquí
End sub
```

2. Declaración de variables de hoja y libro

Para realizar este ejemplo, primero tendrá que crear variables de objeto para almacenar y trabajar con hojas y libros.

Será necesario tener seis variables:

- Tres variables de tipo Libro:
  - Archivo **Consolidado**.
  - Archivo **Sevilla**.
  - Archivo **Madrid**.
- Tres variables de tipo Hoja:
  - Hoja **Consolidada**: dentro del archivo consolidado **Enunciado_6-ABC.xlsx**, hoja que contiene los datos consolidados.
  - Hoja **Sevilla**: dentro del archivo **Inmo_Sevilla.xlsx**, hoja que contiene los datos del archivo **Sevilla**.
  - Hoja **Madrid**: dentro del archivo **Immo_Madrid.xlsx**, hoja que contiene los datos del archivo **Madrid**.

✎ Declare las variables de la siguiente manera:

```
Definir las variables
Dim WBSevilla As Excel.Workbook
Dim WBMadrid As Excel.Workbook
Dim WBFinal As Excel.Workbook
Dim WSSevilla As Excel.Worksheet
Dim WSMadrid As Excel.Worksheet
Dim WSFinal As Excel.Worksheet
```

La declaración de variables se puede agrupar en una sola fila por tipo de variable. Los nombres de las variables deben estar separados por una coma:

```
Dim WBFinal, WBSevilla, WBMadrid As Excel.Workbook
Dim WSFinal, WSSevilla, WSMadrid As Excel.Worksheet
```

Para asignar valores a las variables, es necesario utilizar la palabra clave **Set**, que se utiliza para asignar una referencia al objeto. En este caso, `WBFinal` hará referencia al libro de trabajo actual: `ThisWorkbook`.

Finalmente, la hoja `WSFinal` será la hoja **Datos** de `WBFinal`.

✎ Introduzca el siguiente código:

```
Set WBFinal = ThisWorkbook
Set WSFinal = WBFinal.Sheets("Datos")
```

3. Configuración del cuadro de diálogo para abrir el archivo

El primer paso es abrir un cuadro de diálogo para seleccionar los dos archivos que desea importar.

Para definir las características del cuadro de diálogo, llame al método `FileDialog` de la clase Application con el argumento `msoFileDialogFilePicker` para especificar que se trata de una selección de archivo.

En primer lugar, debe crear el **objeto** correspondiente a este cuadro de diálogo y, a continuación, definir sus características.

Almacenaremos el archivo de Sevilla como una variable o, más concretamente, asignaremos a la variable `WBSevilla` una referencia a la instancia de `Excel.Workbook`.

Para simplificar el código, utilice la estructura `With ... End with` para no reescribir sistemáticamente el código del cuadro de diálogo:

```
With Application.FileDialog(msoFileDialogFilePicker)
End with
```

A continuación, defina las características del cuadro de diálogo como su título, el tipo de archivo aceptado, la posibilidad de seleccionar uno o más archivos.

```
'Establecer un título para el cuadro de diálogo.
.Title = "Elija el archivo de Excel para Sevilla:"
'Autorizar la selección múltiple: no en nuestro caso.
.AllowMultiSelect = False
'Establecer un nombre de archivo predeterminado.
.InitialFileName = "Inmo_Sevilla.xlsx"
'Borrar los filtros existentes.
.Filters.Clear
'Definir una lista de filtros para el campo "Tipo de archivo".
.Filters.Add "Libros de Excel", "*.xls; *xlsx; *.xlsm"
'Establecer el filtro que se muestra por defecto en el campo
"Tipo de archivo": aquí solo hay un filtro, por lo que el índice
no es necesario.
.FilterIndex = 1
```

El siguiente paso es mostrar el cuadro de diálogo.

✎ Para ello, llame al método `Show` de `FileDialog`.

```
.Initialview=msoFileDialogViewProperties
'Muestra el cuadro de diálogo
.Show
```

El último paso consiste en recuperar el resultado de seleccionar el archivo en el cuadro de diálogo. Para ello, es necesario probar si hay archivos seleccionados con la propiedad `SelectedItem.Count`. Esto contará el número de archivos seleccionados.

Si hay al menos un elemento seleccionado, se asignará una referencia a las variables

`WSSevilla` y `WBSevilla` con la información recuperada en el cuadro de diálogo. En caso de que no se seleccione ningún elemento, la instrucción `Exit Sub` permitirá salir del procedimiento.

✎ Introduzca el siguiente código:

```
If .SelectedItems.Count > 0 Then
'Asignar a la variable Workbook al archivo seleccionado que se abrirá
en la aplicación.
Set WBSevilla = Workbooks.Open(.SelectedItems(1))
'Asignar a la variable Worksheet la primera hoja del libro definido
anteriormente.
Set WSSevilla = WBSevilla.Sheets(1)
Else
'Si no se selecciona ningún archivo, salir del procedimiento
MsgBox "No ha seleccionado ningún archivo. Inténtelo de nuevo."
Exit Sub
End If
```

✎ Aplique el mismo código para seleccionar el archivo de Madrid.

```
With Application.FileDialog(msoFileDialogFilePicker)
        .Title = "Elija el archivo de Excel para Madrid:"
        .AllowMultiSelect = False
        .InitialFileName = "Inmo_Madrid.xlsx"
        .Filters.Clear
        .Filters.Add "Libros de Excel", "*.xls; *.xlsx; *.xlsm"
        .FilterIndex = 1
        InitialView=msoFileDialogViewProperties
        .Show
        If .SelectedItems.Count > 0 Then
            Set WBMadrid = Workbooks.Open(.SelectedItems(1))
            Set WSMadrid = WBMadrid.Sheets(1)
        End If
End With
```

Tenga cuidado: este código no controla el caso en el que el usuario no selecciona el archivo correcto o no selecciona ningún archivo y cierra el cuadro de diálogo.

4. Recorrido de las hojas

Se van a recorrer todas las filas de las hojas **Sevilla** y **Madrid**.

El número de fila se almacenará en una variable y esta variable se iterará para recorrer cada fila. Del mismo modo, se utilizará otra variable para almacenar el valor de la fila en la hoja **Consolidada**. Esta variable también se iterará cada vez que se inserte una fila en el archivo consolidado.

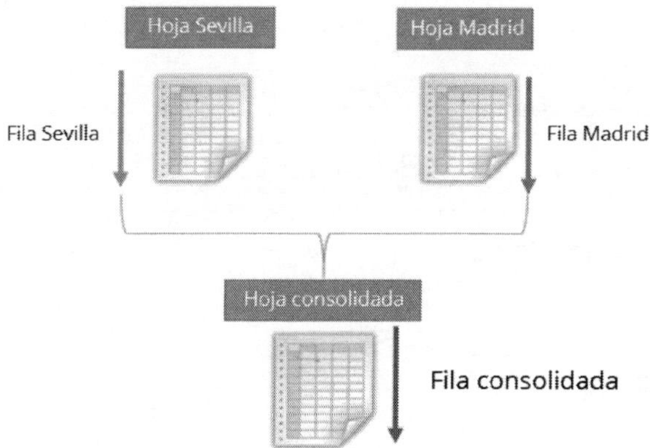

Declaración de variables

✎ Primero, declare las variables en formato entero y luego asígneles un valor.

```
'Definir las variables
Dim FilaMadrid, FilaSevilla, FilaConsolidada As Integer
'Asignar valores
FilaMadrid = 2 'el número 2 corresponde a la primera fila recorrida en
el archivo
FilaSevilla = 2
FilaConsolidada = 2
```

Después, un bucle recorrerá cada una de las filas de la hoja de datos hasta que encuentre una celda vacía y detenga el bucle. Cada fila encontrada en los archivos de datos de Sevilla o Madrid se agregará al archivo consolidado en el formato esperado.

Estructura de un bucle

✎ Escriba el bucle de la siguiente manera:

```
'Colocar la estructura With ... End With para no tener que reescribir
cada vez el nombre de la hoja WSMadrid
With WSMadrid
    'Crear un bucle cuya condición de salida es encontrar una celda vacía
     While .Cells(FilaMadrid, 1).Value <> ""
    'La celda de la columna 1 tomará el valor de Madrid sea cual sea
```

```
el valor de FilaConsolidada.
        WSFinal.Cells(FilaConsolidada, 1).Value = "Madrid"
   'La fila de la hoja Madrid se va a adaptar para insertarse en
el archivo consolidado.
'Iteración de la variable FilaMadrid a fin de explorar la fila siguiente
        FilaMadrid = FilaMadrid + 1
   'Iteración de la variable FilaConsolidada a fin de que la fila de
destino en el archivo consolidado aumente en 1.
        FilaConsolidada = FilaConsolidada + 1
    Wend
End With
```

✎ Utilice la misma construcción para la hoja **Sevilla**, excepto que, en lugar de iterar la variable `FilaMadrid`, será necesario iterar la variable `FilaSevilla`.

```
With WSSevilla
    While .Cells(FilaSevilla, 1).Value <> ""
        WSFinal.Cells(FilaConsolidada, 1).Value = "Sevilla"
   'recuperar los valores
        FilaSevilla = FilaSevilla + 1
        FilaConsolidada = FilaConsolidada + 1
    Wend
End With
```

Coincidencia de los valores

La hoja **Consolidada** heredará los valores de la hoja **Madrid**. Estos valores se pueden recuperar de forma idéntica o transformarse para que coincidan con el formato esperado en el formato de celda de la hoja **Consolidada**.

Algunos datos se toman idénticos (sin modificación del contenido o del formato):

✎ Retome los valores de la celda de la hoja **Madrid**.

✎ Asigne este valor a la celda de la hoja **Consolidada**.

He aquí las correspondencias:

Columna en la hoja Consolidada	Columna en la hoja Madrid	Contenido de la celda
B (2)	B (2)	Agente inmobiliario
F (6)	F (6)	Tipo de bien
H (8)	D (4)	Población
I (9)	E (5)	Código postal
M (13)	I (9)	Honorarios
N (14)	J (10)	Número de visitas

Columna en la hoja Consolidada	Columna en la hoja Madrid	Contenido de la celda
O (15)	K (11)	Número de ofertas
P (16)	O (15)	Operación realizada (TRUE/FALSE)

Inserte el código siguiente:

```
WSFinal.Cells(FilaConsolidada, 2).Value = .Cells(FilaMadrid, 2).Value
WSFinal.Cells(FilaConsolidada, 6).Value = .Cells(FilaMadrid, 6).Value
WSFinal.Cells(FilaConsolidada, 8).Value = .Cells(FilaMadrid, 4).Value
WSFinal.Cells(FilaConsolidada, 9).Value = .Cells(FilaMadrid, 5).Value
WSFinal.Cells(FilaConsolidada, 13).Value = .Cells(FilaMadrid, 9).Value
WSFinal.Cells(FilaConsolidada, 14).Value = .Cells(FilaMadrid, 10).Value
WSFinal.Cells(FilaConsolidada, 15).Value = .Cells(FilaMadrid, 11).Value
WSFinal.Cells(FilaConsolidada, 16).Value = .Cells(FilaMadrid, 15).Value
'La información de la inclusión de parking no está presente en la hoja
Madrid.
WSFinal.Cells(FilaConsolidada, 10).Value = "No especificado"
```

Caso de alquiler/venta

En la hoja **Madrid**, las ventas y los alquileres se distinguen claramente porque tienen sus propias celdas para mostrar la información.

Por ejemplo, el precio de alquiler y el precio de venta no se almacenarán en la misma celda. Sin embargo, en la hoja **Consolidada**, los precios están centralizados dentro de la misma celda, ya se trate de una venta o un alquiler. Otra columna contendrá el tipo de operación (columna **C**) para saber si se trata de una venta o un alquiler.

El código se basará en dos condiciones: o bien la celda de la hoja **Madrid** incluye un **Precio de venta inicial**, lo que significa que la operación actual se refiere a una **venta**, o bien la operación actual se refiere a un **alquiler**.

Introduzca el siguiente código:

```
If .Cells(FilaMadrid, 7).Value = "" Then
WSFinal.Cells(FilaConsolidada, 3).Value = "Alquiler"
'recuperar valores
Else
WSFinal.Cells(FilaConsolidada, 3).Value = "Venta"
'recuperar valores
End If
```

Los precios propuestos y los precios finales se recuperarán en las casillas correspondientes a su situación. Ambos precios se almacenarán dentro de variables. Su valor se asignará a la celda de destino en la hoja **Consolidada**.

La celda de destino se determina en la tabla siguiente:

	Caso de una venta	Caso de un alquiler
Precio propuesto	Columna G (7)	Columna L (12)
Precio final	Columna H (8)	Columna M (13)

Superficie del bien

Entre los datos esperados en la hoja **Consolidada**, la superficie del bien no está presente en la hoja **Madrid**.

Para calcular la superficie del bien, el precio de venta se divide por el precio por metro cuadrado. La superficie del bien se redondeará a la unidad mediante la fórmula de redondeo al múltiplo.

✎ Aplique la fórmula de redondeo al múltiplo de la siguiente manera:

```
Var = Application.WorksheetFunction.MRound(Arg1, Arg2) 'Arg1
corresponde al número que se ha de redondear, Arg2 corresponde
al múltiplo del redondeo.
```

```
Dim Superf As Double
Dim Propuesta, PrecioFinal As Long
If .Cells(FilaMadrid, 7).Value = "" Then
     WSFinal.Cells(FilaConsolidada, 3).Value = "Alquiler"
     'recuperar el precio final
     PrecioFinal = .Cells(FilaMadrid, 13).Value
     'La superficie de alquiler corresponde al precio de alquiler
dividido por el precio del m². La función de Excel MRound (redondeo
al múltiplo) se aplica al cálculo para obtener un número entero.
     Superf = Application.WorksheetFunction.MRound((PrecioFinal).
     / .Cells(FilaMadrid, 14).Value), 1)
     'recuperar el precio del alquiler propuesto inicialmente
Propuesta = .Cells(FilaMadrid, 12).Value
Else
     'Se aplica el mismo razonamiento que antes.
     WSFinal.Cells(FilaConsolidada, 3).Value = "Venta"
     Superf = Application.WorksheetFunction.MRound((.Cells(FilaMadrid,
8).Value / .Cells(FilaMadrid, 14).Value), 1)
     Propuesta = .Cells(FilaMadrid, 7).Value
     PrecioFinal = .Cells(FilaMadrid, 8).Value
End If
'Una vez recuperados los valores, se muestran en la hoja Consolidada.
Superf&"m²"
WSFinal.Cells(FilaConsolidada, 7).Value = Superf
WSFinal.Cells(FilaConsolidada, 11).Value = Propuesta
WSFinal.Cells(FilaConsolidada, 12).Value = PrecioFinal
```

Fecha en formato TimeStamp

Como se explicó anteriormente, **TimeStamp** es un formato de almacenamiento de fecha utilizado regularmente que corresponde al número de segundos transcurridos desde el 1 de enero de 1970.

Por ejemplo:

Han pasado 1640991600 segundos desde el 1 de enero de 1970 hasta la medianoche del 1 de enero de 2022. En formato Excel, este es el número de días desde el 1 de enero de 1900. (Fuente: http://www.timestamp.fr/ [página en francés]).

Cuando una función específica se ha realizado en el código y se puede reutilizar, lo mejor es crear una función pública que sea accesible en cualquier momento en la aplicación. Esta función se llamará aquí `ConvTS` y tendrá como parámetro la variable `Num` que corresponde al valor en **TimeStamp** que se ha de convertir a fecha de Excel.

- Dentro del módulo, declare la función fuera del procedimiento InsercionDatos:

```
function ConvTS(Num As Long)
'Contenido de la función
End Function
```

Para convertir un valor de tipo TimeStamp en una fecha de Excel, esta es la operación que se debe realizar:

- Convierta el valor de TimeStamp en días.
- Agregue a este total el valor numérico en formato de Excel del número de días transcurridos entre el 1 de enero de 1900 y el 1 de enero de 1970.

Va a ser necesario transponer estas operaciones en código VBA:

```
Function ConvTS(Num As Long)
'dividir el valor entre 24 h, 60 minutos y 60 segundos para convertir
a días
 ConvTS = Int(Num / 24 / 60 / 60)
'agregar el valor del 1 de enero de 1970, es decir, 25569
ConvTS = ConvTS + 25569
End Function
```

*Para averiguar el valor numérico de una fecha de Excel o el valor de fecha de un número, seleccione la celda que contiene la información que desea convertir y, en la pestaña **Inicio**, elija el formato número (o fecha, según lo que desee hacer).*

- Llame a la función del ejemplo para convertir en fecha clásica la fecha en Timestamp dentro de la columna **A** de la hoja **Madrid**.

```
'Llamar a ConvTS
WSFinal.Cells(FilaConsolidada, 4).Value =
```

```
ConvTS(.Cells (FilaMadrid, 1). Value)
```

Dar formato a la celda

Para dar formato a una celda, debe utilizar la propiedad `NumberFormat` del objeto Range (en este caso, una celda). Para este ejemplo, se utilizarán dos formatos:

- Formato de fecha: `"dd/mm/aaaa;@"`, que corresponde a un formato **Fecha corta**.
- Formato de moneda: `"#,##0,00 €"`, que corresponde a un formato de **Moneda**.

✎ Como primer paso, aplique este formato a la fecha de publicación de la oferta.

```
WSFinal.Cells(FilaConsolidada, 4).NumberFormat = "dd/mm/aaaa;@"
```

Este formato traduce un valor numérico en una fecha.

La fecha de firma (columna C) corresponde a la fecha de publicación de la oferta a la que se añade la duración de la operación; ambos datos están disponibles en la hoja **Madrid**, pero la fecha de la firma no está directamente presente.

✎ Introduzca el código de la siguiente manera:

```
'Cálculo del valor
WSFinal.Cells(FilaConsolidada, 5).Value =
WSFinal.Cells(FilaCOnsolidada, 4).Value + .Cells(FilaMadrid, 16).Value
'Modificar el formato
WSFinal.Cells(FilaConsolidada, 5).NumberFormat = "dd/mm/aaaa;@"
```

✎ Aplique este formato para los valores numéricos restantes:

```
WSFinal.Cells(FilaConsolidada, 11).NumberFormat = "#,##0,00 €"
WSFinal.Cells(FilaConsolidada, 12).NumberFormat = "#,##0,00 €"
WSFinal.Cells(FilaConsolidada, 13).NumberFormat = "#,##0,00 €"
```

Así, todos los datos de la hoja **Madrid** se importarán a la hoja **Consolidada**.

Hoja Sevilla

La importación de la hoja **Sevilla** se realiza después del final del bucle de la hoja **Madrid**. Al final de la importación de la hoja **Madrid**, la primera fila vacía de la hoja **Consolidada** es la de la variable **FilaConsolidada**. Por lo tanto, es necesario iniciar un bucle nuevo para pasar por las filas de la hoja **Sevilla**.

En cuanto a la hoja **Madrid**, el código debe insertarse dentro del bucle.

✎ Escriba esta parte del código en el procedimiento `InsertarDatos`, después del código para importar la hoja **Inmo_Madrid**.

```
With WSSevilla
    While .Cells(FilaSevilla, 1).Value <> ""
        WSFinal.Cells(FilaConsolidada, 1).Value = "Sevilla"
    'El código de recuperación de datos debe ponerse aquí.
        FilaSevilla = FilaSevilla + 1
        FilaConsolidada = FilaConsolidada + 1
    Wend
End With
```

La importación de la hoja **Sevilla** parece más sencilla porque, al igual que en el caso de la hoja **Madrid**, algunos datos son idénticos (sin modificación del contenido o el formato).

Es preciso:

- Recuperar los valores de la celda de la hoja **Sevilla**.
- Asignar este valor a la celda de la hoja **Consolidada**.

He aquí las correspondencias:

Columna en la hoja Consolidada	Columna en la hoja Sevilla	Contenido de la celda
B (2)	A (1)	Agente inmobiliario
D (4)	G (7)	Fecha de publicación
E (5)	M (13)	Fecha de firma
H (8)	D (4)	Localidad
I (9)	I (9)	Código postal
J (10)	J (10)	Parking
K (11)	D (4)	Precio de salida
L (12)	L (12)	Precio final
N (14)	O (15)	Número de visitas
O (15)	P (16)	Número de ofertas
P (16)	N (14)	Operación realizada (VERDADERO/FALSO)

Inserte el código siguiente:

```
WSFinal.Cells(FilaConsolidada,  2).Value = .Cells(FilaSevilla,  1).Value
WSFinal.Cells(FilaConsolidada,  4).Value = .Cells(FilaSevilla,  7).Value
WSFinal.Cells(FilaConsolidada,  5).Value = .Cells(FilaSevilla, 13).Value
WSFinal.Cells(FilaConsolidada,  8).Value = .Cells(FilaSevilla,  8).Value
WSFinal.Cells(FilaConsolidada,  9).Value = .Cells(FilaSevilla,  9).Value
WSFinal.Cells(FilaConsolidada, 10).Value = .Cells(FilaSevilla, 10).Value
WSFinal.Cells(FilaConsolidada, 11).Value = .Cells(FilaSevilla,  4).Value
WSFinal.Cells(FilaConsolidada, 12).Value = .Cells(FilaSevilla, 12).Value
```

```
WSFinal.Cells(FilaConsolidada, 14).Value = .Cells(FilaSevilla, 15).Value
WSFinal.Cells(FilaConsolidada, 15).Value = .Cells(FilaSevilla, 16).Value
WSFinal.Cells(FilaConsolidada, 16).Value = .Cells(FilaSevilla, 14).Value
```

Para el tipo de operación de la hoja **Consolidada** (columna **3**), basta con interpretar la celda tipo de operación de la hoja **Sevilla** (columna 2). De hecho, la celda toma el valor **V** para la venta y **A** para el alquiler.

Inserte el siguiente código:

```
'Situación de venta
If .Cells(FilaSevilla, 2).Value = "A" Then
      WSFinal.Cells(FilaConsolidada, 3).Value = "Alquiler"
Else
      WSFinal.Cells(FilaConsolidada, 3).Value = "Venta"
End If
```

El código podría haberse escrito de manera diferente, como por ejemplo:
- Establecer la condición en el valor V en lugar de A, en cuyo caso los resultados de la condición se habrían invertido.
- Hacer un `Select Case`.
*- Utilizar la sintaxis `ElseIf` para comprobar si el valor es igual a **V**. De hecho, un simple `Else` no comprueba el valor de la columna 2 de la hoja **Sevilla**.*

Para el tipo de bien, es necesario establecer la correspondencia entre los valores de la hoja **Sevilla** y los valores esperados en la hoja **Consolidada**.

Hoja Sevilla	Hoja Consolidada
A	Apartamento
C	Casa
V	Villa

Hay dos opciones para tratar este caso:

- Estructura condicional (`If ... Then ... ElseIf ...Else ... End If`)
- `Select Case`

Como se ve en la sección Consolidación de varios datos: conceptos del curso en este capítulo, la estructura **Select Case** parece más apropiada porque es más ligera de escribir cuando la condición se relaciona solo con el valor de un campo específico, como es el caso aquí.

Use la estructura **Select Case**:

```
Select Case .Cells (FilaSevilla, 6).Value
    Case "A"
```

```
        WSFinal.Cells(FilaConsolidada, 6).Value = "Apartamento"
        Case "V"
        WSFinal.Cells(FilaConsolidada, 6).Value = "Villa"
        Case "C"
        WSFinal.Cells(FilaConsolidada, 6).Value = "Casa"
    End Select
```

Cortar cadenas de caracteres

El formato de la superficie en la hoja **Sevilla** contiene dos decimales, pero la hoja **Consolidada** espera un número entero. Con la información «m^2» colocada al final del campo, no es posible realizar una simple conversión de formato; es necesario «cortar» el valor de la celda.

¿Cómo transformar 123,45 m^2 en 123?

- Recupere el valor sin la unidad.
- Convierta el valor recuperado en un número entero.

Para aplicar esta operación, es necesario recuperar el valor numérico del campo: el valor numérico corresponde a todo el campo menos los últimos 3 caracteres, que son «m^2».

Por lo tanto, aplicamos la instrucción **Left** con el campo como argumento, y que tiene el tamaño del campo, definido por la instrucción **Len** menos el número de caracteres que se van a eliminar.

```
ValNum = Left(Campo, Len(Campo)-3)
```

Introduzca el código VBA:

```
WSFinal.Cells(FilaConsolidada, 7).Value = CInt(Left(.Cells(FilaSevilla,
5).Value, Len(.Cells(FilaSevilla, 5).Value) - 3)) &"m2"
```

Calcule los honorarios simplemente multiplicando el porcentaje de los honorarios y el precio de la venta/alquiler recuperado.

```
'Calcular honorarios
WSFinal.Cells(FilaConsolidada, 13).Value = .Cells (FilaSevilla, 12)
.Value * .Cells(FilaSevilla, 3).Value
```

Finalmente, en el último paso de la importación, asigne el formato correcto a las celdas que contienen los precios.

```
WSFinal.Cells(FilaConsolidada, 11).NumberFormat = "#,##0.00 €"
WSFinal.Cells(FilaConsolidada, 12).NumberFormat = "#,##0.00 €"
WSFinal.Cells(FilaConsolidada, 13).NumberFormat = "#,##0.00 €"
```

Terminar la operación

Para terminar la operación:

- Cierre ambos libros abiertos con el método `Close` del objeto `Workbook`.
- Muestre un mensaje de confirmación con una instrucción `MsgBox`.

El código se redacta en los siguientes términos:

```
'Cerrar los libros abiertos
WBMadrid.Close
WBSevilla.Close
'Mensaje para anunciar el final del proceso
MsgBox ("Procesamiento completado. Los datos se han importado correctamente").
```

Activar el procedimiento

Para activar el procedimiento, la forma más fácil es iniciar la macro a través del comando apropiado:

- Vaya a la pestaña **Programador**.
- Haga clic en **Macro**.
- En la ventana, elija la macro que desea activar (aquí, `InsertarDatos`).

Recapitulación del código

Completado el procedimiento, veamos el código una vez finalizado:

```
Sub InsertarDatos()
  'definir las variables
  Dim WBSevilla As Excel.Workbook
  Dim WBMadrid As Excel.Workbook
  Dim WBFinal As Excel.Workbook
  Dim WSSevilla As Excel.Worksheet
  Dim WSMadrid As Excel.Worksheet
  Dim WSFinal As Excel.Worksheet
  'Asignar valores a los libros consolidados
  Set WBFinal = ThisWorkbook
  Set WSFinal = WBFinal.Sheets("Datos")

  'Abrir el archivo Sevilla
  'crear un objeto cuadro de diálogo que tenga como argumento la selección
de archivo.
  With Application.FileDialog(msoFileDialogFilePicker)
    'Establecer un título para el cuadro de diálogo
    .Title = "Elija el archivo de Excel para Sevilla:"
    'Autorizar la selección múltiple: no en nuestro caso
    .AllowMultiSelect = False
    'Establecer un nombre de archivo predeterminado
    .InitialFileName = "Inmo_Sevilla.xlsx"
    'Borrar los filtros existentes.
    .Filters.Clear
    'Définir una lista de filtros para el campo "Tipo de archivo".
```

```
    .Filters.Add "Libros de Excel", "*.xls; *.xlsx; *.xlsm"
    'Establecer el filtro que se muestra por defecto en el campo "Tipo
de archivo".
    .FilterIndex = 1

    'Indique el tipo de visualización en el cuadro de diálogo (por ejemplo,
visualización de las propiedades)
    .InitialView = msoFileDialogViewProperties
    'Muestra el cuadro de diálogo
    .Show
    If .SelectedItems.Count > 0 Then
      'Asignar a la variable Workbook el archivo seleccionado que se abrirá
en la aplicación.
      Set WBSevilla = Workbooks.Open(.SelectedItems(1))
      'Asignar a la variable Worksheet la primera hoja del libro definido
anteriormente.
      Set WSSevilla = WBSevilla.Sheets(1)
    Else
      'Si no se selecciona ningún archivo, salir del procedimiento
      MsgBox "No ha seleccionado ningún archivo. Inténtelo de nuevo."
      Exit Sub
    End If
  End With

  With Application.FileDialog(msoFileDialogFilePicker)
    .Title = "Elija el archivo de Excel para Madrid:"
    .AllowMultiSelect = False
    .InitialFileName = "Inmo_Madrid.xlsx"
    .Filters.Clear
    .Filters.Add "Libros de Excel", "*.xls; *.xlsx; *.xlsm"
    .FilterIndex = 1
    .InitialView = msoFileDialogViewProperties
    .Show
    If .SelectedItems.Count > 0 Then
      Set WBMadrid = Workbooks.Open(.SelectedItems(1))
      Set WSMadrid = WBMadrid.Sheets(1)
    Else
      MsgBox "No ha seleccionado ningún archivo. Inténtelo de nuevo."
      Exit Sub
    End If
  End With

  'Definir las variables
  Dim FilaMadrid, FilaSevilla, FilaConsolidada As Integer
  'Asignar valores
  FilaMadrid = 2
  FilaSevilla = 2
  FilaConsolidada = 2

  'Colocar la estructura With … End With para no tener que reescribir cada
vez el nombre de la hoja WSMadrid
  With WSMadrid
```

```
    'Crear un bucle cuya condición de salida es encontrar una celda vacía
    While .Cells(FilaMadrid, 1).Value <> ""
      'La celda de la columna 1 tomará el valor de Madrid sea cual sea el
valor de FilaConsolidada.
      WSFinal.Cells(FilaConsolidada, 1).Value = "Madrid"

      WSFinal.Cells(FilaConsolidada, 2).Value = .Cells(FilaMadrid, 2).Value
      WSFinal.Cells(FilaConsolidada, 6).Value = .Cells(FilaMadrid, 6).Value
      WSFinal.Cells(FilaConsolidada, 8).Value = .Cells(FilaMadrid, 4).Value
      WSFinal.Cells(FilaConsolidada, 9).Value = .Cells(FilaMadrid, 5).Value
      WSFinal.Cells(FilaConsolidada, 14).Value = .Cells(FilaMadrid, 10).Value
      WSFinal.Cells(FilaConsolidada, 15).Value = .Cells(FilaMadrid, 11).Value
      WSFinal.Cells(FilaConsolidada, 16).Value = .Cells(FilaMadrid, 15).Value
      WSFinal.Cells(FilaConsolidada, 13).Value = .Cells(FilaMadrid, 9).Value
      'La información de la inclusión de parking no está presente en la hoja
Madrid.
      WSFinal.Cells(FilaConsolidada, 10).Value = "No especificado"
      Dim Superf As Double
      Dim Propuesta, PrecioFinal As Long
      If .Cells(FilaMadrid, 7).Value = "" Then
        WSFinal.Cells(FilaConsolidada, 3).Value = "Alquiler"
        'recuperar el precionfinal
        PrecioFinal = .Cells(FilaMadrid, 13).Value
        'La superficie del alquiler corresponde al precio de alquiler dividido
por el precio del m². La función de Excel MROUND (redondeo al múltiplo) se
aplica al cálculo para obtener un número entero.
        Superf = Application.WorksheetFunction.MRound((PrecioFinal /
.Cells(FilaMadrid, 14).Value), 1)
        'recuperar el precio propuesto inicialmente
        Propuesta = .Cells(FilaMadrid, 12).Value
      Else
        'Se aplica el mismo razonamiento que antes.
        WSFinal.Cells(FilaConsolidada, 3).Value = "Venta"
        Superf = Application.WorksheetFunction.MRound((.Cells(FilaMadrid,
8).Value / .Cells(FilaMadrid, 14).Value), 1)
        Propuesta = .Cells(FilaMadrid, 7).Value
        PrecioFinal = .Cells(FilaMadrid, 8).Value
      End If
      'Una vez recuperados los valores, se muestran en la hoja Consolidada.
      WSFinal.Cells(FilaConsolidada, 7).Value = Superf & " m²"
      WSFinal.Cells(FilaConsolidada, 11).Value = Propuesta
      WSFinal.Cells(FilaConsolidada, 12).Value = PrecioFinal
      'Llamar a la función ConvTS
      WSFinal.Cells(FilaConsolidada, 4).Value = ConvTS(.Cells(FilaMadrid,
1).Value)
      WSFinal.Cells(FilaConsolidada, 4).NumberFormat = "dd/mm/yyyy;@"
      WSFinal.Cells(FilaConsolidada, 5).Value = WSFinal.Cells(FilaConsolidada,
4).Value + .Cells(FilaMadrid, 16).Value
      WSFinal.Cells(FilaConsolidada, 5).NumberFormat = "dd/mm/yyyy;@"
      WSFinal.Cells(FilaConsolidada, 11).NumberFormat = "#,##0.00 €"
      WSFinal.Cells(FilaConsolidada, 12).NumberFormat = "#,##0.00 €"
      WSFinal.Cells(FilaConsolidada, 13).NumberFormat = "#,##0.00 €"
```

```
        'Iteración de la variable FilaMadrid a fin de explorar la fila siguiente
        FilaMadrid = FilaMadrid + 1
        'Iteración de la variable FilaConsolidada a fin de que la fila de destino
en el archivo consolidado aumente en 1.
        FilaConsolidada = FilaConsolidada + 1
      Wend
    End With

    With WSSevilla
      While .Cells(FilaSevilla, 1).Value <> ""
        WSFinal.Cells(FilaConsolidada, 1).Value = "Sevilla"
        'données reprises sans modification
        WSFinal.Cells(FilaConsolidada, 2).Value = .Cells(FilaSevilla, 1).Value
        WSFinal.Cells(FilaConsolidada, 4).Value = .Cells(FilaSevilla, 7).Value
        WSFinal.Cells(FilaConsolidada, 5).Value = .Cells(FilaSevilla, 13).Value
        WSFinal.Cells(FilaConsolidada, 8).Value = .Cells(FilaSevilla, 8).Value
        WSFinal.Cells(FilaConsolidada, 9).Value = .Cells(FilaSevilla, 9).Value
        WSFinal.Cells(FilaConsolidada, 10).Value = .Cells(FilaSevilla, 10).Value
        WSFinal.Cells(FilaConsolidada, 11).Value = .Cells(FilaSevilla, 4).Value
        WSFinal.Cells(FilaConsolidada, 12).Value = .Cells(FilaSevilla, 12).Value
        WSFinal.Cells(FilaConsolidada, 14).Value = .Cells(FilaSevilla, 15).Value
        WSFinal.Cells(FilaConsolidada, 15).Value = .Cells(FilaSevilla, 16).Value
        WSFinal.Cells(FilaConsolidada, 16).Value = .Cells(FilaSevilla, 14).Value
        'Situación de venta
        If .Cells(FilaSevilla, 2).Value = "A" Then
          WSFinal.Cells(FilaConsolidada, 3).Value = "Alquiler"
        Else
          WSFinal.Cells(FilaConsolidada, 3).Value = "Venta"
        End If
        'Tipo de bien
        Select Case .Cells(FilaSevilla, 6).Value
        Case "A"
          WSFinal.Cells(FilaConsolidada, 6).Value = "Apartamento"
        Case "V"
          WSFinal.Cells(FilaConsolidada, 6).Value = "Villa"
        Case "C"
          WSFinal.Cells(FilaConsolidada, 6).Value = "Casa"
        End Select
        ' Definir la superficie
        WSFinal.Cells(FilaConsolidada, 7).Value = CInt(Left(.Cells(FilaSevilla,
5).Value, Len(.Cells(FilaSevilla, 5).Value) - 3)) & " m²"
        'Calcular honorarios
        WSFinal.Cells(FilaConsolidada, 13).Value = .Cells(FilaSevilla, 12).
Value * .Cells(FilaSevilla, 3).Value
        'Actualización de los formatos
        WSFinal.Cells(FilaConsolidada, 11).NumberFormat = "#,##0.00 €"
        WSFinal.Cells(FilaConsolidada, 12).NumberFormat = "#,##0.00 €"
        WSFinal.Cells(FilaConsolidada, 13).NumberFormat = "#,##0.00 €"

        FilaSevilla = FilaSevilla + 1
        FilaConsolidada = FilaConsolidada + 1
      Wend
```

```
    End With

    'Cerrar los libros abiertos
    WBMadrid.Close
    WBSevilla.Close
    'Mensaje para anunciar el final del proceso
    MsgBox ("Procesamiento completado. Los datos se han importado
correctamente.")
End Sub
```

D. Compartir datos: descripción del ejemplo

1. Presentación del ejemplo

El objetivo de este ejemplo es proponer una solución que permita a ambas agencias inmobiliarias introducir datos. El problema es que este archivo de Excel no está destinado a ser mantenido por una sola agencia, sino que debe ser accesible y modificable por ambas agencias; quizás, al final, por una multitud de ellas.

2. Presentación de los libros y herramientas utilizadas

A efectos de este ejemplo, se utilizará el archivo generado en la primera parte de este capítulo, ya que contiene los datos introducidos en las agencias, aunque se le han aplicado algunas mejoras, incluida una pestaña **Configuración**. El archivo en el que nos vamos a basar es **Enunciado_6-DEF.xlsm**.

Este ejemplo requerirá una cuenta en Microsoft OneDrive (https://onedrive.live.com/) y, para la última parte, es necesario tener Outlook 2021 u Outlook Microsoft 365 instalado en su ordenador. Si no dispone de Outlook, el código se puede adaptar fácilmente para otras soluciones.

La cuenta de OneDrive le permitirá crear un formulario de Excel en línea cuyos valores se almacenarán dentro de un archivo.

La aplicación Outlook le permitirá enviar un correo electrónico a partir de los datos contenidos en Excel.

3. Funcionalidades

Las funcionalidades que se abordarán son:

- Crear un formulario de introducción automática para facilitar la entrada de datos:

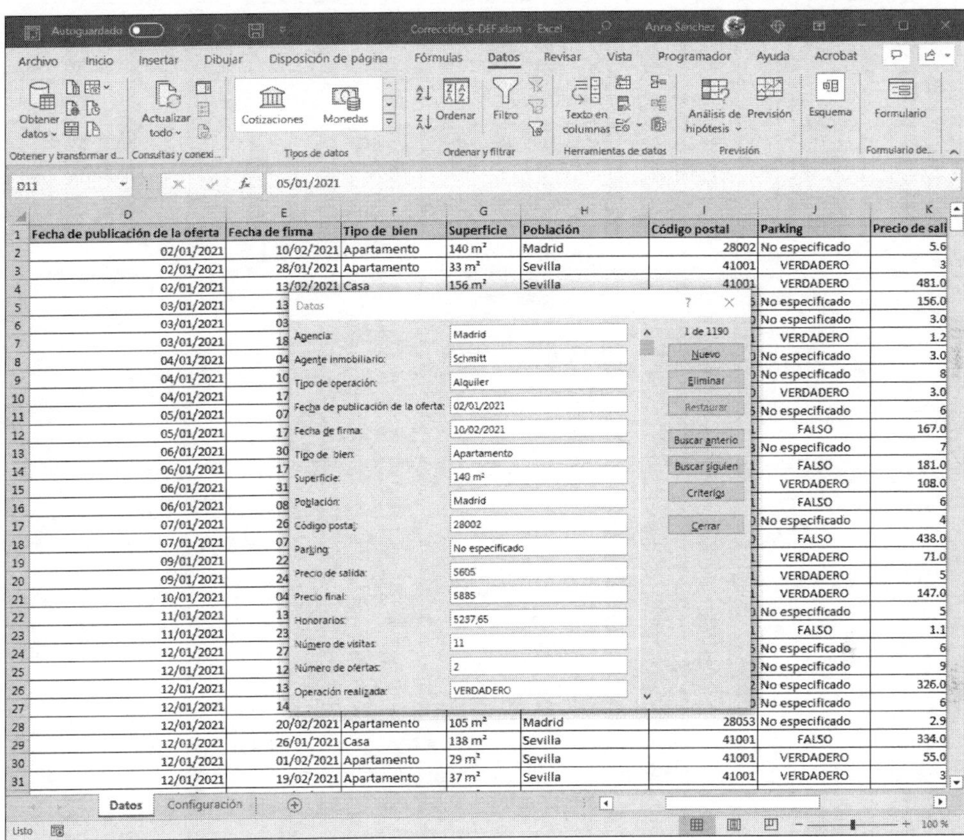

- Crear una encuesta compartida a través de OneDrive y distribuirla.

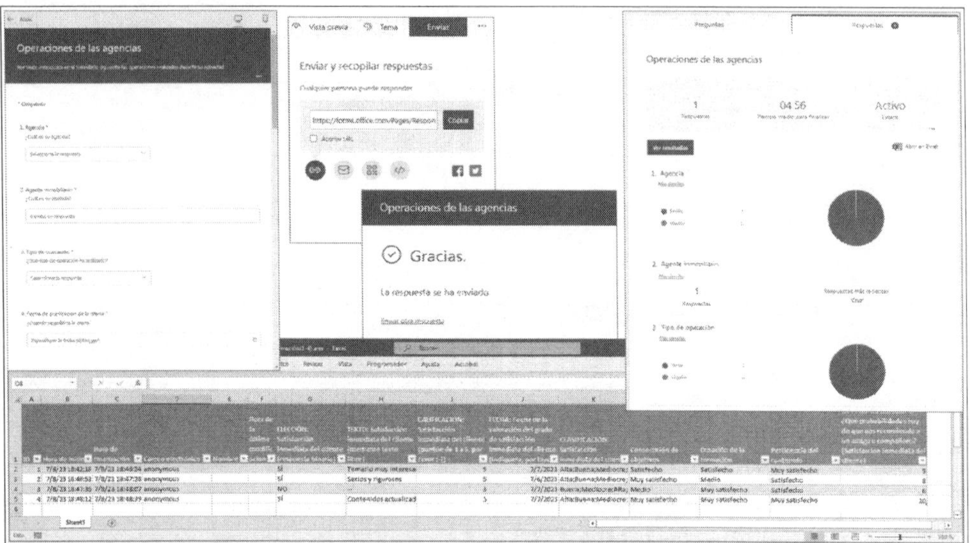

- Enviar un correo electrónico a las agencias con las estadísticas mensuales de las operaciones realizadas por ellas. El cuerpo de este correo electrónico debería parecerse a esto:

  Buenos días:

  A continuación, indicamos los resultados del mes 3 de 2021:

  Alquiler en Madrid: 40

  Venta en Madrid: 27

  Alquiler en Sevilla: 27

  Venta en Sevilla: 13

  Un saludo cordial

E. Intercambio de datos: conceptos del curso

1. Formulario de tabla

La opción **Formulario** es una característica de Excel para agregar/editar/eliminar datos en una serie de datos. Normalmente, se usa con tablas, pero esta funcionalidad también se puede usar con una simple serie de datos.

Ventajas

La ventaja de esta funcionalidad es que genera un formulario de entrada y edición de una manera sencilla, simplemente con un clic. La edición, la adición y la eliminación son de fácil acceso e incluso es posible buscar un elemento.

Desventajas

La principal desventaja es la falta de posibilidades de ayuda a la hora de introducir datos.

Es imposible calificar los datos que se han de insertar. Además, si ha aplicado restricciones a los datos (pestaña **Datos** - **Validación de datos**), es posible que no pueda insertar los datos con el formulario. De hecho, si el valor introducido no se corresponde con el valor esperado, no se insertará toda la fila.

¿Cómo insertar el formulario?

- Abra el archivo **EjemploCurso_Capítulo_6.xlsx**.

Encontrará en la hoja dos tablas idénticas en **A1:C9** y **H1:J9**. Cada tabla tiene tres columnas donde aparecen los nombres, el sexo y el nombre del equipo.

La primera tabla (rango **A1:C9**) representa un rango de datos, no está declarada como tabla de Excel. Ninguna casilla conlleva ninguna restricción. La segunda tabla (rango **H1: J9**) es una tabla de Excel. Las columnas relativas al sexo y al nombre del equipo son obligatorias: el usuario debe elegir uno de los valores.

- En la pestaña **Archivo**, elija **Opciones**.
- Haga clic en **Personalizar cinta de opciones**; luego, en **Comandos disponibles en**, escoja **Todos los comandos**.
- En la lista de la izquierda, seleccione **Formulario**.
- En la lista de la derecha, seleccione **Datos** y haga clic en **Nuevo grupo**.

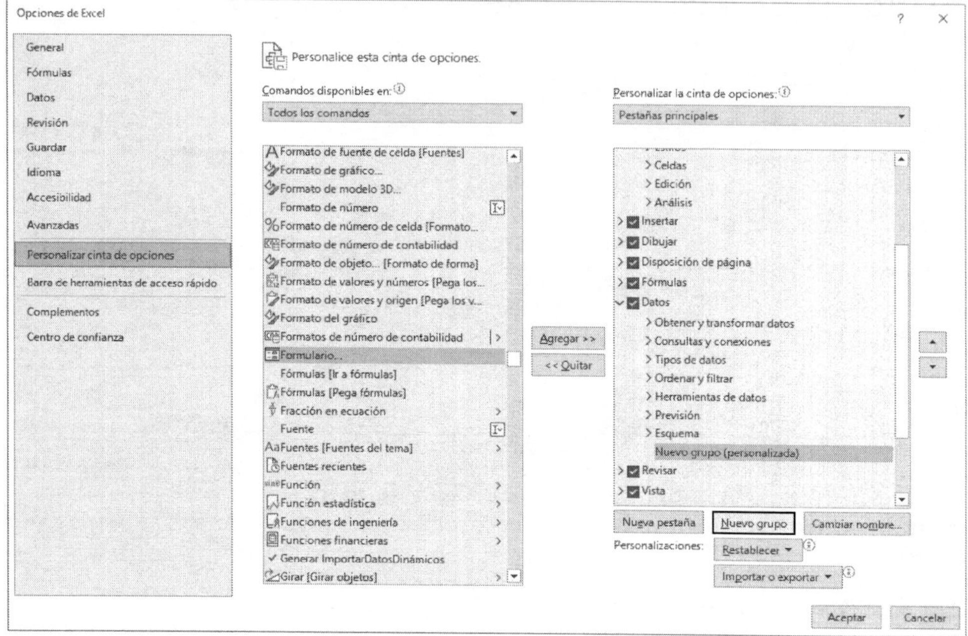

- Haga clic en **Agregar>>** para insertar el botón **Formulario** en este grupo nuevo de la pestaña **Datos**.
- Haga clic en **Cambiar nombre** para llamar al grupo **Formulario de datos**, como se muestra a continuación.

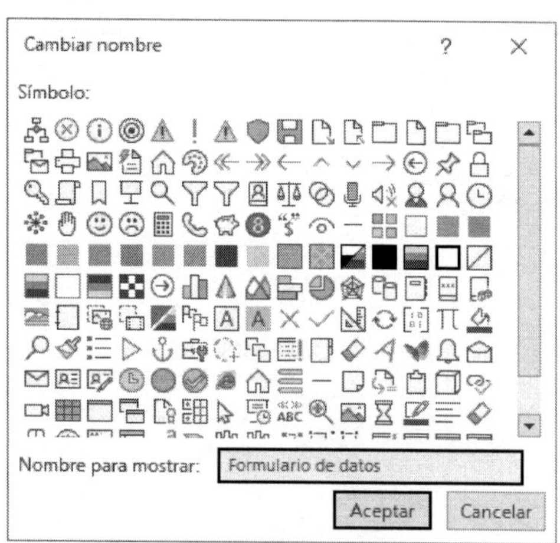

✎ Haga clic en **Aceptar** dos veces para cerrar las ventanas **Cambiar nombre** y **Opciones de Excel**.

Obtendrá la siguiente vista:

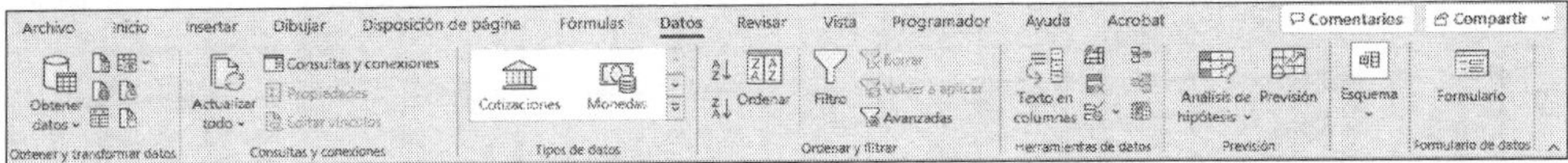

✎ Seleccione la celda **A1** en la tabla de la izquierda y, a continuación, en la pestaña **Datos**, haga clic en **Formulario**.

Aparecerá la siguiente ventana; haga clic en **Aceptar** para mostrar el formulario.

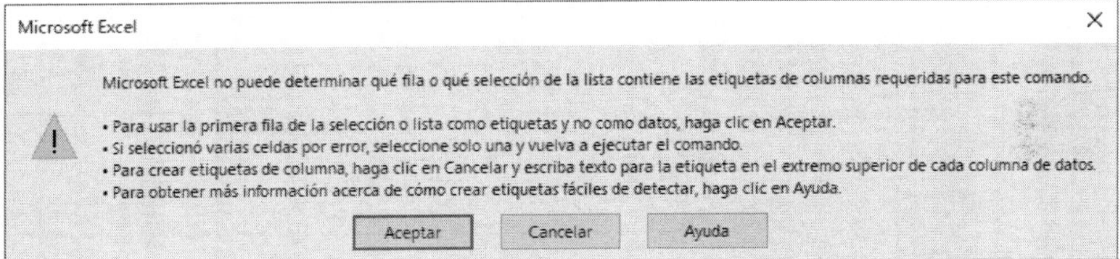

El formulario se muestra de la siguiente manera:

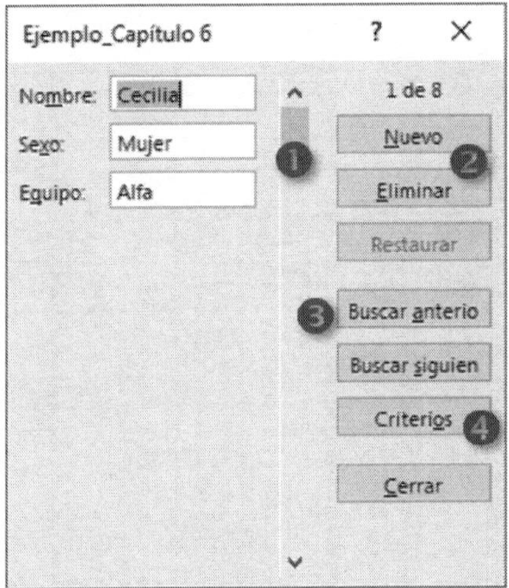

1. El botón **Nuevo** crea un registro nuevo vacío.
2. El botón **Eliminar** elimina el registro actual.
3. Los botones **Buscar anterio/Buscar siguien** permiten navegar a través de los registros.

4. El botón **Criterios** permite introducir criterios para mostrar solo los registros que cumplen con estos criterios.

- Como prueba, puede agregar/editar/eliminar registros. A continuación, haga clic en **Cerrar**.
- A continuación, haga clic en la celda **H1** y después, en la pestaña **Datos** haga clic en **Formulario**.

  Aquí también se muestra el formulario para la tabla nueva.
- Haga clic en **Nuevo** y, a continuación, escriba los siguientes valores:
  - Nombre: **Juan**
  - Sexo: **V**
  - Equipo: **Beta**
- Vuelva a hacer clic en **Nuevo**.

Se ha aplicado una restricción a la tabla: solo se aceptan los valores "Hombre" y "Mujer" para la columna "Sexo". El siguiente mensaje nos informa que el valor "V" no es compatible.

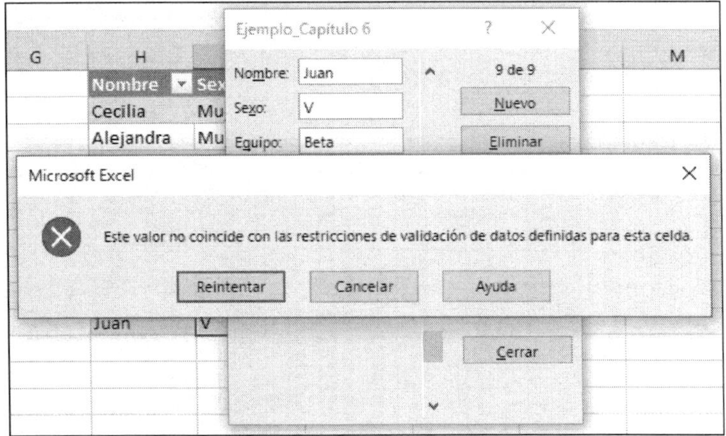

- Haga clic en **Reintentar** para cambiar **V** por **Varón**.
- A continuación, haga clic en **Criterios** y, en el cuadro de texto **Nombre**, escriba ***a***. Esto filtrará los elementos que contengan una **a**. El carácter * es un carácter comodín que reemplaza a todos los demás caracteres.

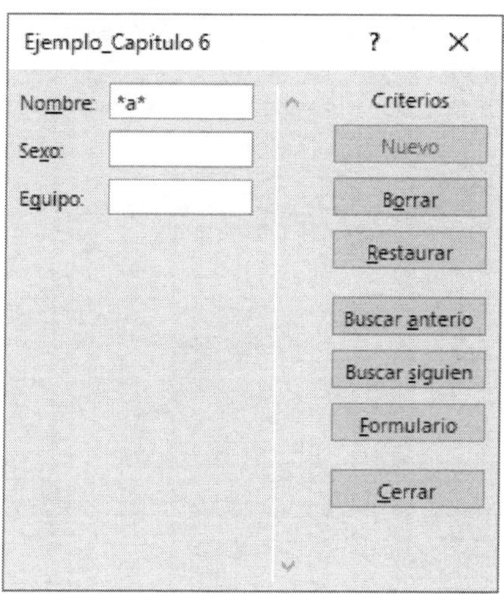

- Pulse la tecla ⏎ y navegue con los botones **Buscar anterio** y **Buscar siguien** entre los registros cuyo nombre contiene una «a».

2. OneDrive

OneDrive es un espacio de almacenamiento en línea, anteriormente conocido como SkyDrive. Sirve para almacenar y compartir archivos de todo tipo, pero también permite usar las versiones en línea de Microsoft Office para trabajar en archivos de Microsoft Office Word, Excel, PowerPoint y OneNote.

Se puede acceder a esta solución a través de la siguiente dirección: https://onedrive.live.com/, y requiere la creación de una cuenta de usuario de Microsoft. La cuenta es gratuita si tiene menos de 5 gigabytes de almacenamiento o bien si se dispone de una suscripción a Microsoft 365, que proporciona 1 terabyte de almacenamiento.

Accederá, pues, a la suite en línea de Microsoft a través de un navegador que le permite editar directamente los archivos en línea. Echando un vistazo más de cerca a Microsoft Excel para la Web, nos damos cuenta de que el menú está restringido y de que no todas las funcionalidades están operativas.

Esta solución permite gestionar una edición compartida, es decir, se puede requerir que varios usuarios editen el mismo archivo simultáneamente. Como resultado, algunas funciones no están disponibles, como el uso de macros VBA o el control de formularios.

En contraposición, es más fácil comentar e interactuar con otros usuarios de este archivo.

El archivo almacenado en OneDrive se puede descargar localmente en el equipo, pero los cambios realizados en local solo se transfieren a la versión almacenada en OneDrive después de que los archivos se hayan sincronizado.

OneDrive le permite administrar las diferentes versiones del mismo archivo y mantiene tantas versiones como sea necesario: puede acceder a ellas a través de **Archivo - Información -Historial de versiones**.

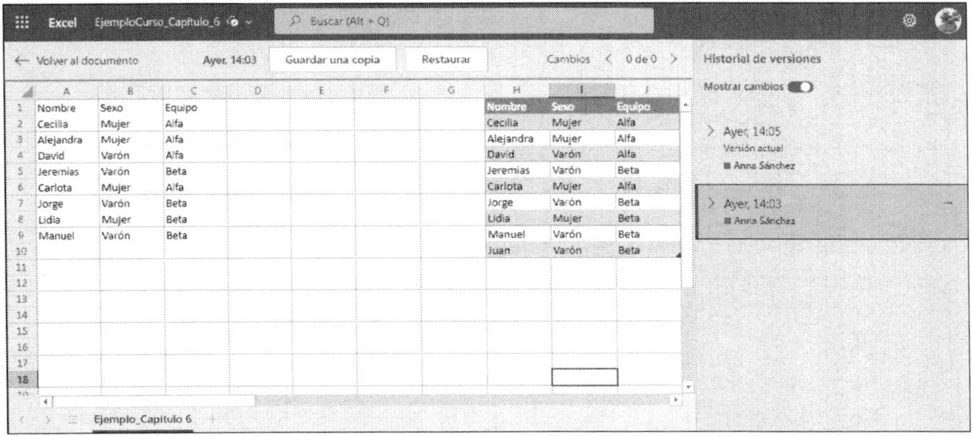

3. Encuestas

Una encuesta es un formulario compartido con otros usuarios cuyas respuestas se concatenan dentro de un archivo.

La encuesta no está disponible en Microsoft Office Excel localmente; es una funcionalidad reservada para la versión en línea.

- Abra el panel izquierdo, haga clic en el botón **Nuevo** y elija **Encuesta sobre formularios** o **Formulario**.

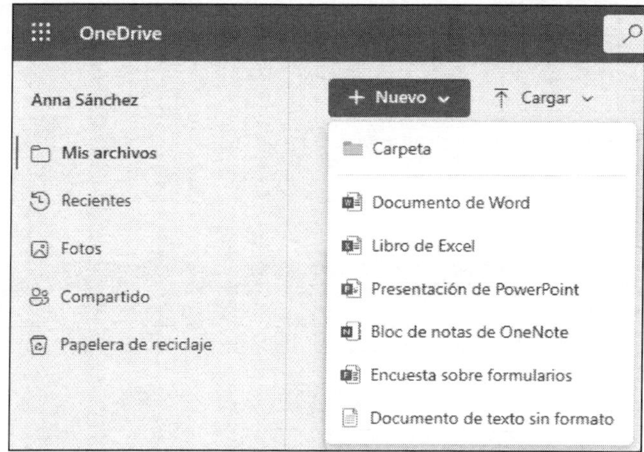

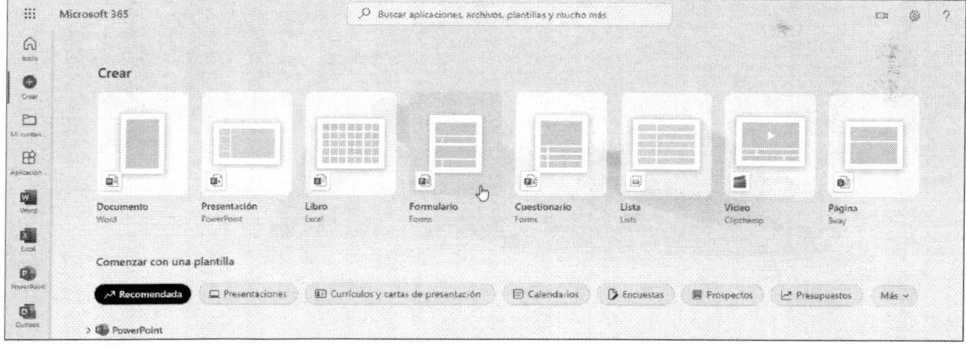

La encuesta se divide en dos partes que deben completarse:

- La parte titulada Preguntas, para crear las preguntas.
- La parte titulada Respuestas, para observar las respuestas recibidas.

Se presentan así:

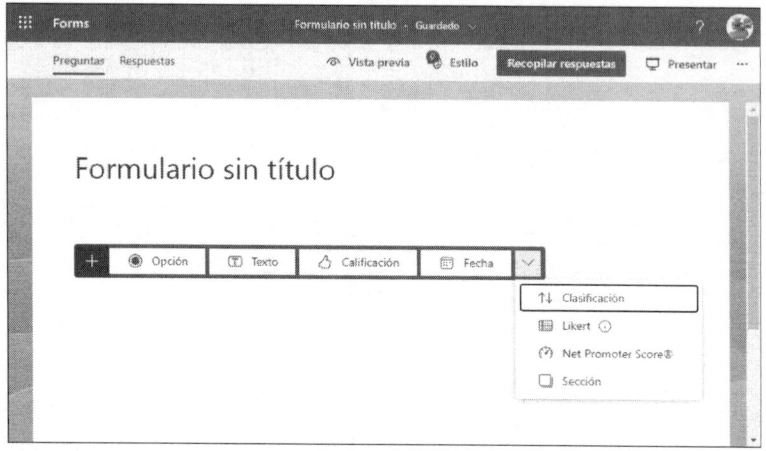

La construcción de una encuesta consiste en agregar una lista de preguntas que se caracterizan por:

- un título;
- una subpregunta;
- un formato de respuesta esperado.

La pregunta se puede crear para:

- Múltiples opciones:

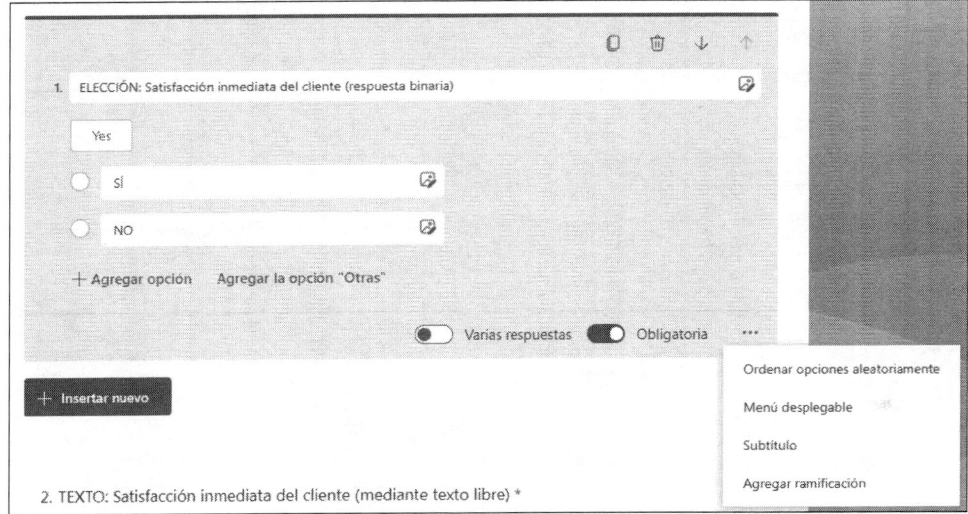

- Una respuesta a través de texto libre:

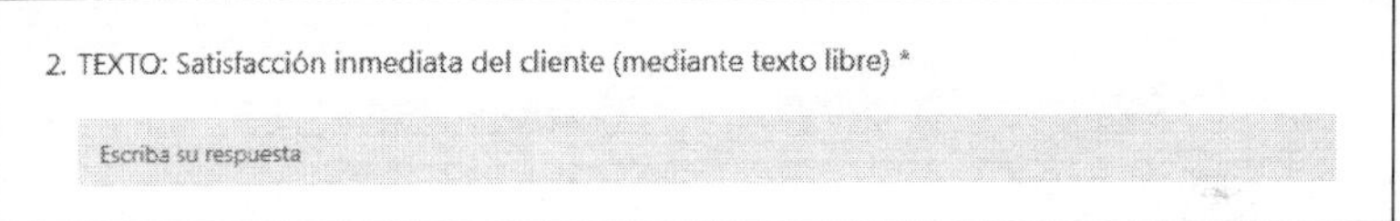

- Una calificación a través de una puntuación entre 1 y 5 (hasta 10):

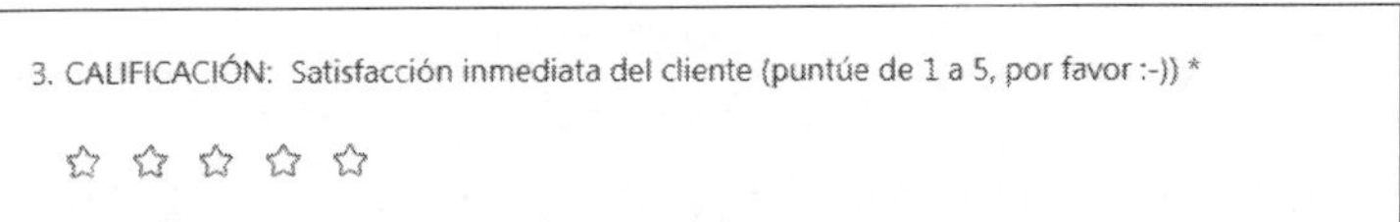

- Una fecha para rellenar:

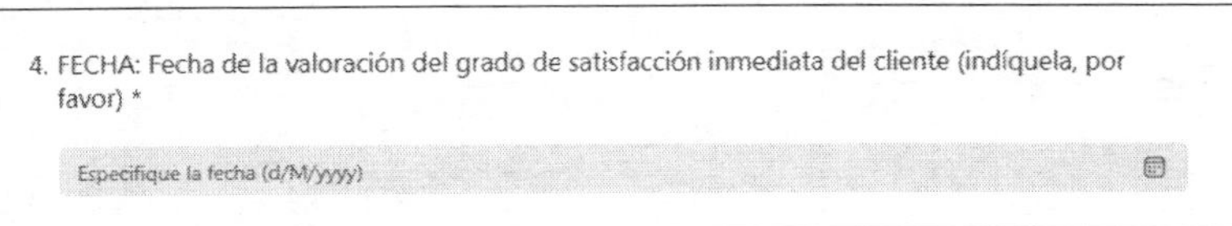

- Una clasificación seleccionando la respuesta correspondiente:

5. CLASIFICACIÓN: Satisfacción inmediata del cliente *

Mediocre

Buena

Alta

- Una escala llamada Likert es una tabla que permite una evaluación a la derecha de cada tema propuesto:

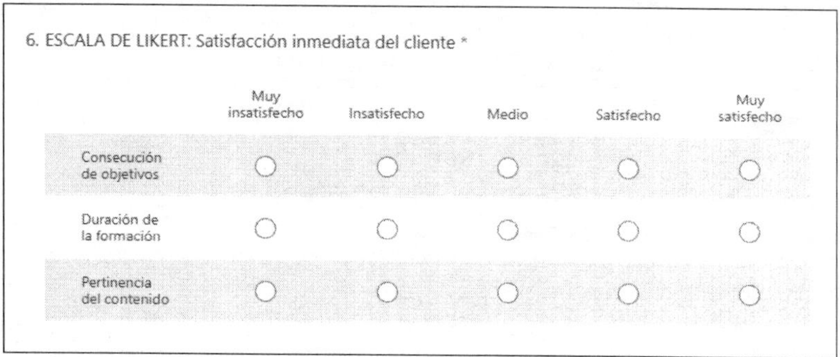

- Un *Net Promoter Score* correspondiente a una evaluación de 1 a 10:

7. NET PROMOTER SCORE: ¿Qué probabilidades hay de que nos recomiende a un amigo o compañero? (Satisfacción inmediata del cliente) *

0	1	2	3	4	5	6	7	8	9	10

Nada probable — Muy probable

- Una sección nueva en la que se pueden proponer preguntas sobre otro tema:

Sección 2

Sección

Escriba un subtítulo

Haga clic en el botón **Recopilar respuestas** para indicar cómo quiere hacer llegar la encuesta a los participantes y cómo desea recopilar las encuestas.

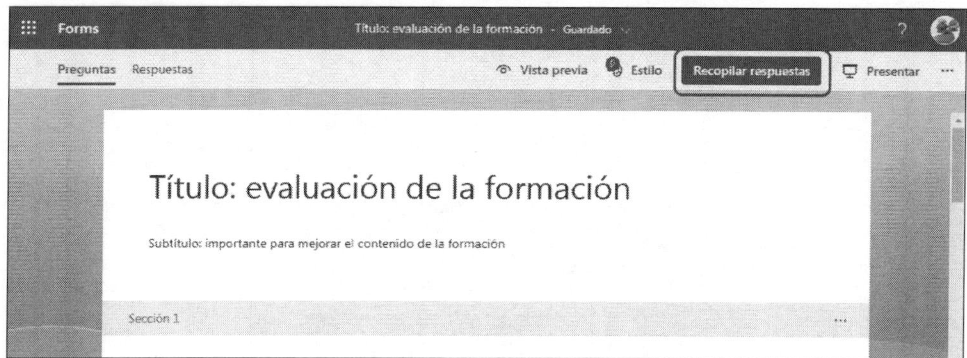

Puede generar un enlace a la encuesta, enviar una invitación a participar por correo electrónico, crear un código QR, obtener el código para insertarlo en una página web o difundir la encuesta a través de Facebook o Twitter.

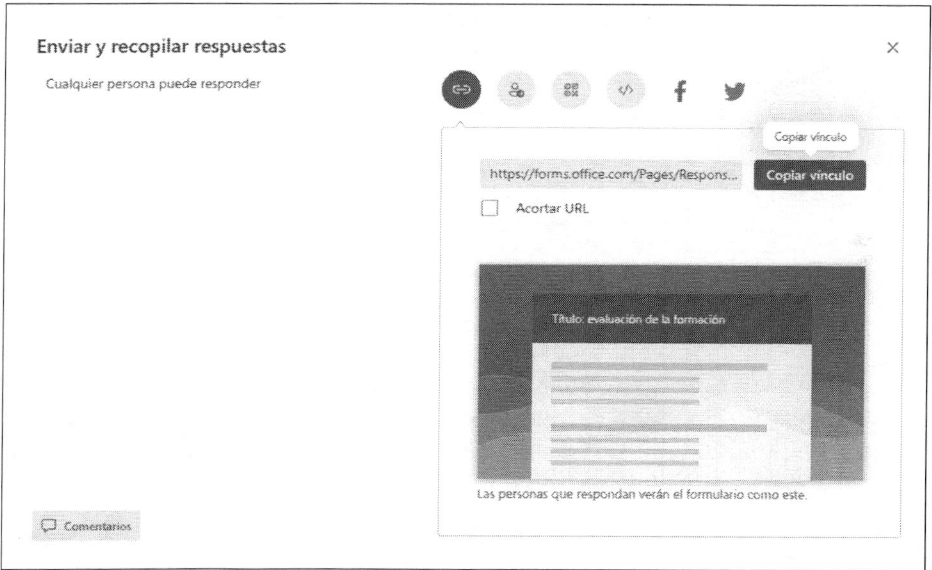

También puede cambiar el estilo del cuestionario.

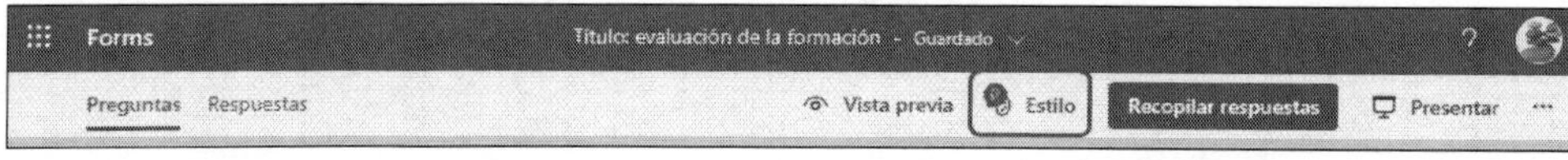

Lo que da acceso a una serie de opciones y fondos, incluyendo la posibilidad de usar inteligencia artificial para crear estilos envolventes:

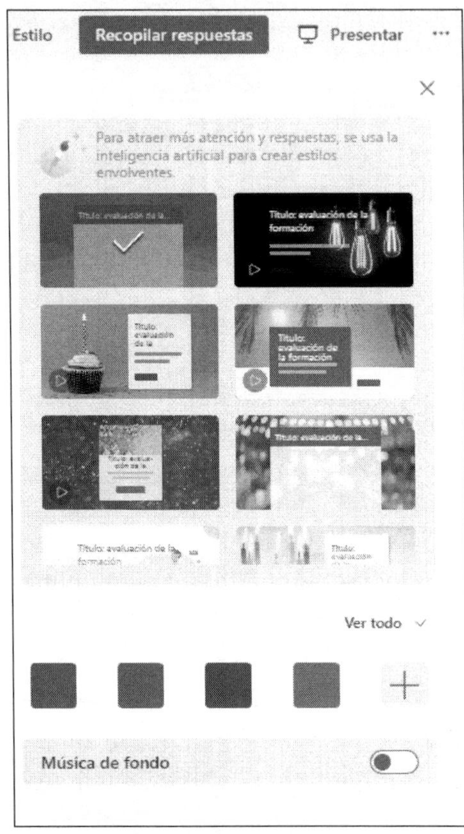

También puede ver la encuesta directamente con el botón **Vista previa**.

Tiene la opción de mostrarla tal y como se verá en el navegador del ordenador.

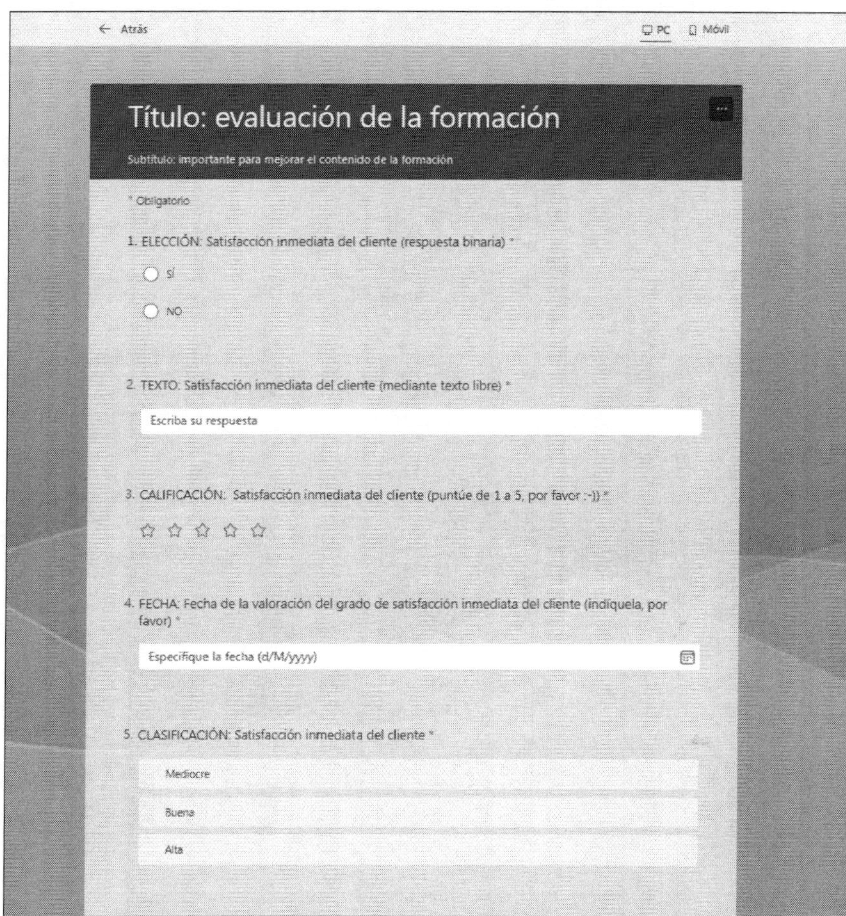

O como aparecerá en un dispositivo móvil.

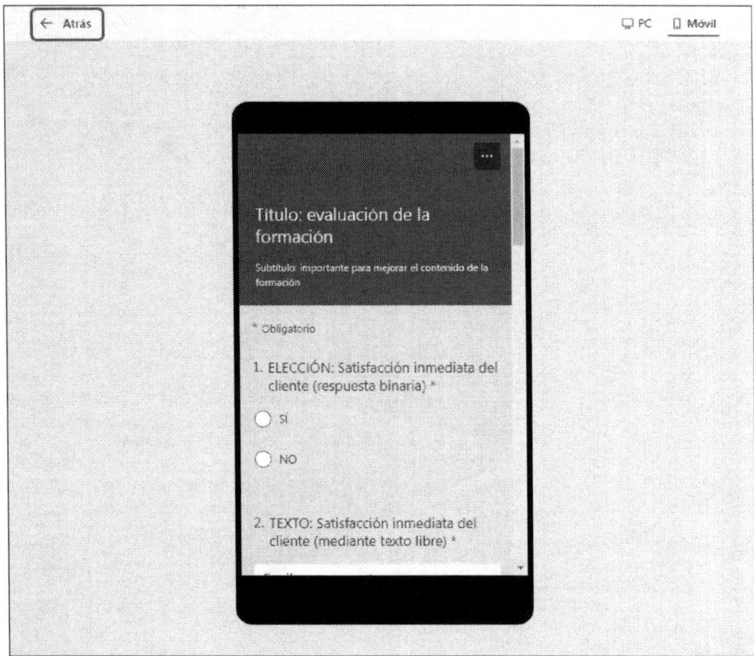

Se puede acceder al resultado de la encuesta mediante el botón **Atrás** y luego **Respuestas**.

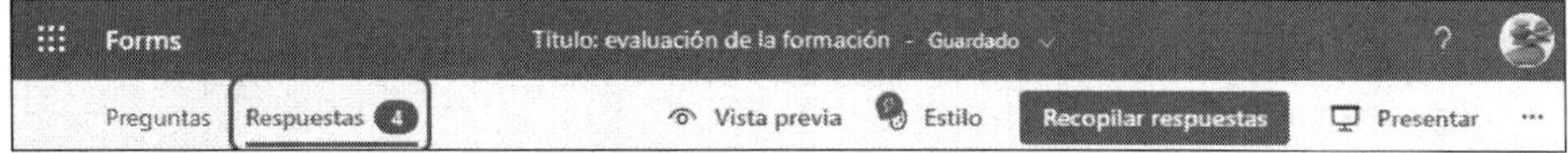

Los resultados pueden verse directamente en **Office Forms**:

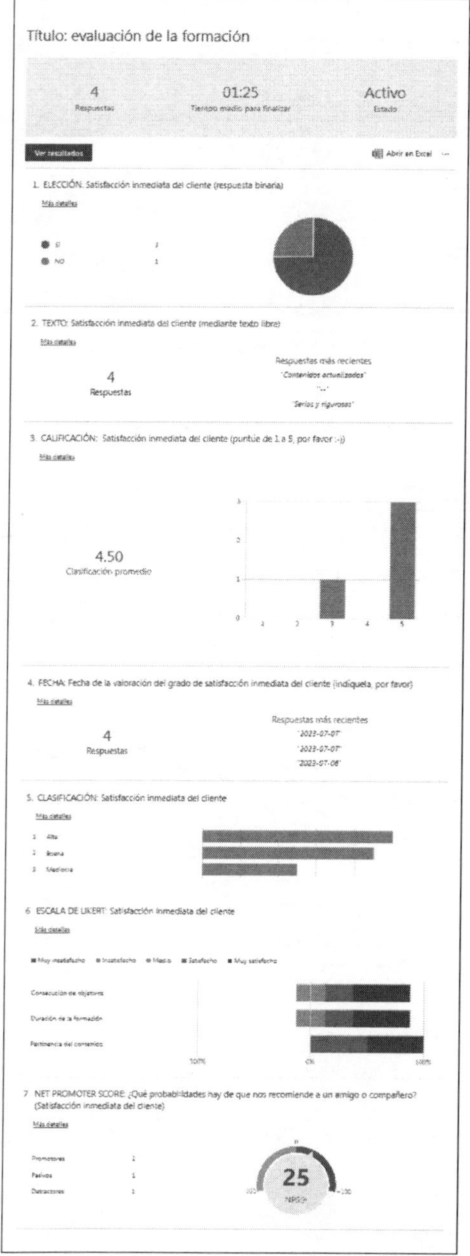

O bien, puede abrir el archivo correspondiente en Excel; no se comparte de forma predeterminada.

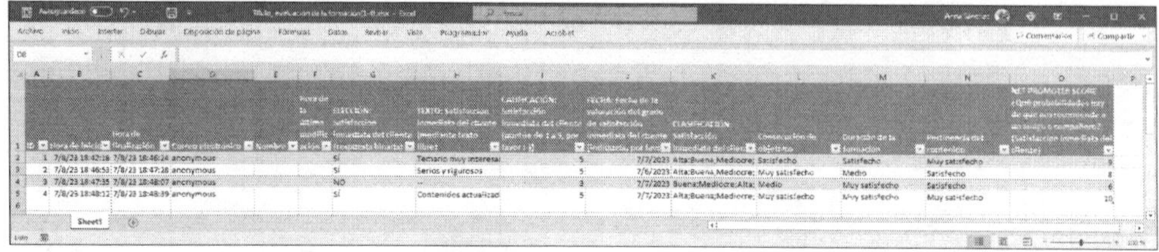

4. Enviar un correo electrónico con VBA a través de Outlook

El objetivo es enviar un correo electrónico de Outlook con VBA. Esto requiere una cuenta de Outlook configurada.

También es posible, aunque más complejo, configurar manualmente el servidor de envío de correo.

Agregar la referencia de Outlook

El primer paso consiste en agregar la **biblioteca Microsoft Office** como referencia al proyecto VBA. Esta referencia le permitirá usar Microsoft Outlook desde VBA.

- Para agregar esta referencia, vaya al **editor de Visual Basic**. En el menú **Herramientas**, haga clic en **Referencias** y, a continuación, busque su versión de **Microsoft Outlook**.

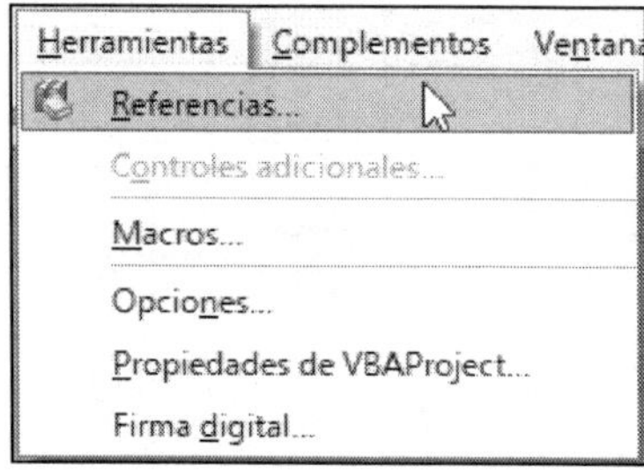

- Seleccione la versión de Outlook disponible: **Microsoft Outlook XX Object Library**, donde XX depende de su versión de Microsoft Office.

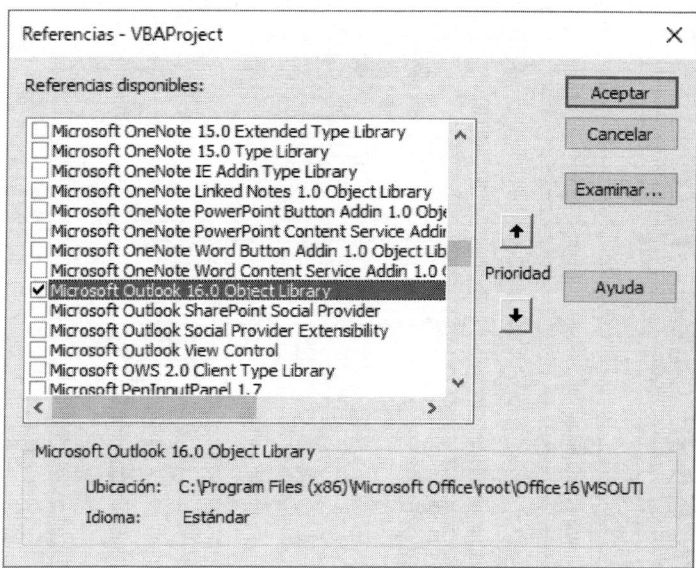

Escribir el código

Este código VBA de Excel se utilizará para enviar un correo electrónico a través de la aplicación Outlook. La información que se enviará por correo electrónico se recopilará en el código VBA de Excel. La aplicación Outlook se controla a través de VBA de Excel.

```
Sub EnvioMail()
'Contenido del procedimiento
End Sub
```

En primer lugar, es necesario crear un objeto de Outlook desde el cual se creará una instancia del mensaje. Esta operación se realiza en dos pasos: creación de los objetos (definición de variables) e inicialización de los objetos.

```
'Crear la variable aplicación Outlook
Dim Email As Outlook.Application
'Crear la variable Mail Outlook
Dim EmailMsg As Outlook.MailItem
'Inicializar el objeto aplicación Outlook
Set Email = CreateObject("Outlook.Application")
'Crear el correo en el objeto aplicación Outlook
Set EmailMsg = Email.CreateItem(olMailItem)
```

Trabajar con el objeto

Una vez creado el objeto mail, es posible añadir uno o más destinatarios, un asunto o un cuerpo de mensaje. Todos los campos siguientes son valores de tipo cadena de caracteres que se pueden recuperar fuera del código (por ejemplo, en una celda).

```
'Agregar un destinatario
EmailMsg.Recipients.Add destinatario@mail.com
'Agregar un asunto al correo electrónico
EmailMsg.Subject = "Título del correo electrónico"
'Agregar contenido al correo electrónico
EmailMsg.Body = "Cuerpo del correo"
```

Enviar el correo electrónico y destruir el objeto

Para enviar el correo, debe utilizar el método `Send` del objeto `MailItem`.

```
'Enviar el correo
EmailMsg.Send
```

Aunque este concepto apenas se ha abordado hasta ahora, lo cierto es que la destrucción de objetos es una parte integral de la programación. Visual Basic es un lenguaje simplificado adaptado a no programadores, por lo que no son necesarias muchas *buenas prácticas*. Sin embargo, adquirir buenos hábitos permite hacer el código más fluido, simple lo que se traduce en más legible y fácil de mantener.

La destrucción de una variable implica dejar de asignar memoria a esa variable. Si tiene 100 variables sin tipo y con memoria asignada, su programa se ralentizará. Sin embargo, si adquiere el hábito de escribir sus variables y «destruirlas» después de su uso, la memoria utilizada será menor y, por lo tanto, su programa será más fluido. También le resultará más fácil hacer el seguimiento de su programa.

Para destruir una variable, la solución más común es asignarle un valor vacío o nada (`Nothing`). Esto es lo que haremos con los objetos mail y aplicación Outlook al asignarles nada (`Nothing`) como valor. Esta operación se lleva a cabo a través de una instrucción Set que asigna un valor a un objeto.

```
'Destruir variables
Set EmailMsg = Nothing
Set Email = Nothing
End Sub
```

Es posible ir mucho más allá en la configuración de un correo electrónico, como por ejemplo:

- Contenido del correo electrónico en HTML.
- Agregar múltiples destinatarios.
- Agregar personas en copia oculta.
- Agregar archivos adjuntos.
- Indicar importancia en el correo electrónico, etc.

F. Uso compartido de datos: realización del ejemplo

- Primero, abra el archivo **Enunciado_6-DEF.xlsm**.

1. Crear un formulario de tipo autocompletar para facilitar la introducción de datos

El formulario de entrada permitirá la introducción de datos en una tabla sin tener que usar un formulario VBA.

Mostrar el formulario

- Si no ha agregado el botón **Formulario**, agréguelo en la pestaña **Datos** (consulte la sección Formulario de tabla en la sección Intercambio de datos: conceptos del curso, en este capítulo).
- Seleccione la celda **A1**.
- En la pestaña **Datos**, haga clic en el botón **Formulario**.

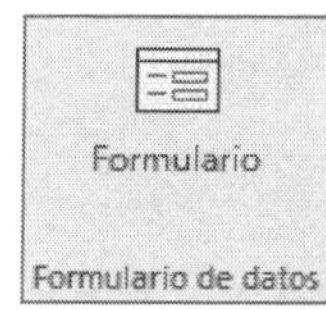

El formulario aparece de la siguiente manera:

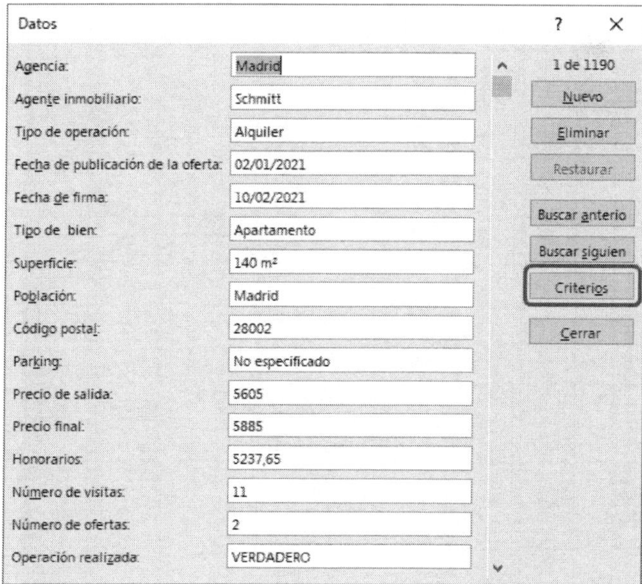

Modificar un dato

El agente Benito le informa de que finalmente no se realizó una venta después de un problema de última hora en la concesión del préstamo. Sabe que la oferta apareció el **15/12/2021**.

- Haga clic en **Criterios** e introduzca **15/12/2021** en el cuadro **Fecha de publicación de la oferta**.

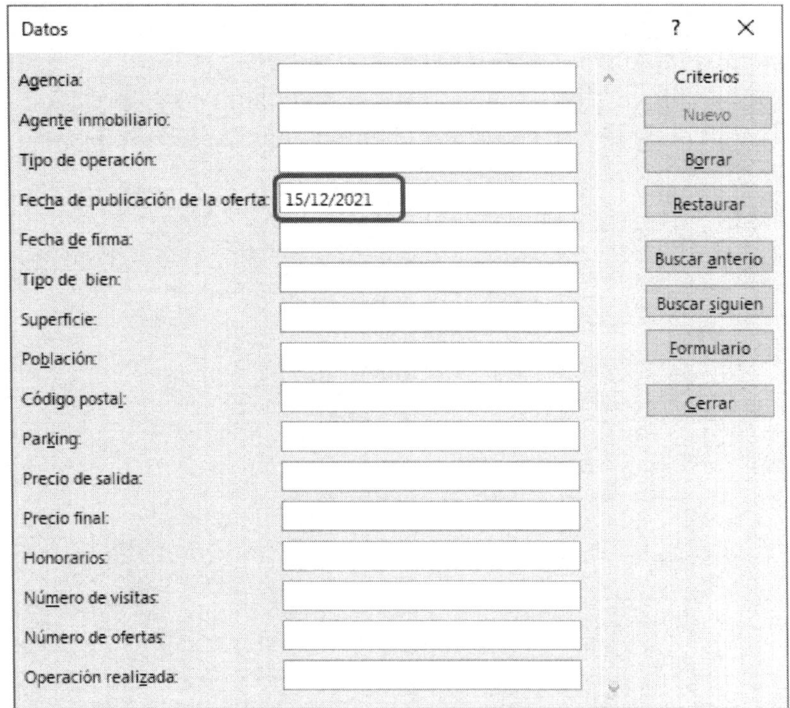

✎ Pulse la tecla ↵ y luego haga clic en los botones **Buscar anterio** y **Buscar siguien** para acceder a la operación realizada por el agente Benito el **15/12/2021**.

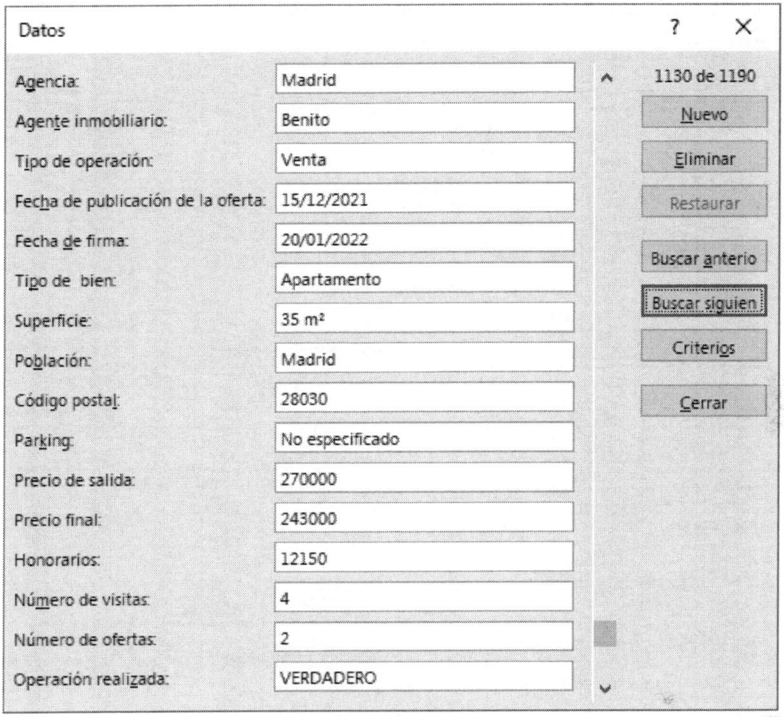

Datos ? ×

Agencia:	Madrid
Agente inmobiliario:	Benito
Tipo de operación:	Venta
Fecha de publicación de la oferta:	15/12/2021
Fecha de firma:	20/01/2022
Tipo de bien:	Apartamento
Superficie:	35 m²
Población:	Madrid
Código postal:	28030
Parking:	No especificado
Precio de salida:	270000
Precio final:	243000
Honorarios:	12150
Número de visitas:	4
Número de ofertas:	2
Operación realizada:	VERDADERO

1130 de 1190

Nuevo

Eliminar

Restaurar

Buscar anterio

Buscar siguien

Criterios

Cerrar

- Cambie el valor del campo **Operación realizada** de **VERDADERO** a **FALSO** y haga clic en **Cerrar**.

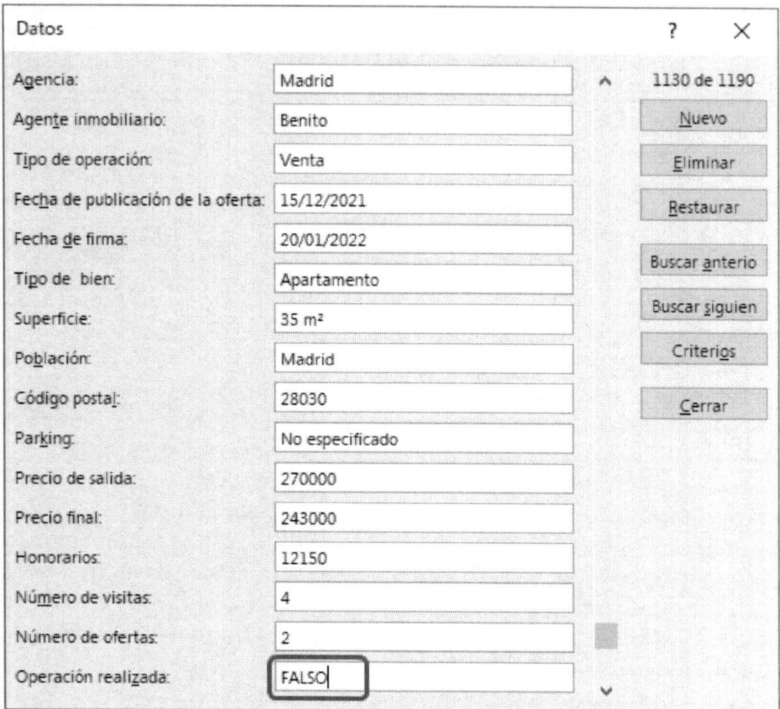

- Compruebe los datos con el valor de la celda **P1130**: ha cambiado a **FALSO**.

Búsqueda de datos

El agente Cruz está buscando una de sus ventas en la que se ha colado un error: el cliente disponía de parking. Recuerda que fue la venta de una villa de más de **350 000 €**. Utilice la herramienta para realizar la búsqueda.

- Vuelva a mostrar el formulario haciendo clic en el botón **Formulario** de la pestaña **Datos**. Aparece el formulario.
- Haga clic en el botón **Criterios**.

✎ Introduzca la información para encontrar estas dos líneas:

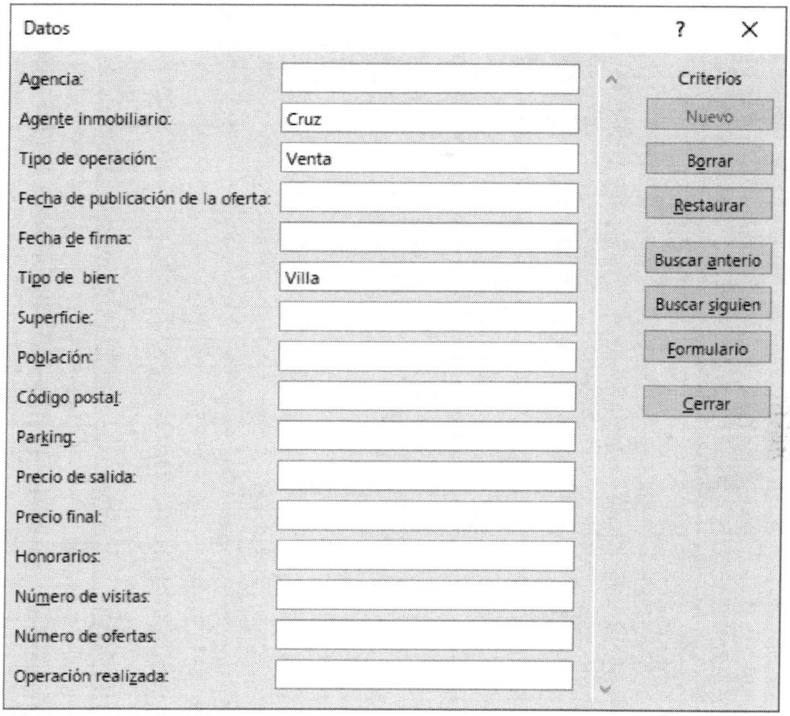

Datos ? X

Agencia:		Criterios
Agente inmobiliario:	Cruz	Nuevo
Tipo de operación:	Venta	Borrar
Fecha de publicación de la oferta:		Restaurar
Fecha de firma:		
Tipo de bien:	Villa	Buscar anterio
Superficie:		Buscar siguien
Población:		Formulario
Código postal:		
Parking:		Cerrar
Precio de salida:		
Precio final:		
Honorarios:		
Número de visitas:		
Número de ofertas:		
Operación realizada:		

- Después de verificar que ha encontrado el registro, cambie el valor del campo **Parking** de **FALSO** a **VERDADERO** y haga clic en el botón **Cerrar**.

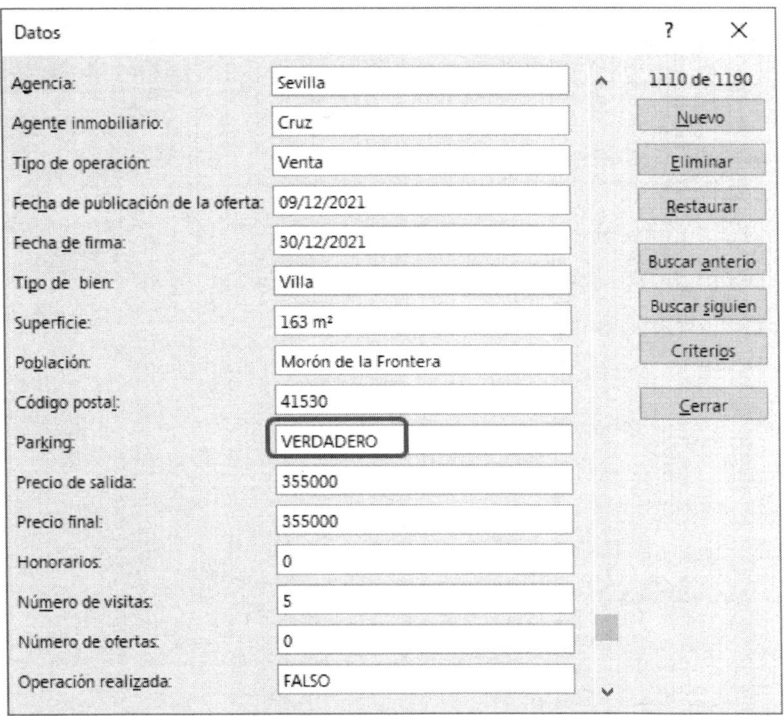

2. Crear una encuesta compartida a través de OneDrive y entregarla

Como el formulario permite introducir datos en local, la encuesta parece satisfacer en todos los puntos la necesidad de compartir el mismo formulario de datos con las agencias. La encuesta permitirá a las agencias tener un enlace web para introducir sus datos, que se consolidarán en el mismo archivo.

Crear una cuenta de OneDrive

✎ Si no lo ha hecho para este curso, cree una cuenta de OneDrive en el sitio: https://onedrive.live.com/

La interfaz de OneDrive aparece así:

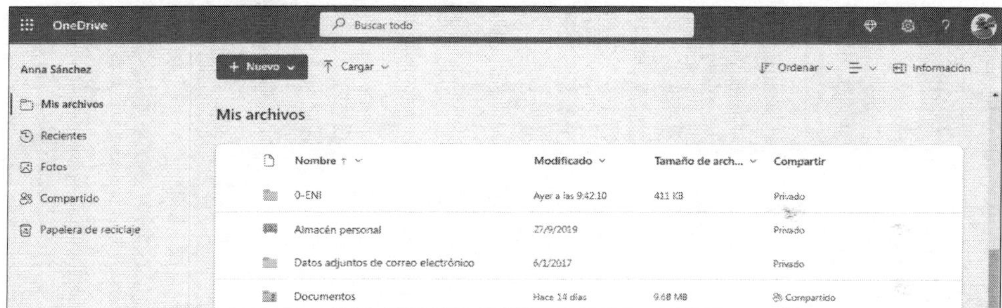

Crear la encuesta

✎ Haga clic en el menú **Nuevo** y elija **Encuesta sobre formularios**:

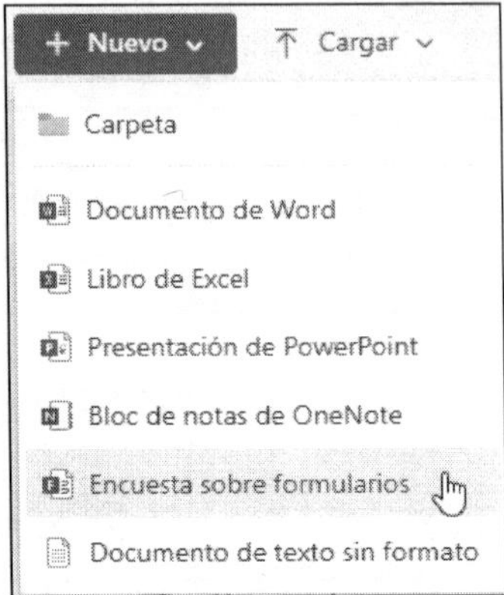

Aparece un formulario sin título que le ofrece crear su encuesta de inmediato.

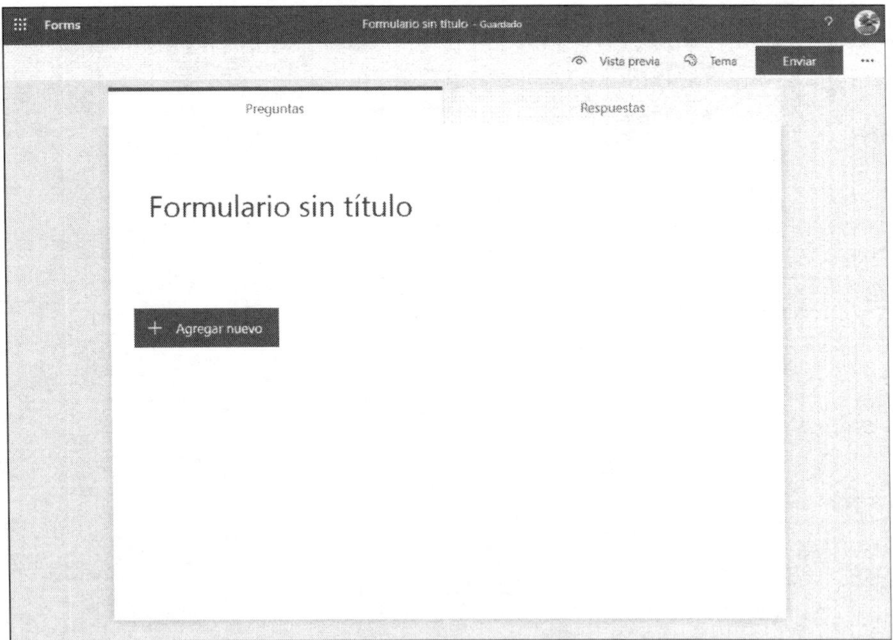

✎ En la pestaña **Preguntas**, comience introduciendo un título para su encuesta. Aquí elegiremos **Operaciones de las agencias**.

✎ A continuación, introduzca la descripción para la encuesta; por ejemplo, **Por favor, introduzca en el formulario siguiente las operaciones realizadas durante su actividad**.

El resultado es el siguiente:

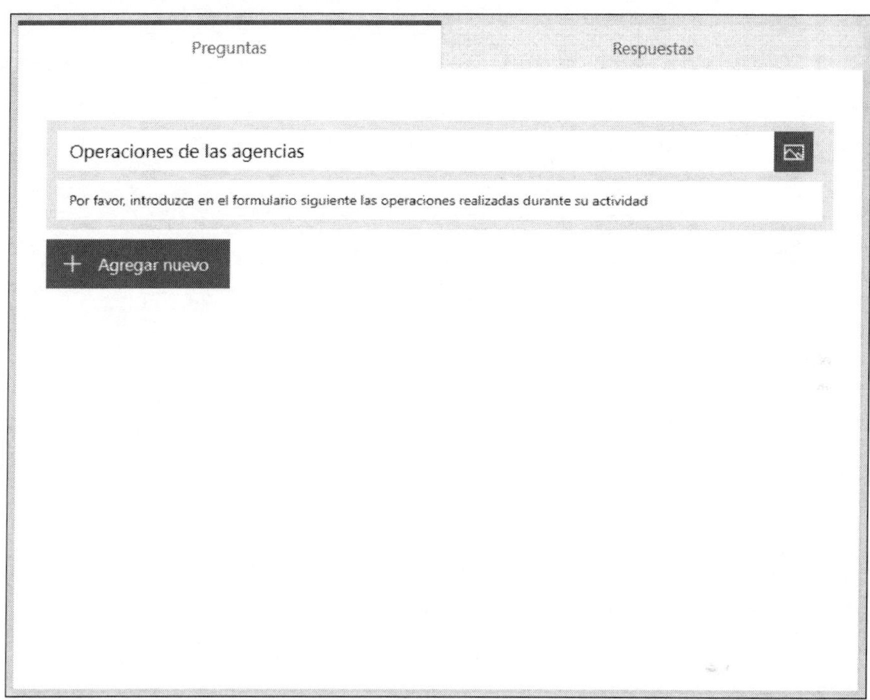

✎ Haga clic en el botón **Agregar nuevo** y, a continuación, en **Opción** para elegir el tipo de pregunta que desea hacer.

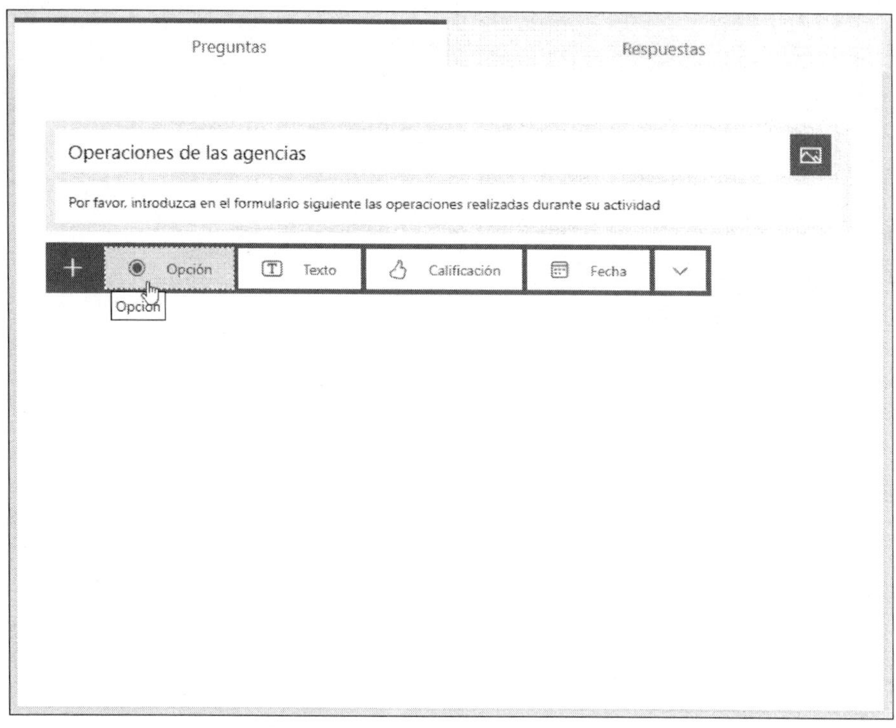

Los detalles de la pregunta de tipo **Opción** se muestran de la siguiente manera:

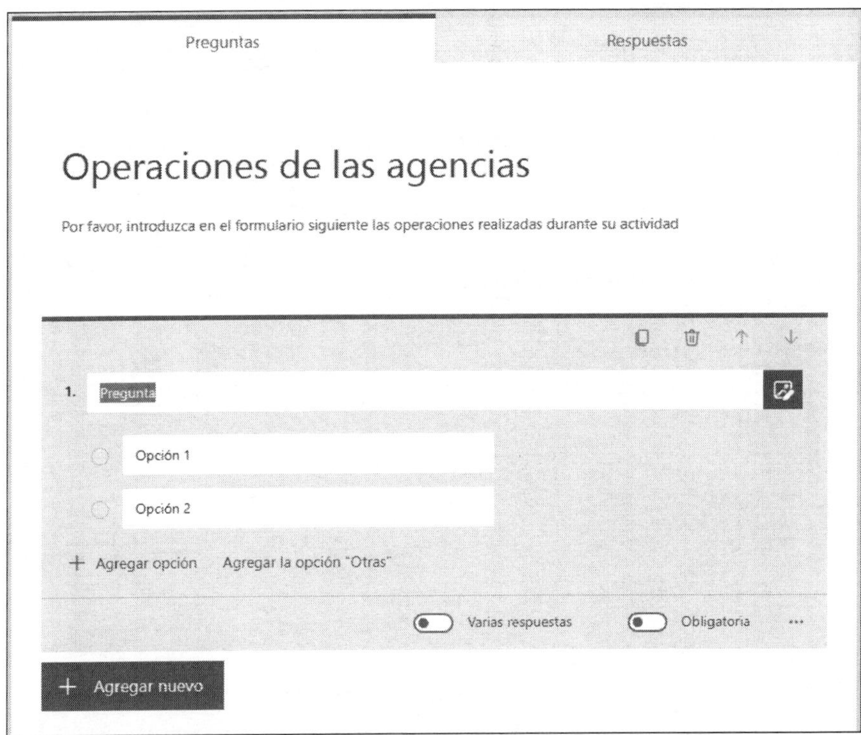

El cuestionario debe estar perfectamente alineado con los datos importados, por lo que la primera pregunta debe ser sobre el nombre de la agencia. De hecho, la respuesta a la pregunta 1 se introducirá en la columna **F** del archivo de Excel.

	A	B	C	D	E	F
1	ID	Hora de inicio	Hora de finalización	Correo electrónico	Nombre	Agencia
2	1	7/10/23 8:32:22	7/10/23 8:37:18	anonymous		Sevilla

- En el cuadro **Pregunta**, escriba **Agencia**. Este término **Agencia** será el título de nuestra columna en el archivo de restitución; por eso es necesario alinearse con la estructura del formato consolidado.

- Haga clic en el botón ..., en la parte inferior derecha, para abrir el menú **Más opciones de configuración por pregunta**.

- Seleccione **Menú desplegable** y **Subtítulo**.

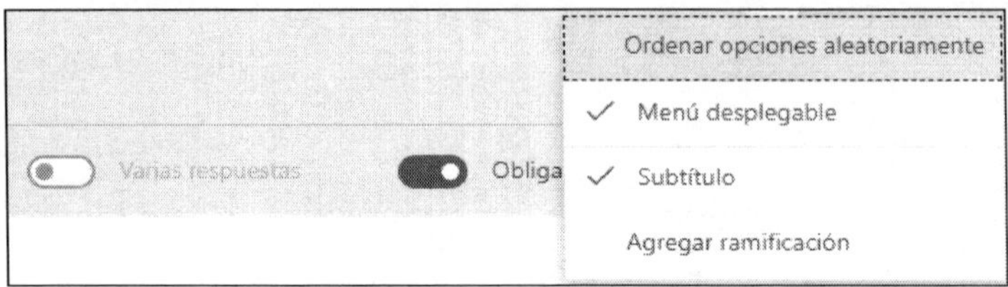

- En el cuadro que hay debajo del título, escriba el subtítulo **¿Cuál es su agencia?**, que corresponde a la pregunta visible para el usuario.
- En los valores esperados, introduzca en la lista los valores **Sevilla** para la **opción 1** y **Madrid** para la **opción 2**.
- Seleccione la casilla de verificación **Obligatoria** para indicar que la respuesta es necesaria.

Al igual que con todos los campos de nuestro cuestionario, no habrá ningún valor predeterminado y todos serán obligatorios (necesarios).

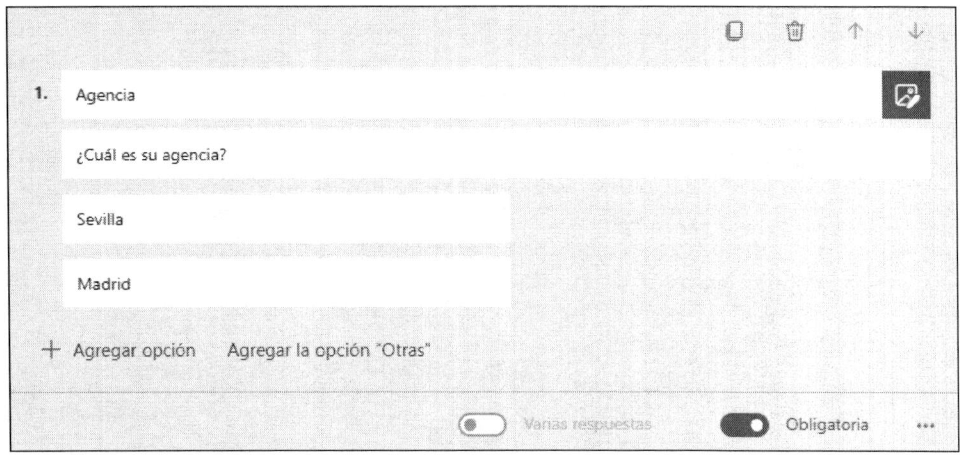

✎ Reproduzca las 16 preguntas del cuestionario como se muestra en la tabla:

Pregunta	Pregunta	Subtítulo de la pregunta	Valor esperado
1	Agencia	¿Cuál es su agencia?	Opción: Sevilla o Madrid 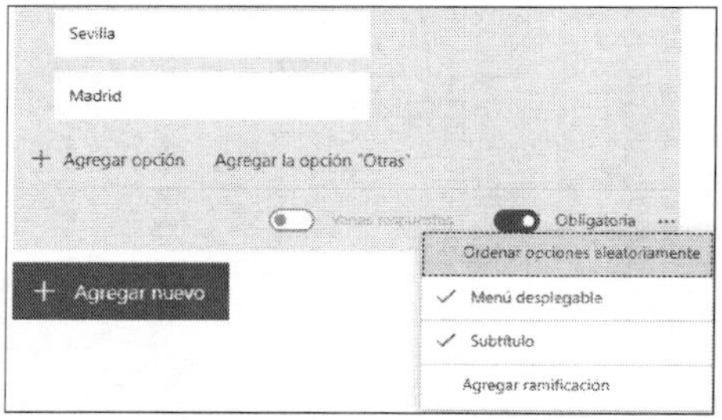 Sevilla Madrid + Agregar opción Agregar la opción "Otras" Obligatoria ... Ordenar opciones aleatoriamente + Agregar nuevo ✓ Menú desplegable ✓ Subtítulo Agregar ramificación
2	Agente inmobiliario	¿Cuál es su apellido?	Mensaje de texto + Opción Texto Calificación Fecha Texto 
3	Tipo de operación	¿Qué tipo de operación ha realizado?	Opción: Venta o Alquiler  Venta Alquiler + Agregar opción Agregar la opción "Otras" Ordenar opciones aleatoriamente ✓ Menú desplegable ✓ Subtítulo + Agregar nuevo Agregar ramificación
4	Fecha de publicación de la oferta	¿Cuándo se publicó la oferta?	Fecha 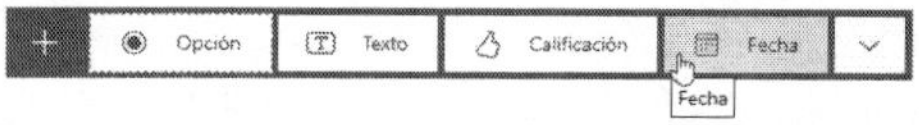 + Opción Texto Calificación Fecha Fecha
5	Fecha de firma	¿En qué fecha se firmó la transacción?	Fecha

Pregunta	Pregunta	Subtítulo de la pregunta	Valor esperado
6	Tipo de bien	¿Qué tipo de propiedad es?	Opción: Casa, Loft, Villa, Apartamento 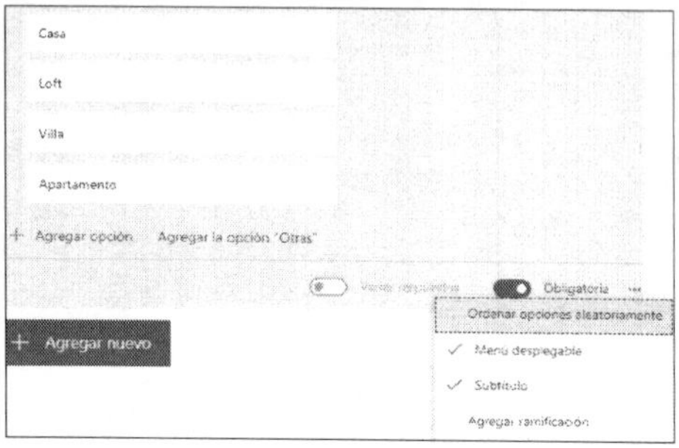
7	Superficie	¿Cuál es la superficie del inmueble?	Texto-Restricción numérica 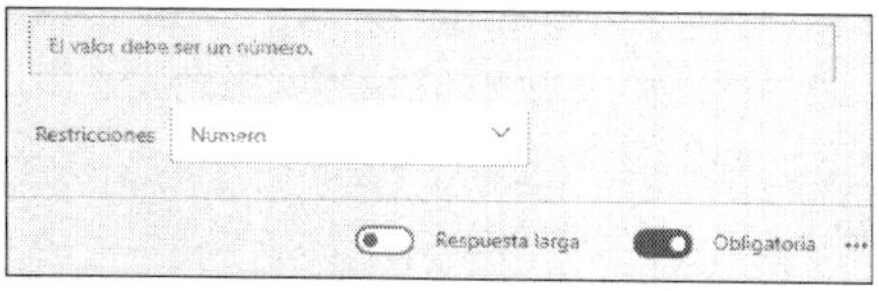
8	Población	¿En qué población está situado el inmueble?	Mensaje de texto
9	Código postal	¿Cuál es el código postal de la población?	Mensaje de texto
10	Parking	¿Se incluye plaza de parking?	Opción: VERDADERO o FALSO 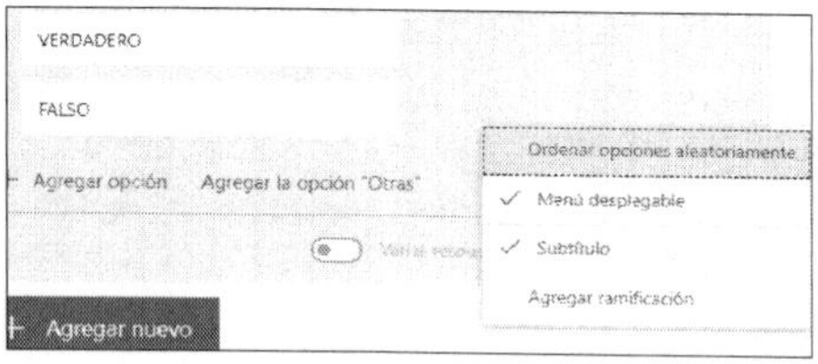

Pregunta	Pregunta	Subtítulo de la pregunta	Valor esperado
11	Precio de salida	¿Con qué precio de salida se publicó la oferta?	Texto - Restricción numérica El valor debe ser un número. Restricciones Número Respuesta larga Obligatoria
12	Precio final	¿Cuál es el precio de la propiedad en el momento de firmar?	Texto - Restricción numérica
13	Honorarios	¿A cuánto asciende el importe de los honorarios?	Texto - Restricción numérica
14	Número de visitas	¿Cuántas visitas se realizaron?	Texto - Restricción numérica
15	Número de ofertas	¿Cuántas ofertas se han recibido?	Texto - Restricción numérica
16	Operación realizada	¿La operación se ha llevado a cabo con éxito?	Opción: VERDADERO o FALSO

La encuesta dispone una opción de SÍ o NO que podría haber sido apropiada para las preguntas relacionadas con el **Parking** *y la* **Operación realizada***. Sin embargo, subsiste un problema en la versión actual: los valores reportados por las opciones SÍ o NO no parecen ser constantes: «Yes/Sí» o «No». Los valores «VERDADERO» y «FALSO» se interpretan sin error en Excel, lo que hace que esta elección sea más adecuada que «SÍ o NO».*

✎ Haga clic en **Vista previa** para generar su encuesta y permitir una primera introducción de datos.

El formulario se muestra de la siguiente manera:

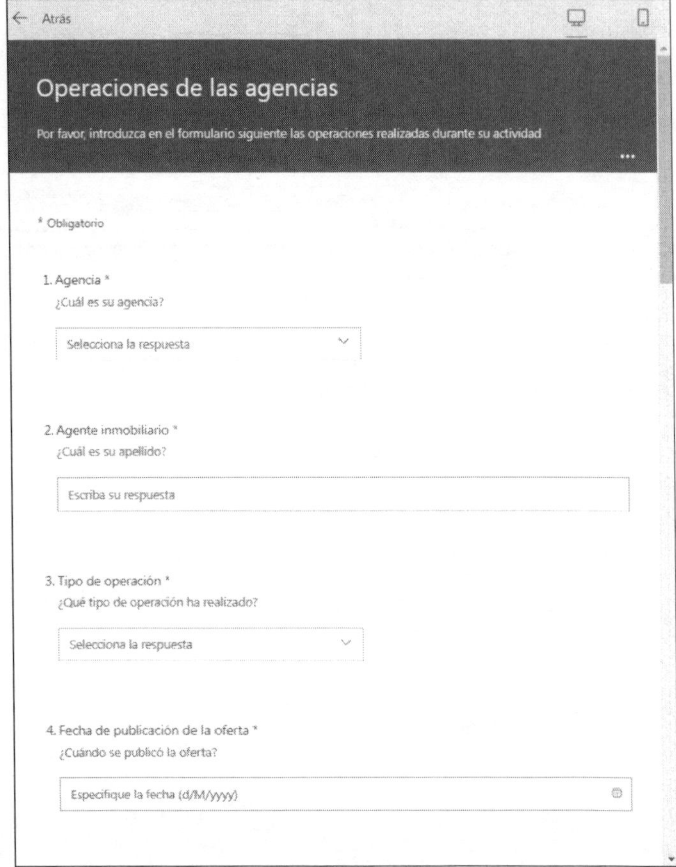

- Rellene el cuestionario de la encuesta una primera vez con valores ficticios. Termine haciendo clic en **Compartir encuesta** para obtener el enlace que le permitirá difundir-la.

- Al final del formulario, haga clic en el botón **Enviar**.

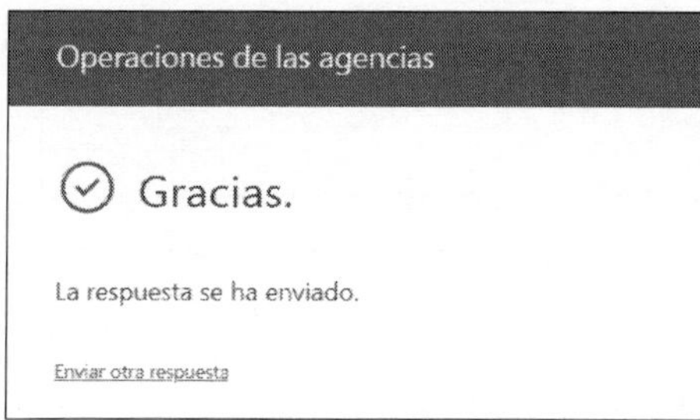

- Haga clic en **Atrás**, en la parte superior izquierda y, a continuación, en **Enviar**, en la parte superior derecha, para obtener el enlace de la encuesta. Ya puede enviarlo a los usuarios de la encuesta.

- Haga clic en **Respuestas** para comprobar que las respuestas se han integrado correctamente en OneDrive.

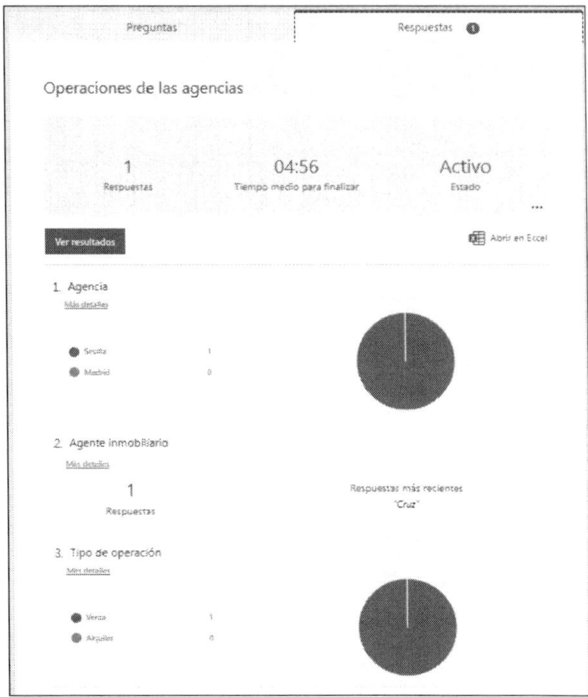

Haga clic en **Abrir en Excel** para exportar la encuesta al formato Excel a fin de constatar esta vez que las respuestas están bien integradas en Excel, y ello, desde la columna F. Las columnas anteriores muestran, en el orden de la columna A a la columna E, el ID (creado por Forms Office), la **Hora de inicio** y la **Hora de finalización**, el **Correo electrónico** y el **Nombre** (que permanecen anónimos).

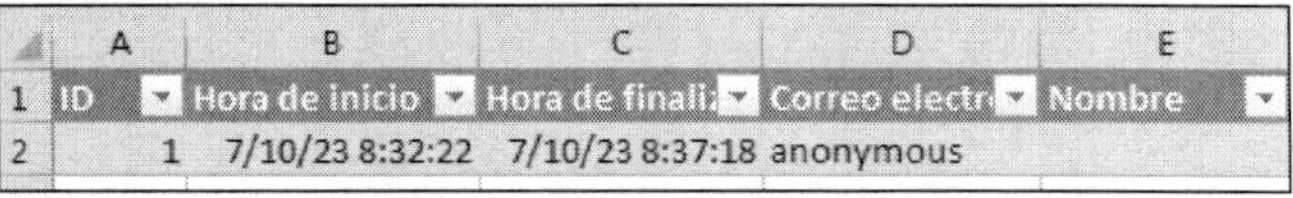

	A	B	C	D	E
1	ID	Hora de inicio	Hora de finali:	Correo electr	Nombre
2	1	7/10/23 8:32:22	7/10/23 8:37:18	anonymous	

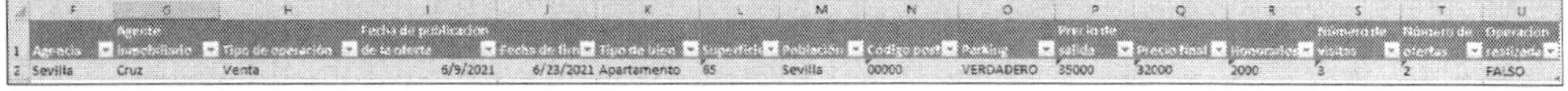

	F	G	H	I	J	K	L	M	N	O	P	Q	R	S	T	U
1	Agencia	Agente inmobiliario	Tipo de operación	Fecha de publicación de la oferta	Fecha de fin	Tipo de bien	Superficie	Población	Código post	Parking	Precio de salida	Precio final	Honorarios	Número de visitas	Número de ofertas	Operación realizada
2	Sevilla	Cruz	Venta	6/9/2021	6/23/2021	Apartamento	65	Sevilla	00000	VERDADERO	35000	32000	2000	3	2	FALSO

3. Enviar un correo electrónico con las estadísticas de ventas a las agencias

Objetivo

El objetivo de esta parte es recuperar los datos mensuales y luego enviar un correo electrónico automático a las agencias.

El usuario puede introducir en la hoja **Configuración** los destinatarios del correo electrónico y el mes elegido. Los datos del mes corresponden a las firmas realizadas durante el mes designado por el usuario.

Se construirá una tabla dinámica para sintetizar los datos de las operaciones realizadas. A continuación, será necesario recuperar los valores de la TD para enviarlos por correo electrónico a los destinatarios. El cuerpo del mensaje debe parecerse a esto:

«Buenos días:

A continuación, indicamos los resultados del mes 3 de 2021:

Alquiler en Madrid: 40

Venta en Madrid: 27

Alquiler en Sevilla: 27

Venta en Sevilla: 13

Un saludo cordial.»

La pestaña **Configuración** tiene cinco áreas clave:

- La celda **A2** cuenta el número de registros de la tabla. Evolucionará a medida que se agreguen datos. La fórmula para contar el número de registros es un CONTAR.SI para toda la columna A con el criterio «diferente de vacío». Debe restar 1 a esta suma para excluir la fila del encabezado: `=CONTAR.SI(Datos!A:A;"<>")-1`.
- Las celdas de la columna **B** contienen las direcciones de correo electrónico de los destinatarios.

- Las celdas C2 y C3 contienen respectivamente el mes y el año por los que filtraremos los datos.
- El botón **Enviar datos a las agencias** se utilizará para generar la TD y enviarla por correo electrónico a los destinatarios.
- Finalmente, la celda H1 será la esquina superior izquierda de la futura TD.

Creación del procedimiento

- Vuelva a Excel y al archivo Enunciado_6-DEF.xlsm.
- Abra el editor de Visual Basic y cree un al módulo nuevo.
- Inicie un procedimiento nuevo: `GenTDMail`.

Si ya existe una TD en el rango H1:O10, debe eliminarse para poder crear otra nueva. Para ello, elimine el contenido de las celdas H1:O10 de la hoja Configuración:

```
'Si ya hay una TD, borrarla
Sheets("Configuración").Select
Range("H1:O10").Select
Selection.Clear
```

- Cree una TD nueva basada en el valor de A2 para averiguar la extensión del rango. Coloque la TD **TD_Mail** en la celda H1.

```
ActiveWorkbook.PivotCaches.Create(SourceType:=xlDatabase,
SourceData:="Datos!R1C1:R" & Cells(2, 1).Value & "C16",
Version:=6).CreatePivotTable TableDestination:="Configuración!R1C8",
TableName:="TD_Mail", DefaultVersion:=6
```

- Agregue el campo **Tipo de bien** como eje en fila y la agencia como columna:

```
    With ActiveSheet.PivotTables("TD_Mail").PivotFields("Tipo de operación")
        .Orientation = xlRowField
        .Position = 1
    End With
    With ActiveSheet.PivotTables("TD_Mail").PivotFields("Agencia")
        .Orientation = xlColumnField
        .Position = 1
    End With
```

- Coloque el campo **Agente inmobiliario** como datos para contar el número de operaciones:

```
 ActiveSheet.PivotTables("TD_Mail").AddDataField
 ActiveSheet.PivotTables("TD_Mail").PivotFields("Agente inmobiliario"),
"Número de operaciones", xlCount
```

- Agregue el campo **Fecha de firma** como filtro de página (`xlPageField`):

```
With ActiveSheet.PivotTables("TD_Mail").PivotFields("Fecha de firma")
        .Orientation = xlPageField
        .Position = 1
    End With
```

El envío de datos mensuales significa que filtraremos los datos en filas que tengan una **Fecha de firma** que coincida con los valores introducidos por el usuario en la hoja **Configuración**. Las celdas **C2** y **C3** de la hoja **Configuración** contienen el mes y el año en los que se basará el filtro, respectivamente.

- Recorra el conjunto de los `PivotItems` del campo **Fecha de firma**. Cada elemento tiene como valor «la fecha de firma» para su propiedad Nombre (**Name**). Recupere esta fecha para extraer el mes y el año. Si el mes y el año recuperados son iguales a los valores de la hoja **Configuración**, la propiedad de visualización `Visible` del elemento se establece en verdadero (`True`); en caso contrario, la propiedad de visualización se establece en falso (`False`).

```
'Permitir que se seleccionen varios ítems en el filtro
ActiveSheet.PivotTables("TD_Mail").PivotFields("Fecha de
firma").EnableMultiplePageItems = True
'Recuperar el mes y el año de la hoja Configuración
Dim MesFiltro, AnyoFiltro As Integer
MesFiltro = ActiveSheet.Cells(2, 3).Value
AnyoFiltro = ActiveSheet.Cells(3, 3).Value
'Recorrer todos los ítems del campo Fecha de firma
Dim ItemFecha as Date
Dim it As Date
For Each it In ActiveSheet.PivotTables("TD_Mail").PivotFields
("Fecha de firma").PivotItems
    'Valor por defecto: visible en verdadero
    it.Visible = True
    'Convertir el nombre del ítem al formato fecha
    ItemFecha = Format(it.Name, "mm/dd/yyyy")
    'Probar si el mes y el año se corresponden con el ítem y los valores
de la hoja. Si no corresponden, pasar el valor de visible a Falso
    If Month(ItemFecha) <> MesFiltro Or Year(ItemFecha) <> AnyoFiltro
Then
        it.Visible = False
    End If
Next
```

Crear el mensaje

Una vez creada la tabla dinámica, los valores deben colocarse en el cuerpo del mensaje que se va a enviar a los destinatarios.

- Agregue la referencia a Microsoft Outlook en las referencias. Haga clic en el menú **Herramientas - Referencias**. Active la casilla **Microsoft Outlook XX Object Library** (XX corresponde a su versión).

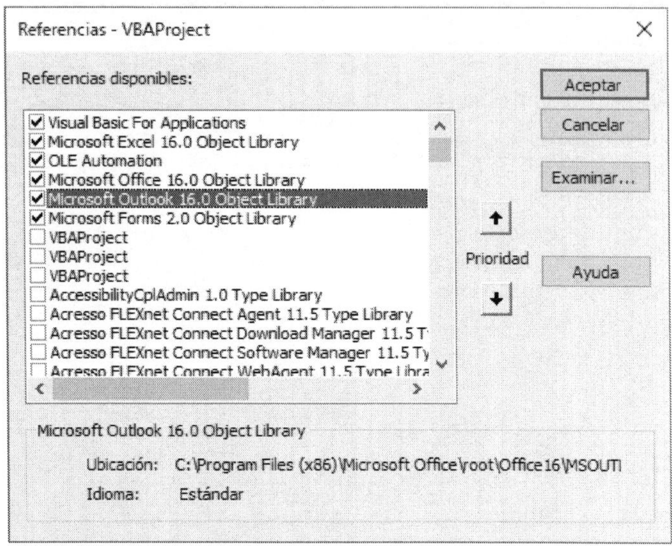

- Abra la aplicación Outlook a través de VBA Excel para trabajar con ella y crear un correo electrónico nuevo.

```
'Crear la variable aplicación Outlook
Dim Email As Outlook.Application
'Crear la variable Mail Outlook
Dim EmailMsg As Outlook.MailItem
'Inicializar el objeto aplicación Outlook
Set Email = CreateObject("Outlook.Application")
'Crear el correo en el objeto aplicación Outlook
Set EmailMsg = Email.CreateItem(olMailItem)
```

- Haga un bucle de tipo `While ... Wend` para agregar los destinatarios. Algunos destinatarios se han establecido de forma predeterminada, pero usted puede agregar libremente destinatarios de su elección para que reciban los mensajes enviados.

```
'Bucle para agregar todos los destinatarios introducidos en la celda
Dim Fila As Integer
Fila = 2
While ActiveSheet.Cells(Fila, 2).Value <> ""
EmailMsg.Recipients.Add ActiveSheet.Cells(Fila, 2).Value
Fila = Fila + 1
Wend
```

- Agregue como título del mensaje **Resultado del mes**:

```
'Agregar un asunto al correo electrónico
EmailMsg.Subject = "Resultado del mes" &MesFiltro&"/"&AnyoFiltro
```

- Recuperar los valores de la TD situados en el rango I5:J6 para insertarlos en el cuerpo del mensaje. Efectúe una concatenación del texto sin formato y de los campos con el operador &. El carácter 13 es el que permite el salto de línea. Inserte `Chr(13)` para cada salto de línea.

```
'Agregar contenido al correo electrónico
EmailMsg.Body = "Buenos días," & Chr(13) & "A continuación, indicamos
los resultados del mes" &mesFilto&"/"&AnyoFiltro&Chr(13)&
"Alquiler en Madrid: " & ActiveSheet.Cells(5, 9).Value & Chr(13) & _
"Venta en Madrid: " & ActiveSheet.Cells(6, 9).Value & Chr(13) & _
"Alquiler en Sevilla: " & ActiveSheet.Cells(5, 10).Value & Chr(13) &_
"Venta en Sevilla: " & ActiveSheet.Cells(6, 10).Value & Chr(13) &
"Un saludo cordial."
```

- Envíe el mensaje.

```
EmailMsg.Send
```

- Destruya las variables para liberar espacio.

```
'Destruir variables
Set EmailMsg = Nothing
Set Email = Nothing
```

- Muestre una ventana emergente (pop-up) para el final del procesamiento.

```
'Mostrar un pop-up informativo
MsgBox "Procesamiento completado"
```

Aquí puede ver el procedimiento completo de `GenTDMail`:

```
Sub GenTDMail()
'Si ya hay una TD, borrarla
Sheets("Configuración").Select
Range("H1:O10").Select
Selection.Clear
'Crear una TD titulada "TD_Mail" en celdas H1 o "R1C8"
ActiveWorkbook.PivotCaches.Create(SourceType:=xlDatabase,
SourceData:="Datos!R1C1:R" & Cells(2, 1).Value & "C16",
Version:=6).CreatePivotTable TableDestination:="Configuración!R1C8",
TableName:="TD_Mail", DefaultVersion:
=6
'Agregar el campo tipo de operación a la fila
With ActiveSheet.PivotTables("TD_Mail").PivotFields("Tipo de operación")
    .Orientation = xlRowField
    .Position = 1
End With
'Agregar el campo Agencia a la columna
With ActiveSheet.PivotTables("TD_Mail").PivotFields("Agencia")
    .Orientation = xlColumnField
    .Position = 1
End With
```

```
'Agregar el número de operaciones
ActiveSheet.PivotTables("TD_Mail").AddDataField
ActiveSheet.PivotTables("TD_Mail").PivotFields("Agente inmobiliario"),
"Número de operaciones", xlCount
'Agregar el campo de filtro de página
With ActiveSheet.PivotTables("TD_Mail").PivotFields("Fecha de firma")
   .Orientation = xlPageField
   .Position = 1
End With
'Permitir que se seleccionen varios ítems en el filtro
ActiveSheet.PivotTables("TD_Mail").PivotFields("Fecha de firma").
EnableMultiplePageItems = True
'Recuperar el mes y el año en la hoja Configuración
Dim MesFiltro, AnyoFiltro As Integer
MesFiltro = ActiveSheet.Cells(2, 3).Value
AnyoFiltro = ActiveSheet.Cells(3, 3).Value
'Recorrer todos los ítems del campo Fecha de firma
Dim ItemFecha As Date
Dim it As Object
For Each it In ActiveSheet.PivotTables("TD_Mail").PivotFields
("Fecha de firma").PivotItems
  'Valor por defecto: visible en verdadero
  it.Visible = True
  'Convertir el nombre del ítem al formato fecha
  ItemFecha = Format(it.Name, "mm/dd/yyyy")
  'Probar si el mes y el año se corresponden con el ítem y los valores
de la hoja. Si no corresponden, pasar el valor de visible a Falso
  If Month(ItemFecha) <> MesFiltro Or Year(ItemFecha) <> AnyoFiltro
Then
         it.Visible = False
    End If
Next

'Crear la variable aplicación Outlook
Dim Email As Outlook.Application
'Crear la variable Mail Outlook
Dim EmailMsg As Outlook.MailItem
'Inicializar el objeto aplicación Outlook
Set Email = CreateObject("Outlook.Application")
'Crear el correo en el objeto aplicación Outlook
Set EmailMsg = Email.CreateItem(olMailItem)
'Bucle para agregar todos los destinatarios introducidos en la celda
Dim Fila As Integer
Fila = 2
     While ActiveSheet.Cells(Fila, 2).Value <> ""
     EmailMsg.Recipients.Add ActiveSheet.Cells(Fila, 2).Value
Fila = Fila + 1
Wend
'Agregar un asunto al correo electrónico
```

```
EmailMsg.Subject = "Resultados del mes " & MesFiltro & "/" & AnyoFiltro
'Agregar contenido al correo electrónico
EmailMsg.Body = "Buenos días," & Chr(13) & "A continuación, indicamos
los resultados del mes" &
MesFiltro & "/" & AnyoFiltro
& Chr(13) & _
"Alquiler en Madrid: " & ActiveSheet.Cells(5, 9).Value & Chr(13) & _
"Venta en Madrid: " & ActiveSheet.Cells(6, 9).Value & Chr(13) & _
"Alquiler en Sevilla: " & ActiveSheet.Cells(5, 10).Value & Chr(13) & _
"Venta en Sevilla: " & ActiveSheet.Cells(6, 10).Value & Chr(13) &
"Un saludo cordial."
EmailMsg.Send
'Destruir variables
Set EmailMsg = Nothing
Set Email = Nothing
'Mostrar un pop-up informativo
MsgBox "Procesamiento completado"
End Sub
```

- Vincule el procedimiento al botón de la hoja **Configuración**. Asegúrese de estar en el **Modo Diseño** y, a continuación, haga clic con el botón derecho en el botón **Enviar datos a las agencias**. Seleccione **Asignar macro**.

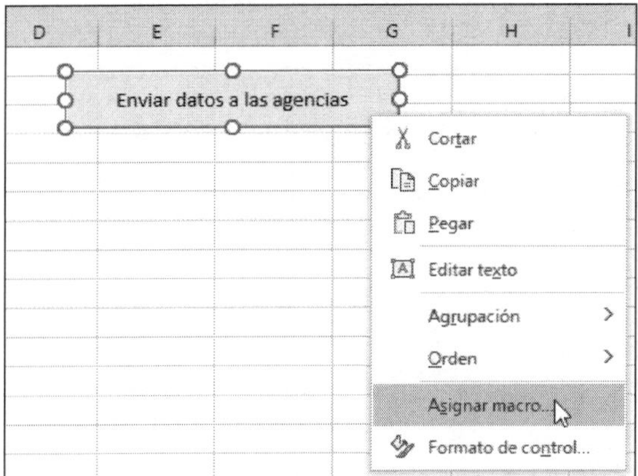

- En la lista de macros, elija la macro **GenTDMail** y haga clic en **Aceptar**.

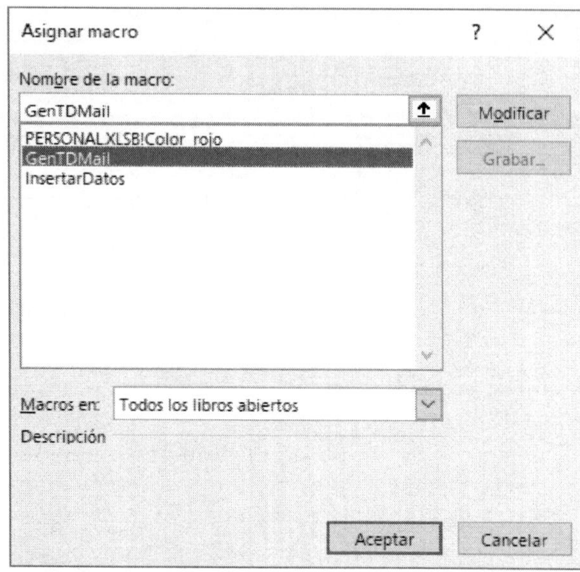

- Para comprobar que se ha enviado el mensaje, vaya a la carpeta **Elementos enviados** de Microsoft Outlook.

A

C

E

F

FORMULARIO

FUNCIÓN

G

GRÁFICO

H

HOJA

L

LISTA DESPLEGABLE

M

O

P

R

T

V

VBA

W